HÉRITAGE

DE LA MÊME AUTEURE

Le Refuge de l'ange, 2008
Si tu m'abandonnes, 2009
La Maison aux souvenirs, 2009
Les Collines de la chance, 2010
Si je te retrouvais, 2011
Un cœur en flammes, 2012
Une femme sous la menace, 2013
Un cœur naufragé, 2014
Le Collectionneur, 2015
Le Menteur, 2016
Obsession, 2017
Le soleil ne se couche jamais, 2017
Un cœur à l'abri, 2018
Fêlures, 2019
La Cachette, 2020

Nora Roberts

HÉRITAGE

Traduit de l'anglais (États-Unis)
par Joëlle Touati

Titre original
Legacy

118, avenue Achille-Peretti – CS 70024
92521 Neuilly-sur-Seine Cedex
www.michel-lafon.com

À mes enfants, leurs enfants,
et tous ceux qui viendront après eux.

PREMIÈRE PARTIE

AMBITIONS

Le pouvoir de faire le bien,
voilà le vrai et le légitime but de l'ambition.
SIR FRANCIS BACON

Chapitre premier

GEORGETOWN

La seule et unique fois où Adrianne Rizzo rencontra son père, celui-ci essaya de la tuer.

À sept ans, elle vivait dans un monde en perpétuel mouvement. Elle habitait New York avec sa mère et Mimi qui leur rendait de nombreux services. Mais souvent, elles partaient toutes les trois pour plusieurs semaines à Los Angeles, Chicago, Miami, ou ailleurs.

Chaque été, Adrianne passait au moins quinze jours chez ses grands-parents, dans le Maryland. Elle adorait s'y rendre, parce qu'ils avaient des chiens, un grand jardin et une balançoire en pneu.

Quand sa mère n'était pas en déplacement, elle allait à l'école à Manhattan, et elle aimait ça, l'école. Elle allait aussi au cours de danse et au cours de gym, et elle aimait encore mieux que l'école !

En voyage, c'était Mimi qui lui faisait les leçons, afin qu'elle ne prenne pas de retard. Mimi lui enseignait aussi des choses sur les villes où elles séjournaient. Par exemple, comme elles étaient cette fois à Washington pour un mois, elles visiteraient la Maison-Blanche et les musées de la Smithsonian Institution.

Parfois, Adrianne travaillait avec sa mère, ce qu'elle aimait par-dessus tout : mémoriser une chorégraphie de cardio, une séance de renforcement musculaire ou un enchaînement de postures de yoga, pour tourner une vidéo.

Elle aimait apprendre, et elle aimait danser.

À cinq ans, elle avait fait un DVD entier de yoga avec sa mère, un programme d'exercices parent-enfant. C'était en son honneur que sa mère avait appelé sa société « Yoga Baby ».

Bientôt, elles en réaliseraient un autre. Très fière, Adrianne attendait ce moment avec impatience. Quand elle aurait dix ans, peut-être, pour cibler cette tranche d'âge.

Sa mère savait tout des tranches d'âge, des segments démographiques, du public visé. Elle n'avait que ces mots à la bouche quand elle parlait avec son agent et ses producteurs. Bien sûr, elle savait aussi beaucoup de choses sur le fitness, la connexion esprit-corps, la nutrition, la méditation.

En revanche, elle ne savait pas cuisiner – en tout cas, pas comme Popi et Nonna, qui tenaient un restaurant. Et elle n'aimait pas jouer, contrairement à Mimi – elle n'avait pas le temps, elle devait se consacrer à sa carrière. Elle avait tout le temps des rendez-vous, des répétitions, des réunions, des apparitions publiques, des interviews.

Adrianne n'avait peut-être que sept ans, mais elle comprenait très bien que Lina Rizzo n'était pas faite pour être maman.

Ce qui était cool, c'est qu'elle ne disait rien si Adrianne jouait avec son maquillage, à condition qu'elle retrouve ensuite chaque chose à sa place. Et elle ne s'énervait jamais si Adrianne se trompait quand elles préparaient une choré.

Adrianne était contente parce que cette fois, au lieu de reprendre l'avion pour New York, quand sa mère aurait terminé son tournage et ses interviews et ses rendez-vous, elles iraient passer un grand week-end chez ses grands-parents.

Elle tenterait peut-être de négocier pour y rester une semaine, mais pour l'instant, assise par terre devant la porte, elle observait sa mère qui répétait un nouvel entraînement.

Lina avait choisi cette villa car elle avait une salle de gym avec des miroirs, critère primordial quand elle louait une maison.

Après une série de squats et de fentes, elle enchaîna avec des montés de genoux, puis des *burpees*. Adrianne connaissait les noms de tous les exercices. Lina s'adressait aux miroirs, comme s'ils étaient ses élèves : elle leur expliquait les mouvements, les encourageait.

Un juron lui échappait parfois ; elle devait alors tout recommencer.

Adrianne la trouvait très belle, aussi belle qu'une princesse, même si elle transpirait et qu'elle n'était pas maquillée, comme personne ne la regardait ni ne la filmait. Elle avait les mêmes yeux verts que Nonna, le visage bronzé – sans jamais s'exposer au soleil – et les cheveux de la même couleur que les marrons chauds de Noël qui sentaient si bon.

Elle était grande, mais pas aussi grande que Popi, et Adrianne espérait qu'elle le serait aussi, quand elle aurait terminé sa croissance.

Aujourd'hui, Lina était en short et brassière de sport, les cheveux attachés par un chouchou. Mais pour les vidéos et les séances publiques, elle ne portait jamais des tenues aussi déshabillées, parce que ce n'était pas classe, disait-elle.

Élevée dans un souci constant de forme physique et mentale, Adrianne voyait bien que sa mère avait une excellente condition, une silhouette tonique et fabuleuse.

En se parlant à elle-même, Lina interrompit ses exercices pour écrire quelque chose sur une feuille : la structure de la vidéo, devina Adrianne. Celle-ci comporterait trois sessions de trente minutes : cardio, renfo, yoga, et en bonus, une séquence express de quinze minutes de Total Body.

En s'emparant d'une serviette pour s'éponger le visage, Lina s'aperçut de la présence de sa fille.

– Ouh… tu m'as fait peur ! Je ne savais pas que tu étais là. Où est Mimi ?

– Dans la cuisine. On mange du poulet avec du riz et des asperges, ce soir.

– Super. Si tu allais l'aider pendant que je prends ma douche ?

– Pourquoi tu es fâchée ?

– Je ne suis pas fâchée.

– Si, tu étais en colère quand tu téléphonais à Harry, tout à l'heure. Tu n'arrêtais pas de crier et de dire que tu ne l'avais jamais dit à personne, et que tu n'avais jamais vu ce journaliste de… un mot qu'il ne faut pas dire.

Lina ôta le chouchou qui lui retenait les cheveux d'un geste agacé, comme lorsqu'elle avait la migraine.

– Tu ne dois pas écouter mes conversations.

– Je n'écoutais pas. J'ai entendu. Tu es fâchée contre Harry ?

Adrianne aimait bien le manager de sa mère. En cachette, il lui offrait des M&M's ou des Skittles, et il racontait toujours des blagues rigolotes.

– Non, je ne suis pas fâchée contre Harry. Va aider Mimi. Dis-lui que je vous rejoins d'ici une demi-heure.

Lina quitta la pièce et Adrianne la suivit du regard, convaincue que sa mère était bel et bien en colère, peut-être pas contre Harry, mais contre quelqu'un d'autre. La preuve, elle avait fait plein d'erreurs pendant son entraînement, et dit plein de gros mots, alors que d'habitude elle ne se trompait jamais.

Ou bien elle avait la migraine. Mimi disait que les soucis donnaient mal à la tête.

Comme elle n'avait pas envie d'aider Mimi à préparer le repas, Adrianne s'avança dans la salle de gym et se posta devant les miroirs. Elle était déjà grande pour son âge, les cheveux bouclés, aussi noirs que ceux de son grand-père – avant, quand il était plus jeune –, attachés aujourd'hui avec un joli chouchou vert. Ses yeux avaient trop de doré pour être d'un vert aussi pur que ceux de sa mère, mais elle gardait l'espoir qu'ils changent un jour.

En short rose et tee-shirt à fleurs, elle prit la pose, puis exécuta une petite chorégraphie sur un air qu'elle avait dans la tête.

À New York, elle adorait les cours de danse et de gym. Là, elle s'imaginait être la prof. Elle tournoyait, jetait des *kicks*, puis elle fit une roue, un grand écart. *Cross-step*, mambo et… saute ! Pendant une vingtaine de minutes, elle s'amusa à improviser. Les dernières vingt minutes d'innocence de sa vie.

Car tout à coup, on sonna à la porte. Avec insistance, énervement. Un son qu'Adrianne n'oublierait jamais.

Elle n'avait pas le droit d'ouvrir la porte. Mais elle pouvait au moins descendre pour voir qui c'était. Mimi sortit de la cuisine en s'essuyant les mains avec un torchon rouge.

– C'est bon, j'arrive ! cria-t-elle. Il y a le feu ?

Les yeux au ciel, elle coinça le torchon dans la ceinture de son pantalon.

– Deux secondes, j'arrive !

Malgré sa petite taille, Mimi avait une voix puissante. Adrianne savait qu'elle avait le même âge que sa mère, puisqu'elles s'étaient connues à l'université.

– Vous avez un problème, ou quoi ? grommela-t-elle en tournant les verrous, avec le même air agacé que lorsque Adrianne n'avait pas rangé sa chambre.

La peur se peignit soudain sur son visage, et tout se passa très vite. Elle tenta de refermer la porte. Un homme la bouscula et entra dans le vestibule. Un homme qui la dominait de toute sa hauteur, avec une petite barbe grisonnante, les cheveux blonds aux tempes blanchissantes, les joues aussi rouges que s'il revenait d'un jogging. Adrianne se figea, effrayée, quand il poussa Mimi d'un geste brusque.

– Où elle est ? aboya-t-il.

– Elle n'est pas là. Vous n'avez rien à faire ici. Allez-vous-en, Jon, ou j'appelle la police.

Il empoigna le bras de Mimi et la secoua.

– Tu mens, salope ! Où elle est ? Elle croit qu'elle peut raconter n'importe quoi, ruiner ma vie, et s'en tirer comme ça ?

– Lâchez-moi. Vous êtes soûl…

Elle tenta de se libérer, il la gifla. La claque résonna comme un coup de feu dans la tête d'Adrianne.

– Laissez-la ! hurla la petite en s'élançant vers eux.

– Adrianne, remonte vite dans ta chambre !

Furieuse, la fillette serra les poings.

– Il faut qu'il s'en aille !

L'homme la toisa d'un regard méprisant.

– Et c'est pour ça qu'elle a foutu ma vie en l'air ? Cette gosse ne me ressemble pas du tout. Elle s'est fait engrosser en faisant la pute, et elle voudrait faire croire que cette môme est de moi, maintenant, la garce…

– Adrianne, monte vite ! Dépêche-toi !

Mimi semblait terrifiée.

– Elle est en haut, l'autre pouffiasse ? Tu me racontes des conneries, hein… Eh ben voilà ce que t'as gagné !

Il lui décocha un coup de poing dans le visage, et un deuxième. Mimi s'effondra contre le mur, et la peur s'empara d'Adrianne. Au secours. Il fallait appeler au secours. La petite se rua dans l'escalier, mais il la rattrapa, l'empoigna par les cheveux et lui tira la tête en arrière. Elle hurla de douleur en appelant sa mère.

– C'est ça, appelle ta maman, maugréa-t-il en la giflant. Appelle-la, j'ai deux mots à lui dire, à ta salope de mère…

Adrianne avait la joue en feu. En la tenant toujours par les cheveux, il monta avec elle à l'étage. Alertée par les cris, Lina apparut sur le seuil de sa chambre, en peignoir de bain, les cheveux mouillés.

– Adrianne, qu'est-ce que tu…

Elle s'immobilisa, les yeux rivés sur ceux de l'homme.

– Lâche-la, Jon. Lâche-la, s'il te plaît, qu'on puisse parler en tête à tête.

– Tu as assez parlé, salope. Tu as ruiné ma vie.

– Ce n'est pas moi qui ai parlé au journaliste. Je n'ai jamais parlé de toi à personne. Je n'y suis pour rien dans cette histoire.

– Tu mens ! rugit-il en tirant les cheveux d'Adrianne, si fort qu'elle crut que son crâne s'enflammait.

Lina s'avança vers eux, très calme, très posée.

– Lâche-la, s'il te plaît, si tu veux qu'on discute. Je peux tout arranger.

– Trop tard, connasse. Le mal est fait. J'ai été viré de la fac ce matin. Ma femme est mortifiée. Mes gosses n'arrêtent pas de chialer. Je ne crois pas une seule seconde que cette petite pute est de moi. Qu'est-ce que tu es venue foutre à Washington ? Tu voulais te venger ?

– Non, Jon, je suis là pour mon travail. Je n'ai pas parlé à ce journaliste. Ça remonte à huit ans, Jon. Dans quel intérêt aurais-je fait une chose pareille ? Tu fais mal à ma fille. Laisse-la.

Adrianne sentait le gel douche à la fleur d'oranger de sa mère, malgré la forte odeur de transpiration et d'alcool que dégageait cet homme.

– Il a tapé Mimi. Il lui a donné un coup de poing et elle est tombée.

– Quoi ?! s'écria Lina, et elle se pencha par-dessus la rampe de l'escalier.

En bas, le visage en sang, Mimi se cachait derrière le canapé. Lina fit volte-face vers Jon.

– Tu as déjà blessé quelqu'un, ça suffit. On va…

– C'est moi qui suis blessé, pouffiasse !

– Je suis navrée de ce qui t'arrive, Jon, mais…

– C'est ma famille qui est blessée ! Tu veux la voir souffrir, ta petite bâtarde ?

D'un geste rageur, il jeta Adrianne dans l'escalier. Un instant, bref et horrible, elle eut la sensation de voler. Puis sa tête heurta une marche, et elle se tordit le bras. Une douleur fulgurante se propagea de son poignet jusque dans son épaule. Elle vit l'homme se ruer sur sa mère et la frapper, mais Lina riposta à coups de poing et de pied.

Adrianne aurait voulu se boucher les oreilles pour ne pas entendre ces bruits affreux, mais elle ne pouvait pas bouger. En tremblant de tous ses membres, elle se roula en boule. Sa mère lui cria de s'enfuir. Impossible.

L'homme referma les mains autour du cou de Lina et la secoua. Elle lui asséna un coup de poing dans le visage, comme il l'avait fait à Mimi.

Du sang partout. Lina était en sang. Cet homme était en sang. Ils s'étreignaient, comme enlacés, avec hargne et brutalité. Lina lui écrasa le pied, puis lui donna un coup de genou dans l'entrejambe. Il la lâcha en titubant. Elle le poussa. Il chancela et recula. Jusqu'à la balustrade. Et passa par-dessus.

Adrianne le vit battre des bras dans sa chute. Puis s'écraser sur la console décorée de bougies et d'un bouquet de fleurs. Elle entendit des bruits atroces. Elle vit du sang qui coulait de sa tête, de son nez, de ses oreilles. Elle vit…

Sa mère la prit dans ses bras, la souleva et lui plaqua le visage contre sa poitrine.

– Ne regarde pas, ma chérie. Ça va aller.

– J'ai mal.

– Je sais, murmura Lina en lui caressant le poignet. On va s'en occuper. Mimi… Oh, Mimi…

– La police arrive, annonça celle-ci en gravissant les marches de l'escalier, un œil tuméfié à moitié fermé. La police et le samu, précisa-t-elle.

Et elle s'assit aux côtés de Lina et d'Adrianne, les serra toutes les deux dans ses bras et, par-dessus la tête de la fillette, elle articula en silence : « Il est mort ».

Adrianne n'oublierait jamais cette douleur, ni les yeux bleus de l'infirmier qui diagnostiqua une fracture en bois vert et la stabilisa, ni la douceur de sa voix quand il braqua une petite lumière dans ses pupilles en lui demandant combien de doigts il montrait.

Elle se souviendrait toujours des sirènes et des policiers en uniforme bleu marine.

Tout le reste, en revanche, se déroula dans un grand flou.

Mimi, Lina et Adrianne se réfugièrent dans le petit salon de l'étage, qui donnait sur le jardin arrière et le petit étang aux carpes japonaises. On emmena Mimi à l'hôpital. La police posa des questions à Lina. Elle indiqua que cet homme s'appelait Jonathan Bennett et enseignait la littérature à l'université de Georgetown. Tout du moins, à l'époque où elle était étudiante.

Puis arrivèrent un monsieur et une dame. Un monsieur très grand avec une cravate beige et la peau couleur chocolat, les dents très blanches. Et une dame rousse avec plein de taches de rousseur, les cheveux très courts. Ils montrèrent leur insigne, comme dans les séries policières, à la télé.

– Madame Rizzo… Inspectrice Riley, se présenta celle-ci en reclippant son badge au passant de son ceinturon. Et voici mon collègue, l'inspecteur Cannon. Nous savons que c'est difficile, mais nous devons vous interroger, vous et votre fille. Adrianne, c'est ça ? demanda-t-elle à la fillette en lui souriant.

Celle-ci fit oui de la tête.

– Vous voulez bien que j'aille parler un moment avec votre fille dans sa chambre, pendant que vous vous entretiendrez ici avec mon collègue ?

– Ce sera plus rapide comme ça ? On a emmené mon amie à l'hôpital, la nounou de ma fille. Nez cassé, commotion cérébrale. D'après les ambulanciers, Adrianne a une fracture au poignet, et elle s'est cogné la tête.

– Vous êtes vous-même bien amochée… souligna Cannon.

Lina haussa les épaules, et ce simple geste lui arracha un rictus de douleur.

– Bah, quelques côtes fêlées… Ça passera. Il s'est acharné sur mon visage… Ça passera aussi.

– Si vous le souhaitez, nous pouvons vous conduire à l'hôpital. Nous vous interrogerons quand vous aurez vu un médecin.

– Non… Je préfère… que vous en finissiez d'abord en bas…

– Je comprends, opina Riley. Tu me montres ta chambre, Adrianne ?

La petite se leva, son bras en écharpe contre sa poitrine.

– Je ne veux pas que ma maman aille en prison.

– Ne dis pas de bêtises, Adrianne.

Ignorant sa mère, la fillette regarda Riley droit dans les yeux. L'inspectrice avait de beaux yeux verts, mais pas aussi verts que ceux de sa mère.

– Je ne veux pas que maman aille en prison, répéta-t-elle. Je ne vous laisserai pas l'emmener en prison !

– Ne t'inquiète pas. Je voudrais juste te parler cinq minutes, d'accord ? Ta chambre est par là ?

– Deuxième porte à droite, indiqua Lina. Va avec la dame, Adrianne. Ensuite, on ira voir Mimi. Ne te fais pas de souci.

La fillette précéda l'inspectrice jusqu'à une chambre décorée dans les tons de rose et vert tendres. Un gros chien en peluche trônait sur le lit.

– Tu as une jolie chambre, très bien rangée.

– Je l'ai rangée ce matin, pour qu'on aille voir les cerisiers en fleur et manger un *sundae*, expliqua Adrianne, et une grimace de douleur lui déforma les traits. Il ne faut pas le dire à ma maman, pour le *sundae*. Normalement, c'était une glace au yaourt.

– Ce sera notre secret. Ta mère est très stricte sur l'alimentation ?

– Des fois, oui. Est-ce que Mimi va mourir ? demanda Adrianne, les larmes aux yeux.

– Non, elle est blessée, mais ce n'est pas très grave, on va la soigner. Asseyons-nous…

Riley prit place sur le bord du lit et caressa le chien en peluche.

– Comment s'appelle-t-il ?

– Barkley. C'est Harry qui me l'a offert pour Noël. On ne peut pas prendre un vrai chien parce qu'on habite à New York et qu'on voyage beaucoup.

– Il a l'air très gentil. Tu peux nous raconter, à Barkley et à moi, ce qui s'est passé tout à l'heure ?

Comme si on avait ouvert les vannes d'un barrage, la question libéra un torrent de paroles.

– Il a sonné à la porte, il n'arrêtait pas de sonner, alors je suis allée voir. Je n'ai pas le droit d'ouvrir, alors j'ai attendu Mimi. Elle était dans la cuisine. Quand elle a ouvert la porte et qu'elle l'a vu, elle a essayé de refermer, mais il est rentré, très vite, et il l'a poussée, il a failli la faire tomber.

– Tu connaissais ce monsieur ?

– Non, mais Mimi, elle le connaissait. Elle savait qu'il s'appelait Jon. Elle lui a dit de s'en aller. Il était en colère, il criait, il disait des gros mots, comme… Normalement, je n'ai pas le droit de les dire…

– Je vois le genre, acquiesça Riley sans cesser de caresser Bradley, comme s'il s'agissait d'un vrai chien.

– Il voulait voir ma maman. Mimi a dit qu'elle n'était pas là mais en vérité, elle était là. Elle prenait sa douche, en haut. Il n'arrêtait pas de crier. Il l'a giflée. Il l'a frappée. Ce n'est pas bien de taper. Il ne faut pas taper les gens.

– Bien sûr que non.

– Je lui ai dit de ne pas faire de mal à Mimi. Il m'a regardée méchamment. Il ne m'avait pas encore vue. Il me faisait peur, comme il me regardait. Mais je ne voulais pas qu'il fasse mal à Mimi, j'étais en colère. Mimi m'a dit de monter dans ma chambre. Il lui a donné un coup de poing.

Adrianne serra les siens, les yeux noyés de larmes.

– Elle saignait, elle est tombée, je suis vite montée pour appeler maman. Il m'a attrapée par les cheveux, et il m'a tirée par les cheveux dans l'escalier.

– Tu veux qu'on fasse une pause, ma puce ? Tu m'expliqueras la suite après…

– Non, non. Maman est arrivée en courant, elle l'a vu et elle lui a dit de me lâcher mais il ne voulait pas. Il n'arrêtait pas de dire qu'elle avait ruiné sa vie, et il disait plein de très vilains mots. Maman, elle disait qu'elle n'avait rien dit, qu'elle arrangerait tout, mais qu'il devait me laisser tranquille. Il me faisait mal, il disait des gros mots et, et… et il m'a jetée.

– Jetée ?

– Dans l'escalier. Je me suis tordu le bras et je me suis cogné la tête, mais heureusement je ne suis pas tombée jusqu'en bas. Juste une ou deux marches. Maman a crié et elle l'a attaqué. Il lui a donné un coup de poing dans la figure et il l'a attrapée… comme ça…

Adrianne mima le geste de l'étranglement.

– Je ne pouvais pas bouger, il la frappait, mais elle aussi, elle le tapait, elle lui donnait des coups de pied et des coups de poing. Ils se sont battus et puis… et puis il est tombé par-dessus la barrière. Mais c'est sa faute.

– OK.

– Mimi est montée nous rejoindre et elle nous a prises dans ses bras et elle a dit que la police allait venir. Tout le monde avait du sang. Personne ne m'avait jamais tapée avant lui. Je le déteste, je ne veux pas d'un père comme lui.

– Comment sais-tu que c'était ton père ?

– Il l'a dit, j'ai bien compris. Il est professeur à l'université où ma maman a étudié. Elle m'a raconté qu'elle avait rencontré mon papa à l'université. (Adrianne haussa les épaules.) Je ne suis pas bête, j'ai bien compris. Il sentait mauvais, il était méchant, il a frappé tout le monde. C'est pour ça qu'il est tombé.

Riley l'enlaça par les épaules. Elle ne doutait pas une seconde de la sincérité de cette enfant.

Mimi resta la nuit à l'hôpital. Lina lui apporta des fleurs, les plus jolies de la boutique de l'hôpital. Adrianne passa la première radiographie de sa vie, puis on lui annonça qu'elle serait plâtrée quand son bras aurait désenflé.

Lina ne tenta même pas de terminer les plats préparés par Mimi ; elle commanda une pizza.

Sa fille l'avait bien méritée, comme elle-même méritait un grand verre de vin. Elle avait des millions de coups de téléphone à donner, mais elle devait d'abord se ressaisir, tout le reste attendrait.

Elles mangèrent dans le jardin. Adrianne, tout du moins. Sa mère grignota à peine, tout en buvant son verre de vin.

Peut-être faisait-il un peu froid pour dîner dehors, et sans doute était-il beaucoup trop tard pour laisser une enfant se gaver de pizza… Mais une mauvaise journée était une mauvaise journée.

Lina espérait que sa fille s'endormirait facilement, car elle devait bien s'avouer qu'elle ne savait pas grand-chose du rituel du coucher. D'ordinaire, c'était Mimi qui s'en chargeait. Un bain moussant, peut-être ? À condition de ne pas mouiller le plâtre provisoire…

À la pensée que cette fracture n'était qu'un moindre mal, elle faillit se resservir un verre de vin. Mais résista. Lina était la reine de la discipline.

– Pourquoi tu as fait un bébé avec lui ?

Elle leva les yeux et rencontra le regard de sa fille.

– J'étais jeune et bête. Mais je ne regrette rien. Je suis contente que tu sois là aujourd'hui. De toute façon, ce qui est fait est fait, on n'y peut rien. Mieux vaut se concentrer sur le présent et l'avenir.

– Il était gentil, quand tu étais jeune ?

Lina eut un petit rire, qui lui provoqua une douleur dans les côtes. Que dire à une enfant de sept ans ?

– Je croyais qu'il l'était.

– Il te tapait ?

– Il ne m'a frappée qu'une fois, une de trop, la dernière. Je ne l'ai plus jamais revu. Un homme violent ne l'est pas qu'une seule fois.

– Tu m'avais dit que tu l'aimais, mon papa, mais qu'il ne voulait pas de nous, alors il ne méritait pas qu'on pense à lui.

– Je *croyais* que je l'aimais. C'est ce que j'aurais dû te dire. Je n'avais que vingt ans… Il était plus âgé, bel homme, charmeur, intelligent. Un jeune professeur. Je suis tombée amoureuse de celui que je croyais qu'il était. Mais je ne pensais plus à lui depuis longtemps, en effet.

– Pourquoi il était en colère aujourd'hui ?

– Parce qu'un journaliste a écrit un article sur nous. Je ne sais pas comment il a su que tu étais sa fille. Je ne sais pas qui le lui dit, mais ce n'est pas moi, en tout cas.

– Parce que tu ne pensais plus à lui.

– Exactement.

Que dire à une enfant de sept ans ? s'interrogea à nouveau Lina. Ne rien cacher, peut-être, dans ces circonstances.

– Il était marié. Il avait une femme, deux enfants. Je ne le savais pas, il m'avait menti. Je croyais qu'il était en instance de divorce.

Vraiment ? se demanda-t-elle. Difficile de se souvenir…

– Ou peut-être que j'avais juste envie de le croire. Il avait un petit appartement près de la fac, je croyais qu'il vivait seul. Plus tard, j'ai appris que je n'étais pas la seule à qui il avait menti. Quand j'ai découvert la vérité, j'ai rompu. Ça ne l'a pas trop affecté.

Il avait tout de même hurlé, et esquissé des gestes menaçants.

– Et puis je me suis rendu compte que j'étais enceinte. Trop tard, beaucoup trop tard, j'aurais dû m'en apercevoir plus tôt. J'ai voulu le lui dire. C'est là qu'il m'a frappée. Il n'était même pas soûl comme aujourd'hui.

Il avait bu, se remémora-t-elle, mais il n'était pas ivre.

– Je lui ai dit que je ne lui réclamerais rien, et que je ne révélerais à personne qu'il était le père de mon enfant, que je ne voulais pas m'infliger cette humiliation. Et je suis partie.

Lina passa sous silence les menaces qu'il avait promis de mettre à exécution si elle ne se faisait pas avorter.

– J'ai terminé le semestre, passé mon diplôme, et je suis rentrée chez mes parents. Popi et Nonna ont été très gentils, ils m'ont beaucoup aidée. Tu connais la suite : les cours de gym en vidéo pour les femmes enceintes quand tu étais dans mon ventre, puis les entraînements pour les mamans et les enfants.

– Yoga Baby. Mais… en vrai… il a toujours été méchant. Ça veut dire que je serai méchante, moi aussi ?

Seigneur… Qu'il était difficile d'être parent… Lina se demanda comment sa mère répondrait à pareille question…

– Tu as l'impression d'être méchante ?

– Des fois, je me mets en colère.

– Je ne te le fais pas dire, répliqua Lina en souriant. La méchanceté est un choix, je crois, et toi, tu ne fais jamais exprès d'être méchante. Il avait raison, en disant que tu ne lui ressembles pas. Tu tiens davantage des Rizzo.

Lina se pencha par-dessus la table et saisit la main de sa fille. Cette conversation était peut-être trop adulte, mais elle avait fait de son mieux.

– Il ne compte pas, Adrianne, il n'a que l'importance qu'on lui accorde. Alors, ne lui en accordons pas.

– Tu vas aller en prison ?

Lina porta son verre de vin à ses lèvres.

– Tu as dit à la police que tu les empêcherais de me mettre en prison, tu te rappelles ?

En voyant la panique se peindre sur les traits d'Adrianne, elle exerça une pression sur sa main.

– Je plaisante, ma chérie. La police comprendra ce qui s'est passé. Tu as bien dit la vérité à l'inspectrice ?

– Oui, je te le promets.

– Moi aussi, Mimi aussi. Ne pense plus à cette histoire. Bien qu'il y ait de fortes chances pour qu'on en entende encore parler. Il faut que j'appelle Harry. Il m'aidera à gérer la situation.

– On ira quand même chez Popi et Nonna ?

– Oui, quand Mimi ira mieux, que tu auras ton vrai plâtre, et que j'aurai réglé certaines choses.

– C'est-à-dire quand ? Bientôt ?

– Dès que possible. Dans quelques jours, peut-être.

– Bientôt, alors. Dans quelques jours, tout ira mieux.

Lina en doutait fortement.

– Oui, ma chérie, acquiesça-t-elle néanmoins en terminant son verre.

Chapitre 2

La carrière de Lina prenait ses racines dans sa grossesse non désirée. En quelques mois, la jeune étudiante était devenue coach sportive dans le monde du fitness en vidéo.

Les premières pousses avaient mis du temps à germer, mais sa détermination, sa persévérance et son sens des affaires avaient fini par porter leurs fruits.

Lorsque Jon Bennett s'invita chez elle par la force, Yoga Baby générait des bénéfices de plus de deux millions de dollars, en streaming, DVD, apparitions personnelles et droits d'auteur sur un livre – sans parler d'un deuxième à paraître.

Lina était jeune et jolie, intelligente et pleine d'esprit, ses émissions de gym matinales enregistraient de fortes audiences. Souvent conviée sur le plateau des talk-shows, elle écrivait des articles pour des magazines de fitness et posait pour les photos illustrant ses exercices.

Séduisante, svelte et sportive, elle savait exploiter son image.

Elle avait même décroché un petit rôle dans une série télé.

Elle aimait les feux de la rampe, elle l'assumait pleinement et n'avait pas honte de ses ambitions. Elle nourrissait une foi absolue dans son produit – la santé, l'équilibre et la forme physique –, et elle avait la certitude d'en être la meilleure représentante.

Travailler d'arrache-pied ne la dérangeait pas. Au contraire, elle aimait l'effort, les voyages et les plannings surchargés. Elle s'apprêtait à lancer une marque de vêtements de fitness et étudiait la possibilité de s'implanter sur le marché des compléments alimentaires, en partenariat avec un médecin et un nutritionniste.

Et puis elle causa par accident la mort de celui qui avait accidentellement changé le cours de sa vie.

Légitime défense. La police conclut rapidement qu'elle l'avait tué pour se protéger, elle, sa fille et son amie.

Cruellement, ce drame boosta ses ventes ainsi que sa visibilité. Et, très vite, elle décida de surfer sur la vague.

Une semaine plus tard, elle prenait la route pour le Maryland, résolue à tirer le meilleur parti de ce déplorable épisode.

D'énormes lunettes de soleil dissimulaient ses hématomes, que même le plus habile des maquillages n'aurait su camoufler. Elle avait encore mal aux côtes, mais elle avait recommencé les entraînements en les adaptant, et s'était fait prescrire des antalgiques.

Mimi souffrait toujours de migraines, mais sa fracture du nez guérissait et son œil au beurre noir virait au jaune.

Adrianne était gênée par son plâtre, mais elle aimait le faire signer. D'ici deux semaines, elle passerait de nouvelles radios.

Elles avaient évité le pire. Lina se répétait sans cesse qu'elles avaient évité le pire.

Sur la banquette arrière, Adrianne jouait avec la Game Boy que Harry lui avait offerte. Lina contemplait les montagnes du Maryland, mauve pâle, se découpant dans le ciel bleu.

Elle avait fui ce paysage sitôt qu'elle avait pu, pressée d'échapper à l'ennui de cette région rurale. Depuis toujours, elle aimait le mouvement, la foule, le monde. Elle n'était pas faite pour vivre à la campagne. Et jamais elle n'avait eu la moindre envie de tenir un restaurant, héritage familial ou non, pour passer ses journées à préparer des *polpette* et de la sauce tomate.

Enfant, déjà, elle était attirée par le tourbillon des grandes villes et le feu des projecteurs.

Aujourd'hui, elle avait trouvé sa place à New York, même si sa place était et serait toujours là où elle s'épanouirait dans le travail et dans l'action.

Dès qu'elle quitta l'I-70, la circulation se fit moins dense sur les petites routes qui serpentaient à travers champs, bordés çà et là de maisons et d'exploitations agricoles.

Comment diable pouvait-on habiter ici ? Elle, en tout cas, ne pourrait jamais plus.

– On arrive ! s'écria gaiement Adrianne. Regarde, maman ! Les vaches ! Et les chevaux ! J'aimerais trop que Popi et Nonna, ils aient des chevaux ! Et des poules ! C'est rigolo, les poules…

La fillette ouvrit sa vitre et passa la tête au-dehors, tel un chiot surexcité, ses boucles brunes volant au vent. Des nœuds inextricables à démêler ce soir… pensa sa mère.

Puis fusa une salve de questions : *On arrive dans combien de temps ? Je pourrai faire de la balançoire ? Tu crois que Nonna aura préparé de la citronnade ? Je pourrai jouer avec les chiens ?*

Je pourrai ? Tu crois ? Pourquoi ?

Lina laissa le soin à Mimi de répondre. Elle-même aurait bientôt bien assez de réponses à fournir.

Elle passa devant la grange rouge où elle avait perdu sa virginité à dix-sept ans, dans une meule de foin. Avec le fils d'un éleveur de vaches laitières. *Quarterback* dans l'équipe de football américain. Matt Weaver. Beau garçon, bien bâti, très doux et très gentil, sans être mollasson pour autant.

Ils étaient amoureux, comme on peut l'être à dix-sept ans : il voulait l'épouser plus tard. Or elle avait d'autres projets.

Elle savait qu'il s'était marié depuis, et avait… un ou deux enfants ? Elle ne se rappelait plus. En tout cas, il poursuivait l'exploitation laitière avec son père. Sans doute était-il heureux. Lina n'avait aucun regret : jamais elle n'aurait pu s'accommoder de cette existence.

Elle contourna la petite bourgade de Traveler's Creek où se trouvait le restaurant italien de ses parents, Chez Rizzo, sur la place du village, une institution depuis deux générations.

Ses grands-parents vivaient aujourd'hui dans les Outer Banks, où ils avaient ouvert un autre restaurant. Les Rizzo avaient le gène de la restauration, disait-on. Lina se félicitait de ne pas en avoir hérité.

Elle longea la rivière, puis franchit le premier des trois ponts couverts qui faisaient le charme de la région et attiraient chaque année photographes, touristes et mariages. Comme d'habitude, Adrianne et Mimi poussèrent des « oh » et des « ah » quand la voiture passa sous l'arche de bois rouge surmontée d'un toit bleu. Lina dut convenir que c'était bucolique et pittoresque.

Sur la banquette arrière, Adrianne rebondissait comme une balle en caoutchouc, quand elles émergèrent du deuxième pont et s'engagèrent sur le chemin de terre menant à la maison perchée sur la colline.

Un grand chien jaune et un petit setter aux oreilles tombantes s'élancèrent en jappant à la rencontre de la voiture.

– Tom et Jerry ! Les toutous ! Coucou !

– Garde ta ceinture jusqu'à ce qu'on soit à l'arrêt !

– Oui, maman. Voilà Popi et Nonna !

Sur la galerie qui entourait la maison, Dom et Sophia se tenaient par la main. Le visage encadré de boucles châtains, en baskets roses, Sophia paraissait toute petite à côté de son mari. Elle mesurait pourtant un mètre quatre-vingts, mais il la dominait d'une bonne quinzaine de centimètres.

Tous deux conservaient une excellente forme physique et paraissaient dix ans de moins que leur âge. Quel âge avaient-ils, d'ailleurs ? s'interrogea Lina. Sa mère devait avoir soixante-sept ou soixante-huit ans, son père en avait quatre de plus. Mariés depuis plus de cinquante ans, ils s'étaient rencontrés au lycée.

Après avoir surmonté la perte d'un fils qui n'avait vécu que quarante-huit heures, puis trois fausses couches, ils s'étaient résignés à ne pas avoir d'enfant.

La vie leur avait réservé la surprise d'un bébé de la quarantaine : Lina Theresa.

Celle-ci se gara sous l'abri prévu à cet effet, aux côtés d'un pick-up rouge rutilant et d'un gros SUV noir. Le petit bijou de sa mère, une décapotable bleu turquoise, bénéficiait d'une place privilégiée dans un garage fermé.

Lina avait à peine tiré le frein à main qu'Adrianne bondit hors de la voiture.

– Nonna ! Popi ! Wouhou ! Bonjour, les toutous !

Elle enlaça tour à tour les deux chiens qui lui léchèrent les mains en frétillant de joie. Puis elle sauta au cou de son grand-père.

– Je sais que tu penses que je commets une erreur, chuchota Lina à Mimi. Mais regarde-la… elle est tellement heureuse. Elle sera mieux ici, en ce moment.

– Une petite fille a besoin de sa maman, répliqua Mimi à voix basse.

– Je ne l'abandonne pas… L'été sera vite passé.

Sophia descendit de la galerie et s'avança à la rencontre de sa fille, effleura son visage meurtri, avant de la serrer dans ses bras.

– Je t'en prie, maman… bredouilla Lina. Je ne veux pas qu'Adrianne me voie pleurer.

À aucun moment au cours de cette semaine horrible elle n'avait été aussi près de craquer.

– Les larmes honnêtes n'ont rien de honteux.

– Nous en avons suffisamment versé ces jours-ci, répliqua-t-elle en s'écartant. Tu as une mine superbe.

– Je ne peux pas te retourner le compliment…

Lina s'efforça de sourire.

– L'autre n'aura plus jamais ni mauvaise ni bonne mine.

– Sacrée Lina ! dit Sophia en riant. Venez, allons nous asseoir sur la galerie. Il fait si beau. Vous devez avoir faim. Nous avons préparé des petites choses.

Les parents de Lina recevaient à l'italienne : accueillir des invités signifiait leur servir à manger.

Lina et Mimi s'installèrent à une petite table ronde, tandis qu'Adrianne jouait avec les chiens. Sophia et Dom apportèrent un plateau chargé d'une corbeille de pain, d'un plateau de fromages, d'olives, d'un pichet de citronnade et, bien qu'il fût à peine midi, d'une bouteille de vin.

Le demi-verre que Lina s'autorisa dissipa les tensions du trajet en voiture.

Adrianne vint s'asseoir sur les genoux de son grand-père pour lui montrer sa Game Boy, boire quelques gorgées de citronnade et le bombarder de questions sur les chiens.

Son père était un homme patient, pensa Lina. Il avait toujours été patient et bienveillant avec les enfants. Et il était si beau, avec sa crinière blanche, ses yeux noisette et ses pattes-d'oie rieuses.

Elle avait toujours eu conscience que ses parents formaient le couple parfait, tous les deux grands et minces et, surtout, unis par une immense complicité.

Elle-même, en revanche, s'était toujours sentie en décalage, autant avec ses parents qu'avec la petite ville de Traveler's Creek et ses habitants. Alors elle était partie, et elle avait trouvé son rythme ailleurs.

Adrianne demanda à ses grands-parents de dédicacer son plâtre, et éclata de rire quand sa grand-mère y dessina les chiens et signa de leur nom : Tom et Jerry.

– Vos chambres sont prêtes, déclara Sophia. On va vous aider à monter vos bagages. Vous pourrez vous installer et vous reposer un moment, si vous voulez.

– Il faut que j'aille au restau, annonça Dom, mais je serai de retour pour le dîner.

– Adrianne nous parle de la balançoire depuis des jours, dit Lina. Mimi, tu l'accompagnes ?

– Avec plaisir !

Mimi se leva, non sans un regard désapprobateur en direction de Lina, puis elle appela la fillette.

– Adrianne, tu viens faire de la balançoire avec moi ?

– J'arrive ! Venez, les chiens !

Sourcils froncés, Dom attendit qu'elles aient disparu derrière la maison.

– Que se passe-t-il ?

– On ne reste pas, Mimi et moi. Je dois retourner à New York, et terminer ensuite un projet à Washington. J'espère que vous êtes d'accord pour garder Adrianne…

Sophia posa une main sur celle de sa fille.

– Lina… Tu as besoin de quelques jours, au moins, pour te reposer, te ressaisir, aider la petite à retrouver un sentiment de sécurité.

– Je n'ai pas le temps de me reposer. Et où Adrianne se sentirait-elle plus en sécurité qu'ici ?

– Sans sa mère ?

Lina se tourna vers son père.

– Vous serez là tous les deux. Si je ne veux pas que cette affaire me cause du tort, je dois prendre les devants et agir vite.

– Ce type aurait pu vous tuer toutes les trois !

– Je sais, papa, crois-moi. Adrianne sera heureuse ici. Elle vous adore, elle adore la maison. Elle n'arrête pas de me parler de vous, depuis des jours. Je vous ai apporté son dossier médical pour les prochaines radios. Le médecin de Washington pense que d'ici une ou deux semaines on pourra lui mettre une attelle. Ce n'est qu'une fracture sans gravité…

– Une fracture sans gravité ! tonna Dom.

– Il l'a jetée dans l'escalier. Je n'ai pas eu le temps de l'en empêcher. S'il n'avait pas été soûl, il aurait pu lui briser la nuque. Cette fracture n'est qu'un moindre mal. Il aurait pu la tuer. Crois-moi, je ne suis pas près de l'oublier.

– Dom… murmura Sophia en tapotant la main de son mari. Combien de temps veux-tu nous la laisser ? demanda-t-elle à Lina.

– Jusqu'à la fin de l'été. C'est long, je sais, et c'est beaucoup vous demander, j'en suis consciente.

– Ce sera un plaisir, déclara Sophia. Tu as tort de la laisser, Lina, mais nous ferons tout pour qu'elle soit heureuse.

– Merci. L'année scolaire est presque finie mais Mimi lui a préparé des devoirs, et elle vous a mis des consignes par écrit. À la rentrée, quand Adrianne retournera à l'école, tout ça ne sera plus qu'un mauvais souvenir.

Dom et Sophia restèrent un instant silencieux. En observant les yeux verts de sa mère, les iris dorés de son père, Lina songea que sa fille leur ressemblait à tous les deux.

– Elle sait que tu la laisses ici ? demanda enfin Dom. Que tu repars à New York sans elle ?

– Je ne lui ai encore rien dit ; je voulais d'abord vous en parler, répondit Lina en se levant. Je vais la prévenir. Nous devons reprendre la route sans tarder. Je sais que je vous déçois, encore une fois. Mais je crois que ce sera mieux comme ça pour tout le monde. J'ai besoin de me recentrer. Je ne me sens pas capable de lui accorder le temps et l'attention qu'elle me réclamerait. Et puis, tant qu'elle est là avec vous, il n'y a pas de risques que des paparazzi la prennent en photo et que son portrait paraisse dans la presse à scandale.

– Mais toi, tu vas rechercher la publicité… soupira Dom.

– Uniquement celle que je pourrai contrôler et orienter. Tu sais, papa, tous les hommes ne sont pas aussi gentils que toi ; beaucoup de femmes ramassent des coups, beaucoup d'enfants se retrouvent avec un plâtre. Je ne veux pas louper l'occasion de défendre cette cause.

Là-dessus, Lina descendit les marches de la galerie, furieuse parce qu'elle était persuadée d'avoir raison. Et à la fois en colère contre elle-même, car force lui était de reconnaître qu'elle se sentait tout de même un peu en tort.

Une heure plus tard, Adrianne regardait la voiture s'éloigner, emmenant Mimi et sa mère.

– C'est à cause de moi qu'il a tapé tout le monde. C'est pour ça que maman ne veut plus de moi.

Dom s'accroupit face à sa petite-fille, lui posa doucement les mains sur les épaules et chercha son regard.

– Non, rien de tout ça n'est ta faute. Ta maman a beaucoup de choses à faire.

– Elle a tout le temps des choses à faire. C'est Mimi qui s'occupe de moi, de toute façon.

– Nous pensions que tu serais contente de passer l'été avec nous, dit Sophia en caressant les cheveux de la fillette. Si tu ne veux pas rester ici… disons dans une semaine… nous te ramènerons à New York.

– C'est vrai ?

– Si je te le dis. Mais pendant une semaine, au moins, nous aurons notre petite-fille préférée rien que pour nous. Notre *gioia*, notre joie.

Adrianne esquissa un sourire.

– Vous n'avez qu'une seule petite-fille.

– Qu'on adore ! Si tu veux bien rester avec nous, ton Popi t'apprendra à faire les raviolis. Et moi, je te montrerai comment on prépare le tiramisu.

– Mais attention, tu auras du travail, intervint Dom. Tu devras nourrir les chiens et m'aider à faire le jardin.

– Ce n'est pas du travail. J'aime bien donner à manger aux chiens et t'aider à faire le jardin.

– Du travail que tu aimes mais du travail quand même.

– Je pourrai aller au restaurant avec toi et te regarder faire tourner la pâte à pizza ?

– Si tu veux, je t'apprendrai même à faire tourner la pâte. On commencera dès que tu n'auras plus ton plâtre. Il faut que j'y aille, maintenant, ma chérie. Va vite te laver les mains, si tu veux m'accompagner.

– D'accord !

Adrianne courut jusqu'à la salle de bains.

– Les enfants sont résilients, soupira Dom en se redressant. Elle passera un bon été.

– Certes, mais Lina ne rattrapera jamais le temps perdu. Enfin… Ne lui achète pas trop de bonbons, recommanda Sophia en tapotant la joue de son mari.

– Je lui en achèterai juste assez.

Chez Rizzo, Raylan Wells faisait ses devoirs assis à une table haute. Pourquoi diable l'institutrice leur donnait-elle des devoirs à la maison alors qu'il devait s'acquitter chez lui de toutes sortes de tâches ménagères et qu'il travaillait déjà bien assez en classe toute la journée ? À dix ans, Raylan avait du mal à comprendre les adultes et les règles imposées aux enfants.

Il avait terminé ses exercices de maths et les avait trouvés faciles, parce que les maths étaient logiques. Ce qui n'était pas le cas de toutes les matières. L'histoire, par exemple… À quoi ça servait d'apprendre tout un tas de trucs et de dates sur la guerre de Sécession ? D'accord, ils habitaient à côté du champ de bataille d'Antietam, et c'était cool d'aller le visiter, mais cette guerre était finie depuis plus d'un siècle ! L'Union avait gagné, les Confédérés avaient perdu, et voilà, « et basta ! », comme disait Stan Lee, qui était un génie.

Raylan répondit à la première question de son devoir d'histoire, crayonna un dessin sur son cahier de brouillon, répondit à la question suivante, puis laissa son esprit vagabonder au gré d'une grande bataille entre Spiderman et le Docteur Octopus.

En fin d'après-midi, il n'y avait quasiment que des lycéens Chez Rizzo, qui jouaient aux jeux vidéo dans la salle du fond ou buvaient du Coca Cola en se partageant une pizza.

Raylan n'avait pas le droit de jouer aux jeux vidéo tant qu'il n'avait pas fini ses devoirs. Sa mère était catégorique. Il jeta un coup d'œil au-delà du comptoir, en direction de la grande cuisine ouverte où elle s'affairait, en tablier rouge au logo « Chez Rizzo », coiffée d'une charlotte blanche ridicule, comme tous les employés du restaurant. Elle travaillait ici depuis six mois. Puisqu'elle n'avait plus de mari, elle devait gagner de l'argent pour payer les factures, mais elle aimait son emploi, affirmait-elle, et Raylan la croyait. Elle paraissait heureuse de s'affairer devant cette gigantesque cuisinière.

De toute façon, il le voyait lorsqu'elle mentait. Par exemple, quand elle avait dit à ses enfants que ce n'était pas grave que leur père soit parti, il avait bien vu dans ses yeux que ce n'était pas vrai.

Il avait eu peur, au début, même s'il n'avait rien dit. Maya avait pleuré, mais elle n'avait que sept ans, et puis c'était une fille. Maintenant, elle était consolée. À peu près.

Raylan était l'homme de la maison, désormais. Hélas, ce statut ne le dispensait pas des devoirs d'école, pas plus qu'il ne l'autorisait à se coucher tard les soirs de semaine.

Il répondit à une autre question sur la guerre de Sécession.

Maya avait la permission de faire ses devoirs chez sa copine Cassie, même si elles n'en avaient presque jamais. Alors que Raylan n'avait pas le droit d'aller faire les siens chez ses copains. Parce que chaque fois ils allaient au terrain de basket au lieu de travailler.

Le Docteur Octopus n'ayant aucun pouvoir contre le Courroux Maternel, Raylan devait rejoindre sa mère au restaurant directement après l'école, au lieu d'aller chez Mick, Nate ou Spencer. Ils auraient pu faire leurs devoirs tous ensemble au restau. Mais eux aussi devaient affronter le Courroux Maternel.

L'arrivée de M. Rizzo remonta quelque peu le moral de Raylan. Quand le patron était là, il faisait voltiger la pâte à pizza. La mère de Raylan et les autres cuistots savaient la faire tournoyer ; M. Rizzo, lui, la lançait en l'air, se livrait à des acrobaties, la rattrapait parfois derrière son dos.

Lorsqu'il n'y avait pas trop de monde au restaurant, il laissait Raylan s'y essayer et se préparer lui-même sa pizza, avec toutes les garnitures qu'il voulait, gratuitement !

Aujourd'hui, M. Rizzo était avec une petite fille. D'ordinaire, Raylan ne s'intéressait pas aux filles, mais celle-ci avait le bras dans le plâtre. Comment elle se l'était cassé ? s'interrogea-t-il tout en terminant sa leçon d'histoire. Était-elle tombée du haut d'un mur ? D'un arbre ? Avait-elle sauté d'une fenêtre ? Pour échapper à un incendie ?

Il lui restait encore un exercice d'orthographe qu'il avait gardé pour la fin, parce qu'il aimait bien cette matière. Les mots étaient encore plus passionnants que les chiffres, et presque aussi amusants que le dessin !

1. « Piéton ». La voiture des cambrioleurs a renversé un piéton quand ils s'enfuyaient après le braquage de la banque.

2. « Voisinage ». Les aliens de la planète Zork avaient envahi le monde, et les terriens comptaient sur le seul et unique Spiderman du voisinage pour les sauver.

3. « Récolter ». Le savant diabolique kidnappait des gens et récoltait leurs organes pour ses expériences démoniaques.

Il mettait juste le point final à sa dixième phrase quand sa mère vint s'asseoir à sa table.

– J'ai fini ! clama-t-il.

Comme elle avait terminé sa journée, Jan retira sa charlotte et son tablier. Elle s'était fait couper les cheveux quand son mari l'avait quittée, et elle trouvait que sa coupe courte lui allait bien. En plus, elle mettait moins de temps à se coiffer le matin. Elle aurait bien aimé que Raylan aille lui aussi chez le coiffeur. Ses cheveux autrefois blonds comme les blés commençaient à foncer, il grandissait.

D'un geste, elle réclama ses cahiers qu'il lui tendit en levant ses beaux yeux verts au plafond – les yeux de son père. Ses joues avaient perdu leur rondeur poupine. Le temps filait si vite… Du jour au lendemain, le joli bambin s'était mué en beau garçon.

Elle vérifia ses exercices, car même s'il commençait à devenir grand, elle ne se leurrait pas, il n'était pas encore adulte. En lisant ses phrases, elle poussa un soupir.

– « Régénérer. Un déjeuner original régénère un généreux général »…

– Ben quoi ? fit Raylan en souriant.

– Comment se fait-il qu'un garçon aussi intelligent consacre autant d'énergie à éviter de faire ses devoirs alors qu'il pourrait s'en débarrasser en moins d'une heure ?

– J'aime pas les devoirs.

– Je te comprends, mais il faut les faire. Tu as très bien travaillé, aujourd'hui.

– Alors je peux aller chez Mick ?

– Pour quelqu'un d'aussi doué en maths, on dirait que tu as du mal à compter les jours de la semaine. Pas de sortie avant samedi. Et si tu ne fais pas tes devoirs…

– Pas de sortie pendant quinze jours, compléta Raylan, sur un ton davantage consterné que fâché. Mais qu'est-ce que je vais faire, alors, maintenant, pendant des heures, jusqu'à ce soir ?

Jan lui rendit ses cahiers.

– Ne t'inquiète pas, j'ai de quoi t'occuper.

– Des corvées ménagères, bougonna-t-il. Alors que j'ai déjà fait tous mes devoirs.

– Tu voudrais une récompense ? Eh bien voilà ta récompense ! dit-elle en lui couvrant le visage de baisers. Plein de bisous ! Des bisous de partout ! Devant tout le monde ! Hmm, des bisous, des bisous, des bisous !

– Arrête ! protesta-t-il en grimaçant.

– Tu as honte, mon bébé ?

– Arrête, maman ! cria-t-il en riant. Tu es trop bizarre.

– Je tiens ça de toi. Allez, dépêche-toi, qu'on aille vite chercher ta sœur avant de rentrer à la maison.

Il rangea ses cahiers dans son sac à dos déjà surchargé. Les premiers clients du soir commençaient à arriver. M. Rizzo avait revêtu toque et tablier. Juchée sur un tabouret de bar, la fillette applaudissait tandis qu'il jonglait avec un pâton.

– Au revoir, monsieur Rizzo !

Celui-ci rattrapa habilement la pizza, en adressant un clin d'œil à Raylan.

– Ciao ! Prends bien soin de ta maman.

– Oui, monsieur.

Des gens étaient attablés en terrasse. Entre amis, on sirotait une bière, un verre de vin. Le parfum des fleurs se mêlait à la bonne odeur des beignets de calamar, de la sauce mijotée et des toasts de pain grillé.

La place du village s'enorgueillissait de grands bacs fleuris, et la plupart des commerçants décoraient également les abords de leur boutique de plantes ou de compositions florales.

Au passage piéton, Jan faillit s'emparer de la main de son fils, mais elle se ravisa à temps. À dix ans, il n'avait pas besoin de tenir la main de sa mère pour traverser la rue.

– C'était qui, la fille avec M. Rizzo ?

– Sa petite-fille, Adrianne. Elle va passer l'été chez eux.

– Pourquoi elle a un plâtre ?

– Elle s'est cassé le poignet.

– Comment ?

– Elle est tombée.

De l'autre côté de la chaussée, sentant le regard de son fils peser sur elle, Jan se tourna vers lui.

– Quoi ?

– Tu fais une drôle de tête.

– Quelle tête ?

– La tête de quand tu ne veux pas m'annoncer une mauvaise nouvelle.

Raylan était perspicace. Et dans une ville aussi petite que Traveler's Creek, tout finissait par se savoir. Surtout lorsqu'on était aussi connus que les Rizzo. Et qu'on était aussi curieux que Raylan.

– Son père l'a frappée.

– Sérieux ? s'exclama le garçonnet.

Son père à lui avait commis et dit beaucoup de méchancetés, mais jamais il n'avait levé la main sur ses enfants ni sur sa femme.

– Je t'interdis de poser des questions indiscrètes à M. et Mme Rizzo, Raylan. Et surtout, ne dis rien à ta sœur. Je voudrais la présenter à Adrianne. Elles ont le même âge. Si Adrianne a envie de se confier, elle le fera d'elle-même.

– D'accord, promis. Punaise… Quand je pense que son père lui a cassé le bras…

– Le poignet, mais c'est tout aussi grave.

– Il est en prison ?

– Non, il est mort.

– Oh, punaise ! C'est elle qui l'a tué ? Pour se défendre ?

– Non, ne dis pas de bêtises. Ce n'est qu'une petite fille qui vient de vivre un affreux cauchemar. Je te défends de lui poser des questions.

Ils étaient arrivés devant chez Cassie, qui habitait juste en face de chez eux. Heureusement, ils avaient pu garder la maison. Grâce aux Rizzo, qui avaient embauché Jan, car le père de Raylan était parti avec toutes les économies de la famille – l'une de ses pires méchancetés.

Raylan avait entendu sa mère pleurer, alors qu'elle croyait son fils endormi – avant d'être embauchée au restaurant.

Il ne ferait ni ne dirait jamais rien qui puisse peiner les Rizzo.

En tout cas, cette fille avait l'air vachement intéressante, tout d'un coup.

Chapitre 3

Dès lors qu'Adrianne fit la connaissance de Maya, l'été présenta soudain de nouvelles perspectives. Pour la première fois de sa vie, elle avait une meilleure amie, une vraie, avec qui partager des soirées pyjama, des après-midi de jeux et des secrets.

Elle lui montra des postures de yoga, des pas de danse, et lui apprit à faire des saltos – Maya y arrivait presque. En échange, celle-ci l'initia au twirling bâton et au yahtzee.

Maya avait un chien qui s'appelait Jimbo et savait marcher sur les pattes arrière. Elle avait aussi un chat, Miss Priss, qui adorait se blottir sur vos genoux et se faire câliner. Et elle avait un frère, Raylan, qui passait son temps à jouer aux jeux vidéo, à lire des BD ou à courir dehors avec ses copains, si bien qu'Adrianne le croisait rarement. Il avait les yeux d'un vert encore plus vert que ceux de sa mère et de sa grand-mère, comme si on les avait teintés d'un vert ultra concentré. Maya disait qu'il était bête, mais Adrianne attendait d'en avoir la preuve, comme elle ne le voyait presque jamais.

En tout cas, elle trouvait qu'il avait de très beaux yeux.

Comment serait la vie avec un frère ou une sœur ? se demandait-elle. Elle aurait préféré une sœur, mais même avec un frère, elle se serait déjà sentie moins seule.

La maman de Maya était gentille. Une perle, disait Nonna, et Popi n'arrêtait pas de répéter que Mme Wells était courageuse et excellente cuisinière. Parfois, quand Mme Wells travaillait, Maya venait passer la journée chez Popi et Nonna, et, à condition qu'elles préviennent à l'avance, elles pouvaient inviter d'autres copines.

Après le plâtre, Adrianne dut porter une attelle pendant trois semaines.

Heureusement, elle pouvait l'enlever pour prendre des bains moussants ou se baigner dans la piscine de Cassie, une camarade de classe de Maya.

Un après-midi où les deux amies étaient montées chercher la dînette de Maya, pour organiser un thé à l'ombre du grand arbre, Adrianne s'arrêta devant la porte ouverte de la chambre de Raylan. D'habitude, elle était toujours fermée, avec un écriteau DÉFENSE D'ENTRER.

– On n'a pas le droit d'entrer sans sa permission, chuchota Maya.

Sa mère lui avait fait des tresses, ce jour-là, car elle était en repos et en avait eu le temps.

– Comme si j'avais envie d'entrer là-dedans… Ça pue et c'est la pagaille, minauda la blondinette en levant les yeux au ciel.

Adrianne ne percevait aucune mauvaise odeur mais, en effet, la pièce était mal rangée. Raylan n'avait même pas fait son lit. Le sol était jonché de vêtements, de chaussures et de figurines.

Les murs étaient couverts de dessins : des superhéros, des batailles de monstres et de supervilains, des navettes spatiales, des immeubles bizarres, des forêts effrayantes…

– C'est lui qui les a faits ?

– Oui, il dessine tout le temps. Il est doué mais il dessine toujours des trucs débiles. Jamais des jolies choses, sauf pour la fête des Mères. Cette année, il a fait un bouquet de fleurs de toutes les couleurs. Maman était tellement contente qu'elle a pleuré.

Adrianne n'était pas d'accord : ces dessins n'étaient pas débiles. Toutefois, elle s'abstint de commentaire, car Maya était sa meilleure amie.

Elle passa la tête dans la chambre afin de mieux regarder, quand Raylan apparut soudain en haut de l'escalier.

– Je vous interdis d'entrer ! cria-t-il.

– On n'est pas entrées, protesta Maya. Tu crois qu'on a envie de rentrer dans ta chambre qui pue ?

– La porte était ouverte, plaida Adrianne avant que Raylan ne s'en prenne à sa petite sœur, qui le défiait du regard, la main sur la hanche, sa posture favorite. On n'est pas entrées, je te le jure, ajouta-t-elle. Je regardais juste tes dessins. Ils sont super. J'aime bien celui d'Iron Man, celui-là… précisa-t-elle en imitant la pose du superhéros en vol, bras tendu et poing levé.

Raylan pivota face à elle ; instinctivement, elle recula, une douleur fantôme dans le poignet. En la voyant protéger son bras, le garçonnet se remémora ce qu'elle avait vécu.

Normal d'avoir peur, quand votre père vous avait cassé le bras.

Il haussa les épaules d'un air indifférent, bien qu'épaté qu'une fille connaisse Iron Man.

– Bah… C'est juste un brouillon, dit-il. Je peux faire mieux.

– J'aime bien aussi celui de Spiderman et du Docteur Octopus.

OK, carrément impressionné. Aucune des copines de Maya ne connaissait le Docteur Octopus ni le Bouffon vert.

– Ouais… moi aussi… marmonna-t-il.

Puis estimant qu'il avait assez parlé avec les filles, il s'engouffra dans sa chambre et claqua la porte.

– Tu vois qu'il est bête, dit Maya en entraînant son amie par la main.

Ce soir-là, avant d'aller se coucher, Adrianne essaya de dessiner la Veuve noire, sa superhéroïne préférée. Hélas, son personnage ne ressemblait pas à grand-chose, si bien qu'elle se rabattit sur les classiques : une maison, des arbres, des fleurs, un gros soleil rond. Mais elle avait beau s'appliquer, elle n'était pas bonne en dessin, quand bien même Nonna affichait toujours l'une ou l'autre de ses œuvres sur le réfrigérateur.

Pas douée pour le dessin, pas douée non plus pour la cuisine ni pour la pâtisserie, même si Nonna et Popi affirmaient qu'elle apprenait vite. Avait-elle un talent ?

Pour se réconforter, elle fit du yoga, en veillant à ne pas trop solliciter son poignet. Puis, son rituel du soir terminé, elle se brossa les dents et enfila son pyjama. Son grand-père toqua à la porte ouverte de sa chambre juste au moment où elle s'apprêtait à descendre lui dire bonne nuit – sa grand-mère était au restaurant.

– Déjà prête, ma puce ? Oh, quel joli dessin ! Il aura sa place dans notre galerie d'art.

– C'est un dessin de bébé.

– L'art est dans l'œil de celui qui regarde. Je le trouve très beau.

– Le frère de Maya, Raylan, il dessine hyper bien.

– Ça, c'est sûr ; il a un don. Mais je ne l'ai jamais vu marcher sur les mains, déclara Dom en apercevant la contrariété de sa petite-fille.

– Je n'ai pas le droit de marcher sur les mains à cause de mon poignet.

Il l'embrassa sur le sommet de la tête, puis l'entraîna tendrement vers le lit.

– Bientôt, tu pourras de nouveau. Allez, au lit. Barkley aussi, si vous voulez qu'on lise la suite de *Matilda*. Ma puce lit beaucoup mieux que bien des adolescents.

Adrianne se glissa sous la couette avec son chien en peluche.

– Esprit en santé dans un corps actif.

En riant, Dom s'assit sur le bord du lit et ouvrit le livre. La fillette se blottit contre lui. Il sentait le gazon qu'il avait tondu avant le dîner.

– Tu crois que maman pense à moi ?

– Bien sûr. C'est pour ça qu'elle appelle toutes les semaines, pour te parler, prendre de tes nouvelles, savoir ce que tu fais.

Adrianne songea que sa mère ne s'intéressait pas tellement à ce qu'elle faisait. Elle aurait aimé qu'elle téléphone plus souvent.

– Demain, je t'apprendrai à faire des pâtes. Et toi, tu m'apprendras aussi quelque chose ?

– Quoi ?

– Des exercices de gym, par exemple. Pour que j'aie l'esprit en bonne santé dans un corps sain, ajouta Dom en tapotant le bout du nez de sa petite-fille.

– D'accord, acquiesça-t-elle gaiement. Je te préparai un entraînement.

– Pas trop dur, hein ? Je suis débutant. Pour le moment, lis-moi une histoire.

Avec le recul, Adrianne se rendit compte que cet été fut idyllique, une parenthèse dans la réalité, les responsabilités et la routine, un moment d'insouciance tel qu'elle n'en connaîtrait plus jamais.

De longues après-midi chaudes et ensoleillées à siroter de la citronnade et jouer avec les chiens dans le jardin. Le frisson d'un orage inopiné, les arbres dansant dans le ciel argent. Des amis avec qui jouer et rire. Des grands-parents débordant de vitalité et de bonté qui, l'espace d'un été, firent d'elle le centre de leur univers.

Elle apprit les rudiments de la cuisine, qui lui serviraient tout au long de sa vie. Elle découvrit le plaisir de cueillir des herbes aromatiques et des légumes du jardin. Elle découvrit la joie que son grand-père offrait à sa grand-mère avec un simple bouquet de fleurs sauvages.

Cet été-là, elle apprit l'importance de la famille et de la communauté, quelque chose qu'elle n'oublierait jamais et dont elle éprouverait souvent un profond besoin.

Mais les jours passèrent, les semaines défilèrent. Une parade et un feu d'artifice pour la fête nationale du 4 juillet. Une soirée chaude et moite dans les lumières colorées et la musique tonitruante de la fête foraine. Des lucioles capturées et relâchées, l'observation des colibris, une glace à la cerise sur la galerie en écoutant le murmure de la rivière.

Puis tout d'un coup, on ne parla plus que de rentrée, de cartables et de fournitures, de la tenue qu'on mettrait pour le premier jour d'école. Les amies d'Adrianne se demandaient quelle institutrice elles auraient et se montraient leurs nouveaux cahiers, leurs nouvelles baskets.

Il faisait encore chaud, les journées étaient encore longues, mais l'été touchait à sa fin. Le jour où sa grand-mère l'aida à faire sa valise, Adrianne avait envie de pleurer, mais elle n'y arrivait pas.

– Oh, ma chérie… Tu ne pars pas pour toujours, lui dit Sophia en la serrant contre elle. Tu reviendras bientôt.

– Ce n'est pas pareil.

– Ce sera encore mieux. Tu n'es pas contente de retrouver ta maman et Mimi ?

– Vous allez me manquer, toi et Popi, et Maya et Cassie, et Mme Wells. Pourquoi on ne peut pas rester tous ensemble ?

– C'est dur, je sais. Toi aussi, tu nous manqueras.

– J'aimerais tellement qu'on habite ici.

Dans cette grande maison, avec cette jolie chambre donnant sur la galerie, d'où l'on pouvait regarder les chiens, le jardin, les montagnes.

– Si on habitait là, on serait tout le temps tous ensemble.

Sophia frictionna le dos de la fillette, puis continua de plier ses tee-shirts.

– Ta maman a choisi d'habiter ailleurs, ma chérie.

– Avant, elle habitait là, pourtant. Elle allait à l'école ici.

– Mais elle a déménagé. Chacun doit trouver sa place.

– Eh ben moi, je veux que la mienne soit ici.

Sophia se tourna vers sa petite-fille, qui affichait une moue boudeuse et insoumise. Elle ressemblait tellement à sa maman, pensa-t-elle avec un petit pincement au cœur.

– Quand tu seras grande, tu pourras décider de t'installer ici, ou à New York, ou ailleurs. C'est toi qui choisiras.

– Les enfants ne peuvent jamais rien décider.

– C'est pour ça que ceux qui les aiment s'efforcent de prendre pour eux les meilleures décisions, en attendant qu'ils soient capables de décider par eux-mêmes. Ta maman fait de son mieux, ma puce, je peux te l'assurer.

– Si tu lui dis que je peux habiter là, peut-être qu'elle sera d'accord…

Sophia sentit son cœur se serrer encore plus.

– Ce ne serait pas une bonne solution, ni pour toi ni pour ta maman, dit-elle en s'asseyant sur le bord du lit et en caressant le visage de la fillette, dont les yeux s'emplirent soudain de larmes. Vous avez besoin l'une de l'autre.

Adrianne secoua la tête.

– Tu penses que je te dis toujours la vérité ? lui demanda sa grand-mère.

– Oui.

– Eh bien, c'est la vérité : vous avez besoin l'une de l'autre. Tu ne t'en rends peut-être pas compte, là maintenant, parce que tu es triste et en colère, mais c'est la vérité.

– Et toi et Popi, vous n'avez pas besoin de moi ?

– Oh si, bien sûr que si ! répondit Sophia en étreignant farouchement sa petite-fille. *Gioia mia*. Voilà pourquoi tu devras nous écrire des lettres. Nous t'en enverrons, nous aussi.

– Des lettres ? Je n'ai jamais écrit de lettre.

– Je vais te donner du joli papier à lettres. J'en ai dans mon bureau, je vais le chercher. On le rangera dans ta valise.

– Toi aussi, tu m'enverras des lettres, rien que pour moi ?

– Rien que pour toi. Et une fois par semaine, tu me téléphoneras et on discutera toutes les deux.

– Promis ?

– Promis juré, déclara Sophia en crochetant son petit doigt avec celui de sa petite-fille, qui avait enfin retrouvé le sourire.

Adrianne ne pleura pas quand la voiture arriva, une grande limousine noire rutilante, mais elle serra très fort la main de son grand-père, qui en retour exerça une pression sur la sienne.

– Le carrosse de Madame ! dit-il. Très chic. Tu vas voyager en grande pompe, ça va être cool. Va vite embrasser ta maman, ma chérie.

Un chauffeur en costume et cravate descendit pour ouvrir la portière de Lina, dont les longues jambes apparurent, chaussées de sandales argentées, vernis à ongles du même rose que son corsage.

Mimi avait à la fois un grand sourire et les yeux brillants de larmes. Adrianne faillit courir se jeter dans ses bras, mais elle savait qu'elle devait d'abord dire bonjour à sa mère. Lina se baissa pour embrasser sa fille et caresser ses boucles brunes.

– Tu as grandi, dis donc… Et tu as pris le soleil, ajouta-t-elle avec un froncement de sourcils réprobateur.

– J'ai mis de la crème. Popi et Nonna vérifiaient.

– Très bien.

– Hello, ma puce ! lança Mimi en ouvrant les bras, et Adrianne s'y précipita. Comme tu m'as manqué ! s'exclama-t-elle en soulevant la fillette pour la couvrir de baisers. Tu as grandi, tu es toute bronzée et tu sens le grand air !

Tout le monde s'embrassa, puis Lina annonça qu'elles n'avaient pas le temps de manger un morceau, ni même de boire un verre.

– On a pris l'avion à Chicago, ce matin. La journée à été longue et j'ai une interview au « Today Show » demain matin. Merci de vous être si bien occupés d'Adrianne.

Sophia saisit les deux mains de la fillette et les embrassa.

– C'était un plaisir. Un immense plaisir. Ton joli minois me manquera.

– Nonna…

Adrianne enlaça sa grand-mère. Dom la souleva dans ses bras et la fit tournoyer, puis il la serra contre lui.

– Sois bien gentille avec ta maman, recommanda-t-il en l'embrassant dans le cou.

Adrianne étreignit Tom et Jerry, le visage enfoui dans leur pelage afin de dissimuler ses larmes.

– Allez, dépêche-toi ! lui lança sa mère. Tu les reverras bientôt. L'été reviendra vite.

– Vous pourrez venir pour Noël, suggéra Sophia.

– On verra, répliqua Lina en embrassant sa mère, puis son père. Encore merci. C'était un soulagement de la savoir loin… de tout ça. Dommage qu'on ne puisse pas rester un moment, mais je dois être aux studios à 6 heures demain.

Elle jeta un coup d'œil en direction de la voiture, où Mimi tentait de distraire Adrianne en lui montrant comment on allumait les phares.

– C'était mieux pour elle, ajouta-t-elle. Et pour tout le monde.

– Venez pour Noël, insista Sophia en saisissant la main de sa fille. Ou pour Thanksgiving.

– On essaiera. Prenez soin de vous.

Là-dessus, Lina monta dans la voiture et referma sa portière. À genoux sur la banquette, face au pare-brise arrière, Adrianne adressa un dernier au revoir à ses grands-parents et aux chiens assis à leurs pieds, devant la grande maison de pierre.

– Adrianne, installe-toi correctement, s'il te plaît. Mimi va t'attacher.

Tandis que la limousine démarrait, Lina sortit son portable de son sac afin de répondre à un appel.

– Oui, Meredith, dis-moi…

Mimi boucla la ceinture de sécurité d'Adrianne.

– On a de l'eau qui pique et du jus de fruits, des fraises et des chips veggie, celles que tu aimes bien. On fera un pique-nique dans la voiture, tout à l'heure. Mais si tu veux quelque chose dès maintenant…

Adrianne ouvrit le petit sac en bandoulière que sa grand-mère lui avait offert, où elle avait rangé sa Game Boy.

– Ça va. Je n'ai pas faim.

NEW YORK

À partir de cet été-là, Adrianne devint une adepte de la correspondance. Elle appelait ses grands-parents au moins une fois par semaine, elle leur envoyait de temps en temps des e-mails ou des textos, mais le courrier postal hebdomadaire demeura une tradition.

Par une belle matinée d'automne, sur la terrasse du triplex que sa mère venait d'acheter dans l'Upper East Side, elle racontait à sa grand-mère sa semaine de rentrée dans son nouveau lycée. Elle aurait pu taper sa lettre à l'ordinateur, mais à ce compte-là, autant envoyer des e-mails. Les lettres manuscrites avaient un caractère plus personnel.

De temps en temps, elle envoyait aussi des cartes à Maya, mais en général les deux amies communiquaient par SMS.

Adrianne n'avait plus de nounou, car Mimi était tombée amoureuse d'Isaac, ils s'étaient mariés et avaient maintenant deux enfants. De toute façon, dans six semaines, Adrianne aurait dix-sept ans.

Mimi restait cependant l'assistante de Lina, en charge de son planning de rendez-vous et, en collaboration avec Harry, de la préparation des interviews et autres événements.

Lina était au top de sa carrière : elle publiait des livres, sortait des DVD, animait des manifestations sportives, des séminaires de motivation, et elle avait joué son propre rôle dans un épisode de *New York, police judiciaire*.

La marque Yoga Baby cartonnait.

Le club de gym Ever Fit, dont la salle principale se trouvait à Manhattan, avait essaimé dans tout le pays. La ligne de vêtements, les produits diététiques, les huiles essentielles, les bougies, la gamme de cosmétiques et le matériel de fitness constituaient désormais une entreprise nationale d'un millard de dollars.

Yoga Baby finançait des séjours de vacances pour les enfants défavorisés et versait de généreux dons à des foyers pour femmes victimes de violences conjugales, si bien qu'Adrianne ne pouvait pas dire que sa mère était égoïste ; mais souvent, après l'école, elle regagnait un appartement vide. En plaisantant, elle avait dit à Maya qu'elle parlait davantage avec le portier de l'immeuble qu'avec sa mère.

Elles n'étaient proches que durant les quelques semaines où elles travaillaient ensemble pour le DVD annuel d'exercices mère-enfant.

C'était ainsi, Adrianne s'était fait une raison. Elle attendait juste d'être libre de ses choix pour mener enfin sa vie à sa guise.

Elle avait déjà pris une décision. Ne lui restait qu'à l'annoncer à sa mère. Et, justement, celle-ci sortit sur la terrasse.

– Mais Adrianne, enfin, qu'est-ce que tu fabriques ? On part dans une heure. Tu n'as pas encore commencé ta valise ?

– *Tu* pars dans une heure, répliqua-t-elle sans cesser d'écrire. Je reste ici.

– Ne fais pas ta mauvaise tête. J'ai des tonnes de rendez-vous demain, à Los Angeles. Dépêche-toi de faire tes bagages.

Adrianne posa son stylo, se renversa contre le dossier de sa chaise et soutint le regard de sa mère.

– Maman, je ne pars pas avec toi. Je n'ai pas envie de te suivre partout comme un petit chien pendant deux semaines et demie. Ni de dormir à l'hôtel et de suivre des cours en ligne. Je reste là, puisque tu m'as inscrite dans ce maudit lycée privé.

– Tu n'es pas assez grande pour rester seule ici.

– Mais je le suis pour rester seule dans une autre ville, pendant que tu dédicaces ton bouquin et ton DVD ?

– Tu ne seras pas seule là-bas, soupira Lina en se laissant tomber sur un fauteuil. Si tu as besoin de moi, tu me laisses un message et j'arrive.

– Si j'ai besoin de quoi que ce soit, j'appelle Mimi et elle arrive. Mais je n'aurai besoin de personne, je suis assez grande pour me débrouiller seule. Au cas où tu ne l'aurais pas remarqué, ça fait un moment que je me débrouille seule comme une grande.

– J'ai toujours veillé à ce que tu ne manques de rien. Ne me parle pas sur ce ton, Adrianne.

Après le choc et la surprise, Lina était à présent en colère.

– Je te paie le meilleur lycée de la ville, pour que tu puisses mettre toutes les chances de ton côté et être acceptée dans l'université de ton choix. Tu vis dans le confort et dans le luxe, dans un quartier tranquille et sûr. J'ai travaillé dur pour t'offrir tout ça.

– Tu as travaillé dur parce que tu es ambitieuse et que tu as une passion, rétorqua Adrianne. Je ne te le reproche pas. Je me plaisais au lycée public, j'avais des amis. Maintenant, je suis obligée de repartir de zéro. Comment veux-tu que je me fasse des copines si je m'absente trois semaines dès la rentrée ?

– Tu crois que je vais laisser une ado seule à New York pour qu'elle sèche les cours et sorte faire la fête tous les soirs ? N'y pense même pas.

Les bras croisés, Adrianne se pencha vers sa mère.

– La fête ? Avec qui ? Je ne bois pas, je ne fume pas, je ne me drogue pas. J'ai failli sortir avec un garçon l'an dernier, mais je ne le reverrai certainement jamais, maintenant qu'on a déménagé. Sécher les cours ? Depuis l'âge de dix ans, j'ai toujours été première de la classe. Si je voulais sortir le soir, je pourrais le faire quand tu es là, tu ne t'en apercevrais même pas.

Avec un soupir irrité, Adrianne leva les bras au ciel.

– Regarde-moi… Je suis tellement raisonnable que c'en est pitoyable pour une fille de mon âge. Bien obligée d'être responsable… Toi qui prêches l'équilibre, sache que j'en manque cruellement, d'équilibre. Il est hors de question que je parte. Je dois prendre mes marques dans mon nouveau lycée.

– OK, si tu es décidée, je vais voir si tes grands-parents peuvent t'accueillir.

– Je serais ravie de leur rendre visite, mais je reste là, pour aller au lycée. Si tu n'as pas confiance, demande à Mimi de m'espionner.

Donne du fric aux portiers pour qu'ils te tiennent au courant de mes allées et venues, ça ne me dérange pas. Je sortirai le matin pour aller en cours et je rentrerai le soir pour faire mes devoirs et du fitness dans ta superbe salle de gym. Je me préparerai à manger ou je me ferai livrer. Je n'ai pas l'intention d'inviter des garçons pour faire la bringue et picoler jusqu'à tomber par terre. Je veux juste commencer normalement l'année scolaire, c'est tout.

Lina se leva, arpenta la terrasse, puis s'adossa contre le mur et contempla la vue sur l'East River.

– À t'entendre, on dirait… J'ai fait pour toi tout ce que j'ai pu…

– Je sais, murmura Adrianne.

Et les mots de sa grand-mère lui revinrent en mémoire : *Ta maman fait de son mieux, ma puce, je peux te l'assurer.*

– Je sais, répéta-t-elle. Fais-moi confiance, je ne te décevrai pas. Si tu ne me crois pas, sache au moins que je ne ferai jamais rien qui puisse déplaire à Popi et Nonna. Je veux juste aller en cours.

Lina ferma les yeux. Elle pouvait obliger sa fille à la suivre… Mais à quel prix ? Et dans quel intérêt ?

– Bon… Je ne veux pas que tu sortes après 21 heures ni que tu quittes le quartier, excepté pour aller chez Mimi à Brooklyn.

– Je vais peut-être aller au cinéma, le vendredi ou le samedi soir, et rentrer après 21 heures.

– D'accord. Mais dans ce cas, tu me préviens, ou tu préviens Mimi. Je ne veux pas non plus que tu invites qui que ce soit ici. À part Mimi et sa famille. Ou Harry. Il part avec moi, mais il est possible qu'il revienne à New York un jour ou deux.

– Je n'ai pas besoin de compagnie, j'ai besoin de stabilité.

– L'un de nous, moi, Harry ou Mimi, te téléphonera tous les soirs. Ne me demande pas à quelle heure, tu verras bien.

– Pour être sûrs que je sois à la maison ?

– Il y a une différence entre te faire confiance et prendre des risques.

– OK.

La brise agita les cheveux de Lina, décoiffant son savant balayage.

– Je… Je croyais que tu aimais voyager.

– J'aime bien, mais pas tout le temps.

– Si tu changes d'avis, tu pourras toujours aller chez Mimi ou chez tes grands-parents, je les préviendrai ; ou prendre l'avion et me rejoindre.

– Merci, maman, mais ne t'en fais pas pour moi. Je serai bien occupée, avec les cours, les lettres de candidature pour les universités. Sans parler de mon projet…

– Ton projet ? Quel projet ?

– Je dois le mûrir encore avant de t'en parler.

À seize ans, bientôt dix-sept, Adrianne savait éluder les questions. Et changer de sujet de conversation.

– Je te préviens, je vais me gaver de M&M's, de Coca et de chips.

Lina esquissa un sourire.

– Je ne me fais pas de souci de ce côté-là, sinon je t'emmènerais de force avec moi. Bon, je me dépêche. Ma voiture ne va pas tarder. Je te fais confiance, ma chérie.

– Tu peux.

Lina se pencha vers sa fille et l'embrassa sur le front.

– Quand j'atterrirai à Los Angeles, il sera tard ici, avec le décalage horaire. Je t'enverrai un texto et je t'appellerai demain.

– OK. Bon voyage, maman. Et bonne tournée.

En quittant la terrasse, Lina jeta un coup d'œil par-dessus son épaule. Son cœur se serra quand elle vit qu'Adrianne s'était remise à écrire, comme si de rien n'était.

En montant à sa chambre, Lina téléphona à Mimi.

– Tu es en route pour l'aéroport ?

– Dans cinq minutes. Écoute, Adrianne reste ici.

– Quoi ?

– Elle a su plaider sa cause et elle m'a convaincue. Elle ne veut pas louper trois semaines de cours dès la rentrée. Je n'avais pas fait attention aux dates quand tu m'as organisé cette tournée. Attends, une seconde, s'il te plaît…

Du poste fixe de l'appartement, elle appela le gardien de l'immeuble.

– Bonjour, Ben, Lina Rizzo. Pouvez-vous m'envoyer quelqu'un pour mes bagages, s'il vous plaît ? Je vous remercie.

Puis elle reprit sa conversation avec Mimi.

– J'ai confiance en elle. Elle ne m'a jamais donné de raison de ne pas lui faire confiance. Elle est plus forte que je ne le pensais, tant mieux. Tu pourras l'appeler, dans la soirée, pour voir si tout se passe bien ?

– Bien sûr. Si elle veut venir à la maison, pas de problème.

– Elle est décidée à rester seule. Au cas où, je pense qu'elle n'hésiterait pas à t'appeler. Mais elle est décidée.

– Telle mère, telle fille.

– Tu trouves ?

Lina s'arrêta devant un miroir, observa ses cheveux, son visage. Physiquement, oui, sa fille lui ressemblait. Mais pour le reste… Peut-être n'y avait-elle pas suffisamment prêté attention.

– Je suis sûre que tout se passera bien. Envoie-lui juste un petit message de temps en temps.

– OK. On s'appelle. Excuse-moi, Lina, mais je crois que Jacob a de nouveau l'intention d'assassiner sa sœur. Je te laisse. Fais bon voyage, ne t'inquiète pas.

– Merci. À plus, Mimi.

Quand le timbre de la sonnette retentit, Lina alla ouvrir, et ne pensa plus à rien d'autre qu'à son voyage. Elle avait du travail de préparation à terminer dans l'avion, et un planning chargé l'attendait.

Chapitre 4

Seule à New York, Adrianne se leva comme à l'accoutumée quand son réveil sonna, fit sa séance de yoga, se doucha, se brossa les cheveux – toujours une corvée – et se farda très légèrement – depuis son plus jeune âge, elle avait une passion pour le maquillage.

Puis elle revêtit l'uniforme du lycée, qu'elle détestait : pantalon et blazer bleu marine, corsage blanc. Tous les matins, elle se faisait le serment de ne plus jamais porter de bleu marine dès qu'elle aurait terminé le lycée.

Elle prépara ensuite son petit déjeuner : salade de fruits au yaourt grec, tranche de pain aux dix céréales toastée, grand verre de jus de fruits.

Et parce que Mimi lui en avait donné l'habitude, elle lava sa vaisselle et fit son lit.

Son appli météo promettait une journée chaude et ensoleillée. Pas besoin de blouson. Son sac à dos sur une épaule, elle descendit par l'ascenseur privé du penthouse.

Le lycée n'était qu'à cinq rues et elle aimait marcher, surtout quand il faisait aussi beau. Elle en profitait pour réfléchir à son projet – qui la délivrerait du train-train quotidien.

Et l'obligerait à enfreindre l'une des interdictions de sa mère.

Son téléphone sonna. Mimi.

– Salut, Mimi, ça va ?

– Je viens m'acquitter de ma mission.

– Tu diras à maman que j'étais en chemin pour l'école quand tu m'as appelée. En vérité, je vais prendre le train pour le Jersey Shore, passer la journée sur la plage à me faire bronzer, utiliser ma fausse carte d'identité pour acheter des bières et passer la soirée au motel à faire des trucs cochons avec des inconnus.

– Excellent ! Compte sur moi, je ne dirai rien ! Je ne me fais pas de souci, ma puce. Je voulais juste prendre de tes nouvelles et te faire un petit coucou.

– Je sais, je plaisantais.

– Tu veux venir à la maison, ce week-end ?

– C'est gentil, mais non, je te remercie. Si jamais je change d'avis, tu me verras rappliquer.

– Si tu as besoin de quoi que ce soit, appelle-moi.

– OK, pas de problème. Passe une bonne journée. Bisous.

Adrianne avait un programme pour le week-end, et si son plan A échouait, elle avait un plan B, mais elle avait mené sa petite enquête et, en principe, le plan A fonctionnerait.

En gravissant le perron de l'opulente bâtisse de brique qui abritait le lycée de l'élite new-yorkaise, elle épingla son badge à son blazer, puis elle franchit le sas de sécurité, et traversa le hall au plancher verni, où régnait un silence à mille lieues du vacarme qui résonnait sous le préau de son ancien lycée.

Elle le regrettait, pour de nombreuses raisons.

Encore deux ans, songea-t-elle en s'engageant dans un couloir. Deux ans, et elle serait enfin libre de ses choix. Néanmoins, elle avait l'intention d'en faire un aujourd'hui.

En première, la plupart des lycéens appartenaient à une bande. Intégrer une nouvelle venue prenait du temps. On ne se liait pas en trois semaines. Adrianne avait conscience qu'on l'observait, qu'on la jaugeait. Elle n'était pas timide, mais elle aussi désirait prendre son temps.

Pour deux ans, elle aurait pu se faire des amis parmi les sportifs. (Certes, elle détestait les sports collectifs, mais elle aimait l'athlétisme.) Ou bien parmi les fashionistas – si elle haïssait l'uniforme, c'était justement parce qu'elle aimait la mode. Les fêtards, en revanche, ne l'intéressaient pas davantage que les premiers de la classe. Les snobs étaient à fuir, tout autant que les brutes.

Quant aux geeks, ils formaient un clan à part. Mais pour son projet, c'était d'eux qu'elle voulait se rapprocher, quitte à s'exclure à tout jamais des cercles les plus populaires.

À la cafétéria, son plateau en main – salade verte, poulet grillé, fruit de saison et eau gazeuse –, elle passa devant la table des sportifs, celle des filles à la mode, puis se dirigea vers celle des nerds, ignorant les ricanements et commentaires moqueurs qui fusèrent sur son passage.

Elle s'était renseignée, elle avait feuilleté les archives du journal du lycée ainsi que l'almanach de l'année précédente. Hector Sung correspondait exactement à ce qu'elle recherchait.

Asiatique, maigre comme un clou, lunettes carrées à monture noire, il leva vers elle un regard interrogateur, une tranche de pizza à la main.

– Je peux m'asseoir ici ?

– Hmmm.

Tout sourire, elle s'installa en face de lui.

– Adrianne Rizzo, se présenta-t-elle.

– Salut.

La fille assise à ses côtés leva les yeux au ciel.

– Lui, c'est Hector Sung. Il s'imagine que cette table nous appartient. Moi, c'est Teesha Kirk.

Le teint café au lait, les cheveux coiffés d'une multitude de petites tresses afro elle portait une énorme bague au pouce.

– Le rouquin, là, c'est Loren Moorhead. Tu as environ cinq virgule trois secondes pour bouger, si tu ne veux pas être contaminée par le germe des *no life* et être à tout jamais ostracisée.

Adrianne s'était également renseignée sur Teesha, qui aurait pu faire partie de la bande des premiers de la classe, si elle n'était pas une gameuse invétérée qui ne loupait pas un tournoi de *Donjons et Dragons* ni une convention *Doctor Who*.

– Enchantée, dit Adrianne en pressant son quart de citron sur sa salade. J'aurais une proposition à vous faire…

Hector en lâcha sa pizza.

– Hein ?

– J'ai besoin d'un vidéaste. Vu que c'est ton truc, je pense que tu pourrais m'aider.

L'adolescent regarda tour à tour ses deux amis.

– C'est un projet pour l'école ?

– Non. Je veux réaliser une série de sept vidéos de quinze minutes, une pour chaque jour de la semaine, certaines avec prise de son, d'autres que je doublerai. Je pourrais me débrouiller seule avec la caméra de mon téléphone, mais je vise un résultat pro.

Dans le regard d'Hector, elle lisait à présent de l'intérêt.

– Quel genre de vidéos ?

– Des cours de fitness : yoga, cardio, renforcement musculaire, etc. Pour poster sur YouTube.

– Qui nous dit que tu ne te fous pas de nous ? intervint Loren.

Elle se tourna vers lui. Il avait les cheveux poil de carotte, coupés en brosse, la peau blanche comme le lait et des myriades de taches de rousseur, les yeux d'un bleu très doux, et une bonne dizaine de kilos en trop. Qu'elle pouvait l'aider à perdre, s'il le souhaitait.

– Pourquoi je me foutrais de vous ? J'ai besoin de quelqu'un pour me filmer. Je peux payer cinquante dollars par vidéo, soit trois cent cinquante au total. Tarif négociable, dans la limite du raisonnable.

– J'y réfléchirai. Tu voudrais commencer quand ?

– Samedi matin, au lever du soleil. Je veux aussi faire des séances au coucher du soleil. J'ai une grande terrasse.

– J'aurai besoin d'assistants.

– Soixante-quinze euros par vidéo, à partager avec qui tu voudras, déclara Adrianne en mangeant sa salade.

– À quelle heure le soleil se lève ? demanda Loren.

Teesha devança Adrianne, qui s'était renseignée.

– Samedi, à 6 h 27. Et il se couchera à 19 h 20, heure standard de l'Atlantique.

– T'étonnes pas, elle sait tout, dit Loren.

– Cool. Il faudra que vous arriviez plus tôt pour installer votre matériel, faire vos repérages. Voici les scripts et mon adresse.

Adrianne sortit une clé USB de sa poche et la posa près du plateau d'Hector.

– Jette un coup d'œil, réfléchis, et tiens-moi au courant.

– C'est ta mère qui fait Yoga Baby, c'est ça ? demanda Teesha.

– C'est ça.

– Comment ça se fait que tu n'aies personne pour te filmer ? Elle a une boîte de production, non ?

– Il s'agit d'un projet personnel. Si vous êtes d'accord, ça nous prendra certainement tout le week-end, voire plus. Sans parler de la postproduction. Tu me diras combien de temps il te faudra pour le montage, Hector.

– OK, je regarde ça et on en reparle demain. Mais je te préviens, ajouta-t-il avec un sourire en coin, tu seras cataloguée si tu traînes avec nous. J'espère pour toi que le jeu en vaut la chandelle.

– J'espère aussi.

Adrianne passa le reste de la journée à ignorer les sarcasmes et railleries de ses camarades de classe.

À la sortie du lycée, Hector et ses amis l'interpellèrent.

– J'ai jeté un coup d'œil, lui dit-il en la rattrapant. Ça me paraît jouable.

– Super.

– Mais j'aimerais voir les lieux avant de m'engager.

– Tu peux venir maintenant, si tu as le temps. Je n'habite pas loin.

– OK.

– On vient avec lui, déclara Teesha.

– Pas de problème.

– J'ai regardé des vidéos de ta mère à la récré, dit Hector en remontant ses lunettes sur son nez, tout en calant son pas sur celui d'Adrianne. Elle a une production au top. J'ai du bon matos, mais on n'aura pas la qualité de studio de ta mère.

– Je ne cherche pas à l'imiter. J'ai mon idée à moi.

– Je vous ai googlisées, lança Loren, qui les suivait à quelques pas de distance.

– Et ?

– Ta mère a tué ton père.

Ce n'était pas la première fois que cela arrivait, mais personne n'avait jamais été aussi direct.

– Cet homme n'était pour moi que mon géniteur. Si ma mère ne l'avait pas tué, c'est moi qui serais morte.

– Ah bon ?

– Il était soûl, violent, peut-être dingue. Je n'en sais rien. C'était la première fois que je le voyais. Et la dernière. Ça remonte à dix ans.

Teesha décocha un coup de coude à Loren.

– Laisse tomber. D'ailleurs, t'as pas un oncle qui a fait de la taule pour délit d'initié, toi ?

– Ce n'est pas pareil, c'est un crime en col blanc.

– *Dixit* le Blanc le plus blanc de toute l'histoire des Blancs ! rétorqua Teesha. Il n'y a pas plus cul béni que sa famille. Avocats de la haute société depuis trois générations.

– C'est donc pour ça qu'il se la ramène tout le temps…

– T'as tout compris ! Tu dis « haut », il dit « bas », et ça peut durer des heures.

– Le haut et le bas dépendent de l'endroit où tu te situes.

– Tu vois ? Faut surtout pas le lancer !

Adrianne salua le portier de son immeuble.

– Bonjour, George !

– Bonjour, mademoiselle. Vous avez passé une bonne journée ?

– Comme d'hab'. Voici Hector, Teesha et Loren. Ils viendront me rendre visite de temps en temps.

– Très bien. Passez une bonne après-midi.

Ils traversèrent le hall d'entrée où se trouvaient quelques boutiques très chics, puis Adrianne appela un ascenseur sur lequel était marqué PRIVÉ – PENTHOUSE A.

– Si vous venez samedi, je donnerai vos noms au gardien et à la sécurité. Ils m'appelleront et je vous enverrai l'ascenseur.

– Tu habites à quel étage ? s'enquit Loren en montant dans la cabine.

– Quarante-huitième et dernier, avec terrasse sur le toit.

Le jeune garçon devint plus pâle qu'il ne l'était déjà.

– Il a le vertige, précisa Teesha.

– Oh mince ! s'exclama Adrianne. Tu ne seras pas obligé de venir sur la terrasse.

– Bah, ça ira… marmonna-t-il en enfonçant les mains dans ses poches, et Adrianne remarqua qu'une gouttelette de sueur perlait déjà à sa tempe droite.

– Vous n'aurez qu'à prendre l'autre ascenseur, samedi, dit-elle. Il arrive au premier niveau du triplex. Par contre, il vous faudra un passe et le code de l'alarme.

– C'est la grande classe, ici, murmura Teesha en remuant les sourcils.

– Ma mère aime la classe, répliqua Adrianne avec un haussement d'épaules.

L'ascenseur s'ouvrit sur la salle de gym : miroirs, rangées d'haltères, ballons, tapis et briques de yoga, élastiques, cordes à sauter ; un immense écran plat, une cheminée à gaz, une petite cuisine ouverte avec un réfrigérateur vitré contenant des boissons énergétiques, un autre, des bouteilles d'eau Yoga Baby ; les baies vitrées donnant sur une vaste terrasse, et le panorama des gratte-ciel new-yorkais.

– Pas de machines ? s'étonna Teesha.

– Dans l'univers de ma mère, le corps est la machine.

– Les complexités physiologiques ne sont pas les mêmes que les complexités mécaniques.

– Terminator avait des complexités physiologiques *et* mécaniques, souligna Loren.

– On est à des années-lumière de Skynet, répliqua Teesha. En fait, ta mère utilise le poids du corps.

Adrianne garda un instant le silence.

– C'est ça, acquiesça-t-elle enfin. Si vous avez besoin d'aller aux toilettes, à gauche en sortant de la cuisine. C'est là que je veux tourner les vidéos, dit-elle en sortant sur la terrasse.

– Énorme… s'extasia Hector. On poussera les meubles dans un coin. Et on coupera ce truc, ajouta-t-il en désignant le Jacuzzi dont le moteur ronronnait doucement. On entend un peu les bruits de la ville, bien qu'on soit en hauteur, mais ça créera une ambiance. Si je te filme d'ici, j'aurai l'East River à l'arrière-plan.

– Et le soleil levant. Pour les vidéos au couchant, on se placera dans l'autre sens, avec vue sur le Chrysler Building et l'Empire State Building. Pour les séances de fin de matinée et de l'après-midi, on trouvera un angle différent, je ne sais pas encore lequel.

– Pas de souci. Je demanderai à mon père de me prêter du matos d'éclairage, et une bonne caméra.

– Son père est réalisateur, précisa Loren qui se tenait prudemment sur le seuil de la terrasse. Il bosse sur *Blue Line* en ce moment, la série policière. T'aurais pas quelque chose à boire ? Autre que ces trucs énergétiques ? Genre, un soda.

– Les sodas sont interdits dans cette maison, mais j'en achèterai pour samedi. Il doit y avoir du jus de fruits dans la cuisine.

– Laisse tomber, c'est pas grave.

Hector fit le tour de la terrasse en examinant tous les angles de prise de vues.

– On pourrait faire un genre de répétition, pour que je prenne quelques repères ? demanda-t-il.

– Si tu veux. Je vais me mettre en tenue de sport.

– Pendant que tu te changes, on pousse les meubles avec Hector, et Loren descend acheter du Coca ! OK ?

– Il y a une supérette au rez-de-chaussée, répondit Adrianne en fouillant dans son sac à dos. Tiens, dit-elle en tendant dix dollars à Loren. C'est moi qui paie.

– Cool, merci.

Le temps qu'elle enfile un legging et un tee-shirt de yoga, Hector et Teesha avaient déplacé les deux tables, les deux banquettes et un fauteuil. Elle étala un tapis sur le sol et se plaça face au sud-est.

– J'ai fait des essais il y a quelques jours. Si tu te mets là, tu devrais pouvoir cadrer la rivière et le lever de soleil.

– Je vais te filmer avec mon téléphone, juste pour voir. La lumière sera différente, mais on pourra déjà se faire une idée du timing et du cadrage.

– OK.

Quelques minutes plus tard, Loren revint et déposa son sac à dos sur le comptoir de la cuisine, ainsi que le pass qu'Adrianne lui avait prêté.

– J'ai pris du Coca, des chips et quelques trucs à grignoter.

En pensant à sa mère, Adrianne laissa échapper un petit éclat de rire.

– C'est la première fois que ce genre de choses entrent dans cet appart' depuis qu'on y habite.

– Non ?! Mais tu manges quoi, alors ? demanda Loren en distribuant une cannette à chacun.

– Comme en-cas ? Des fruits, des légumes crus, du houmous, des amandes, parfois des frites de patate douce. Ce n'est pas dégueu. J'ai l'habitude.

– Ta mère est carrément trop stricte.

– Fitness et nutrition, c'est sa religion. Elle applique ce qu'elle prêche, je ne peux pas trop lui en vouloir. Mais bref. On tourne ce bout d'essai ? Normalement, je donne des consignes. Mais là, je ne dirai rien. Je m'enregistrerai après.

– Quinze minutes, c'est ça ? demanda Teesha en allumant son téléphone. Je chronomètre.

Adrianne avait répété cette séance des dizaines de fois, elle l'avait modifiée et peaufinée jusqu'à en être pleinement satisfaite. Une Salutation au soleil matinale, facile mais tout en grâce et fluidité.

Elle fit le vide dans son esprit.

Pour avoir réalisé de nombreuses vidéos avec sa mère, elle avait l'habitude des caméras et des équipes de tournage, si bien qu'elle fit aisément abstraction d'Hector et ses amis.

En terminant par un Savasana, elle annonça :

– Je vais parler maintenant ; sinon vous risquez de croire que je me suis endormie. On respire tranquillement… On essaie de ne penser à rien, on se relâche… Les orteils, les chevilles, les mollets… chaque partie du corps, jusqu'à votre visage… Sur l'inspiration, visualisez des couleurs ou des lumières douces… Et sur le souffle, on évacue les tensions…

– Il te reste quatre-vingt-dix secondes, signala Teesha.

– Parfait. Restez en Savasana aussi longtemps que vous le souhaitez, puis…

Adrianne étira les bras au-dessus de sa tête et pivota sur le côté, les genoux ramenés contre elle. Puis très lentement, elle s'assit en tailleur au centre du tapis.

– Position de méditation.

Elle joignit les mains devant elle, pouce contre pouce.

– Inspirez… Expirez… Bla-bla-bla.

Puis les bras croisés sur le buste, elle s'inclina.

– Remerciez-vous pour ce travail et tous les bienfaits qu'il vous a procurés. *Namasté*, conclut-elle en saluant de la tête. On se retrouve demain. Je vous souhaite une belle journée.

– Quinze minutes et quatre secondes, indiqua Teesha. C'était super.

– T'es hyper souple, commenta Loren, qui grignotait des chips, avachi sur l'une des banquettes. Je ne risque pas de toucher mes orteils, moi.

– Très important, la souplesse. Le problème, quand on est souple, c'est qu'on doit aller beaucoup plus loin qu'une personne raide pour obtenir le même bénéfice. Regarde… Lève-toi, et essaie de toucher tes orteils.

À nouveau, Adrianne pensa qu'elle avait les moyens de l'aider à perdre du poids.

– C'est gênant.

– Si tu n'essaies même pas, c'est encore plus gênant.

Loren lui jeta un regard sceptique, puis il se pencha en avant, bras tendus vers le bas. Il lui manquait au moins vingt centimètres pour toucher ses pieds.

– Tu sens l'étirement ?

– La vache, ouais !

Elle se mit dans la même posture que lui.

– Moi, je ne sens rien du tout. Il faut que j'aille beaucoup plus loin…

Joignant le geste à la parole, elle posa les paumes à plat sur le sol, visage contre ses genoux.

– … pour obtenir le même ressenti. Redresse-toi doucement, en déroulant chaque vertèbre et en expirant. Maintenant, sur l'inspiration, emplis tes poumons d'air et gonfle ton ventre comme un ballon.

– J'ai tout le temps le ventre comme un ballon ! dit Loren en riant.

Ses camarades pouffèrent, Adrianne se contenta de sourire.

– Essaie. Inspire… Gonfle le ballon. Maintenant, sur le souffle, tu te penches en avant pour aller toucher les orteils en vidant le ballon et en aspirant le nombril en direction de la colonne vertébrale.

Elle le regarda s'exécuter.

– Tu vois ? Tu as gagné au moins trois centimètres. Tout est dans la respiration.

Adossé contre le mur, Hector visionnait ce qu'il avait filmé.

– Alors ? lui lança-t-elle.

– Pas mal… Et je pourrais améliorer le cadrage, avec le matos de mon père. Tu devrais faire un petit speech d'intro et de fin, non ?

– Tout à fait, je suis en train de les préparer, acquiesça Adrianne. Oh, merci, dit-elle en prenant le Coca que Teesha lui tendait.

Machinalement, elle en but quelques gorgées, puis s'arrêta, les yeux fermés.

– Hmm… c'est tellement bon…

– Il va falloir que je parte dans une vingtaine de minutes, déclara Hector. Ça te dit qu'on répète l'intro et les transitions ?

– On fera un brainstorming demain, décréta Loren en tentant à nouveau de toucher ses orteils. À la pause déjeuner… si tu n'as pas peur d'être vue deux jours de suite avec nous.

– Je prends le risque.

En jetant les cannettes de Coca et les sachets de chips vides, après le départ de ses nouveaux amis, Adrianne prit conscience qu'elle n'avait pas seulement trouvé une équipe de tournage. Elle avait trouvé sa tribu.

Comme prévu, ils firent le point le lendemain à la cafétéria, puis discutèrent encore de certains détails après les cours.

Le vendredi soir, elle commanda des pizzas et acheta un stock de boissons. Puis elle aida Hector à installer le matériel qu'il s'était procuré. Un projecteur sur pied, un coupe-flux et des filtres pour les séances du soir, un réflecteur et un parapluie pour celles de l'après-midi, un micro et des câbles.

Puis ils dînèrent dans la salle à manger, une playlist de Loren en fond sonore, composée de tubes des années 80.

– Pourquoi les années 80 ? demanda Adrianne en prêtant une oreille amusée à Wham !

– Pourquoi pas ?

– Parce qu'on n'était pas nés ?

– Ça, c'est un « pourquoi », pas un « pourquoi pas ». C'est intéressant de se plonger dans l'histoire récente de la musique populaire. Je vais bientôt faire une compil' de variété des années 90… Une manière d'analyser la société de la décennie qui nous a vus naître.

– Totale prise de tête.

– Je te l'accorde. Je suis un archéologue de la musique.

– *The Music Man*, articula Teesha entre deux bouchées de pizza. Robert Preston et Shirley Jones, version filmique de 1962. Preston tenait également le haut de l'affiche de la comédie musicale de Broadway, en 1957, avec Barbara Cook dans le rôle de Marian, la bibliothécaire.

– Comment sais-tu des trucs pareils ? s'étonna Adrianne. Et surtout, pourquoi ?

– Elle mémorise tout ce qu'elle lit, répondit Hector.

– Eh, je devrais aussi faire une playlist de musicals de Broadway ! Total ringard !

– Carrément ! s'exclama Hector. C'est chouette, chez toi, ajouta-t-il à l'attention d'Adrianne.

– *Dixit* le mec qui partage sa vie entre un petit manoir et un penthouse au moins aussi chic que celui-ci, railla Teesha en buvant une gorgée de Coca.

– Mes parents sont séparés, précisa Hector. Je suis une semaine chez l'un, une semaine chez l'autre. Mes beaux-parents sont sympas, heureusement. J'ai un petit frère du côté de mon père et une petite sœur du côté de ma mère. Cool aussi, pour l'instant.

– J'ai longtemps rêvé d'avoir des frères et sœurs, mais c'est mort maintenant. Je me suis fait une raison. T'en as, toi ? demanda Adrianne à Teesha.

– Deux grands frères et des parents inséparables, des vraies perruches. Mes frangins sont cool. À part quand ils ont décidé d'être chiants.

– Une sœur de dix ans, dit Loren avant qu'on lui pose la question. Mes parents ont conçu la princesse Rosalind après une séparation de quelques mois. Un genre de petite chipie.

– Un genre ? releva Teesha.

– OK, une vraie chipie, pourrie gâtée, mais c'est pas sa faute. On la traite comme une fille unique, on s'intéresse qu'à elle.

– Ma mère s'intéresse plus à sa carrière qu'à sa fille, répliqua Adrianne. Mais ce n'est pas plus mal. Au moins, je ne l'ai pas tout le temps sur le dos. De toute façon, j'aurai bientôt ma carrière, moi aussi. Grâce à vous.

– Et quand tu seras une star de YouTube… (Teesha poussa un soupir exagéré.) Nous, on sera toujours trois geeks et tu iras t'asseoir à la table des plus populaires.

– Sûrement pas, je vous serai fidèle et vous me nommerez geek honoraire.

– Ça n'existe pas. On est geek ou on ne l'est pas, c'est tout, déclara Hector. Mais quand on se nourrit de céréales et de jus de carotte, et qu'on bosse au lieu de profiter de l'absence de sa mère pour faire n'importe quoi, alors on est geek, y a pas photo. Tu es une geek, pas de doute, geek du fitness.

Adrianne ne s'était jamais considérée comme telle, mais en se couchant ce soir-là, après son rituel de yoga, elle dut s'avouer qu'elle était bel et bien obnubilée par l'exercice et la forme physique.

Mais peu lui importait.

Chapitre 5

Le samedi matin, ils se mirent au travail avant l'aube. Adrianne avait prévu ce qu'elle appelait le « catering » : jus de fruits, bagels, fruits frais, et comme elle savait que ses camarades aimaient le bon café, elle avait acheté un percolateur.

Elle devrait ensuite le cacher dans sa chambre, car la caféine était strictement interdite dans cette maison.

Satisfaite de la première séance – la lumière était magique –, elle descendit se changer et se recoiffer pour la suivante.

Teesha l'accompagna, en s'autoproclamant habilleuse.

Et si elle fut choquée qu'Adrianne se déshabille devant elle, elle s'efforça de ne pas le montrer.

– J'aimerais bien me coiffer les cheveux en arrière, mais sans gel, ça m'étonnerait qu'ils tiennent pendant quinze minutes de cardio.

Teesha se pinça les lèvres, pensive, tandis qu'Adrianne enfilait un legging court ultra moulant.

– Si tu te faisais une petite tresse de chaque côté, fixée avec une barrette ?

– Des tresses ? Avec mes frisettes ?

Adrianne agrafa sa brassière, du même bleu que son legging.

– Je me fais bien des tresses avec mes cheveux de Black ! Tu as quoi, comme produit ?

Par-dessus sa brassière, Adrianne passa un débardeur rose vif. Comme elle avait préparé une choré hip-hop, elle attacherait un sweat à capuche autour de sa taille, et porterait des baskets montantes.

– Tout ce qui existe, tellement mes cheveux me désespèrent.

– Assieds-toi, meuf. Je vais m'occuper de toi.

Lorsqu'elle se regarda dans le miroir, elle fut bluffée par le résultat.

– J'y crois pas ! C'est un miracle ! Ça me fait un look à la fois mignon, funky et discret. Il faudra que tu m'apprennes.

– Avec plaisir, acquiesça Teesha en souriant à son amie dans le miroir. Ça fait plaisir, tu sais, d'avoir une fille dans la bande. Ça crée un équilibre. Tu m'apprendras à faire du yoga ? Ça a l'air trop cool !

– Quand tu veux !

Le tournage de la séance de cardio se déroula également pour le mieux : en trois prises et dans la bonne humeur, Hector derrière la caméra, Loren au son, Teesha les assistant tour à tour selon les besoins.

Quand on livra le déjeuner commandé par Adrianne, ils avaient filmé trois séances. Ils en firent deux de plus avant le dîner, et terminèrent par le yoga au coucher du soleil.

– Je ne pensais pas qu'on arriverait à faire tout ça en une journée. Il ne restera plus que le Total Body, l'enregistrement de ma voix, et l'introduction. Et je préparerai peut-être dix minutes d'abdos en bonus, dit Adrianne en se laissant tomber sur l'une des banquettes de la terrasse.

– Je me graverai un DVD, déclara Hector. Tu m'as donné envie de me mettre au sport.

– Sérieux ?

– Bah… juste pour le fun. Rendez-vous à 10 heures, demain ? Si on bosse au même rythme qu'aujourd'hui, on aura fini vers 13 ou 14 heures. Je pense pouvoir boucler le montage d'ici la fin de la semaine, même si on doit refilmer des passages. Mais ça m'étonnerait.

– Ce serait génial !

Lorsque les amis d'Adrianne prirent congé, après avoir englouti tous les restes du déjeuner et du dîner, il était près de minuit. En s'allongeant sur son lit, elle s'étira de tout son long, un grand sourire aux lèvres, dans la pénombre.

Non seulement elle avait trouvé des amis, mais elle avait trouvé sa voie, et elle était déterminée à la suivre jusqu'au bout.

Le lendemain, ils commencèrent par tourner l'intro, afin d'éviter qu'Adrianne ne transpire et ne soit obligée de se changer pour la suite.

– Bonjour, je suis Adrianne Rizzo, et voici *About Time*.

New York en toile de fond, face caméra, elle présenta les sept séquences de son programme, précisant que si elles ne duraient que quinze minutes, c'était pour pouvoir n'en faire qu'une quand on manquait de temps, ou bien en enchaîner plusieurs les jours où l'on était motivé.

– Tu assures, la complimenta Hector. Parfois, j'accompagne mon père sur des tournages. Même avec des pros, c'est rare que la première prise soit la bonne.

– J'ai répété. Beaucoup.

– Tu étais excellente. Mais faisons quand même une deuxième prise, juste au cas où. Tu peux peut-être te déplacer un peu, je te suivrai.

À midi, ils avaient terminé la partie vidéo. Les meubles de la terrasse remis en place, ils s'installèrent pour la prise de son dans la pièce la plus calme du triplex : le dressing de Lina.

– Waouh ! s'extasia Teesha en contemplant les rayonnages impeccablement rangés. Ta mère a des fringues de folie. Je croyais que la mienne était stylée, la tienne doit être canon. Combien de paires de chaussures ? Une centaine, au moins… Vingt-six paires de baskets… Que des couleurs super !

– Avant, on lui offrait des tenues, et les marques étaient créditées. Maintenant, elle a ses propres collections.

Elle aussi aurait les siennes un jour, pensa Adrianne.

Hector orienta son ordinateur portable face à elle, sur une étagère, puis se cala sur le début de la première vidéo de yoga.

– L'intérêt de la bonnette, dit-il en fixant le micro sur son pied, c'est qu'elle filtre le souffle des consonnes occlusives : les p, les b… C'est mon père qui me l'a prêtée, avec les casques. Tout le monde en prend un et respecte un silence absolu. Si vous avez envie de péter, vous vous retenez. Loren lancera l'enregistrement, je te ferai un signe, Adrianne, pour te dire que je lance la vidéo et tu pourras commencer à parler.

– Ça marche.

Elle mit ses écouteurs, contrôla sa respiration, et quand Hector lui adressa un geste du doigt, elle commença.

– Salutation au soleil matinale. On se place à l'avant du tapis…

Lorsqu'elle termina par un *Namasté*, Hector attendit quelques secondes, puis il indiqua à Loren de couper.

– C'était parfait ! Dis-moi que tu as tout, parce qu'elle était tip top !

– Ça m'a l'air bon. Quel calme, ici… Tu as une voix hyper apaisante, Adrianne.

– C'est le but. On fait la séance du couchant dans la foulée ?

– C'est parti !

À la fin des enregistrements, Loren retira son casque et brandit les deux pouces.

– Les gars, on est excellents !

– On va tout écouter, pour vérifier que tout est bon. Si on a un souci, mon père m'a dit qu'on pouvait l'appeler.

– Sympa, commenta Adrianne.

– Mon père est un mec sympa.

En enroulant les épaules, elle inspira profondément, puis relâcha son souffle.

– Descendons dans le salon. On pourra s'installer plus confortablement.

– Et commander des pizzas.

– On a en mangé vendredi !

– Et alors ? répliqua Teesha, qui était assise par terre, en se redressant.

– OK, je commanderai des pizzas.

Adrianne avait un stock de Coca, dont elle ferait disparaître toute trace avant le retour de sa mère. Néanmoins, elle redoutait d'avoir déjà développé une accoutumance dont elle aurait peut-être du mal à se défaire. Mais le jeu en valait la chandelle, pensa-t-elle en s'affalant sur le canapé à côté de Teesha.

– Vous êtes sûrs que ma voix est bien ? Pas trop chiante ?

– Tu as une voix calme et posée, Rizz, très agréable, parfaite, répondit Teesha.

– Zen et sereine, renchérit Hector.

– Tout est synchro ? Attendez ! On va voir tout de suite ! Je vais chercher des tapis ! Teesha et Loren feront la séance.

– Hein ? Ça va pas !

Adrianne fusilla Loren du regard, avant de s'élancer dans l'escalier.

– Tu en es parfaitement capable. Je te montrerai des variantes faciles. Ensuite, Hector et moi, on fera le yoga du soir.

Celui-ci voulut protester, mais elle avait déjà disparu à l'étage.

– Je ne risque pas de faire ça, grommela Loren. Je vais vomir, ou me casser quelque chose.

– Mais non ! le rassura Teesha. Allez, courage, dit-elle quand Adrianne revint avec deux tapis.

– Rien de mieux qu'un test en conditions réelles, dit celle-ci gaiement. J'aurais dû y penser plus tôt. Allons nous installer sur la terrasse. On aura plus de place, et plus d'air.

– Je suis partante, déclara Teesha. Allez, viens, Loren, ne fais pas ta chochotte !

– Si je vomis, ce sera ta faute. Et je risque d'avoir le vertige…

Loren ne vomit pas, mais il souffla, râla et ronchonna. Et devint écarlate lorsque Adrianne rectifia sa posture, une main sur son épaule, l'autre sur sa hanche.

– Ça fonctionne, murmura-t-elle à Hector. Deux grands débutants, mais ils n'ont aucun mal à suivre les consignes. Ils ont juste besoin qu'on les aide à se placer correctement, et ils manquent d'entraînement. Mais c'est ça, le yoga, plus on pratique, plus… Les pizzas ! J'y vais ! dit-elle quand on sonna à la porte.

En dansant, elle prit l'argent qu'elle avait posé sur la table, mais se figea en découvrant Harry sur le seuil de l'appartement.

– Soirée pizza ? lui lança le manager de sa mère, deux grandes boîtes plates entre les mains, avec un froncement de sourcils ironique.

– Harry… Je ne pensais pas te voir avant…

– Avant que la fête soit finie ?

– Non, non, ce n'est pas une fête. On travaille.

– Mouais…

Il s'avança dans le couloir. Nonna avait dit un jour qu'il avait le visage sculpté par des elfes. Les traits d'une grande finesse, en effet, toujours très bien coiffé, grand et mince, élégant, il portait un jean noir, un blouson de cuir noir, un tee-shirt gris clair et des bottines de daim noir.

– Je t'assure ! insista Adrianne en lui débarrassant les mains. Viens voir par toi-même… Mes amis et collaborateurs, dit-elle en désignant du geste Teesha et Loren s'initiant au yoga, Hector à la régie les observant d'un œil rieur.

Les cannettes de Coca et sachets de chips crevaient les yeux, dans le salon, où traînaient aussi une paire de baskets et un sweat à capuche.

– C'est maman qui t'envoie m'espionner ?

– Non, je suis rentré pour deux jours, comme elle n'avait rien de prévu cet après-midi ni demain. Des trucs à régler. Et j'avais envie de voir Marsh. J'ai croisé le livreur de pizzas au rez-de-chaussée. Je lui ai dit que je te les montais.

– Merci.

Harry Reese était homo, en couple avec Marshal Tucker depuis trois ans. Adrianne les adorait tous les deux. Mais là, il ne pouvait pas plus mal tomber.

– Tu me présentes tes potes ?

– Bien sûr. Écoute, Harry…

– Ne t'inquiète pas, je ne dirai rien à ta mère. Sauf si je découvre que tu organises des partouzes sans m'inviter.

– Pas de risque. Je te jure qu'on travaille. Ils m'aident à monter un projet.

La boule au ventre, elle s'efforça de paraître détendue et le précéda sur la terrasse.

– Cinq minutes dc pause, les amis. Voici Harry, le manager de ma mère.

– Salut, les jeunes ! lança-t-il, amusé par leur mine coupable. Yoga et pizzas ? Cool !

– Harry, je te présente Hector, Teesha, Loren, des copains du lycée.

Elle s'était donc déjà fait de nouveaux amis, pensa-t-il avec joie, lui qui avait tenté de dissuader Lina de la changer d'établissement.

– On fait des vidéos, poursuivit Adrianne. Le père d'Hector lui a prêté du matériel. Il bosse dans le cinéma.

– Quel genre de vidéos ? demanda Harry en s'approchant de l'ordinateur.
– Une série de sept séances de fitness qu'on mettra sur YouTube.
– Pour l'école ?
– Non…
– Je peux m'arrêter ? implora Loren. Je crève de chaud…
Sur l'écran de l'ordinateur, Adrianne se tenait dans la posture du Guerrier II, le soleil se levant au-dessus de la rivière.
– Waouh… Superbe lumière…
– C'est la première séance. Une Salutation au soleil. On était justement en train de la tester.
– Je ne vous dérangerai pas longtemps. Dis-moi, Hector…
Celui-ci, qui gardait prudemment le silence, remonta ses lunettes sur l'arête de son nez.
– Oui, monsieur.
– Je t'en prie, laisse tomber le « monsieur ». Tu peux relancer la vidéo ?
– Euh… Oui, bien sûr.

Continuez à regarder votre main droite et tournez la paume vers le haut, puis levez le bras droit… et faites glisser le bras gauche le long de la jambe gauche pour passer en Guerrier inversé.

– Je vais me chercher un Coca. Quelqu'un en veut un ? s'enquit Loren.
Adrianne lui jeta un regard noir.
– Chuuut !
– Quoi ? Je crève de soif !
– J'en veux bien un, s'il te plaît, lui demanda Harry sans lever les yeux de l'écran. Et ces pizzas sentent délicieusement bon. Une part achètera mon silence.
– Je vais chercher des assiettes, déclara Teesha.
– Merci. Harry…
Celui-ci fit signe à Adrianne de se taire, puis il stoppa la vidéo.
– C'est toi qui as filmé ? demanda-t-il à Hector.
– Oui, monsieur. Je veux dire, oui.
– Quel âge as-tu ?
– Euh… Dix-sept ans.
– Tu es un enfant prodige, non ?
Hector rentra la tête dans les épaules.
– Sept séances ?
– Oui, répondit Adrianne. Je me disais que sept…
– Combien sont terminées ?
– Sept.

– Chapeau ! Vous m'en montrez une autre ?

– Danse cardio. On compte les pas sur huit temps, on apprend un enchaînement segment par segment, et on le répète trois fois. La musique est libre de droits.

Harry regarda les premières minutes tout en buvant le verre de Coca que Teesha lui avait servi.

– Bonne idée d'avoir changé de tenue et de coiffure. Et d'angle de prise de vues. Rien à redire sur l'éclairage et le son. Nickel. Tu as de la présence et du talent, Adri. Mais je ne suis pas étonné, je n'en attendais pas moins de ta part.

Il appuya lui-même sur Pause, puis s'installa dans un fauteuil.

– Mais tu ne mettras pas ces vidéos sur YouTube.

– Harry !

– Pourquoi YouTube, alors que ta mère a une boîte de prod' ?

– Parce que c'est mon projet, pas le sien.

Harry soutint le regard buté d'Adrianne.

– Tu as un produit, elle a les moyens de le vendre. Si tout le reste est de la même qualité, je te soutiendrai. Ce projet a un nom ?

– *About Time*. Et ma boîte s'appellera « New Generation ». Quand je l'aurai créée.

– Je t'aiderai, dit Harry avec un sourire. En attendant, ne fais pas l'idiote et profite de tes atouts : l'agent de ta mère, la renommée de sa marque, moi. New Generation est un nom qui sonne bien. Dans un premier temps, ta société pourrait être chapeautée par Yoga Baby. Un DVD te rapportera plus que YouTube. Les juristes de ta mère rédigeront un contrat. Tu toucheras un bon pourcentage, la part du lion, j'y veillerai. Ne t'inquiète pas, je suis de ton côté.

– Tu l'es toujours…

– C'est vrai, dit-il en l'attirant près de lui et en lui enlaçant la taille. Tu sais que tu peux compter sur moi.

– Je te fais confiance.

– Alors écoute-moi et laisse-moi parler à ta mère – une fois que j'aurai regardé toutes les vidéos.

Adrianne réfléchit un instant, en essayant de peser le pour et le contre. Cette initiative était la sienne, certes, mais…

– Vous avez aussi votre mot à dire, lança-t-elle à ses amis. On a tout fait ensemble.

– Oui, mais c'était ton idée, lui rappela Hector.

– C'est vrai qu'un DVD rapporterait plus… murmura Loren. Enfin, je dis ça, je dis rien, ajouta-t-il devant le regard d'Hector. YouTube, c'est cool aussi, mais si on considère le tableau d'ensemble…

– Teesha, qu'est-ce que tu en penses ?

Celle-ci haussa les épaules.

– C'est ton idée, Hector a raison. N'empêche qu'on a vraiment fait du bon boulot.

Adrianne arpenta la terrasse, contempla la vue sur la ville, puis se remit à marcher de long en large.

– Admettons que je suive ton conseil, Harry, et que maman accepte de me produire… Ce sera un DVD de ma boîte, chapeautée par la sienne, comme tu l'as suggéré, mais je veux être créditée comme productrice exécutive et chorégraphe.

– Normal.

– Hector est producteur exécutif et vidéaste, Loren, producteur exécutif et ingénieur du son, Teesha, productrice et régisseuse lumière. Et ils touchent chacun 5 %.

– 2 % me paraissent plus réalistes.

– À négocier, si le projet aboutit.

– Les DVD de ce genre se vendent à… Ce sera un double coffret, vu la longueur… Disons 22,95 $, estima Teesha, tête inclinée, en regardant le ciel.

– Elle a déjà une marque, souligna Harry. Pour un double DVD, je dirais plutôt 29,95.

– OK. Avec ce qu'Adrianne a investi, le coût de la prod' et de la fabrication, la jaquette et le boîtier, la remise vendeur, le marketing… Ça ferait un profit net autour de 10,50 $. Je calculerai ça plus précisément. 2 % nous feraient 21 cents chacun par DVD vendu. Admettons qu'il s'en vende cent mille, ça nous rapporterait 21 000 $ chacun.

– Avec la renommée de Yoga Baby et de la marque Rizzo, couplée au facteur nouveauté… je miserais sur un million d'exemplaires, répliqua Harry en observant Teesha.

– 2 % me semblent honnêtes, dit-elle.

– Vous êtes tous des petits génies ?

– On est des geeks, rétorqua Hector.

– OK, les geeks, mangeons ces pizzas et regardons les vidéos.

Quand il ne resta plus rien des pizzas qu'un heureux souvenir, Harry se renversa contre le dossier de son fauteuil.

– À mon humble opinion, bien que mon opinion ne soit jamais humble, vous avez fait du bon boulot, les jeunes. Hector, tu pourras me graver un DVD ?

– Bien sûr. Ou bien je vous envoie les fichiers par mail.

– Les deux, s'il te plaît. Je reprends l'avion demain pour rejoindre Lina à Denver. Je lui montrerai, et je lui expliquerai.

Il se leva en s'étirant.

– Il est trop tard pour produire et distribuer un DVD avant Noël, mais janvier est une bonne période : les gens culpabilisent de leurs excès, ils prennent la résolution de se mettre au sport. Les jeunes, si vous n'avez encore rien dit de ce projet à vos parents, c'est le moment. Ils devront vous autoriser à signer des contrats.

De sa poche, Harry retira un porte-cartes en argent et en déposa quelques-unes sur la table.

– S'ils ont des questions, qu'ils me contactent. Hector, tu m'enverras le fichier à cette adresse. Tenez-vous prêts, tous, ça risque d'aller très vite.

Hector étiqueta soigneusement le disque qu'il venait de graver.

– Mon père est au courant. Et il bosse dans le ciné.

Il rangea le DVD dans son boîtier, le tendit à Harry.

– Merci. Je vais vous laisser, les enfants. Merci pour la pizza.

– C'est toi qui les as payées, souligna Adrianne en se levant pour le raccompagner.

– Ah oui, c'est vrai. Pas de quoi, dit-il en lui enlaçant les épaules. Mimi est au courant ?

– Non.

– Dis-lui. Elle sera de ton côté.

– D'accord, mais, Harry…

– Fais-moi confiance, dit-il en l'embrassant sur la tête.

Deux secondes après qu'elle eut refermé la porte, des cris de joie fusèrent de la terrasse.

Ils ne connaissaient pas Lina Rizzo, pensa-t-elle. Mais qu'à cela ne tienne, Harry était conquis.

Elle fit un salto. Ses amis se levèrent et se mirent à danser autour d'elle.

Trente-six heures plus tard, à une altitude de trente mille pieds, dans l'avion qui les emmenait à Dallas, Lina regardait les deux premières vidéos sur l'ordinateur portable de Harry tout en sirotant un verre d'eau gazeuse.

– Elle a fait sept séquences ?

– C'est ça.

– Elle aurait dû en faire six de dix minutes, pour avoir une heure au total.

– Double DVD, l'intro et trois séances sur le premier, quatre sur le deuxième. Deux heures au total. Quinze minutes d'effort te réclament davantage d'investissement personnel, et si tu enchaînes deux séances, ça te fait trente minutes d'exercice.

– Qu'est-ce que c'était que cette musique sur le cardio ? Et cette tenue ?

– Du hip-hop. Jeune, fun, énergique. Et le look qui va avec.

Lina secoua la tête, sceptique, et lança la lecture de la vidéo suivante. Connaissant le personnage, Harry garda le silence.

– Tu n'étais au courant de rien ?

– Non, elle voulait se débrouiller seule. Ta fille a l'esprit d'entreprise et elle est créative. Elle sait ce qu'elle veut, et elle n'a pas peur de se retrousser les manches. Elle a trouvé des camarades de lycée qui possédaient les compétences dont elle avait besoin. De gentils gamins.

– Qu'est-ce que tu en sais ? Tu as passé… quoi… deux heures avec eux…

– J'ai parlé avec leurs parents. Je peux t'assurer que ce sont des jeunes gens très bien. Et très intelligents. Elle s'est fait des amis, Lina, et ils ont accompli un truc énorme ensemble.

– Sans rien me dire. Elle a profité de mon absence pour faire ça dans mon dos. Et maintenant, elle voudrait non seulement que je la félicite, mais que je la produise…

– Non, elle ne veut rien. C'est moi qui te conseille de la produire. Elle voulait juste se prouver qu'elle était capable de mener ce projet à bien. Elle l'a prouvé, tu ne peux pas dire le contraire. Tu devrais être fière d'elle.

Lina regarda fixement son verre d'eau, puis en but une petite gorgée.

– Je ne dis pas qu'elle n'a pas fait du bon boulot, mais…

– Stop. Tu sais comme moi que ces vidéos sont excellentes. Faisons abstraction des relations personnelles que j'entretiens avec toi, avec ta fille, et laisse-moi te donner un conseil non pas d'ami mais de pro. Tu l'aides à fonder sa société, tu produis son double DVD, sa marque cartonne et la tienne y gagne un coup de jeune.

– Une bande d'ados comme producteurs exécutifs…

– C'est ça, la beauté du truc ! C'est ce qui plaira ! C'est ce qui fera vendre des milliers de DVD ! Je peux te le prouver par $a + b$.

– Tu peux prouver n'importe quoi par $a + b$.

– C'est mon métier. Je t'assure que ces vidéos sont de l'or en barre.

– Peut-être. J'y réfléchirai. Montre-moi la suite.

Il avait raison, pensa-t-elle. Elle savait qu'il avait raison, mais elle ne voulait pas céder trop facilement.

– Si tu n'étais pas rentré à New York et que tu n'étais pas passé chez moi… Le pire, c'est que je n'étais pas d'accord pour que tu prennes ces deux jours…

– J'avais un rendez-vous important, je t'avais prévenue avant qu'on parte.

– Un rendez-vous qui méritait que je passe le week-end seule à Denver, comme un chien.

Harry esquissa un sourire, comme Lina l'espérait.

– Un rendez-vous important, crois-moi.

– Et secret, apparemment…

Il poussa un soupir.

– On attend un heureux événement.

– Hein ? s'écria Lina en reposant brusquement son verre. Vous avez trouvé une mère porteuse ?

– Oui. Nous voulions attendre douze semaines avant d'en parler. Lundi matin, nous l'avons accompagnée chez le gynéco pour la visite du troisième mois et… nous avons entendu le cœur du bébé.

Les larmes aux yeux, Harry se pencha pour prendre la sacoche posée à ses pieds, d'où il retira une échographie.

– Les battements de cœur de notre enfant…

Émue, Lina se pencha vers Harry et examina les clichés.

– On dirait qu'il n'y a rien entre les jambes…

– C'est une fille, dit Harry entre le rire et le sanglot, en saisissant la main de Lina. Elle est attendue pour le 16 avril. Je vais être papa. Marsh et moi, on va être papas.

– Deux super papas, j'en suis certaine.

Lina interpella un steward.

– Pouvez-vous nous servir du champagne, s'il vous plaît ?

Harry exerça une pression sur sa main.

– J'ai hâte de l'annoncer au monde entier, mais tu es la première. Fais-moi plaisir, produis le DVD d'Adrianne. Tu ne le regretteras pas.

– D'accord, soupira-t-elle. Mais c'est sournois de profiter d'un moment d'émotion…

De retour chez elle, elle donna un pourboire au portier qui avait monté ses bagages, pressée de prendre une longue douche chaude et de dormir huit heures d'affilée, luxe qu'elle ne pouvait pas s'offrir en tournée. Mais chaque chose en son temps. Lina était une femme ordonnée, qui ne remettait jamais au lendemain ce qu'elle pouvait faire le jour même.

Elle défit ses valises, prépara un sac de vêtements pour le pressing, rangea ses chaussures et les quelques bijoux qu'elle emportait en voyage, suspendit sur des cintres ses manteaux protégés par des housses et plia ses foulards.

Puis elle descendit, se versa un verre d'eau gazeuse, y ajouta une rondelle de citron.

Impeccable, pensa-t-elle en entendant Adrianne qui rentrait du lycée, son sac à dos sur une épaule.

– Salut, maman. George m'a dit que tu étais là.

– Salut, ma fille, dit-elle en l'embrassant. Allons nous asseoir. Il faut qu'on parle de ton projet.

– Maddie m'a appelée. Elle m'a dit que tu étais d'accord, et elle veut bien nous représenter, mes amis et moi. Elle s'occupe du contrat.

Lina s'installa sur le canapé et, du geste, invita Adrianne à la rejoindre.

– Tu pourras remercier Harry. Tu lui dois une fière chandelle.

– Je l'ai remercié.

– Mais tu aurais pu t'adresser directement à moi.

– Si je m'étais adressée à toi, ç'aurait été une collaboration. Je voulais monter ce projet seule, et je l'ai fait. Enfin, avec Hector, Teesha et Loren.

– Que je n'ai jamais vus et dont je ne sais strictement rien…

– Que veux-tu savoir ? Tu t'es renseignée sur eux, je parie…

– Nous en reparlerons. Pour en revenir à ton projet, j'aurais pu te fournir un studio, des professionnels.

– *Ton* studio, *tes* professionnels. Je voulais faire les choses à ma façon. Et je sais que mes vidéos sont réussies. Des pros auraient peut-être fait mieux, mais je suis satisfaite. Tu es partie de rien, poursuivit Adrianne avant que sa mère ne l'interrompe. Ce n'est pas mon cas, j'en suis consciente. Grâce à toi, à ce que tu as construit, j'ai des avantages que tu n'avais pas. Certains diront que c'est facile pour moi, parce que je suis ta fille. Ce n'est pas faux. Mais je sais maintenant que je peux atteindre mon but par moi-même.

– Comment ? Avec des camarades de classe et du matériel emprunté ?

– C'est un début. Je vais aller faire mes études à Columbia, en sciences des activités physiques et sportives, options gestion et nutrition. Je ne tomberai pas enceinte et…

Adrianne se tut brusquement, elle-même choquée par ses paroles. Lina se raidit.

– Excuse-moi. C'était méchant et gratuit. J'ai toujours l'impression de devoir me justifier… Pardon, désolée.

Lina posa son verre, puis se leva et se dirigea vers la terrasse.

– Tu me ressembles plus que tu ne penses, dit-elle en ouvrant la baie vitrée. Tu as de l'audace et du courage. Tes vidéos sont bonnes, tu as du talent. Le concept et l'approche sont… intéressants. Harry saura en tirer le meilleur parti, tu suivras ses recommandations, je financerai tout. On verra bien où ça nous mène… Depuis combien de temps travaillais-tu là-dessus ? demanda-t-elle en se retournant vers sa fille.

– L'idée me trottait dans la tête depuis six mois à peu près.

Lina revint chercher son verre.

– On verra bien où ça nous mène… répéta-t-elle. Je vais me doucher. On commandera quelque chose pour le dîner.

– Je pensais préparer un curry de pois chiches, la recette que tu aimes bien. Je me disais que tu devais en avoir marre des restos et du *room service*…

– En effet. Excellente idée, ma chérie.

New Generation, en partenariat avec Yoga Baby, lança le programme *About Time* le 2 janvier. Adrianne consacra ses vacances de fin d'année à la promo, et ses grands-parents lui manquèrent tellement qu'elle se jura de ne plus jamais célébrer Noël sans eux.

Dès le premier mois, les chiffres prouvèrent qu'elle avait choisi la bonne voie et l'encouragèrent à persévérer. Elle s'attela donc à la préparation d'un nouveau projet.

Elle reçut sa première menace de mort en février : un poème, en lettres majuscules noires sur papier blanc.

CERTAINS FLEURISSENT LA TOMBE DES ÊTRES AIMÉS
CAR À LEUR CHAGRIN ILS SE SENTENT ENCHAÎNÉS
TOI, NI DE FLEURS NI DE TOMBE TU N'AURAS
CAR DE MES MAINS TOUTE SEULE TU PÉRIRAS.

– C'était là-dedans, dit-elle en tendant une enveloppe à sa mère, la main tremblante. Je l'ai trouvée dans la boîte postale qu'on a ouverte pour le courrier des fans. Je suis passée la relever après les cours, cet après-midi. Il n'y a pas d'expéditeur.

– Évidemment.

– D'après le cachet de la poste, elle vient de Columbus, dans l'Ohio. Pourquoi quelqu'un de Columbus voudrait me tuer ?

– C'est juste un détraqué. Je suis étonnée que tu n'en aies pas reçu plus tôt. J'en ai tout un dossier.

Cette information choqua Adrianne presque autant que le poème.

– Des menaces ? Tu as un dossier de menaces ?

Lina s'épongea le visage. Elle chorégraphiait un entraînement quand sa fille avait fait irruption dans la salle de gym.

– Des menaces, des propositions obscènes, des insultes, dit-elle en rendant la lettre à Adrianne. Remets-la dans l'enveloppe. On en fera une copie et on portera plainte. La police voudra l'original. Mais je peux déjà te dire qu'ils ne feront pas grand-chose. Alors on la donnera à Harry, comme les miennes, il l'archivera et on n'y pensera plus.

– Mais quelqu'un veut ma mort… Pourquoi ?

– Adrianne… soupira Lina en jetant sa serviette sur son épaule, puis en dévissant le bouchon d'une bouteille d'eau. C'est sûrement un cinglé. Un jaloux, un obsédé, quelqu'un de malheureux et de haineux. Tu es jeune et jolie, tu as du succès. Tu passes à la télé, tu fais la couverture de *Seventeen* et de *Shape*.

– Tu ne m'avais jamais dit que tu recevais des menaces.

– Quel intérêt ? Il n'y a pas lieu de s'inquiéter. On donnera cette lettre à Harry, il fera le nécessaire.

– Tu veux dire que tous les gens connus reçoivent des menaces de mort ?

Lina accrocha sa serviette à un portemanteau et posa sa bouteille.

– Je veux dire que ce ne sera pas la dernière ; tu t'y habitueras. Appelle Harry. Il s'en occupera.

En quittant la salle, Adrianne jeta un coup d'œil à sa mère qui avait remis la musique et faisait une série de *burpees* devant le miroir.

Oui, elle appellerait Harry, mais elle ne s'habituerait jamais à être menacée de mort.

Chapitre 6

Comme elle n'avait pas vu ses grands-parents à Noël, Adrianne resta quinze jours chez eux l'été suivant. Elle renoua avec Maya, joua avec Tom et Jerry devenus de vieux chiens, passa du temps avec ses grands-parents dans le jardin et la cuisine.

Ses amis new-yorkais la rejoignirent pour une semaine, afin de tourner une nouvelle vidéo.

Elle garderait à tout jamais le souvenir de Popi et Nonna assis sur la galerie de la maison la regardant répéter une séance de yoga en plein air. Ainsi que l'image de sa grand-mère buvant le café en bavardant avec Teesha dans la cuisine.

Puis vint l'automne, la rentrée scolaire, et le feuillage des arbres commença à brunir. Harry aurait voulu filtrer le courrier d'Adrianne mais elle s'y opposa. Elle recevait parfois des lettres d'insultes, des mots obscènes, mais globalement on lui témoignait plus de bienveillance que de hargne.

Elle n'oubliait pas les menaces, mais elle n'y pensait plus.

WASHINGTON, D.C.

Le Poète non plus ne l'oubliait pas. Elle était toujours présente dans un coin de son cerveau haineux. Mais patience, pas de précipitation. D'abord, s'occuper des autres.

Elle serait la consécration, l'apothéose, le bouquet final.

Sur sa liste, le stylo pointé sur un nom au hasard : Margaret West. Elle ouvrirait le bal. Adrianne Rizzo le clôturerait.

Première étape : observer, repérer. Un bonheur. Qui aurait cru que la phase d'approche serait si jouissive ?

S'organiser avec soin pour agir vite et bien. Des balades dans son joli quartier résidentiel, des heures de recherches sur le Web. Dîner dans les restos branchés qu'elle fréquentait.

Contempler sa façon de bouger, à mille lieues de se douter que ses jours étaient comptés. La gourmandise pétillant dans ses yeux tandis qu'elle savourait un dessert face à celui pour qui elle ouvrirait ensuite les cuisses.

Une divorcée épicurienne – voilà ce qu'était Maggie.

Une fois le plan au point, comme son cœur palpitait ! Tout ce temps, cette patience, ces efforts bientôt récompensés.

Désactiver l'alarme de la maison endormie, crocheter la serrure de la porte de derrière, sous le couvert de la nuit. Traverser le rez-de-chaussée, monter en silence l'escalier, se diriger à pas de velours vers la pièce dont la fenêtre avait été la dernière à s'éteindre.

La chambre.

Elle dormait si paisiblement. Lutter contre l'envie de la réveiller, lui montrer le flingue, lui expliquer. Tenir le pistolet à deux mains pour ne pas trembler. Pas de nervosité, mais quelle excitation !

La première balle ne produisit qu'un discret « plop » – merci le silencieux. La deuxième fut à peine plus bruyante, la troisième également. Allez, une quatrième, juste pour le plaisir.

Le plaisir de voir son corps tressauter, d'entendre ce râle s'échapper de ses lèvres et résonner dans l'obscurité.

Quelle horreur ! dirait-on. Assassinée dans son lit… Un quartier si tranquille… Une femme si aimable…

Une salope, oui.

Afin de tromper la police, ces idiots, voler quelques objets.

En guise de souvenirs.

Mince… Dommage de ne pas avoir pris de photo. Trop tard, maintenant, pour revenir sur le lieu du crime. Tant pis. La prochaine fois.

*

Adrianne publia sa deuxième vidéo au mois de janvier suivant. Comme elle avait obtenu le permis de conduire, elle s'offrit une voiture avec l'argent qu'elle avait gagné et partit dans le Maryland passer les fêtes dans la maison sur la colline.

Elle avait accepté quelques rendez-vous téléphoniques, mais elle tenait à célébrer Noël à Traveler's Creek.

Lina passa quant à elle tout le mois de décembre dans les Caraïbes, en tournage sur l'île d'Aruba.

Le deuxième poème arriva, comme le premier, en février. Cette fois, il était posté de Memphis.

TU TE PRENDS POUR L'ÉLITE
TU N'ES QU'UNE HYPOCRITE
UN JOUR TU CESSERAS DE MENTIR
CE JOUR-LÀ JE T'AIDERAI À MOURIR.

Elle n'en parla pas à sa mère, puisque sa mère jugeait qu'il n'y avait pas lieu d'en faire cas. Elle le photocopia, l'archiva, et remit l'original à Harry.

Elle se concentrait sur ses cours, sur le concept de sa prochaine vidéo.

Teesha fut admise à Columbia, Loren, à Harvard, Hector, à l'UCLA. Adrianne attendait sa réponse avec impatience, tout en s'efforçant de ne pas en faire une fixation. Elle serait acceptée dans d'autres bonnes universités. Elle avait un bon niveau. Mais elle voulait aller à Columbia. Vivre en colocation avec Teesha.

Quand la lettre arriva enfin, elle dansa de joie dans chacune des pièces du triplex.

Elle téléphona à ses grands-parents, envoya des textos à ses amis et à Harry. Comme sa mère était à Las Vegas, elle lui laissa une copie du courrier sur son bureau.

Elle fit ses adieux au lycée sans le moindre regret et s'engagea dans ce qu'elle considérait comme la deuxième étape de son projet.

Elle aborda ses études supérieures avec stratégie, choisissant ses options en fonction de ses objectifs, canalisant ses énergies dans l'apprentissage et la réussite, profitant des étés pour réaliser de nouvelles vidéos et rendre visite à ses grands-parents.

Elle avait des idées, des milliards d'idées, dont plusieurs se concrétisèrent l'année où elle décrocha son diplôme.

Teesha et elle partageaient un petit appartement près du campus. Les royalties des DVD payaient le loyer.

Avec une étudiante en dernière année de stylisme, Adrianne développa une ligne de vêtements de fitness et de running.

Si Teesha était sans cesse amoureuse et changeait de petit copain comme de chemise, Adrianne n'avait pas de temps à consacrer aux garçons. Elle se contentait d'aventures éphémères, estimant que faire l'amour était bon pour la forme et la santé, à condition de se protéger et de ne rien attendre de l'autre.

Le partenariat avec sa mère, bien que complexe, boostait la notoriété autant de l'une que de l'autre. Leur relation personnelle demeurait inchangée : distante mais cordiale. Tant que chacune ne marchait pas sur les plates-bandes de l'autre.

Un vent glacial soufflait ce soir de février quand Adrianne poussa la porte du restaurant où elle avait rendez-vous avec son agent et Harry. Elle avait failli annuler, car elle avait encore reçu un poème, à l'occasion de la Saint-Valentin, le sixième, expédié de Boulder, Colorado.

Que l'on n'ait jamais tenté de mettre ces menaces à exécution ne la réconfortait guère. Leur constance relevait d'une obsession et d'une ténacité inquiétantes.

Comme d'habitude, elle était en avance, si bien qu'elle se dirigea vers le bar dans l'intention d'y prendre un verre. La lettre pesait plus lourd que du plomb dans son sac, et elle n'avait pas envie de s'attabler seule dans la salle.

L'ambiance joyeuse qui régnait dans le restaurant dissipa quelque peu sa nervosité, et elle s'apprêtait à s'installer sur un tabouret quand elle aperçut une silhouette familière.

Elle n'avait pas souvent revu Raylan depuis qu'elle était étudiante à Columbia, mais Maya lui donnait régulièrement des nouvelles de son frère : après plusieurs stages chez Marvel Comics, il avait été embauché au siège de la maison d'édition, à New York – le rêve devenu réalité, pour le petit garçon qui tapissait les murs de sa chambre de dessins de superhéros.

La belle blonde qui l'accompagnait devait être la fille qu'il avait rencontrée à la fac d'arts plastiques.

Adrianne hésita… Ils se dévoraient du regard, coupés du monde, comme s'ils étaient seuls sur une plage déserte au clair de lune. Mais… non, elle ne pouvait pas ignorer le frère de sa plus vieille amie.

Tous deux avaient un look d'artiste, pensa-t-elle en se dirigeant vers eux. La copine de Raylan – Adrianne avait oublié son prénom – était coiffée d'une longue tresse qui lui arrivait au milieu du dos, ses cheveux blonds blanchis par le soleil.

Lui avait les cheveux longs, et toujours d'aussi beaux yeux verts. Il mit quelques secondes avant de reconnaître Adrianne.

– Eh, salut, comment vas-tu ?

– Bien. Et toi ? J'ai appris que tu travaillais à New York.

– Oui. Lorilee Winthrop, Adrianne Rizzo, une amie de Maya. Lorilee est ma…

– Fiancée ! Depuis aujourd'hui ! compléta celle-ci en montrant un petit diamant qui brillait à son annulaire.

Son accent évoquait les magnolias, le charleston et les galeries des maisons coloniales de Louisiane. Adrianne lui serra la main.

– Très belle bague. Félicitations. Waouh, Raylan… Toutes mes félicitations ! Maya aurait pu m'envoyer un texto…

– Personne n'est encore au courant.

– Ne comptez pas sur moi pour garder un secret. Je suis une vraie pipelette !

– Je te demanderais juste, s'il te plaît, de ne surtout pas dire à ma frangine que tu as été la première à savoir… Si tu pouvais faire semblant d'être surprise, par exemple, quand elle t'en parlera…

– Pas de problème. Considère que ce sera mon cadeau de fiançailles.

– Tu veux t'asseoir avec nous ? proposa Lorilee. Maya m'a beaucoup parlé de toi, et j'ai fait la connaissance de tes grands-parents. Des gens merveilleux. Raylan, chaton, va donc chercher une chaise pour Adrianne.

– C'est sympa, mais j'ai rendez-vous. Je suis juste un peu en avance.

– On aura sûrement l'occasion de se revoir. Quand je pense que je vais bientôt habiter New York… Je n'arrive pas à y croire !

Raylan n'avait d'yeux que pour sa fiancée, et Adrianne en ressentit un petit pincement au cœur.

– Au cas où tu ne l'aurais pas remarqué, Lorilee est du Sud.

– Non… Je n'aurais jamais deviné ! Il paraît que tu es artiste, toi aussi, Lorilee…

– J'essaie. J'aimerais devenir prof d'arts plastiques. J'adore les enfants. J'espère que Raylan m'en fera au moins douze !

Il lui sourit amoureusement, des étoiles plein ses beaux yeux verts.

– Six suffiront peut-être, non ?

– Il faut toujours négocier, dans un couple, dit Adrianne en riant, et elle essaya d'imaginer le frère de Maya père d'une famille nombreuse.

Étrangement, elle y parvenait sans trop de peine.

– Jan et Maya seront folles de joie ! Elles sont dingues de toi, chuchota-t-elle à Lorilee.

– Oh, que c'est gentil de me dire ça.

– C'est la vérité. Maya m'a beaucoup parlé de toi, aussi. Entre autres, elle m'a dit que tu étais beaucoup trop bien pour son frère…

– Ce n'est pas faux, intervint Raylan. L'essentiel, c'est que Lorilee ne s'en rende pas compte avant juin de l'année prochaine.

Celle-ci se pencha pour l'embrasser.

– Que tu es bête !

– Ah, voilà les gens que j'attendais, dit Adrianne. Je suis vraiment contente de vous avoir vus. Quoi qu'en dise Maya, je trouve que vous allez super bien ensemble. Encore une fois, toutes mes félicitations !

– Ça m'a fait plaisir, aussi, de te revoir.

Adrianne s'éloigna, à la rencontre de Harry et de son agent, puis après leur avoir fait la bise, elle commanda une bouteille de champagne pour la table de Raylan.

Le couple parfait, pensa-t-elle, et leur bonheur était contagieux, à tel point qu'elle en avait presque oublié le poème dans son sac.

Trois jours plus tard, elle reçut un mot de remerciement, avec un joli dessin de tulipes, de la part de Lorilee.

Chère Adrianne,

Merci beaucoup pour le champagne. C'était très gentil de ta part, et complètement inattendu ! Nous aurions voulu te remercier de vive voix mais n'avons pas osé te déranger.

Je suis sincèrement enchantée d'avoir fait ta connaissance, de surcroît le plus beau jour de ma vie ! Jan et Maya ont beaucoup d'affection pour toi, et comme j'en ai beaucoup pour elles, j'en ai aussi pour toi ! J'espère que tu n'y vois pas d'objection !

Je vais suivre tes entraînements, pour avoir la ligne dans ma robe de mariée !

Merci encore,

Lorilee (la future Mme Wells !)

Adrianne n'était pas sentimentale, mais elle trouva cette carte si touchante qu'elle la conserva.

Après la remise des diplômes, au printemps, elle s'attela aussitôt à une nouvelle vidéo. Pour les précédentes, elle avait engagé des danseurs et des coachs sportifs ; cette fois, elle enrôla Teesha et Loren.

– Je vais avoir l'air ridicule…

En pantalon de jogging et tee-shirt estampillé « New Generation », Loren mesurait à présent un mètre quatre-vingt-trois. Il avait minci et troqué sa brosse rousse contre ce que Teesha appelait une coupe d'avocat.

– Mais non, le rassura Adrianne. Tu te débrouillais très bien, en répèt'. Sois attentif et suis mes consignes, c'est tout.

– Je n'ai aucun sens du rythme. Je vais gâcher la danse cardio. Pourquoi avoir choisi de la musique latino, Adri ? Je ne ressemble à rien quand j'essaie de bouger les hanches.

– Ne dis pas n'importe quoi, répliqua-t-elle en lui donnant un petit coup dans le ventre. Combien as-tu perdu ?

– Douze kilos, grommela-t-il. Dont cinq pris pendant ma première année de fac.

– En coloc avec elle, je ne risquais pas de prendre un gramme ! intervint Teesha.

En short noir, brassière rose et noire, sweat rose « New Generation » attaché autour de la taille, Teesha remua le bassin et redonna du volume à son afro, la coiffure qu'elle avait adoptée depuis qu'elle avait fait couper ses tresses.

– Arrête de frimer ! lui lança Hector, qui avait maintenant une petite queue-de-cheval et une barbe. Vous avez vu tous ces pigeons ? C'est dingue…

– Ça crée une ambiance, répondit Adrianne.

C'était justement pour son atmosphère qu'elle avait choisi cet entrepôt désaffecté, au toit en partie effondré. Jusqu'à présent, elle n'avait encore jamais tourné en studio, ni dans une véritable salle de sport, et d'après les retours du public, on aimait ses décors urbains décalés. Au loin, on entendait le hurlement d'une sirène de police.

– Authenticité, dit-elle avec un sourire. Et cette fois, au lieu de s'entraîner avec des pros, on est entre gens ordinaires.

Du reste, sur le plan technique, même si Hector, Teesha et Loren avaient acquis de l'expérience, les conditions n'étaient guère différentes que lors de ce week-end sur la terrasse du triplex, qui avait cimenté leur amitié et concrétisé les rêves d'Adrianne.

– OK… On commence par trente-quatre minutes de danse cardio.

Elle-même portait un short rose avec une ceinture noire intégrée et une brassière d'haltérophilie rose et noire. Pour cette séance, elle laissa ses cheveux détachés.

Elle se mit en place, attendit qu'Hector lui donne le signal, puis adressa un sourire à la caméra.

– Bonjour, je suis Adrianne Rizzo, ravie de vous retrouver ! Notre double DVD, *For Your Body*, se compose d'une séance de danse cardio aux accents latino aussi fun qu'intensive, suivie de trente minutes de renforcement de la sangle abdominale, trente minutes de renfo général avec haltères, un bonus de trente-cinq minutes de Total Body pour tonifier chacun de nos muscles et, pour finir, trente-cinq minutes de yoga. Nous sommes aujourd'hui à New York, en compagnie de la faune locale, dit-elle en suivant des yeux le vol d'un pigeon, et de mes amis Teesha…

Celle-ci adressa un joyeux coucou au public.

– … et Loren.

Celui-ci fit un salut vulcain. Adrianne éclata de rire.

– Selon votre forme, vous pouvez ne faire qu'une seule séance, ou bien en combiner plusieurs. Faites comme vous le sentez, mais faites quelque chose, votre corps vous remerciera !

Ses exercices fonctionnaient, en attestaient les petits rires de Teesha, la concentration de Loren qui comptait ses mouvements à voix basse, et les gémissements que lui arracha la séance d'abdos.

Ces trois longues journées de tournage furent aussi productives que conviviales, et se terminèrent avec une pizza et une bouteille de vin, sur le plancher de l'appartement d'Adrianne et Teesha.

– Mes abdos crient encore au secours, bougonna Loren.

– On les a réveillés.

Il croqua à pleines dents dans sa part de pizza.

– Ils ne demandent qu'à se rendormir pour le reste de leur vie. La prochaine fois, c'est moi qui filme et Hector qui transpire.

Celui-ci dégusta une gorgée de vin, à la manière d'un connaisseur – qu'il aspirait à devenir.

– Moi, je suis le mec de l'envers du décor, dit-il. Au fait, je ne vous ai pas dit… Je pars en Irlande du Nord pour deux mois.

– Quoi faire ? demanda Teesha.

– Assistant caméra sur une série HBO. À moi Hollywood ! Enfin… version irlandaise.

– Excellent ! s'exclama Loren.

– Avec un peu de chance, ça m'ouvrira des portes.

– Je suis hyper contente pour toi ! s'écria Adrianne. Tu pars quand ?

– Le tournage commence la semaine prochaine. Je prends l'avion après-demain, histoire d'avoir le temps de faire un peu de tourisme. Vous viendrez me voir, pendant les vacances ?

– C'est ça, ouais, on prendra le métro, rétorqua Teesha. De toute façon, j'ai des cours tout l'été. J'ai bien l'intention d'avoir mon MBA le plus tôt possible.

– Dès qu'elle est diplômée, je la prends comme *business manager*. Et Loren sera mon juriste. À la nôtre, les copains ! dit Adrianne en levant son verre.

Dans les mois qui suivirent, elle jongla entre apparitions publiques, visites à ses grands-parents, promo pour sa nouvelle ligne de vêtements de sport, et lancement d'un nouveau projet : un blog de fitness alimenté chaque semaine par une brève vidéo de cinq minutes d'exercices.

Hector lui avait appris à se filmer seule, et elle faisait souvent participer quelqu'un à ses streamings : la propriétaire d'une épicerie fine, un passant qui promenait son chien, un policier – avec qui elle sortit ensuite pendant quelques mois.

Durant les vacances de Noël, elle réalisa l'une de ces mini séances avec sa grand-mère, dans la cuisine de la maison du Maryland – une vidéo qui demeurerait longtemps sa préférée. Ce jour-là, il était tombé au moins quinze centimètres de neige, une flambée crépitait dans la cheminée, des guirlandes lumineuses encadraient les fenêtres.

– Amuse-toi ! donna-t-elle pour consigne à Sophia.

– Mais une cuisine, c'est fait pour cuisiner, se réunir, manger…

Adrianne régla sa caméra.

– Quand on cuisine, qu'on se réunit et qu'on mange, il faut bouger ! répliqua-t-elle en levant les yeux pour observer sa grand-mère. Tu es superbe, Nonna ! Éclate-toi !

Avec un petit rire gêné, Sophia se passa une main dans les cheveux.

– C'est cette tenue de sport qui est superbe…

– Tu la mets en valeur.

Le débardeur vert forêt flattait la silhouette de sa grand-mère, pensa Adrianne, et les baskets roses de sa dernière collection se mariaient à merveille avec le legging court dans les tons bleu-vert et fuchsia.

– Bon… Tu as vu suffisamment de mes vidéos pour savoir comment ça fonctionne. Il suffit de suivre mes instructions. Si tu as envie de dire quelque chose, n'hésite pas, ça fera plus vivant. Tu vas voir, ce sera facile, peut-être un peu rapide, mais pas trop difficile.

– J'ai d'avance pitié de moi.

En riant, Adrianne appuya sur la télécommande glissée dans sa poche.

– Bonjour, tout le monde ! Pour notre rendez-vous hebdomadaire, nous voici avec la sublime Sophia Rizzo, alias Nonna, ma grand-mère, dans la cuisine de sa maison, où elle mitonne des petits plats divins, secondée par mon grand-père Dom. D'ailleurs, il doit être en train de préparer des pizzas en ce moment, dans leur petit restaurant au cœur des montagnes du Maryland. Nonna et moi, on en profite et on prend cinq minutes pour tonifier nos fessiers et faire monter notre fréquence cardiaque ! Prête, Nonna ?

– Sous la contrainte… répondit celle-ci face à la caméra. Ma petite-fille me ferait faire n'importe quoi…

– C'est parti ! Allez… On marche en montant les genoux… Plus haut que la taille, on serre les abdos. Allez, une, deux, trois, quatre… Très bien, Nonna ! Pas de raisons de se priver de petits plaisirs pendant les fêtes. Pour ma part, j'ai l'intention de me régaler… Sans excès, bien sûr, et sans oublier de bouger pour éliminer !

– Pauvre de moi… bougonna Sophia. Se donner ainsi en spectacle quand on est une vieille femme…

– Ah ! Pauvre vieille femme, c'est cela ! Allez, on continue avec des squats, fesses en arrière, comme pour aller s'asseoir dans un fauteuil, et on remonte en contractant les fessiers.

Elle enchaîna par des fentes, consciente des regards noirs que lui jetait sa grand-mère, puis combina squats et fentes, et termina par des cercles de hanches, suivis de quelques étirements.

– Et voilà ! Cinq minutes d'exercice, à caler entre la cuisine, le shopping, les paquets cadeaux, les repas de famille, et vous resterez aussi en forme que mon incroyable Nonna !

Adrianne enlaça la taille de Sophia.

– N'ai-je pas la plus belle des grands-mères ? N'ai-je pas de la chance d'avoir hérité de son ADN ?

– Elle me flatte, dit Sophia en embrassant la joue de sa petite-fille. Allez, on a droit à un cookie, maintenant !

– Y a intérêt !

Joue contre joue avec sa grand-mère, Adrianne adressa un sourire à la caméra.

– Joyeux Noël à toutes et à tous, passez de très bonnes fêtes, et n'oubliez pas : restez en forme, gardez la ligne ! On se retrouve l'année prochaine !

Et elle mit fin à l'enregistrement.

– Tu as été parfaite !

– Ça reste à voir… Montre-moi la vidéo.

– Pas de problème. Mais avec des cookies.

– Et un verre de vin.

– Bien mérité ! Je t'adore, Nonna !

ÉRIÉ, PENNSYLVANIE

Par une nuit froide et nuageuse de fin décembre, alors que tombaient quelques flocons de neige, le Poète se cachait au pied de la banquette arrière d'une petite voiture bleue flambant neuve.

L'alarme, les serrures ? Un jeu d'enfant, quand on s'y connaissait un minimum.

La dernière fois commençait à dater, mais rien ne devait être laissé au hasard. Retour au revolver, cette fois, après le couteau et la batte de base-ball. Le flingue vous procurait une sensation à nulle autre pareille, au creux de la main, quand le coup partait. Son arme préférée.

La proie était un morceau de premier choix.

Une chienne, elle ne cessait de le prouver.

Que faisait-elle, ce soir, dans cette chambre de motel bon marché, avec un autre que son mari ?

Qu'elle y prenne du plaisir, ce serait la dernière fois.

Pas de réveillon, pour toi, salope.

Enfin, la porte s'entrouvrit et elle apparut sur le seuil de la chambre, dans la lumière provenant de l'intérieur. En soufflant un dernier baiser à son amant, elle s'éloigna en direction de sa voiture. Sourire aux lèvres, elle appuya sur la télécommande, s'installa derrière le volant.

Une fraction de seconde avant que la balle ne pénètre sa cervelle, elle croisa son regard dans le rétroviseur.

Une deuxième balle, pour faire bonne mesure. Et la désormais traditionnelle photo.

Puis quelques minutes de marche tranquille, sous la neige, pour regagner son véhicule garé trois rues plus loin, l'esprit clair et serein.

Joyeux Noël… Ô douce nuit…

*

En février, Adrianne reçut un nouveau poème. Chaque année, ces menaces la troublaient. Cette fois, elle en eut les jambes coupées et dut s'asseoir.

UNE VIEILLE AUX CHEVEUX ROUX QUI PREND LA POSE
ENVIE DE GERBER
FAIS GAFFE À CEUX QUE TU EXPOSES
ILS VONT CREVER.

Elle porta plainte, comme chaque année, fit des copies, comme chaque année. Et cette fois, elle prévint la police de Traveler's Creek. Ainsi que ses grands-parents, qu'elle finit par convaincre d'installer un système d'alarme.

Sept ans que durait ce harcèlement, pensait-elle en tournant en rond dans son appartement, pressée que Teesha rentre. Qui pouvait avoir des raisons de lui envoyer chaque année ces vers malsains ?

Un détraqué, sans doute, comme Lina semblait le penser. Un détraqué qui suivait son blog, forcément.

– Un lâche… murmura-t-elle.

On voulait lui faire peur, mais le procédé traduisait la lâcheté. Or elle ne céderait pas à la panique, elle n'offrirait pas cette satisfaction à un lâche. Malgré tout, elle n'était pas rassurée…

Elle se posta devant la fenêtre, contempla les voitures, les passants.

– Pourquoi n'oses-tu pas te montrer ? marmonna-t-elle. Qui que tu sois, où que tu sois, montre-toi, viens me réciter tes poèmes en face…

Quelques flocons de neige commencèrent à tomber dans la pénombre du crépuscule.

Hélas, elle ne pouvait rien faire ; qu'attendre.

Chapitre 7

Adrianne ne s'attendait pas à être invitée au mariage de Raylan et Lorilee, et elle regretta sincèrement de ne pouvoir s'y rendre. Elle se remémora cette soirée d'hiver, un an plus tôt, où elle les avait rencontrés au restaurant alors qu'ils célébraient leurs fiançailles. Et elle repensa au gentil petit mot que Lorilee lui avait envoyé avec un dessin de tulipes.

Au lieu de se contenter d'un simple message d'excuse, elle préféra lui écrire une vraie lettre, comme elle le faisait avec sa grand-mère.

Chère Lorilee,

Tu dois être débordée, avec le mariage qui approche, mais je tenais à te dire que je suis vraiment désolée de ne pas pouvoir être des vôtres. (Je serai à Chicago ce week-end-là.)

Quand on s'est croisés l'an dernier, je me suis dit que vous étiez faits l'un pour l'autre ! Maya me racontera tout, j'en suis sûre, du plus beau jour de votre vie. Elle est tellement contente d'être votre demoiselle d'honneur !

Tu appartiens désormais à une famille en or.

Je vous présente à tous les deux mes félicitations et mes meilleurs vœux de bonheur – bien que je sache que vous n'aurez pas besoin de mes vœux pour former le plus heureux des couples !

Je vous embrasse.

À très bientôt, j'espère,

Adrianne

En postant l'enveloppe, elle ne se doutait pas qu'elle venait d'initier une correspondance amicale qui durerait des années.

BROOKLYN, NEW YORK

Raylan et Lorilee vivaient dans une maison en perpétuel chantier, mais ils y étaient bien.

Sans doute la maison serait-elle encore en travaux quand leurs enfants entreraient à l'université, et peut-être avaient-ils commis une folie en souscrivant un prêt immobilier quelques semaines avant que leur premier enfant ne vienne au monde, mais ils tenaient à l'accueillir dans un foyer digne de ce nom. Et ils avaient eu le coup de foudre pour cette vieille bâtisse de briques en plein cœur de Brooklyn, avec ses deux étages, son immense grenier, sa cave qui sentait la crypte et ses escaliers qui craquaient.

Depuis cinq ans, Raylan passait tout son temps libre à la retaper, mais il aimait bricoler et Lorilee l'aidait à peindre et à carreler.

Tous deux avaient à cœur de fonder leur famille dans une maison de caractère, avec un jardin, dans un quartier doté d'une âme. Comme Bradley était arrivé treize mois après le mariage, ils s'étaient laissé emporter par leur bel optimisme.

Mariah était née deux ans plus tard, après quoi ils étaient convenus d'attendre un peu avant de faire le troisième, le temps d'avancer de façon concrète dans les travaux, de rendre le nid plus douillet et de rembourser les crédits contractés par Raylan pour monter sa maison d'édition en partenariat avec deux amis.

Bradley en maternelle, Mariah à la crèche, Lorilee prof dans un lycée, et Triquetra Comics ayant trouvé ses marques sur le marché de la bande dessinée, ils étaient maintenant prêts à agrandir la famille.

Alors que Raylan rentrait du bureau, après une journée de réunions qui ne lui avait guère laissé le temps de travailler à son nouveau roman graphique, le chien renversa une chaise en traversant le séjour dans un sens puis dans l'autre, avant de déguerpir dans la cuisine où Lorilee surveillait une casserole sur le feu. En robe de princesse, baguette magique à la main, Mariah courait derrière le chien, poursuivie par Bradley, armé d'un pistolet, tirant sans discrimination des projectiles de mousse sur sa sœur et le chien.

– Tu ne viendras pas te plaindre si Jasper mange tes munitions ! cria Raylan à son fils.

Le blondinet aux yeux bleus s'agrippa à la jambe de son père, avec un sourire qui aurait fait fondre le plomb.

– Papa, on pourra aller manger une glace chez Carney après le dîner, s'il te plaît ?

– On verra. Ramasse tes balles, mon grand.

Le bambin toujours cramponné à son mollet, Raylan souleva sa fille et l'embrassa, le chien bondissant joyeusement autour d'eux.

– Je vais transformer Jasper en lapin, déclara la fillette en agitant sa baguette.

Il lui déposa un bisou sur le bout du nez.

– Alors il te réclamera des carottes…

Sa sacoche sur l'épaule, sa fille dans les bras, son fils accroché à son pantalon, Raylan s'avança sur le seuil de la cuisine.

– Spaghettis bolognaise, dit-il en humant l'air, après avoir embrassé Lorilee.

– Et salade composée en entrée.

– Beurk… grommela Bradley.

– Si tout le monde mange sa salade et ses pâtes sans rouspéter, on ira peut-être acheter des glaces chez Carney après le repas…

– Youpi ! s'écria le garçonnet en lâchant la jambe de son père pour se pendre à la jupe de sa mère. C'est vrai, maman, promis ? On pourra aller manger une glace chez Carney ?

– Après la salade et les spaghettis.

Bradley sauta de joie et Mariah se libéra des bras de Raylan pour se joindre à la danse de son frère.

– Tu as passé une bonne journée ?

– Oui. Et toi ?

– Excellente. J'ai pris ma température, chuchota Lorilee à l'oreille de son mari. C'est peut-être ce soir qu'on va faire un bébé !

– Glace et bébé, parfaite soirée, répliqua Raylan en lui caressant les cheveux.

Pour des raisons pratiques, elle se les était fait couper, et il aimait la façon dont les lignes graphiques de son carré court lui encadraient le visage.

– Rendez-vous dans la chambre après les histoires du soir.

Blottie contre lui, elle contempla avec tendresse leurs deux enfants tournoyant dans une ronde endiablée.

– On a plutôt bien réussi les deux premiers…

Il lui caressa le dos, s'attarda sur ses fesses et remonta sa main jusqu'à sa nuque.

– Mais il nous reste du pain sur la planche !

Après le dîner, bruyant et salissant, après la balade et les cornets de glace, après le rituel des histoires du soir, ils prirent le temps de répondre aux questions qui ne manquaient jamais de surgir, comme par hasard, juste à l'heure du coucher.

Pourquoi on ne voit jamais les étoiles la journée alors que des fois on voit la Lune ?

Pourquoi tu as une barbe et maman en a pas ?

Pourquoi les chiens ne peuvent pas parler comme les gens ?

Les réponses prirent un certain temps, puis il fallut encore attendre que les enfants soient profondément endormis avant de pouvoir fabriquer tranquillement un petit frère ou une petite sœur sans crainte d'être dérangé.

– Un verre de vin ? suggéra Raylan. Si ça marche ce soir, tu n'y auras plus droit. Autant en profiter.

– Avec plaisir !

Il descendit à la cuisine. En haut, le couloir n'était toujours pas retapissé. Ils avaient donné la priorité aux chambres des enfants, à la cuisine et à deux des trois salles de bains. Avec l'arrivée d'un nouveau bébé, la suite parentale devrait encore attendre, et Raylan serait obligé de libérer la dernière des chambres et d'aménager son atelier au grenier. Lorilee y avait installé son chevalet, mais il y avait de la place pour deux.

Il choisit une bouteille de vin, la déboucha, et s'apprêtait à sortir des verres du placard quand son téléphone se mit à vibrer sur le comptoir. Sa mère.

– Salut, maman. Tu vas bien ?

Il prit l'appel en souriant, puis le choc se peignit peu à peu sur son visage.

– Quoi ? Non… Comment… Mais… Quand ?

Ne le voyant pas revenir, Lorilee le rejoignit dans la cuisine et le trouva la tête entre les mains.

– Qu'est-ce que tu fabriques ? Raylan, que se passe-t-il ?

– Sophia Rizzo… Un accident. Elle était avec une amie, elles revenaient de leur club littéraire. Il avait plu, la route était glissante… Une voiture a fait une embardée et les a percutées de plein fouet. Son amie est à l'hôpital. Sophia… Elle a été tuée sur le coup…

Les larmes aux yeux, Lorilee se précipita vers Raylan et le serra dans ses bras.

– Oh, mon Dieu, non… Pas Sophia… Raylan…

– Je ne sais pas quoi faire. Je n'arrive pas à réfléchir. Elle était presque comme ma grand-mère.

– Oh, mon chéri… s'attendrit Lorilee en l'embrassant sur les joues.

Puis elle sortit des verres, les remplit de vin.

– Ta mère est au courant ?

– C'est elle qui vient de m'appeler.

– Elle doit être dévastée… Et Dom… Adrianne, Lina… Oh, mon Dieu… Elle va laisser tout le village en deuil… On ira à l'enterrement, et on restera quelques jours, si on peut se rendre utiles.

– Maman doit me rappeler dès qu'elle en saura plus sur les funérailles. Maya et Joe feront garder Collin, pour l'aider à fermer le restaurant et…

– Oh, mon Dieu, le restaurant… Tu sais, tu pourrais rester avec eux une semaine ou deux, si tu veux. Je reviendrai avec les enfants.

– Je ne sais pas encore. Je vais réfléchir. On va réfléchir. Je n'arrive pas à réaliser… Elle a toujours été présente dans ma vie.

Lorilee enlaça Raylan et lui caressa le dos.

– Je sais, chéri. On va y réfléchir… voir ce qu'on peut faire pour aider sa famille. Je demanderai un congé exceptionnel. Je m'en occuperai demain matin. À moins que tu ne veuilles partir demain ?

Elle leva son visage vers celui de Raylan et l'embrassa. Puis elle s'assit à ses côtés et lui saisit la main.

– Je…

Raylan tenta de mettre de l'ordre dans ses idées, mais il entendait encore la voix bouleversée et les larmes de sa mère.

– Attendons que ma mère nous rappelle, dit-il enfin. On avisera ensuite.

– Tu as raison. Je préparerai les valises demain soir en rentrant du boulot.

Voilà qui était déjà mieux, pensa Raylan. Un plan, de l'organisation. Il y voyait toujours plus clair avec un plan.

– Je rentrerai tôt, demain. En début d'après-midi.

– Prévois de rester là-bas au moins une semaine. Ne te préoccupe pas de moi et des enfants. On rentrera en train. Ce sera une aventure, ils seront contents. Ta maman aura besoin de toi. Sophia était comme une mère pour elle.

– Comment annoncer ça à Bradley et Mariah ? Ils sont si jeunes… Ils n'ont jamais perdu de proche…

Raylan prit son verre de vin, et le regarda fixement.

– On leur dira que Nonna est partie au ciel, qu'elle est devenue un ange… Ils demanderont pourquoi… On sera obligés d'avouer qu'on ne sait pas…

Lorilee prit le verre de Raylan et en but une petite gorgée.

– On leur dira qu'on est très tristes, poursuivit-elle, mais qu'elle restera dans nos cœurs et qu'on l'aimera toujours.

Ils convinrent d'attendre le lendemain soir pour parler aux enfants, afin qu'ils ne soient pas rongés par la tristesse et les questions durant la journée de classe.

Leur père les étreignit seulement un peu plus fort et un peu plus longtemps le lendemain matin, avant d'aider leur mère à les installer dans les sièges auto.

– Apprends quelque chose, dit-il à Bradley.

– Si je n'arrête pas d'apprendre, je saurai tout et je n'aurai plus besoin d'aller à l'école, et je pourrai aller au travail avec toi et dessiner des bandes dessinées.

– Quelle est la racine carrée de 946 ?

– Euh… Je sais pas, moi ! répondit le garçonnet en riant.

– Tu vois ? Tu ne sais pas encore tout. Apprends quelque chose. Et toi aussi, princesse.

Raylan se tourna vers sa femme et l'enlaça.

– Merci.

– De quoi ?

– D'être toi, d'être là, d'être tout court.

– Que tu es mignon… À ce soir, mon amour. Je t'aime.

Quand ses parents s'embrassèrent, Bradley se couvrit la bouche et feignit un haut-le-cœur.

– Très marrant, ironisa sa mère en s'installant au volant et en bouclant sa ceinture. À ce soir, chéri. Je serai là vers 16 heures. On s'appelle dans la journée.

– OK. À ce soir.

Il s'écarta de la voiture, tout le monde se fit au revoir de la main, et il rentra dans la maison silencieuse. Jasper s'était déjà recouché dans son panier pour sa première sieste de la matinée.

– Je partirai plus tôt que d'habitude, aujourd'hui, lui dit-il. Tu viendras avec moi. Tu vas passer quelques jours chez Bick.

Il avait appelé son associée, qui avait accepté de garder le chien aussi longtemps que nécessaire, à condition que Raylan lui apporte une réserve de pâtée, croquettes et biscuits, ainsi que le panier et les jouets de Jasper.

Incroyable, pensa-t-il, le nombre de choses qu'un labrador semi-adulte pouvait accumuler, et il enfila un sweat-shirt à capuche par-dessus son tee-shirt de No One, le personnage qui avait fait la renommée de Triquetra.

L'avantage, dans une maison d'édition, c'est que l'on pouvait s'habiller comme on voulait.

Sa sacoche sur l'épaule, il clippa la laisse au collier du chien.

Normalement, par une aussi belle journée de printemps, il serait parti à pied ou à vélo – les locaux de Triquetra ne se trouvaient qu'à une dizaine de rues – mais il comptait ramener du travail, au cas où son séjour à Traveler's Creek se prolongerait.

À peine eut-il ouvert la portière de sa vieille Prius que Jasper sauta sur la banquette arrière. Raylan prit place au volant et baissa les vitres. Le chien passa la tête au-dehors.

Tout en conduisant, il dressa mentalement la liste de ce qu'il devait faire dans la journée, avant de s'absenter pour une ou deux semaines.

Bien sûr, il pourrait communiquer avec ses collègues par e-mail ou visioconférence, et il lui restait encore dix jours pour terminer de coloriser le dernier tome de *No One*. Il n'était pas en retard, il avait de la marge, mais il désirait tout de même avancer. Il s'installerait dans son ancienne chambre chez sa mère. Normalement, il faisait lui-même le lettrage de ses albums, mais pour une fois, si besoin, il pourrait le confier à un lettreur. Ils en connaissaient plusieurs, sérieux et compétents, vu qu'il était le seul parmi ses associés à se charger lui-même de cette tâche. Il aviserait en temps voulu.

Triquetra Comics avait élu domicile dans un vieil entrepôt aux fenêtres hautes et au toit plat, sur lequel les fumeurs montaient fumer, et où, aux beaux jours, se tenaient parfois des apéros et des réunions.

Avant d'entrer, Raylan laissa Jasper faire le tour du petit parking, renifler les broussailles et lever la patte au-dessus d'une touffe d'herbe.

Puis il déverrouilla le lourd portail d'acier, coupa l'alarme et alluma les lumières.

Les locaux de la maison d'édition se répartissaient sur cinq niveaux ouverts, reliés par des passerelles et des escaliers métalliques, ainsi que deux monte-charge. Le rez-de-chaussée était dédié à la détente, avec un lounge, un coin repas et un espace *gaming* – deux des associés de Raylan étant des gars et Bick, un vrai garçon manqué.

Maintenant qu'ils avaient les moyens, ils envisageaient de remplacer les vieux fauteuils et canapés de récupération, les cageots et palettes qui tenaient lieu de tables, mais le sentimentalisme l'emportait chaque fois qu'ils évoquaient le sujet.

En revanche, ils avaient investi dans deux immenses téléviseurs à écran plat, plusieurs consoles, des flippers (qui tombaient constamment en panne) et des vieux jeux d'arcade. Dès le départ, tous étaient d'accord sur ce point : les créatifs avaient besoin de jouer pour s'aérer l'esprit, et un jour les personnages Triquetra seraient des personnages de jeux.

C'était déjà le cas de No One, Violet Queen et Snow Raven. Et ce n'était qu'un début. Raylan y croyait, car ils faisaient ce qu'ils aimaient, et quand on aimait ce que l'on faisait, on le faisait bien. Ce critère prévalait au recrutement de tout collaborateur.

Comme il était avec le chien, il préféra le monte-charge à l'escalier. Tremblant comme une feuille contre le mollet de son maître, Jasper gémit plaintivement tandis que la cabine s'élevait en grinçant jusqu'au dernier étage.

Raylan s'était installé là car personne d'autre que lui ne voulait monter et descendre toutes ces marches plusieurs fois par jour. Le gros de l'activité se déroulait dans les niveaux inférieurs. L'écho qui montait lui tenait compagnie. Il appréciait la solitude et la vue imprenable sur l'East River et les gratte-ciel de Manhattan.

No One combattait le crime à New York ; son alter ego, Cameron Quincy, exerçait le métier d'informaticien. Raylan puisait souvent l'inspiration dans le panorama qu'il avait sous les yeux.

Aujourd'hui, toutefois, il ne parvenait à penser qu'à une chose : Sophia n'était plus de ce monde, et il regrettait de ne pas être allé à Traveler's Creek depuis des semaines.

Plus jamais il ne la reverrait, plus jamais il ne lui parlerait.

La vie vous happait… À l'avenir, il consacrerait plus de temps à ses proches. Son neveu aurait bientôt deux ans, or depuis Noël il ne l'avait vu qu'une seule fois. Ses enfants à lui ne connaissaient pas suffisamment leur grand-mère, et vice versa. Il y remédierait.

Et Dom… Il allait se sentir si seul dans cette grande maison.

Raylan se promit de faire des efforts et de partager plus de temps avec ceux qui lui en avaient tant donné.

Il s'installa à sa table de travail, tandis que le chien reniflait chaque recoin de la pièce, les deux chaises à roulettes grinçantes, le vieux réfrigérateur compact de sa chambre d'étudiant, rempli de Coca et de Gatorade, le grand tableau où il épinglait des croquis, des notes, des story-boards, le miroir où il testait des expressions du visage. Les photos encadrées de sa famille. Ses figurines, le ficus en pot qui dépérissait lentement mais sûrement.

Sur son ordinateur, il afficha une double planche dont une partie était encrée. Tous les dessins étaient terminés, retravaillés, validés ; les textes, rédigés, relus et révisés.

Il existait des logiciels de lettrage, mais Raylan préférait les bulles manuscrites. Tôt ou tard, il devrait se moderniser, adopter les nouvelles technologies, mais tant qu'il le pouvait, il se faisait plaisir en travaillant à l'ancienne.

Jasper se coucha sous le bureau, avec son os à mâcher et son chat en peluche. Raylan rassembla ses outils et s'absorba dans son travail.

Une partie de son cerveau entendit vaguement ses collègues arriver, bavarder, monter les escaliers, préparer du café, faire brûler un bagel. Mais No One était dans une situation critique : celle qu'il aimait courait un grave danger, prise au piège par l'odieux M. Suave.

Le soleil inondait le bureau, Raylan crayonnait et les planches s'animaient.

Il se passa les doigts dans les cheveux. Lorilee ne cessait de lui répéter d'aller chez le coiffeur, mais elle aimait jouer avec ses boucles châtains quand ils étaient blottis l'un contre l'autre. Une barbe de vingt-quatre heures lui picotait les joues. Préoccupé, il avait oublié de se raser.

Une intense concentration se lisait dans son regard, mais un sourire lui étirait les lèvres : son personnage prenait de l'épaisseur.

Des pas rapides résonnèrent dans l'escalier. Il n'y prêta pas attention mais Jasper poussa un jappement quand Bick fit irruption dans le bureau, les perles de ses dreads rouges s'entrechoquant.

– Salut… Tu vas bien ? Merci d'avoir accepté de garder Jasper. Je finis juste de…

– Raylan…

Celui-ci leva les yeux. Son associée était blême.

– Il y a une fusillade… au lycée… de Lorilee…

– Hhein ? bafouilla Raylan.

– Jojo regardait les infos à la télé… La police est sur les lieux. Un gamin a réussi à s'échapper. D'après lui, deux gars armés sèment la terreur dans le lycée… Raylan…

Il avait déjà bondi vers la porte. Jasper voulut lui emboîter le pas mais Bick le retint.

– Non, tu restes là, toi.

Raylan dévala l'escalier, et faillit renverser Jonah, le deuxième de ses associés, qui l'attendait au pied des marches.

– On prend ma voiture.

Raylan ne protesta pas et courut s'installer dans la Mini orange.

– Dépêche-toi ! Vite, je t'en supplie !

– Ne t'en fais pas, lui dit Jonah, toujours calme et posé, en enclenchant la marche arrière pour sortir du parking. Lorilee connaît les consignes de sécurité. Elle va assurer.

Raylan l'entendait à peine, assourdi par les battements frénétiques de son cœur.

Dans la Mini décapotable, il ne sentait pas la douceur de l'air printanier, pas plus qu'il ne voyait les fleurs et le feuillage vert tendre dont les arbres commençaient à se parer. Il ne voyait que le sourire de Lorilee quand ils s'étaient dit au revoir ce matin.

– Quelle heure est-il ?

Il consulta sa montre et fut surpris d'avoir passé trois heures à travailler.

Lorilee devait être en cours. Dans sa salle. Tant mieux, elle avait dû s'enfermer. Raylan connaissait comme elle les consignes de sécurité, elle avait assez insisté pour qu'elles soient affichées dans les locaux de Triquetra.

Verrouiller les portes, se cacher, rassurer les élèves, ne pas faire de bruit. Et attendre la police.

La première onde de choc surmontée, il tenta de l'appeler. Elle mettait son téléphone sur silencieux pendant les heures de cours, mais elle le sentirait vibrer. Il tomba sur sa messagerie, sa voix joyeuse, et sentit sa gorge se nouer.

– Elle ne répond pas…

– Elle a dû laisser son téléphone sur son bureau. On est presque arrivés… On arrive…

– Sur son bureau… répéta Raylan, essayant de s'en convaincre.

Pourtant, les consignes recommandaient de conserver un moyen de communication avec l'extérieur.

Le lycée était entouré d'un cordon de sécurité autour duquel se massaient véhicules de police, ambulances, équipes de télévision, parents d'élèves affolés et conjoints d'enseignants terrifiés.

Raylan bondit hors de la voiture avant qu'elle ne soit totalement à l'arrêt.

Le soleil se reflétait sur les vitres du bâtiment de brique. Une fenêtre était fracassée. Des policiers armés se tenaient partout sur les pelouses verdoyantes.

– Mmon épouse… bredouilla-t-il en s'avançant vers un agent en uniforme. Lorilee Wells, elle est prof d'arts plastiques… Elle est là…

– Je vous demanderai d'être patient, monsieur. L'intervention est en cours.

– Raylan !

Il ne reconnut pas tout de suite la jeune femme qui venait à sa rencontre. Son esprit alternait entre trous noirs et terrible lucidité.

– Susan…

Oui, bien sûr, l'épouse de Bill, le prof de maths, champion d'échecs et supporter des Yankees. Ils avaient dîné chez eux et leur avaient rendu l'invitation.

Elle se jeta dans ses bras. Elle sentait l'herbe, la terre et la paille. Passionnée de jardinage, se remémora-t-il. Ils habitaient dans une maison qui ressemblait à un ranch, avec une grande cour intérieure, pas très loin du lycée.

– Raylan… Oh, mon Dieu… J'étais dans le jardin… Je ne travaille pas aujourd'hui… J'ai entendu les détonations… Mais je n'ai pas pensé… On ne s'imagine pas que ça puisse vous arriver…

Elle tremblait de tous ses membres contre Raylan.

– Tu as pu joindre Bill ?

– Oui, il m'a envoyé un texto, dit-elle en s'écartant et en séchant ses larmes. Ça va, ses élèves aussi. Et toi, tu as des nouvelles de Lorilee ?

– Elle ne répond pas.

Il tenta à nouveau de l'appeler. Des coups de feu crépitèrent, comme un feu d'artifice de terreur, dont l'écho se réverbéra directement dans le ventre de Raylan. Tout le monde autour de lui hurlait, pleurait. Les gens se cramponnaient les uns aux autres, comme Susan s'était agrippée à lui. Il sentait la main de Jonah sur son épaule, un poids fantôme. Comme si son ami était là sans être là.

Puis soudain, le monde sembla s'arrêter, dans un silence assourdissant. La police escortait un rang de lycéens, les mains en l'air ou les mains sur la tête, en pleurs, certains en sang.

Des parents crièrent des prénoms, la voix étranglée de sanglots. Des infirmiers pénétrèrent dans le bâtiment. Et de nouveau, le brouhaha enfla, comme un grondement dans la tête de Raylan, qui parvenait tout juste à saisir quelques bribes des mots formant ce rugissement.

Les tireurs abattus.

Situation maîtrisée.

Plusieurs morts, beaucoup de blessés.

– Bill ! s'écria Susan, entre le rire et les larmes.

Et elle s'élança à la rencontre de son mari, parmi les parents qui embrassaient leurs enfants et les conjoints enlacés. Les secouristes transportaient des brancards, les ambulances s'éloignaient toutes sirènes hurlantes.

Raylan gardait les yeux rivés sur les portes du lycée, guettant l'apparition de Lorilee.

– Monsieur Wells ?

Une jeune fille se tenait timidement près de lui. Une élève de Lorilee, il se souvenait d'elle. Chaque année, il intervenait en cours d'arts plastiques pour parler du métier de dessinateur de BD.

L'adolescente était livide, les joues marbrées de rouge par les larmes. Une femme la tenait par les épaules, sans doute sa mère. Miraculeusement, son prénom lui revint en mémoire.

– Caroline, tu sais où est Lorilee ? Mme Wells ?

– On a entendu des coups de feu… On était en cours. Des coups de feu et… des rires. Mme Wells nous a dit de nous cacher dans la réserve et de ne pas faire de bruit, comme quand on avait fait l'exercice d'entraînement. Elle est allée fermer la porte…

– Elle est toujours dans la salle ?

– Elle allait fermer la porte… et il s'est écroulé dans le couloir, juste devant elle. Rob Keyler, je le connais. Il saignait, il est tombé… Mme Wells a voulu le tirer à l'intérieur et…

Des larmes ruisselèrent sur le visage criblé d'acné de la jeune fille.

– C'était Jamie Hanson. Je le connais aussi. Il avait un fusil et elle…

elle s'est jetée sur Rob… Je l'ai vue… La porte n'était pas complètement fermée, j'ai tout vu. Il… Mme Wells… Il a tiré… Il l'a tuée…

Prise de sanglots incontrôlables, Caroline s'approcha de Raylan et noua les bras autour de son buste.

– Il a tiré plusieurs fois… ajouta-t-elle, la voix brisée. Il riait… Et puis il est parti.

Raylan n'entendait plus rien, il ne sentait plus rien. Par une belle journée de printemps, le monde venait de s'écrouler, sous un ciel d'un bleu éclatant.

Chapitre 8

On cita en exemple le comportement héroïque de Lorilee. Le garçon qu'elle avait protégé passa dix jours à l'hôpital, mais il survécut. Aucun des élèves de sa classe ne fut blessé, tout du moins physiquement, car les traumas mettraient des années à guérir – et certains ne s'en remettraient jamais.

Deux adolescents de seize et dix-sept ans, écœurés par la société et dégoûtés de la vie, mirent fin à celle de six personnes, dont cinq lycéens. Onze furent blessés. Sans compter les vies brisées, les enfants qui perdirent leur mère, un frère ou une sœur, les familles endeuillées à tout jamais.

Ni l'un ni l'autre des deux tireurs ne survécut à cet acte de folie meurtrière.

Profondément affectée, assise au bureau de Sophia, Adrianne choisit l'un des papiers à lettres de sa grand-mère.

Elle avait envoyé des fleurs, mais les fleurs se fanaient. Une semaine après ces deux drames, elle écrivit à Raylan.

Cher Raylan,

Je n'ai pas les mots pour te dire à quel point je suis peinée. Tu es entouré de ta mère et de ta sœur, je le sais, et j'espère qu'elles t'apportent un peu de réconfort.

Pardonne-moi de n'avoir pu assister aux obsèques de Lorilee, mais dans les circonstances, je ne pouvais ni laisser mon grand-père ni l'emmener.

Ton épouse était l'une des plus belles personnes que j'aie jamais rencontrées. Je ne la connaissais pas très bien, mais ses lettres respiraient la joie de vivre ainsi que la bienveillance et l'amour qu'elle nourrissait pour sa famille.

Le monde a perdu un ange.

Si je peux me rendre utile ou agréable, n'hésite pas à m'appeler – c'est peut-être une formule toute faite, mais elle vient du fond de mon cœur.

Pour me consoler, je me dis que Nonna et Lorilee veillent désormais l'une sur l'autre. Sur nous aussi, bien entendu, sur toi et tes enfants, sur moi.

Ni l'une ni l'autre ne nous aurait jamais abandonnés.

Certains laissent leur bonté en héritage. Nonna et Lorilee sont de ceux-là.

Mes amitiés et mes condoléances,

Adrianne

Quand elle sortit, Dom était assis sur la galerie.

– Tu veux venir à la poste avec moi ? proposa-t-elle. On fera aussi un saut au restaurant.

Il esquissa un sourire pâle.

– Pas aujourd'hui, ma puce. Demain, peut-être, répondit-il comme chaque jour.

Adrianne s'assit près de lui, dans le fauteuil de Sophia. Et posa une main sur celle du vieil homme.

– Jan et Maya doivent revenir de New York la semaine prochaine.

– Pauvre Raylan… Et ses enfants… J'ai eu le temps de partager une vie entière avec Sophia. Lorilee est partie si vite… Que Jan reste avec son fils aussi longtemps qu'il le faudra.

– Oui, elle sait que son patron ne lui en voudra pas.

Dom tapota affectueusement la main de sa petite-fille.

– Et toi, tu dois reprendre le cours de ta vie, ma puce.

– Tu en as marre de moi ?

– Je n'ai pas dit ça ! se récria-t-il en exerçant une pression sur sa main. Mais tu as ta vie.

– Pour l'instant, j'ai surtout des courses à faire. Que dirais-tu d'un sandwich aux boulettes, pour le déjeuner ? On se le partagerait.

– Comme tu veux, répondit-il, absent, malgré son faible pour les sandwichs aux boulettes, en continuant de tapoter la main d'Adrianne.

Elle se leva et lui déposa une bise sur la joue.

– Je serai de retour d'ici une heure à peu près.

– Prends ton temps, ma chérie.

Quoi qu'il dise, elle se dépêcherait, car il semblait si fragile, si las, qu'elle n'aimait pas le laisser seul. Et sur la route du village, elle soupesa encore une fois toutes les options, consciente de devoir prendre une décision – même si, en vérité, elle savait depuis longtemps que ce choix s'imposerait un jour.

Elle se gara sur le parking de Chez Rizzo et se rendit à pied à la poste où elle ouvrit une boîte postale, après avoir affranchi sa lettre ainsi que le mot de condoléances que son grand-père avait fait pour Raylan. En lui demandant des nouvelles de Dom, la postière s'essuya discrètement les yeux.

Adrianne remonta ensuite la grand-rue jusqu'à la coopérative paysanne, Farm Fresh, pour acheter du lait et des œufs. Elle n'avait pas besoin de grand-chose : tout le monde leur apportait des plats et des gâteaux. Là encore, elle bavarda un moment. Et finalement, elle prit aussi de la confiture de framboises sauvages, dans l'idée de préparer un petit déjeuner amélioré qui mettrait peut-être Dom en appétit. Elle craqua également pour des bougies de soja à la lavande, qu'elle allumerait pour faire de la méditation.

Au passage piéton, elle échangea quelques mots avec une vieille dame. Puis elle déposa ses courses dans son coffre, les œufs et le lait dans une petite glacière, avant de se rendre au restaurant.

L'heure du déjeuner approchait, il y avait déjà un peu de monde, si bien qu'elle entra par-derrière, pas sûre d'avoir encore la force de donner des nouvelles de son grand-père.

Une bonne odeur d'ail et d'épices flottait dans la cuisine, où l'on s'affairait en discutant gaiement, dans le bruit des casseroles et des couteaux claquant sur la planche à découper. Un délicieux fumet s'échappait de la sauce qui mijotait sur le grand piano de cuisson. Muni d'une pelle en bois, un cuistot retira une tarte du four en brique.

– Salut, Adrianne !

Grand gaillard dégingandé aux yeux de chouette, Barry travaillait chez Rizzo depuis l'adolescence. Quatre ans plus tard, en l'absence du patron et de Jan devenue gérante, c'était lui qui faisait tourner la boutique.

– Comment vas-tu ? Et le boss, ça va ?

– Tout doucement… Je viens lui chercher un sandwich aux boulettes, pour essayer de lui remonter un peu le moral. Quand tu auras cinq minutes.

– Pas de problème, je te fais ça tout de suite. Je sais comment il les aime. Assieds-toi. Tu veux un Coca, une tranche de pizza ?

– Non, je te remercie. Par contre, je veux bien…

Elle s'apprêtait à réclamer un verre d'eau, mais elle se ravisa : elle avait grand besoin d'un remontant.

– Je veux bien un Coca, oui, s'il te plaît. Je peux aller dans le bureau cinq minutes ? J'ai un appel à passer.

– Je t'en prie, fais comme chez toi. Tu diras à Dom qu'il nous manque.

– Compte sur moi.

Elle se servit elle-même un grand verre de Coca à la fontaine, avec plein de glaçons.

Le bureau était aménagé dans une pièce minuscule, au fond de la salle où se trouvaient le lave-vaisselle, la chambre froide et le pétrin, aujourd'hui à l'arrêt. Adrianne salua le plongeur de la main, puis elle s'enferma dans le bureau.

Là, elle s'assit à la table de travail, se renversa contre le dossier de la chaise et, dans le calme relatif, elle ferma les yeux un instant. Tant qu'elle était active, elle parvenait à surmonter le chagrin, mais dès qu'elle s'arrêtait, ne fût-ce que pour quelques minutes, un étau lui broyait le cœur.

Par conséquent, ne jamais s'arrêter, se remémora-t-elle.

Cela dit, la décision qu'elle avait prise ne lui laisserait guère le loisir de trop penser.

Un face-à-face s'imposant, elle sortit sa tablette de son sac et appela Teesha sur FaceTime. Celle-ci apparut à l'écran avec son adorable bambin de vingt-deux mois, Phineas.

La vie change, l'existence est en perpétuel mouvement, pensa Adrianne. Son amie de lycée et *business manager* était désormais mère de famille. Elle était tombée sous le charme d'un musicien au regard malicieux et au sourire indolent qui l'avait conquise avec ses chansons, des bouquets de fleurs et une patience héroïque ; et elle en était toujours amoureuse comme aux premiers jours.

– Coucou, mon grand !

Le petit garçon poussa des cris de joie en voyant Adrianne, puis il frappa dans ses mains et lui envoya des baisers.

– Dis bonjour à Rizz, lui souffla sa maman.

– 'Jour, Rizz.

– Salut, Phin, mon copain. J'espère que c'est de la sauce tomate… pas le sang de ses victimes…

– Oui, je te rassure, on finit juste de déjeuner. Je vais le débarbouiller mais je t'écoute. Monroe est en train de bosser dans son studio. Comment vas-tu, ma belle ? Comment va Popi ? Je suis désolée qu'on n'ait pas pu rester plus longtemps.

– Ça va, à peu près. Je me fais du souci pour lui.

– Normal.

Phineas se débattit quand sa mère voulut lui laver le visage et les mains.

– Chuut, lui dit-elle. Voilà, c'est fait. Ta mère est repartie ?

– Elle avait des trucs à faire. Elle est restée trois jours. Qui ont dû lui paraître un mois. Je ne lui jette pas la pierre. Elle a du mal à encaisser le choc, ça se voit.

– Nonna laissera un grand vide. Nous aussi, ça nous a fichu un coup… Attends… Je vais installer Phineas devant *Sesame Street*, qu'on puisse discuter entre adultes. Je reviens dans deux minutes, Rizz.

Teesha et son fils disparurent et, un instant plus tard, Adrianne entendit son amie parler d'Elmo, et les éclats de rire de Phineas amenèrent un sourire sur ses lèvres.

– Voilà. Ouf ! Ce gamin aime Elmo encore plus que j'aime mon ordinateur. Et tu sais à quel point j'aime cette machine.

– Oh, oui !

– Mais bref, ce n'est pas une conversation d'adulte.

– Je suis contente de te voir si heureuse avec Monroe et Phineas.

– On a la chance d'avoir un môme sympa. Mais tu nous manques.

– C'est réciproque. Vous avez toujours l'intention de déménager en banlieue ou à la campagne ?

– On en parle… On est des citadins dans l'âme tous les deux, mais… (Teesha jeta un coup d'œil en direction de la télé allumée et des babillements de son fils.) On se dit que ce serait cool d'avoir un jardin, un chien peut-être. Une balançoire. Je suis en train de devenir une vraie petite femme au foyer… Au secours !

– Je vois une femme épanouie. Écoute, j'ai quelque chose à te proposer. Deux choses, en fait. Mais commençons par le commencement : je vais m'installer ici.

– Hein ? Sérieux ? À Traveler's Creek ?

– Tu pourras t'occuper de me faire envoyer mes affaires ? Juste mes affaires personnelles. Le mobilier ira au garde-meubles dans un premier temps. Je n'en ai pas besoin ici. S'il y en a qui te plaisent, tu peux les prendre.

– C'est énorme ! Non… Mais c'est fou ! Quand as-tu pris cette décision ?

– En arrivant, en voyant Popi. Il ne peut pas rester seul dans cette grande maison, ça le tuerait. Il a besoin de moi, même s'il ne le dit pas. Et moi, je n'ai pas besoin d'être à New York pour travailler. J'ai cette chance-là.

– C'est vrai, mais New York a toujours été ta base, surtout depuis que tu as fini tes études.

– Pour le boulot, mais je me sens davantage chez moi à Traveler's Creek, depuis toujours. Je pense que je vais m'aménager un espace au sous-sol pour le streaming, le tournage des vidéos, tout ça. S'il faut que je vienne à New York, je saute dans ma voiture ou dans le train. Mais pour le moment, je préfère ne pas trop m'absenter.

– Je comprends. Sur le plan matériel, tu économiseras une fortune en loyer, dont tu pourras consacrer une partie à l'aménagement d'un studio de fitness. Sur le front marketing, on pourra sûrement exploiter le changement de décor. Et côté perso, tu n'auras pas à t'inquiéter pour ton grand-père, puisque tu seras sur place.

– Voilà pourquoi tu n'es pas seulement mon amie mais aussi ma *business manager.*

– Qu'en dit Popi ?

– Je ne lui en ai pas encore parlé. J'attends que tout soit décidé. Que veux-tu qu'il dise ? Il ne va pas me chasser !

– Certes…

– Toi et moi, on communiquera par visio. À moins que… Il y a de belles propriétés, dans le coin, de chouettes maisons avec des jardins…

– Arrête tes conneries, Adrianne.

Teesha ferma les yeux et poussa un soupir désespéré quand Phineas répéta : « 'Rête tes conneries, 'Drianne. »

– C'est dur de ne pas dire de gros mots… marmonna-t-elle. Mais bref, laisse tomber *La Petite Maison dans la prairie.*

– N'exagère pas. Et penses-y. En plus, j'aurais un job à te proposer. C'était Nonna qui s'occupait de la compta du restau. Popi aura besoin d'aide.

– Rizz, tu sais que j'adore ton grand-père et que je me ferai toujours une joie de lui rendre service, où que je sois.

– J'espérais que tu dirais ça. J'en parlerai à Popi, et à Jan, quand elle sera de retour.

– On pourrait venir un week-end, et on en discutera. Je verrai avec Monroe quand il peut se libérer.

– Merci ! Imagine une jolie maison… avec un chien gambadant dans un joli jardin… Un vrai bureau, pas un placard… Une vraie salle de musique pour Monroe, une salle de jeux pour Phineas… et ses petits frères et sœurs.

– N'essaie pas de m'appâter avec des mètres carrés et des impôts locaux moins chers.

– Tous les coups sont permis ! Réfléchissez, parlez-en. Popi m'attend, je vais te laisser. Tu t'occuperas de donner le préavis à mon propriétaire, s'il te plaît ?

– D'accord, et je te trouverai un garde-meubles. Garde tout, dans un premier temps. On ne sait jamais, tu auras peut-être besoin de certains trucs.

– Tu as raison, merci. Embrasse ton homme de ma part. On se rappelle.

– Ça marche. Rizz ? Tu as pris la bonne décision. Pas seulement pour Popi. Pour toi, aussi.

– Oui, je suis d'accord. Je t'adore.

– Moi aussi.

Après avoir éteint sa tablette, Adrianne poussa un soupir. Oui, elle se plairait à Traveler's Creek. Avec le temps, du travail, de la réflexion, elle retrouverait un nouvel équilibre.

Elle prit le verre de Coca qu'elle avait oublié de boire et l'emporta dans la salle à manger, où elle se hissa sur un tabouret de bar.

– Je te prépare ton sandwich, lui dit Barry. Je t'attendais, pour que tu n'aies pas besoin de le réchauffer.

– Tu assures, Barry. Sans toi, on aurait été obligés de fermer le restau.

– C'est ma deuxième maison, ici.

– Ça se voit. Dis-moi… Tu as bien une petite sœur ?

– Trois. Pourquoi crois-tu que j'ai besoin d'une deuxième maison ? répliqua-t-il en ouvrant une baguette en deux.

– Il y en a une qui fait des études d'architecte d'intérieur, non ?

– Kayla, oui. Elle termine sa première année. Elle revient la semaine prochaine.

– Entre nous… elle est douée ? Ta réponse ne sortira pas d'ici.

– Eh bien… Elle trouve la déco de mon appart' hyper moche. Ce qui n'est pas faux, depuis que Maxie m'a plaqué et que je vis seul. Elle a du goût, la frangine, oui. Elle a refait sa chambre l'été dernier – on se croirait dans un magazine ! Et elle a fini parmi les premiers de sa promo, donc elle est douée, oui, je suppose. Elle a l'œil, en tout cas.

– Tu pourras lui dire de m'appeler ? J'ai peut-être un job pour elle.

Barry glissa le sandwich dans le four à l'aide de sa pelle à pizza, afin de faire fondre le provolone sur les boulettes et la sauce.

– Sérieux ? À New York ?

– Non, ici. Si elle est intéressée, je lui montrerai le lieu, on échangera des idées, et on verra si on peut s'entendre.

– C'est sûr qu'elle sera partante ! Elle suit tes cours de gym en vidéo.

– C'est vrai ? Eh bien, j'ai un nouvel exercice à lui proposer !

Dom était toujours sur la galerie quand Adrianne revint, sa glacière dans une main, le sac en papier du restaurant dans l'autre.

– Attends, je vais t'aider, dit-il en faisant mine de se lever.

– Non, ne te dérange pas. On va manger dehors.

– Comme tu veux, ma puce.

– Il fait si beau ! J'arrive…

Elle disparut dans la cuisine, en se disant que le meilleur choix était celui qu'on ne regrettait pas. Coupa le sandwich en deux, sortit de jolies assiettes, des serviettes en tissu, une bouteille de vin et un pichet d'eau. Pour tenter son grand-père, elle ajouta une poignée de chips au vinaigre, ses préférées, sur chacune des assiettes – au diable la diététique pour une fois ! Puis elle emporta le tout sur la galerie.

– À table, Popi ! Il y avait du monde au restau, dit-elle tandis que Dom se levait lentement. C'était Barry qui était de service. Il assure. Il m'a dit que tout le monde avait hâte que tu reviennes.

– J'irai peut-être demain.

Il l'avait déjà dit la veille.

– Ce serait bien. Ça fait un siècle que je n'ai pas mangé de sandwich aux boulettes !

Elle en croqua une bouchée, penchée au-dessus de son assiette pour éviter de se tacher.

– Hmm, délicieux ! Je parie que cette sauce est illégale dans certains États. Il faudra me donner la recette.

– Un jour… dit Dom en souriant et en grignotant un petit morceau de pain.

– J'ai fait un FaceTime avec Teesha et le fantastique Phineas. Tu as des bises de leur part.

– Ce bambin est mignon comme tout, et rusé comme un renard.

– C'est sûr ! On les verra plus souvent, si Teesha et Monroe s'installent ici…

– Hmm… Hein ? Ici ?

– Mmm, répondit Adrianne la bouche pleine. On aurait pu se concerter à distance, elle et moi, ce n'était pas un problème, mais ils parlent d'acheter une maison en banlieue ou à la campagne depuis que Phineas est né. Pourquoi pas ici ? Teesha pourrait mettre ses compétences au service du restau. Monroe peut travailler n'importe où. Comme moi, ajouta-t-elle en buvant une gorgée de vin.

– Je ne comprends pas.

Elle grignota une chips.

– Oh, je sais pourquoi je n'en mange jamais ! Quand tu commences, tu ne peux plus t'arrêter ! (Elle déglutit, puis esquissa un grand sourire.) Je m'installe ici. Je ne te l'avais pas dit ? J'ai donné mon préavis à mon propriétaire new-yorkais. Enfin, Teesha s'en occupe. Elle me fera aussi expédier mes affaires. Et elle mettra mes meubles au garde-meubles. Je crois que je ne pourrais plus me passer d'elle une seule journée.

– *Gioia*, ta vie est à New York.

– J'y ai grandi, et c'était l'endroit idéal pour me lancer. Mais ma place est ici. Nulle part ailleurs je ne me suis jamais sentie aussi bien qu'ici.

La mâchoire de Dom se contracta.

– Adrianne, tu ne vas pas renoncer à ta vie pour moi. Je ne suis pas d'accord.

Désinvolte, elle lécha la sauce qui lui coulait sur les doigts.

– Tant pis, trop tard. Je fais ça pour toi, parce que je t'aime. Mais je le fais aussi pour moi, parce que j'en ai envie. Je t'aime, répéta-t-elle. J'aime cette maison, le paysage, les arbres, le jardin, le village. Ma décision est prise. Tu ne m'en feras pas changer.

Une larme roula sur la joue de son grand-père.

– Je ne veux pas que tu…

Elle posa une main sur la sienne.

– Je n'ai donc pas le droit de faire ce que j'ai envie de faire ?

– Bien sûr que si.

– Je veux vivre ici.

– Dans cette vieille baraque, dans ce trou paumé ?

Elle grignota une autre chips.

– Parfaitement. Ah, au fait, je squatterai le sous-sol.

– Je…

– Occupation sans droit ni titre. J'ai besoin d'un espace de travail. Je ferai faire quelques travaux. La petite sœur de Barry m'aidera peut-être.

– Adrianne, c'est une grande décision. Tu devrais prendre le temps d'y réfléchir.

– C'est tout réfléchi. Crois-moi, j'ai longuement pesé le pour et le contre, et le pour l'emporte haut la main. Tu connais les Rizzo, Popi. On sait ce qu'on veut, et on se donne les moyens de l'obtenir. Il faudra t'y faire, nous serons désormais colocataires, dit-elle en levant son verre.

Puis elle le reposa et se leva pour étreindre son grand-père, dont les yeux brillaient de larmes.

– Tu as besoin de moi, murmura-t-elle. Mais moi aussi, j'ai besoin de toi. Offrons-nous ce cadeau l'un à l'autre.

– Ça… ça va aller… balbutia le vieil homme.

– Bien sûr que ça va aller ! dit-elle en lui encadrant le visage de ses mains et en l'embrassant. Cet arrangement aurait plu à Nonna. Maintenant, mange ton sandwich ou sinon, c'est moi qui le mange et je risque de le payer cher.

– OK, OK. Barry sait comment je les aime.

– C'est exactement ce qu'il m'a dit.

Adrianne se rassit, et Dom mangea une bouchée, puis il but un peu de vin, et s'éclaircit la voix.

– Tu crois que tu vas réussir à les convaincre de s'installer ici, avec leur adorable bout de chou ?

En souriant, elle fit tinter son verre contre celui de son grand-père.

– J'ai des arguments. Cette balançoire en pneu a besoin d'une nouvelle paire de petites fesses.

– Ah ça, c'est sûr ! Tu sais, au début, je voulais disparaître. Comment continuer sans elle ? Je n'avais plus la force…

– Je sais, murmura Adrianne, en luttant contre les larmes qui lui brûlaient les yeux.

– C'est grâce à toi que je continue.

– Je ne veux pas que tu disparaisses, moi !

En dodelinant de la tête, il la regarda droit dans les yeux.

– Si tu me disais ce que tu as l'intention de faire de mon sous-sol ? Enfin, de *notre* sous-sol…

Deux jours plus tard, elle examinait son futur studio de fitness en imaginant diverses possibilités d'aménagement. La cave à vin qui datait d'avant sa naissance resterait là, bien sûr, tout comme la buanderie. Adrianne ne toucherait pas non plus à la chambre d'amis du sous-sol ni à la salle de bains.

Elle investirait seulement la grande salle que ses grands-parents utilisaient pour recevoir du monde quand ils étaient plus jeunes. Elle débarrasserait les meubles, excepté le comptoir de bar et la cheminée de brique, qui avaient du cachet et méritaient d'être conservés.

Adrianne désirait que le nouveau cadre de ses vidéos ressemble à ce qu'il était : une pièce appartenant à un lieu de vie. Sur sa tablette, elle nota quelques éléments à soumettre à Kayla, en croisant les doigts pour que la jeune fille partage sa conception de la déco et de l'architecture d'intérieur.

Une notification FaceTime l'interrompit. Sa mère. Qui d'ordinaire ne l'appelait jamais sur FaceTime. Elle accepta la communication. Lina apparut à l'écran, légèrement maquillée, coiffée d'une queue-de-cheval. En mode travail, en conclut Adrianne.

– Coucou, maman. Comment se fait-il que tu m'appelles sur FaceTime ?

– Il faut qu'on parle. Je viens de lire ton blog.

– Oh… Je ne savais pas que tu…

– Adrianne, tu ne peux pas t'enterrer dans ce trou perdu. Qu'est-ce qui te prend ?

– J'ai envie de vivre ici. Je m'y sens bien. Je n'ai pas du tout l'intention de m'enterrer. Je considère ce déménagement comme une nouvelle opportunité.

– Tu as bâti ta réputation à New York. Le décor urbain fait partie de ton image.

– Je change d'image.

Sans quitter l'écran des yeux, Lina adressa un signe de la main à quelqu'un.

– Ma chérie, c'est louable de vouloir t'occuper de ton grand-père, mais…

– Louable…

– Oui, c'est gentil, attentionné et louable. Je ne suis pas idiote, j'ai bien conscience de la situation. Popi ne peut pas rester seul dans cette maison, je suis d'accord. J'ai failli lui proposer de venir à New York, mais ce ne serait pas une bonne idée, ni pour lui ni pour moi. On finirait par se détester. Je suis en train de chercher une dame de compagnie ou une infirmière.

– Tu lui en as parlé ?

– Non, il m'enverrait promener. Quand j'aurai trouvé quelqu'un…

– Inutile de chercher.

Adrianne se cala sur l'accoudoir d'un canapé, en s'exhortant à ne pas se mettre en colère. Sa mère faisait preuve de bonne volonté ; son seul tort était d'imaginer que l'argent pouvait tout régler.

– Popi n'est pas malade, il est triste, poursuivit Adrianne. Il n'a pas besoin d'une infirmière, et je lui serai de meilleure compagnie qu'une « dame ». J'ai envie de m'installer ici, pas juste pour m'occuper de lui, mais parce que je veux vivre dans cette maison familiale. En quoi ça te dérange ?

– C'est dommage de mettre un frein à ta carrière, alors que tu es en plein boom. Tu as un don.

– Je compte bien continuer de l'exploiter.

– Dans cette vieille maison au milieu de nulle part ?

– Tout à fait : sur la galerie, dans le jardin, sur la place du village, au parc municipal. J'ai plein d'idées. Nous avons les mêmes racines, professionnellement, mais nos branches ne se développent pas de la même manière.

– Je te rappelle que New Generation fait partie de Yoga Baby.

– Si ma relocalisation te gêne, nous demanderons aux juristes de prévoir une rupture de partenariat.

– Ne dis pas… (Lina s'interrompit et détourna un instant le regard, puis elle reprit sa contenance.) Ce que j'essaie de te faire comprendre, c'est qu'il s'agit d'un métier autant que d'une passion, un mode de vie… Et dans ce métier, il faut être pratique et innovant. Du reste, tu n'es pas la seule à être bouleversée. Ta grand-mère était ma mère.

– Je sais. Tu as raison. D'un point de vue professionnel autant que personnel, j'aurais dû te parler de ce projet plus tôt. Je n'y ai pas pensé, désolée. Écoute… voilà ce que je te propose : accorde-moi une année. Si au bout d'un an la relocalisation n'a pas porté les fruits que j'en attends, on réévalue.

– Avec moi, Harry et le reste de l'équipe ?

– Oui.

– D'accord. Oui, oui, deux minutes ! cria Lina en se retournant. Je ne souhaite que ta réussite, ma chérie.

– Je sais, maman.

– Il faut que je te laisse. Dis à Popi… que je l'appellerai très bientôt.

– OK.

En coupant la communication, Adrianne se laissa tomber sur la banquette. Elle avait commis une erreur, elle le reconnaissait, en prenant cette décision sans en parler à sa mère. N'y avait-elle réellement pas pensé, ou bien était-ce un acte manqué ? se demandait-elle à présent. Sans doute un peu des deux, devait-elle s'avouer.

En tout cas, elle n'avait aucun regret, elle était sûre à 100 % d'avoir fait le bon choix. Ne lui restait maintenant qu'à le prouver.

CALIFORNIE DU NORD

Tenue de randonnée. Passer inaperçu tenait de l'art autant que de l'entraînement. À l'aube, le silence du canyon n'était troublé que par les cris des aigles et des faucons.

Admirables prédateurs.

Celle qui ne verrait plus le soleil se lever venait marcher ici deux fois par semaine, trois si elle le pouvait, mais deux au minimum, sans faute. Des temps de solitude, de communion avec la nature, d'harmonie entre le corps et l'esprit – c'était ce qu'elle affirmait sur Twitter.

Dans cet environnement, la phase d'approche n'avait été que pur plaisir. Le voyage était maintenant indissociable de sa vie ; il lui offrait tant d'opportunités. Nouveaux paysages, nouveaux sons. Nouvelles proies.

Avec ses bonnes chaussures de trekking, elle marchait d'un pas dynamique, coiffée d'une casquette rose d'où dépassait une queue-de-cheval de fausse blonde. Lunettes de soleil, short cargo.

Seule.

La démarche claudicante, accompagnée d'une petite grimace de douleur, suffit à attirer son attention.

– Ça va ? s'enquit-elle.

– Oui, oui. Je me suis tordu la cheville. Quelle maladresse…

Un geste de la main, un sourire courageux, la voix légèrement haletante. La jambe qui flanche.

Elle s'avança et lui offrit le soutien de son bras. La lame pénétra dans son abdomen comme dans du beurre. Ses lèvres formèrent un cri muet, le couteau produisit un petit bruit de succion en ressortant de la chair.

En s'effondrant, elle perdit ses lunettes. Parfait souvenir, avec sa montre de sport, la télécommande de sa voiture et, bien sûr, la désormais traditionnelle photo, en se récitant mentalement le dernier des poèmes écrits pour Adrianne.

Une mare de sang se répandait autour du corps. Un faucon tournoyait dans le ciel en criant. Une de plus rayée de la liste.

*

Trois jours plus tard, Adrianne retourna faire des courses en prévision de la visite de Teesha et de sa famille. Puis elle passa relever sa nouvelle boîte postale et s'arrêta chez le fleuriste acheter des fleurs fraîches.

Dom l'aida à ranger ses achats, ce qu'elle interpréta comme un signe positif. Elle prépara ensuite une salade grecque et, tandis qu'ils la partageaient, elle rapporta à son grand-père les derniers potins du village. En l'entendant rire d'un vrai rire, elle refoula des larmes de joie.

Elle ne regarda son courrier qu'en fin de journée, et vit tout de suite que le Poète l'avait retrouvée.

Crois-tu pouvoir te cacher, croyais-tu m'échapper ?
Oh non, beauté, nous n'en avons pas terminé
Pendant toutes ces années, tu m'auras imaginé
À ton dernier souffle, mon visage te sera révélé.

L'enveloppe était oblitérée à Baltimore. Tout près, cette fois… Cela dit, le cachet de la poste ne signifiait rien, se raisonna Adrianne. Depuis dix ans, les lettres anonymes provenaient des quatre coins du pays.

Mais toujours en février.

Le déménagement, donc, n'avait pas seulement contrarié Lina. Il indisposait également le Poète.

Adrianne préviendrait la police locale, ainsi que Harry, et même si elle y répugnait, elle alerterait son grand-père. Par précaution, il convenait en outre de renforcer le système d'alarme.

À ce sujet, elle avait sa petite idée.

Chapitre 9

Dès que la voiture de Teesha apparut, Adrianne se précipita au-dehors, et se réjouit de voir son grand-père lui emboîter le pas avec enthousiasme.

– Salut, tout le monde ! Je suis contente de vous voir ! dit-elle en étreignant chaleureusement son amie.

– Salut, la belle ! lui lança Monroe en libérant Phineas de son siège auto, sur la banquette arrière.

Grand et mince, terriblement beau, le compagnon de Teesha avait la peau d'une teinte chocolat à peine plus foncée que la sienne, de petites dreads, de magnifiques yeux noisette et une barbe taillée avec soin. Adrianne l'embrassa et prit Phineas dans ses bras, quand Teesha s'écria :

– Waouh ! C'est un ours ?

Adrianne couvrit de baisers le visage du bambin qui riait aux éclats.

– Non, c'est un chien. Le nôtre, depuis hier.

– Pu… Purée, il est énorme !

Instinctivement, Teesha recula quand la montagne de fourrure noire s'approcha d'elle.

– N'aie pas peur… C'est un terre-neuve, enfin, *une* terre-neuve. C'est ce qu'on m'a dit au refuge, et le vétérinaire l'a confirmé. Elle a neuf mois, elle va encore grandir. Un peu. Elle est aussi douce qu'un agneau.

– Je ne connais pas la psychologie des agneaux. Je n'en ai jamais côtoyé.

La chienne s'assit aux pieds de Teesha et leva vers elle un regard expressif en lui tendant la patte.

– Elle est propre, elle comprend « assis », « lâche » et « va chercher ». On dit que les terre-neuve sont des chiens de nourrice, car ils sont très gentils et très patients avec les enfants.

Tout en parlant, Adrianne se baissa, et Phineas allongea un bras vers le chien.

– Adrianne…

– Tu crois que j'aurais pris un animal capable de faire du mal à cet adorable bonhomme ? Ou à quiconque ? Elle s'appelle Sadie et c'est une grosse boule d'amour.

– Sexy Sadie, dit Monroe en s'accroupissant près de la chienne et en lui flattant l'encolure.

– On pense qu'elle a été abandonnée. Quelqu'un l'a amenée au refuge la veille de notre visite avec Popi. Elle nous était pour ainsi dire prédestinée.

– On a eu le coup de foudre au premier regard, renchérit Dom.

Adrianne s'accroupit devant la chienne qui remua la queue et réclama davantage de caresses.

– Toutou ! Ouaf ! Toutou ! babilla Phineas en lui tapant sur la tête, ce que Sadie accepta placidement.

Puis elle lui lécha le visage, pour le plus grand bonheur du garçonnet.

– Il paraît que les terre-neuve sont très intelligents. J'ai regardé sur Google.

– J'ai toujours rêvé d'avoir un chien.

– On voulait en reprendre un, avec Sophia, quand on a perdu Tom, et puis Jerry. Je crois qu'on ne l'a pas fait parce qu'on attendait Sadie.

– Vous voilà tous les deux comblés par le chien le plus grand de l'univers !

Prudemment, Teesha se risqua enfin à poser une main sur la tête de Sadie.

– Allons nous asseoir à l'intérieur et boire un verre de vin, dit Dom en enfonçant un doigt sur le ventre de Phineas.

– Très bien parlé, Popi ! répliqua Monroe en ouvrant le coffre de sa voiture.

Adrianne fit claquer une bise sur la joue de Phineas, puis elle le tendit à sa mère, mais le garçonnet gesticula en se penchant vers le chien.

– N'oublie pas les cookies que tu as préparés en pensant que je ne te voyais pas, Popi…

– Impossible de recevoir un enfant sans biscuits !

Adrianne s'éloigna afin d'aider Monroe à décharger le coffre.

– Alors… Vous avez réfléchi ? Vous venez vous installer à la campagne ?

– Teesha aime vraiment la ville. C'est moi, au départ, qui avais envie de verdure. Alors en guise de compromis, on avait opté pour la banlieue. Mais avec toi ici, je crois que la donne n'est plus la même…

– Sérieux ? Vous viendriez ici ?

– J'aime tellement le calme… dit Monroe de sa voix rêveuse. J'entends mieux la musique, dans le calme. Teesha aura des voisins, des amis. Des commerces de proximité. Une bonne école, un environnement sûr…

– J'ai déjà repéré trois maisons !

Monroe se redressa et se tourna vers Adrianne.

– Tu ne perds pas le nord, toi…

– Popi connaît tout le monde ici, dont le meilleur agent immobilier de la région.

– Sacrée Rizz ! Je n'en attendais pas moins de ta part !

Adrianne sut qu'elle avait trouvé son architecte d'intérieur dès les premiers instants de son rendez-vous avec Kayla. Équipée d'une tablette pleine d'applications, d'un mètre ruban, d'un nuancier et d'une myriade d'idées, grande et mince, une longue tresse blonde, la jeune femme débordait d'enthousiasme.

– Bel espace, dit-elle en caressant Sadie et en regardant autour d'elle. Beaucoup plus de lumière naturelle que je ne craignais. J'avais peur que les plafonds soient un peu bas. Je suis agréablement surprise. J'ai le trac… C'est bête mais j'ai le trac… C'est ma première véritable consultation. Les amis et la famille, ça ne compte pas. Je ne voudrais pas me ridiculiser…

– Il n'y a pas de raison.

Kayla se redressa, et Sadie se posta docilement aux pieds de sa maîtresse.

– Merci de m'offrir cette chance. Je… Je ne suis pas encore diplômée…

– J'étais encore au lycée quand j'ai fait ma première vidéo de fitness.

– Vraiment ? s'étonna Kayla. Je croyais que c'était une légende.

– C'est la vérité. Je l'ai réalisée avec trois copains, et c'est ce qui m'a lancée. Si on peut s'entendre, c'est peut-être ce qui te lancera.

– Ne me mettez pas la pression, dit Kayla en riant, sa tablette serrée contre elle. J'ai fait quelques recherches sur les salles de gym à domicile… Mais vous n'avez pas de tapis de course ni de machines de muscu. J'ai aussi regardé plusieurs de vos vidéos. En général, vous tournez plutôt en extérieur…

– Ça dépend. Et, oui, le corps est la machine. Mais parfois, la machine a besoin de matériel.

– Des poids, des ballons, des tapis, ce genre de choses ?

– Tout à fait. J'avais en tête de les laisser en vue… Je te donnerai la liste de ce que j'utilise le plus souvent.

– Je me suis fait une idée de votre style, d'après vos vidéos. J'ai aussi écouté des interviews. Mais vous pourriez peut-être me dire quelques mots de vos goûts, de l'atmosphère souhaitée. J'espère que vous ne voulez pas vous débarrasser de la cheminée ni du bar. Je leur trouve beaucoup de charme.

– On est sur la même longueur d'onde, dit Adrianne en souriant.

Une heure plus tard, elles étaient tombées d'accord, et alors que Kayla s'apprêtait à prendre congé, Maya apparut au bas de l'escalier, son fils Collin descendant doucement les marches derrière elle en lui tenant la main.

– Dom m'a dit que tu étais là. Salut, Kayla.

– Salut, Maya. Salut, Collin, répondit l'étudiante. Toutes mes condoléances pour ta belle-sœur… Je la connaissais peu, mais elle était si gentille… Je suis désolée.

– Nous sommes sous le choc. C'est très dur…

Maya prit une profonde inspiration. Fasciné, Collin s'était immobilisé devant Sadie qui remuait gaiement la queue.

– Dom m'a dit de te dire qu'il partait faire un saut au restaurant.

– C'est vrai ? Génial ! s'écria Adrianne en brandissant le poing et en exécutant une pirouette. C'est la première fois qu'il quitte la maison ! (Puis elle se couvrit le visage et refoula des larmes.) Pardon, excuse-moi, Kayla.

La jeune fille lui passa un bras autour des épaules.

– Il n'y a pas de quoi, murmura-t-elle, les yeux embués. On fait comme on a dit, alors ? Je ferai plusieurs croquis et je vous envoie un petit message dès qu'ils sont prêts.

– Ça marche. Parfait, merci.

Là-dessus, Kayla sortit par la porte vitrée donnant sur l'arrière de la maison.

– Qui c'est, ce chien ? s'enquit Maya.

– Sadie. Elle est aussi gentille qu'imposante. Elle adore les enfants.

– Pour le petit déjeuner ?

– Ce matin, avant qu'on puisse réagir, Phineas lui a donné un morceau de bacon qu'elle a accepté avec autant de délicatesse qu'une duchesse.

– Elle lui a laissé ses cinq doigts ?

– Les dix, même. Regarde cette tête, et ces yeux… Et regarde comme elle agite la queue…

Adrianne s'accroupit près de la chienne et lui passa un bras autour du cou. Sadie renifla joyeusement Collin. Plus méfiant que Phineas, le garçonnet se blottit contre sa maman. Puis, prudemment, il caressa la tête de Sadie du plat de la main. Et déclara avec un grand sourire :

– Da da da da. Ooooh…

– Il approuve. Sinon, il sait très bien dire « non ». Son premier mot a été un « non » ferme et catégorique. Et c'est toujours le plus usité de son répertoire.

– J'imagine qu'il ne se souvient pas de moi, mais on aura tout le temps de refaire connaissance.

– Je ne voulais pas croire que tu t'installais ici… Jje suis si contente, bredouilla Maya, qui avait à nouveau les yeux pleins de larmes.

– Je me félicite chaque jour d'avoir pris cette décision. Je ne voudrais pas qu'on se remette toutes les deux à pleurer, mais j'ai été tellement choquée par le décès de Lorilee… (Adrianne dut s'interrompre, puis inspirer profondément.) Je suis désolée de ne pas avoir pu assister aux funérailles, de ne pas avoir été là pour ta mère, pour toi, pour Raylan et ses enfants.

– Pareil… pour l'enterrement de Sophia, dit Maya d'une voix étranglée.

– Comment va Raylan ?

– Ça va, à peu près. Il fait aller, pour les enfants. Sans eux, je ne suis pas sûre qu'il tiendrait le coup. Il travaille chez lui. Ou bien il les emmène au bureau quand ils n'ont pas école. Il ne veut pas les laisser à une nounou, et je pense qu'il a raison. Mais tôt ou tard…

Collin lâcha la main de sa mère afin de s'asseoir par terre. Sadie se coucha à ses côtés. Maya les regarda en souriant.

– Il m'a dit que tu lui avais écrit. Il a été très touché… Mais parlons d'autre chose, Collin voit trop d'adultes pleurer ces derniers temps. Qu'est-ce que tu vas faire ici ? C'est sympa d'avoir fait appel à Kayla.

– Elle a le regard et l'énergie de la jeunesse. Et elle a l'air d'avoir du goût. Je m'attendais à ce qu'elle suggère des couleurs vives, mais non, elle préconise des tons doux et neutres, pour ne pas déconcentrer le public des vidéos.

– Au fait, tes nouveaux programmes sont super. J'adore.

– Je t'ai dit que j'ai eu un mal fou à convaincre ma mère de se mettre au streaming ?

– Oui, répondit Maya en souriant. Tu m'en as déjà parlé plusieurs fois.

– Comme si on allait se faire de l'ombre… soupira Adrianne en levant les yeux au ciel. C'est Teesha qui a fini par lui faire entendre raison, chiffres à l'appui.

– À propos, elle n'est pas là ? J'espérais que Collin et Phineas feraient connaissance.

– Ils ne devraient pas tarder. Ils sont allés visiter des maisons.

– Des maisons ?

– Monroe est partant pour s'installer ici. Teesha n'y est pas opposée…

– C'est vrai ? Ce serait génial !

– Je crois que mon gros bébé a besoin de sortir. Allons faire un tour dehors, je t'expliquerai.

Émue, Maya saisit la main de son amie.

– C'est cool, on va se voir tout le temps, maintenant ! Je déteste les raisons qui ont motivé ce changement, mais je suis vraiment heureuse que tu viennes habiter ici.

– Moi aussi, j'ai hâte de retrouver notre belle amitié. Alors, dis-moi, quoi de neuf, ici ?

Elles sortirent dans le jardin, Sadie au côté de sa maîtresse, Collin dans les bras de sa mère.

– Mme Fricker prend sa retraite.

– Ah bon ? Personne ne me l'a dit, alors que j'ai été plusieurs fois au village ces jours-ci.

– C'est encore officieux. Tu sais que je travaille pour elle depuis que j'ai fini la fac ? À mi-temps, en ce moment. Elle espère qu'on va racheter le fond de commerce avec Joe.

Adrianne s'immobilisa.

– Mais ce serait génial ! Je te vois tout à fait tenir un magasin d'artisanat !

Maya déposa son fils sur le sol ; il fit quelques pas hésitants, puis se laissa tomber dans l'herbe sur les fesses.

– Moi aussi… J'ai toujours adoré cette boutique, et je la connais bien. Mais entre gérante et patronne… il y a un monde.

– Je ne vois pas ce qui te pose problème. Quand Mme Fricker a été malade, tu t'en es très bien sortie. C'est toi qui faisais les achats, les vitrines, la compta, tout.

– Justement. C'était une énorme charge de travail, et je n'avais pas d'enfant. Si on achète, il faudra que je prenne quelqu'un pour faire la compta. Ce n'est pas mon fort, ni celui de Joe. En plus, il a déjà son boulot.

Adrianne pointa un doigt vers le haut de son crâne.

– Une ampoule ne s'est pas allumée ? Il se trouve que je connais une *business manager* sérieuse et compétente qui va bientôt s'installer à Traveler's Creek…

– Tu crois que ça l'intéresserait ? Ce serait l'idéal. Et que ses honoraires ne sont pas trop élevés ? Tu penses qu'elle pourrait me faire une étude de marché et me dire si le projet est viable ?

– Je répondrai oui à toutes ces questions. Mais avant tout, ça te plairait ?

– Carrément ! Chaque jour, je vois des dizaines de nouveaux inconvénients mais malgré ça, oui, j'aimerais vraiment tenir cette boutique ! (Maya jeta un coup d'œil à son fils, en grande conversation avec Sadie.) Je l'ai toujours adorée. Quand j'étais au lycée, je me disais que je vivrais dans une grande ville, comme toi, et que je trouverais un job qui rapporte pour me payer des fringues branchées. Et puis Mme Fricker m'a embauchée pour un été et je suis tombée amoureuse de cet endroit. Puis j'ai rencontré Joe. On a eu Collin… Et aujourd'hui, je ne me verrais plus vivre ailleurs qu'à Traveler's Creek.

– Demande à Teesha de te faire cette étude et fonce si c'est ton rêve, ou tu le regretteras. Tu crois que je peux prendre Collin dans mes bras ?

– Il aime les filles. Il est plus timide avec les mecs quand il ne les connaît pas.

Adrianne souleva le garçonnet, puis elle le fit basculer en arrière, lui arrachant des cris de joie.

– Ah… J'entends une voiture. Ça doit être Teesha et compagnie… ou bien Popi. Allons voir.

– Il faut que je sois rentrée d'ici une vingtaine de minutes, maximum, pour le repas et la sieste de monsieur. Sinon, il peut être horriblement grincheux.

– Avec cette bouille d'ange ? dit Adrianne en l'embrassant. Impossible !

– Viens vivre ma vie un jour ou deux.

En voyant Phineas, Sadie se précipita à sa rencontre. À présent en confiance, Teesha déposa son fils près de la chienne. Aussitôt, ils se témoignèrent leur joie de se retrouver.

– Eh, Maya ! Collin a grandi ! Quel beau garçon ! Donne-le-moi !

Teesha l'arracha aux bras d'Adrianne. Monroe se plaça derrière elle, le menton calé sur son épaule.

– Mon p'tit gars, tu ressembles à un rayon de soleil d'été.

Avec un petit sourire intimidé, Collin se tortilla afin de se libérer des bras de Teesha, qui le déposa aux côtés de Phineas et de Sadie.

– OK, on a compris, dit-elle en riant. On ne fait pas le poids à côté d'un autre marmot et d'une montagne de fourrure.

Elle embrassa Maya, lui murmura quelque chose à l'oreille et la serra dans ses bras.

– Merci à tous les deux pour les fleurs. Elles étaient très belles, elles nous ont beaucoup touchés. Je suis si contente de vous voir. Phineas est devenu un petit homme.

Sadie se coucha dans l'herbe et roula sur elle-même, ravie d'être entourée de deux petits compagnons de jeu.

– Toi, je te déteste ! dit Teesha en pointant un index vers Adrianne.

En riant, Monroe lui enlaça les épaules.

– On vient de visiter la maison de nos rêves.

– Je le savais ! s'écria Adrianne avec un mouvement de boogie. Je parie que c'est la bleue avec la galerie, sur Mountain Laurel Lane.

– Tu as de la chance que les enfants soient là ou je te traiterais de tous les noms ! De ma vie, je n'aurais jamais imaginé habiter un jour chemin des Lauriers-de-Montagne…

– On a fait une offre, déclara Monroe, un sourire jusqu'aux oreilles.

– Excellent ! Topissime ! Génial !

À court de mots, Adrianne enchaîna trois saltos avant.

– Frimeuse ! lui lança Teesha. C'est fou, on n'a visité que deux maisons mais je me vois carrément vivre dans celle-là ; je m'y suis tout de suite sentie chez moi.

Par-dessus son épaule, elle saisit la main de Monroe.

– Parce qu'elle est faite pour nous, dit-il. On pourra aller au restau à pied mais on aura un jardin. Le quartier a l'air cool, les voisins aussi.

– Je n'arrive pas à y croire, soupira Teesha. C'est de la folie…

– Maya, venez dîner ce soir. On a plein de choses à fêter ! Les rêves de mes deux meilleures amies qui se réalisent ! Plus le mien !

– Attends, rien n'est décidé, chuchota Maya. Il faut d'abord que j'en discute avec Teesha…

– De quoi ? demanda celle-ci.

– Maya va racheter la boutique la plus sympa de la ville, mais elle voudrait que tu jettes un coup d'œil aux chiffres. Apporte-les ce soir. Tu jetteras un coup d'œil, Teesh ?

– Pas de problème.

– Super ! Je vous attends vers 17 heures. On débouchera une bonne bouteille. Pendant que vous regarderez les comptes du magasin, Sadie et moi, on surveillera les enfants.

– Oui, chef, opina Teesha en échangeant un clin d'œil avec Maya.

– Organisation et efficacité, rétorqua Adrianne en enlaçant la taille de chacune de ses deux amies. On vient de traverser des épreuves douloureuses, mais nous voilà prêtes pour de nouveaux départs et de nouvelles aventures !

– OK pour ce soir, dit Maya. Je ne crois pas que Joe ait prévu quoi que ce soit. Un repas à la Casa Rizzo, ça ne se refuse pas. Sur ce, il faut que je vous laisse ! À plus !

Quand Maya fut partie, Teesha demanda à Adrianne :

– Qu'est-ce qu'elle veut reprendre, comme boutique ? Elle existe depuis longtemps ? Elle est où ? Pourquoi est-elle en vente ?

– Je vais tout t'expliquer autour d'une citronnade.

Deux mois et demi plus tard, Teesha habitait sur Mountain Laurel Lane, Maya était propriétaire de la boutique et Adrianne contemplait son nouveau studio de fitness, en compagnie de Kayla.

– C'est superbe ! Je ne savais pas trop quoi en penser quand tu m'as parlé d'un léger badigeon de chaux sur la cheminée, mais tu avais raison, ça adoucit la brique.

– Ça vous plaît ? Perso, j'adore. J'espère que vous n'êtes pas déçue.

– Absolument pas, au contraire ! Tu as su cerner ce que j'attendais et le résultat est encore plus beau que prévu. C'était une excellente idée de revernir le parquet et de transformer le comptoir en bar à smoothie. J'adore les germes de blé en pot, le petit clin d'œil diététique de la déco !

– L'atmosphère est accueillante, chaleureuse.

La lumière naturelle se reflétait sur le plancher de bois, une grande corbeille tressée contenait des tapis de yoga de différentes couleurs, les élastiques étaient suspendus à un vieux portemanteau vintage. Les ballons alignés sur des étagères flottantes évoquaient presque une œuvre d'art. Les haltères s'empilaient dans de vieilles caisses de vin en bois.

– Je suis vraiment contente qu'on ait récupéré des trucs qui appartenaient à mes grands-parents et mes arrière-grands-parents. Cette armoire est parfaite pour les serviettes, les bandes lestées, les cales de yoga. Et ce vieux banc rend hyper bien, avec des plantes et des bougies. Tout ça crée une déco très personnalisée.

– Et le petit coin salon près de la cheminée, qu'est-ce que vous en pensez ? Ce n'est pas un peu *too much* ?

– Pas du tout. Je m'en servirai, c'est sûr. Finalement, j'aime beaucoup ce vert sauge. J'avais peur qu'il soit terne, mais non, il est reposant, et il s'accorde super bien avec le vert des plantes. Je pourrai placer la caméra n'importe où, j'aurai un arrière-plan sympa.

D'une main absente, Adrianne grattouilla la tête de Sadie, patiemment assise à ses côtés.

– C'était une très bonne idée, aussi, de faire encadrer ces vieilles photos de famille et de les mettre sur la cheminée.

– La consigne principale était « comme à la maison »… Que serait la maison sans la famille ?

– Kayla, tu as réussi ta première mission professionnelle avec brio. Ce ne sera pas la dernière.

La jeune fille sauta de joie dans ses baskets lavande.

– Je suis trop contente ! Je peux prendre des photos pour mon portfolio ?

– Bien sûr. Je t'écrirai un commentaire client.

– Oh, merci !

– Je sais que tu retournes bientôt à la fac, mais si tu pouvais trouver un petit moment pour une autre consultation, mes amis Teesha et Monroe auraient besoin de quelques conseils pour leur nouvelle maison.

Kayla en resta bouche bée, les yeux écarquillés.

– Vous êtes sérieuse ?

– Tout à fait. J'ai dit à Teesha que si tu avais le temps tu ferais un saut chez elle en partant d'ici. Je vais te donner son adresse. Elle vient d'emménager sur Mountain Laurel Lane.

– Cette maison est super belle, je l'ai toujours adorée. Tout le monde sait que ce sont vos amis qui l'ont achetée. Les bruits courent vite, ici. J'y vais tout de suite ! Oh, mon Dieu…

– Merci, Kayla, d'avoir su répondre exactement à mes attentes.

Adrianne lui tendit la main ; la jeune fille se jeta à son cou.

– Vous n'êtes pas seulement ma première cliente, mais ma cliente préférée ! Au revoir, à bientôt. Salut, Sadie.

Avant de franchir la porte vitrée, Kayla se retourna et déclara :

– Je suis décoratrice d'intérieur !

Et en riant, elle s'en alla. Adrianne la suivit des yeux, se remémorant comment elle-même avait réalisé son rêve, puis elle envoya un message à Hector, Loren et Teesha : « Salut, les copains, il faut qu'on s'organise pour notre première production dans ma nouvelle salle – trop belle ! J'ai le thème, les exercices sont presque bouclés. Perso, je suis assez dispo, donc c'est quand vous voulez. Teesha, Kayla sera chez toi dans cinq minutes. Les autres, vous allez être épatés par la nouvelle maison de Teesha ! À plus. » Elle remonta du sous-sol d'un pas plein d'entrain, et se réjouit de trouver la maison vide, son grand-père parti au travail. Il allait maintenant au restaurant tous les jours, parfois juste pour une heure, parfois pour la journée.

Il aimait tellement son métier… pensa-t-elle en se changeant dans sa chambre. C'était une chance qu'il ait ce restaurant, source de joie et de réconfort. Oui, c'était une chance d'aimer ce que l'on faisait, de trouver sa voie et de s'épanouir…

En tenue de gym, elle redescendit au sous-sol, ouvrit la porte vitrée afin que Sadie puisse aller et venir à sa guise, puis elle choisit de la musique, régla un minuteur. Et face aux miroirs, elle se mit au travail.

Tout en s'échauffant, elle se revit enfant, observant sa mère dans la maison de Georgetown. Comme elle rêvait de lui ressembler… Elle se revit danser, seule dans la pièce, s'imaginant en ballerine, en star de Broadway ou en coach de fitness – quelqu'un que sa mère admirerait.

Et tout d'un coup, le monde avait basculé, dans la terreur, la violence et le sang. Adrianne se rappelait chaque détail du visage de cet homme qui était son père. Et cette image l'assaillit avec tant de force qu'elle dut arrêter le minuteur.

– Ça ne sert à rien de ruminer le passé…

Les yeux fermés, elle se concentra sur sa respiration. Même les médias avaient cessé de ressasser cette vieille histoire. Non, il ne servait à rien de remuer le couteau dans la plaie…

Cela dit, elle ne repensait que rarement à cet épisode.

– Je suis forte, affirma-t-elle à son reflet dans le miroir. Cette journée de cauchemar ne me définit pas.

Elle s'apprêtait à relancer le minuteur quand elle vit Sadie dans le miroir, couchée par terre, qui l'observait avec des yeux emplis d'amour. Elle s'accroupit près d'elle et enfouit le visage dans son pelage. Une sorte de ronronnement se déclencha dans la gorge de la chienne, un son qui amusait toujours Adrianne.

– Bon… Je préparerai cet entraînement plus tard. Viens, on va jouer à la balle !

Rien au monde n'était plus important que les êtres chers, pensa-t-elle en s'emparant d'un gros ballon orange qui alluma une lueur de joie dans les yeux de Sadie.

Si Adrianne avait retiré une leçon de son enfance, c'était que les êtres chers passaient avant tout – talonnés de près par la passion et les responsabilités.

Chapitre 10

Tout l'été, Raylan travailla chez lui, principalement la nuit, devenue synonyme de cauchemars depuis la mort de Lorilee, alors il préférait rester dans son bureau jusqu'aux petites heures du matin. Les premières semaines, Bradley se réveillait presque tous les soirs en hurlant, si bien que le sommeil était devenu un luxe davantage qu'une priorité. En général, Raylan se couchait peu avant l'aube. Quand ses enfants faisaient la sieste, s'ils la faisaient, il en profitait pour se reposer un moment.

Jamais il n'oublierait l'aide et le réconfort que sa mère et sa sœur lui avaient apportés, mais elles ne pouvaient pas rester éternellement à ses côtés.

L'idée d'une nounou le rebutait, il ne pouvait imaginer de laisser Mariah et Bradley avec une inconnue qui chamboulerait leurs habitudes encore plus qu'elles ne l'étaient déjà.

Outre ses responsabilités envers ses enfants, il en avait aussi envers sa maison d'édition. Son métier ne lui permettait pas seulement de subvenir aux besoins de sa famille, il contribuait également à la solvabilité de Triquetra Comics et aux salaires des employés.

Pour quelques heures, il pouvait s'abandonner dans ses dessins, ou dans le train-train quotidien : la lessive, les courses, la préparation des repas, l'attention que lui réclamaient Bradley et Mariah, les promenades au parc, toutes ces activités routinières qui, cumulées, participaient à donner aux enfants un sentiment de sécurité et une impression de normalité.

Lui qui s'était toujours demandé comment les parents isolés se débrouillaient, il découvrait ce qu'étaient le total dévouement, l'abnégation de soi-même et la fatigue qui en découlait.

Il perdait du poids, un kilo par-ci, un kilo par-là, à tel point que, de svelte, il devint carrément maigre – tout juste s'il se reconnaissait quand il s'apercevait dans un miroir. Mais il n'avait pas le temps de s'en préoccuper.

À l'automne, il retourna au bureau. Il accompagnait les enfants à l'école, il allait les chercher. Une fois par semaine, une aide ménagère le déchargeait d'une partie des corvées qu'il partageait autrefois avec Lorilee.

À Noël, alors qu'il avait envie de s'enfermer dans le noir pour pleurer, il se força à décorer un sapin et à accrocher des guirlandes aux fenêtres.

Il était seul, heureusement, quand il craqua, en ouvrant le carton qui contenait les chaussettes à cadeaux, dont celle de Lorilee. Le chagrin le submergea, littéralement, une terrible vague noire qui le coucha sur le plancher du salon.

Comment affronter les fêtes de fin d'année ? Qui pouvait surmonter pareille épreuve ?

Alors qu'il était prostré sur le canapé, la chaussette entre les mains, Jasper grimpa sur ses genoux et posa la tête sur son épaule. Raylan serra le chien contre lui et demeura ainsi un long moment, jusqu'à ce que la douleur reflue un peu.

Il y arriverait, il surmonterait cette épreuve. Pour ses enfants endormis à l'étage, parce qu'ils avaient besoin de lui.

Au lieu de fêter Noël le 25 décembre, puis de partir le lendemain à Traveler's Creek comme les années précédentes, ils firent un petit repas de famille le 24 et prirent la route dès le lendemain.

Le Père Noël était passé déposer les cadeaux avec un jour d'avance parce qu'il savait qu'ils partaient chez Nana, dit-il aux enfants. Car le Père Noël savait tout.

Raylan s'efforçait d'inventer de nouvelles traditions, afin d'éviter que les anciennes ne brisent son cœur en mille morceaux qu'il ne pourrait jamais recoller.

Il traversa ainsi l'hiver, et quand arriva l'anniversaire de la mort de Lorilee, il s'enferma dans le noir, une fois les enfants endormis, et rêva d'elle.

Elle s'installa sur ses genoux, comme souvent, le soir, lorsqu'ils étaient seuls et tranquilles. Il sentait son parfum, la fragrance fleurie et discrète de son eau de toilette, et s'en gorgea comme il se serait gorgé de grandes bouffées d'air pur.

– Tu assures, chéri.

– Tu me manques.

– Je sais. Mais je suis là. À travers les enfants. Je suis là, répéta-t-elle en posant une main contre son cœur. Tu dois continuer d'avancer. C'est dur, je sais, mais ce sera plus facile avec le temps.

– Je voudrais revenir en arrière et t'empêcher d'aller au lycée, ce jour-là.

Elle enfouit le visage au creux de son cou.

– Ce n'est pas possible. Si j'étais en vie, ce garçon serait mort. Ne me dis pas que tu t'en fiches, ce n'est pas vrai. Qui sait ce qu'il deviendra, quelles choses merveilleuses il accomplira ?

– Il est venu me voir, murmura Raylan. Avec ses parents. Je ne voulais pas leur parler.

– Mais tu les as quand même reçus.

– Ils tenaient à me témoigner… leur peine, et leur reconnaissance. Je ne voulais pas de leur reconnaissance.

– Mais tu l'as acceptée.

– Ils ont planté un arbre dans la cour du lycée, un cerisier du Japon, que tu aurais vu depuis les fenêtres de ta salle. Ils voulaient que je sache qu'ils ne t'oublieront jamais.

– Rob est peut-être appelé à faire de grandes choses, qui sait ? Si je n'avais pas été là, peut-être que mes élèves ne se seraient pas cachés correctement… On ne sait pas, chéri, on ne peut pas savoir.

– On ne sait pas non plus en quoi ton absence influera sur l'avenir de nos enfants…

– Oh, Raylan… Tu feras tout pour qu'ils soient heureux. Tu te rappelles la discussion qu'on a eue, la veille… Sur la façon de leur annoncer la mort de Sophia ?

– On devait leur dire qu'elle était devenue un ange, qu'elle veillait sur eux et protégeait tous ceux qui avaient besoin d'elle.

– Il nous semblait que c'était le mieux, pour des enfants si jeunes. Toi aussi, tu peux envisager les choses de cette manière. Dis-toi que je suis toujours avec toi, mon amour, que je te protège et protège nos bébés.

– Adrianne m'a écrit. Dans sa lettre, elle disait que tu étais un ange.

– Tu vois ? dit-elle en l'embrassant tendrement. Je t'aime, Raylan. Tu dois faire ton deuil. Ce n'est pas pour autant que tu m'oublieras ni que tu oublieras nos souvenirs et notre amour. Mais cesse d'être triste. Transforme ton chagrin en autre chose. Pour moi, pour nos bébés.

– Je ne sais pas si j'en suis capable.

– Mais si.

Elle lui donna encore un baiser, et il se retrouva seul dans le noir.

Bien qu'il fût près de minuit, il se rendit dans son bureau, s'installa à sa table de travail et commença à dessiner : Lorilee, son visage exprimant diverses émotions, la joie, la tristesse, la colère, l'amusement, la séduction, la surprise ; sa silhouette, de face, de profil, de trois quarts.

Il noircit des pages et des pages de papier à dessin avant de lui ajouter des ailes. Des ailes repliées, des ailes déployées, Lorilee en vol, tournoyant sur elle-même, se battant à coups d'ailes, bec et ongles.

D'abord, il la vêtit d'une longue robe blanche, mais se ravisa assez vite. Des ailes blanches, oui, grandes et belles, mais féroces, aussi. Et une tenue plus audacieuse. Une combinaison moulante, des cuissardes, un halo… Non, trop cliché, pas d'aura angélique. Des manches terminées en pointe sur le dos de la main. Des bottes de cuir souple, en V sur le haut de la jambe.

Simple. Forte. Courageuse.

Parmi ses crayons de couleur, il choisit le bleu, comme ses yeux.

En voulant sauver des vies, Lorilee avait été arrachée par une mort tragique, brutale et prématurée. Une erreur dans l'ordre des choses. Alors il lui accorderait cent ans d'existence, à condition qu'elle continue de se battre pour la justice et les innocents.

Lee – elle serait Lee Marley. La dernière syllabe de son prénom, la contraction des prénoms de leurs deux enfants. Son avatar humain serait artiste.

Quand elle déployait ses ailes pour voler au secours d'une âme en détresse, elle se muait en True Angel.

Il punaisa le dessin sur son tableau.

Avant de réveiller les enfants, le lendemain matin, il avait ébauché l'histoire de ses origines.

Ainsi qu'elle le lui avait demandé, il surmonta le chagrin, il en tira parti.

Il habilla les enfants, chercha partout les baskets roses de Mariah, en vain. Histoire de gagner du temps, il décongela des gaufres pour le petit déjeuner qui lui valurent de chaleureuses marques d'approbation.

Pour la première fois depuis un an, il se rendit au bureau avec enthousiasme.

– Punaise, tu as une de ces têtes… lui dit Jonah. Tu as pris des amphétamines ou quoi ?

– Je n'ai pas dormi de la nuit. Réunion au sommet ce matin. Bick est là ?

– Elle vient de monter. Je vais juste dire un truc à Crystal pour le lettrage de…

– Après, dit Raylan en saisissant le bras de Jonah pour l'entraîner dans le monte-charge.

– Écoute, je conçois que la journée d'hier ait été dure pour toi, mais… je te trouve vraiment bizarre. Tu es sûr que tu es dans ton état normal ?

– J'ai juste bu trop de café.

Tandis que l'ascenseur s'élevait dans les étages, Raylan envoya un texto à Bick : « Réunion dans mon bureau, tout de suite ! »

– Tu ne bois jamais de café, d'habitude.

– J'en ai bu hier soir. Il faut que je vous montre un truc, dit Raylan en tapotant sa sacoche. J'aimerais avoir votre avis.

– OK, pas de problème. Mais arrête le café. On a déjà une réunion cet après-midi. Si tu faisais une petite sieste et on…

– Non.

De nouveau, Raylan empoigna le bras de son associé et le tira dans son bureau. Puis il sortit ses dessins de sa sacoche et entreprit de les épingler sur le panneau d'affichage, avec le scénario, chapitre par chapitre, de la genèse de son nouveau personnage.

– Superbe… commenta Jonah. C'est Lorilee… Magnifique.

Raylan secoua la tête.

– Non, c'est Lee Marley, alias True Angel, gardienne des innocents.

– Qu'est-ce qui se passe ? Il y a le feu ? demanda Bick en faisant irruption dans le bureau. J'étais en train de… Oh… fit-elle en s'immobilisant devant les dessins. Excellent…

– J'aimerais que vous jetiez un coup d'œil aux scénars et que vous me disiez si vous êtes partants. Pas pour lui rendre hommage, ni pour me faire plaisir. Il faut que le projet soit viable. Il faut que vous soyez emballés. S'il y a des trucs qui clochent, je veux le savoir. S'il y a des trucs qui vous gênent, vous me le dites. Si l'idée ne vous plaît pas du tout, je suis prêt à l'entendre. Il s'agit d'elle, de son visage, de son âme, alors je veux que vous soyez sincères.

Devant le panneau, Jonah parcourait le scénario.

– Excellent… tu le sais. Très, très bon… Bien sûr que c'est un hommage, mais pas que…

La voix étranglée, il s'interrompit au milieu de sa phrase.

– À toi. Je te laisse la parole, bredouilla-t-il à l'attention de Bick.

– Je lis.

– Je peux vous raconter la suite, dit Raylan. J'ai déjà ma petite idée.

– Attends… Perso, je la verrais plus à SoHo qu'à Brooklyn. Dans un loft. Elle bosse dans une galerie d'art pour payer son loyer.

– Mouais… Pourquoi pas, opina Raylan. Elle habite Manhattan, ouais, tu as raison, c'est mieux.

– Elle sauve une femme lors d'un braquage de banque. Un enfant ne serait pas mieux ? Plus poignant ? Un gosse des rues, d'une dizaine d'années…

– Mmm. Bonne idée.

– Tu sais quoi ? Elle ferait un arrêt cardiaque dans l'ambulance, mais on la ranimerait, et son esprit reviendrait de ce que tu appelles « l'Entre-Deux »… Qu'en penses-tu ? Ce serait magique, non ? Les infirmiers pensent qu'il n'y a rien à faire, qu'elle va mourir, mais son cœur repart… Magique, oui !

Bick se tourna vers Raylan.

– Ce ne serait pas trop dur pour toi d'illustrer tout ça ? De la ramener à la vie ?

– Ce sera un réconfort. Ce sera retirer du positif de mon deuil. Mais il faudra que l'impact soit réel.

– Il le sera. Pas vrai, Jonah ?

– Tout à fait ! approuva celui-ci en retrouvant le sourire. Longue vie à True Angel !

Ils lancèrent la série pour le deuxième anniversaire de la mort de Lorilee. Dans le premier tome, True Angel affrontait Endeuillax, un demi-démon qui prenait possession des humains et les poussait à la folie furieuse à force de ressentiment et de frustration.

Raylan s'investissait à fond dans cette saga, l'accueil des lecteurs lui faisait chaud au cœur, et Triquetra Comics avait le vent en poupe.

Mais quand revint l'été puis la fin de l'année scolaire, il prit conscience que de nouveaux changements devaient s'imposer. Pour ses enfants autant que pour lui-même et la qualité de son travail.

Il commença par prendre des vacances bien méritées, une semaine au bord de la mer avec ses enfants. Toutes les règles du quotidien abolies, le monde ne fut plus que châteaux de sable, crème solaire, barbecues et pêche aux coquillages. Raylan se réveillait chaque matin au son des vagues et aux cris de deux bambins sautant sur son lit.

Le soir, s'il ne tombait pas de fatigue, ivre de soleil et de grand air, comme ses enfants, il s'installait sur la petite terrasse et contemplait les étoiles au-dessus de l'océan.

Quand il rêvait de Lorilee, elle portait une longue robe blanche à fleurs mauves. Il se souvenait de cette robe – il avait eu beaucoup de mal à la ranger dans les cartons qu'il avait donnés ensuite à une association. La brise marine agitait ses longs cheveux blonds dans la lueur du clair de lune.

– On aimait tant venir ici. On parlait d'acheter un cottage ou un bungalow, un jour. On ne l'aura pas fait.

– Il y a tellement de choses que nous n'avons pas eu le temps de faire.

– On a fait le plus important, dit-elle avec un clin d'œil. Ils dorment, épuisés par la mer et le soleil, Jasper veille sur eux.

– Il aime la plage autant qu'eux ! J'aurais les moyens aujourd'hui de me payer une résidence secondaire. *True Angel* cartonne. Je pourrais chercher du côté de Cape May, pas trop loin de New York, mais…

– C'est dur de tout gérer, même pour le meilleur des papas.

– J'ai toujours peur de ne pas être à la hauteur. Préparer deux douzaines de cupcakes sans gluten pour la classe de Bradley, m'assurer que Mariah a un chouchou assorti à sa tenue… Cette gamine est une vraie minette ! Comment faisais-tu ?

– Tu étais là, chéri. Si je n'avais pas le temps de faire des gâteaux, tu allais en acheter à la boulangerie. Si je ne trouvais pas de chouchou rose, tu dénichais une barrette à fleurs qui allait tout aussi bien avec la robe de mademoiselle.

Elle s'assit près de lui – quel bonheur ! – et prit le verre de vin auquel il avait à peine touché.

– Il n'y a pas de honte, chéri, à demander de l'aide.

– Ce n'est pas ça… Je n'ai pas le cœur à prendre une nounou. Je ne sais pas pourquoi… ça me dérangerait…

– Tu sais très bien pourquoi, répliqua-t-elle en lui tapotant la cuisse. Tu sais aussi que tu devrais refaire ta vie, pour toi, pour eux.

– J'aurais l'impression de te trahir, de renier tout ce que nous avons construit ensemble, tous nos rêves.

– Oh, Raylan, mon amour… C'est moi qui t'ai quitté, c'est moi qui t'ai abandonné, malgré moi. Tu dois penser à nos bébés, et à toi. Je compte sur toi.

Après avoir posé son verre, elle l'embrassa sur la joue, puis se leva, déploya ses ailes blanches et s'envola dans la nuit noire.

De retour à Brooklyn, les enfants chacun chez un camarade, Raylan convoqua de nouveau ses associés dans la salle de réunion du troisième étage, où il fit livrer des plats asiatiques. Après avoir porté la barbe tout l'hiver, Jonah était désormais rasé de près.

– Marta vient de m'envoyer les relevés de vente de *True Angel* et de *Snow Raven*, dit-il en ouvrant une barquette de poulet au gingembre. Je vous les transférerai. Mais je peux vous dire qu'on est à l'abri du besoin, pour le moment.

– Tant mieux, dit Bick en maniant habilement ses baguettes au-dessus d'un bol de nouilles sautées. Parce que j'ai fait pipi sur une bandelette ce matin… et dans quelques mois Pat et moi, on aura une bouche de plus à nourrir.

– Oh, cool ! s'écria Jonah.

Raylan se leva et contourna la table pour embrasser son associée.

– Ce n'est pas encore officiel à 100 %, je dois faire une prise de sang, mais j'avais envie de vous le dire.

– Comment tu te sens ? demanda Raylan.

– Jusque-là, tout va bien. Pourvu que ça dure ! Je flotte sur un petit nuage. Je compte sur vous pour ne pas ébruiter la nouvelle. Hein, Jonah ?

– Je suis une tombe, marmonna-t-il en feignant un air offensé.

– Mouais… pas toujours. Mais je te fais confiance, cette fois.

– Et Raylan, tu ne lui dis rien, à lui ?

– Raylan a toujours su tenir sa langue.

– Moi aussi !

Bick décocha un coup de poing dans l'épaule de Jonah.

– Connais-toi toi-même, mon pote. Le premier pas vers la sagesse.

– En tout cas, c'est une bonne nouvelle, dit Raylan. Je suis très content pour toi et pour Pat.

– Nous aussi, on est hyper contentes ! Mais bref. Cette réunion… C'était pour nous raconter tes vacances au bord de la mer ?

– Je n'aurai qu'un mot : « super » ! Les enfants ont adoré. Malheureusement, je dois vous confesser que Bradley est toujours fan de Batman.

– Il va falloir faire quelque chose, mec.

– Une icône est une icône, soupira Raylan. J'ai dû l'aider à construire un Manoir Wayne de sable…

– Quelle horreur ! Le château de Snow Raven est vachement plus classe !

– Bradley n'a que sept ans. Laisse-lui le temps. Bon… Avant qu'on se penche sur les chiffres, j'ai une question à vous poser. J'aimerais des réponses d'associés, pas d'amis. Si je télétravaille, est-ce que ça pose des problèmes pour la production, la créativité, le partage des responsabilités ?

– Tu as créé True Angel chez toi, souligna Bick.

– Dans tous les cas, tu avais prévu de bosser chez toi tout l'été, non ? Perso, ça ne me dérange pas. C'est sympa quand on est tous là, mais si on doit prendre des décisions ou faire des brainstormings, on peut toujours le faire en visio.

– Et si ce n'était pas seulement pour les vacances scolaires ?

Bick se renversa contre le dossier de sa chaise.

– Tu as des soucis avec les enfants ?

– Pas du tout ! Mais ils ont besoin d'un cadre familial plus stable. Je reculais pour mieux sauter, mais je ne peux pas éternellement repousser l'échéance. J'ai décidé de retourner chez moi, à Traveler's Creek.

– Tu quitterais Brooklyn pour le milieu de nulle part ? s'écria Jonah, choqué.

– Comme j'ai quitté le milieu de nulle part pour Brooklyn. Les enfants ont leur grand-mère là-bas, leur tante, leur oncle, leur cousin. Ils ne les voient pas assez. Tout le monde a sa vie et ses obligations, mais on sera géographiquement plus proches. Ma mère ne me réclamera plus de vidéos des galas de danse et des matchs de base-ball. Elle y assistera. Au besoin, les enfants pourront faire leurs devoirs Chez Rizzo, comme moi quand j'étais petit.

– On pourrait croire que tu as pris cette décision sur un coup de tête, mais non, dit Bick.

Oh, non, songea Raylan. La décision avait été longuement mûrie.

– J'y pensais depuis un moment, mais j'hésitais… J'avais peur de trahir Lorilee en quittant la maison qu'on a achetée et retapée ensemble.

– Mais non, pas du tout, murmura Jonah.

– J'apprécie, merci. Je pourrais venir une fois par mois, par exemple. Je n'aurais pas à me soucier des enfants, je les laisserais à ma mère ou à ma frangine. Si mon absence cause du tort à la boîte, je vous vendrai mes parts et…

– N'importe quoi ! s'exclama Bick.

– Hors de question, renchérit Jonah. Triquetra est notre bébé à tous les trois, à la vie à la mort. C'est toi qui as dit : « Allez, on publie nos BD, bordel de merde ! »

– J'étais bourré.

– On a dessoûlé et, depuis, on publie nos BD. Tu retournes dans ton bled si tu veux, mais on reste tous les trois à bord du bateau sur lequel on s'est embarqués tous les trois.

– Jonah le poète… railla Bick. Qu'en disent les enfants, Raylan ?

– Ils sont partants. J'ai été étonné qu'ils ne rechignent pas, alors qu'ils ont leurs copains ici, l'école, la maison. Mais ils sont emballés. Mariah veut une maison avec une tourelle de princesse. Bradley s'imagine déjà habiter le Manoir Wayne.

– Ce gamin me tuera, maugréa Jonah en terminant son poulet.

– Pendant quelques mois, on habitera chez ma mère – enfin, si elle est d'accord, je ne l'ai pas encore prévenue – le temps de trouver une maison, de déménager, de mettre celle-ci en vente.

– Oh, non ! s'écria Bick, puis elle se couvrit aussitôt la bouche.

– Je ne peux pas garder deux maisons. Triquetra n'est pas prospère à ce point.

– En fait… Tu me la vendrais ? Avec Pat, on se disait… Et mince, je ne devais pas en parler.

– De quoi ?

– C'est de la folie… Mais avec deux mômes, on se dit qu'on serait mieux dans une maison avec un jardin, pas trop loin du boulot, dans un quartier sympa. On a toujours adoré la tienne… Ça te gênerait de la savoir habitée par des gens que tu connais ?

– Bien au contraire ! Je préfère la savoir occupée par des amies que par des étrangers !

– C'est vrai ? Trop bien ! J'en parle à Pat ce soir. Je suis sûre qu'elle va sauter de joie !

– Ça va se faire, je le sens, marmonna Jonah. J'en ai des picotements dans les os. C'est un signe.

– Je l'appellerai tout à l'heure. Tu es sûr, Raylan ?

– Évidemment ! Je crois que j'ai les os qui picotent, moi aussi.

– Alors je l'appelle tout de suite ! déclara Bick en se levant, puis elle se ravisa et se rassit. Non, montre-nous d'abord les chiffres, Jonah, que je voie si je peux devenir propriétaire.

Jonah but quelques gorgées de Mountain Dew puis, avec un sourire, il orienta l'écran de son ordinateur vers son associée.

– En guise d'introduction, permettez-moi de vous dire qu'on peut tous investir dans l'immobilier.

Comme il faisait un temps magnifique, Adrianne filma son entraînement sur la terrasse, une séance de yoga aussi brève qu'efficace, qu'elle termina assise en tailleur au centre de son tapis, un bras autour du cou de Sadie.

– Nous avons terminé pour aujourd'hui, prenez le temps de vous étirer. Vous pouvez refaire cette séance pour travailler votre souplesse. Bravo à tous, profitez de cette belle journée. On se retrouve la semaine prochaine.

À l'aide de sa télécommande, elle coupa l'enregistrement et fit un câlin à la chienne.

– Et voilà pour cette semaine, soupira-t-elle.

– C'était super ! commenta Dom.

– Hey, je ne savais pas que tu étais là. Tu aurais dû faire les exercices avec moi. Tu sais que les gens adorent te voir sur le blog.

– Le Chien tête en bas, très peu pour moi. Je laisse ça à Sadie.

– La semaine prochaine, on fera du tai-chi. Tu aimes bien le tai-chi.

– On verra. Si on allait s'asseoir à l'ombre ? Si tu as le temps. Histoire de profiter de cette merveilleuse journée, comme tu l'as conseillé à tes disciples.

– J'ai tout mon temps. Je vais chercher de la citronnade.

– Très bonne idée.

– Je reviens ; Sadie, tu restes avec Popi.

Dom s'installa à la petite table ronde sur la terrasse, et la chienne posa le museau sur sa cuisse. En caressant sa grosse tête, il contempla le jardin, les tomates qui commençaient à rougir, les rosiers en fleur, le plant de romarin qui embaumait l'atmosphère. Les oiseaux gazouillaient, les abeilles bourdonnaient. Il regrettait de ne plus pouvoir jardiner comme avant, mais, il se réjouissait qu'Adrianne ait pris le relais.

– Heureusement qu'elle est là, hein, Sadie ?

Il regarda sa petite-fille qui revenait de la cuisine, avec un plateau chargé d'un pichet, de deux verres remplis de glaçons, d'une coupelle de fruits rouges et d'une assiette de fromages.

Oui, il avait une chance inouïe.

– Tout le monde allait bien, au restau ?

– Impeccable. Il n'y avait pas grand monde aujourd'hui avec ce beau temps. Les gens préfèrent aller se balader. J'ai appris du nouveau.

– Des ragots ? J'adore les ragots ! dit Adrianne en versant la citronnade sur les glaçons qui crépitèrent.

– Raylan et ses enfants s'installent à Traveler's Creek.

– Ah bon ? s'étonna-t-elle en mangeant une framboise. Jan doit être contente.

– Ce n'est rien de le dire.

– Et sa maison d'édition ?

– Il travaillera de chez lui, et il ira de temps en temps à Brooklyn. Ils habiteront chez Jan en attendant de trouver une maison. À mon avis, ce n'est pas elle qui le pressera.

Dom but quelques gorgées de citronnade.

– Excellente. Aussi bonne que celle de ta grand-mère.

– Je l'ai suffisamment regardée en préparer.

Adrianne lança une myrtille à Sadie, qui l'attrapa au vol, pour le plus grand bonheur de son public.

– Je voulais te parler de quelque chose…

– Oui ?

– À propos de la maison, du restaurant… J'ai fait changer mon testament il y a longtemps déjà…

– Oh, Popi…

Il l'interrompit d'un mouvement de la tête.

– Celui qui ne règle pas ses affaires est un égoïste ou un inconscient. J'espère que je ne suis ni l'un ni l'autre.

– Bien sûr que non.

– On n'a jamais abordé le sujet tous les deux… Je ne voudrais pas que la maison et le restau soient pour toi plus un fardeau qu'un cadeau.

– Popi…

– Non seulement ta mère n'a besoin de rien, mais elle n'en voudrait pas. Elle a quitté Traveler's Creek dès qu'elle a pu. Le restaurant ne l'a jamais intéressée, et elle a une bonne situation, maintenant. Toi aussi, cela dit. Je voudrais que tu sois honnête avec moi, parce que ce sont des responsabilités, de grosses responsabilités, dont on ne peut pas se décharger du jour au lendemain. Il se peut qu'un jour tu aies envie de retourner à New York. Un petit commerce dans le Maryland pourrait être un boulet…

– Ça m'étonnerait que je retourne à New York. J'ai trouvé ma place, et elle est ici. Tu le sais. Et le restau n'est pas qu'un petit commerce pour moi, pour toi. Ni pour les habitants du village, d'ailleurs.

Dom espérait ce genre de réponse, mais elle lui ôta néanmoins un poids.

– Parfait, alors ! Je peux te le laisser en toute confiance, et la conscience tranquille. En ce qui concerne les meubles de la maison, je te demanderai de laisser ta mère prendre tout ce qu'elle veut. Sophia n'avait pas d'objets ni de bijoux de valeur, ce n'était pas son genre, mais Lina voudra peut-être garder quelques babioles qui ont pour elle une valeur sentimentale.

– Bien sûr. Promis.

– Mon trésor… Si tu n'avais pas été là ces deux dernières années… je ne sais pas où je serais aujourd'hui… Toi aussi, heureusement que tu es là, ajouta-t-il en grattouillant la tête de Sadie.

– On t'aime, Popi. Et tout ça, dit-elle avec un grand geste du bras englobant le jardin et le paysage alentour, ce sont mes racines, c'est ce qui compte le plus au monde.

– Je suis fier de voir comment tu as cultivé ces racines, elles portent de belles fleurs… Bien, soupira le vieil homme. Maintenant que nous avons eu cette discussion, profitons de cette belle journée.

DEUXIÈME PARTIE

CHANGEMENTS

Tout change, rien ne périt.

Ovide

Chapitre 11

Déménager n'était pas aussi simple que partir en vacances, découvrit Raylan. D'abord, il fallait trier, vider, débarrasser, décider, organiser. Et aider deux jeunes enfants à faire de même avec leurs affaires.

Quand et comment avaient-ils accumulé autant de choses ?

Il fallut également régler le sort du matériel pour bébé que Lorilee avait gardé en prévision d'un troisième, voire d'un quatrième enfant, mais ce fut moins douloureux que Raylan n'aurait cru, car Bick se déclara preneuse du lot : le lit, le trotteur, la table à langer, le transat, l'écharpe de portage, les vêtements, tout.

Ce dont elle ne voudrait pas, il en ferait don à une association.

Ignorant tout de ses besoins dans sa future maison, il donna également une bonne partie des meubles.

Néanmoins, il lui fallut du temps pour faire le tri dans huit années de souvenirs, caser ensuite les plus précieux dans des cartons : une lampe de chevet, une série de cache-pots, des cartes d'anniversaire et de Noël, le tapis du salon mâchouillé par Jasper quand il était jeune chiot.

Il loua un box de stockage, engagea des déménageurs, résilia tout ce qui devait être résilié, transféra ce qui devait être transféré, si bien que pendant trois semaines il n'eut pas une minute à lui.

Le matin du départ, le soleil à peine levé, il fit une dernière fois le tour de la maison presque vide, accompagné par les échos de la vie qu'il avait vécue ici. Des rires, beaucoup de rires, mais aussi des larmes. Les cris d'un bébé qui faisait ses dents à 2 heures du matin ; les siestes sur le canapé. Des orteils cognés, du lait renversé, des guirlandes de Noël emmêlées, des premiers pas…

Des espoirs et des rêves.

Comment dire au revoir à tout cela ?

Les mains dans les poches de son short de jogging, il s'arrêta à l'entrée du salon. Il aperçut Bradley en pyjama Batman, assis sur les marches du perron, un pli de sommeil en travers de la joue, les cheveux en bataille, les paupières encore lourdes.

– Salut, mon grand, lui lança-t-il en le rejoignant.

– Ne sois pas triste, papa.

Raylan prit place au côté de son fils et lui enlaça les épaules. Le garçonnet sentait bon les pins.

– Je ne suis pas si triste que ça…

– J'ai dit au revoir à tous mes copains de l'école et du base-ball, et à Mme Howley, la voisine. Quand je me suis réveillé, j'ai dit au revoir à ma chambre.

Raylan le serra contre lui et l'embrassa sur la tête.

– On a pris la bonne décision ?

– Mariah est trop contente, mais ce n'est qu'un bébé. J'aime bien Nana et Tata Maya et Tonton Joe, et Collin est rigolo. J'aime bien la maison de Nana et la pizzeria où elle travaille. Et sa voisine Ollie est gentille. Mais ce ne sera pas pareil que quand on y va pour les vacances.

– Non, ce sera différent.

– Quand on aura notre nouvelle maison, elle reviendra habiter avec nous ?

Raylan n'eut pas besoin de demander qui était « elle ».

– Elle fait partie de toi et de Mariah, autant que moi. Partout où vous irez, elle sera avec vous.

Bradley posa la tête contre le torse de son père.

– Tant mieux. On n'habitera pas dans une maison rose, hein, même si elle dit qu'on aura une nouvelle maison rose ?

« Elle » n'était plus la même, mais Raylan le comprit aussi tout de suite.

– Non, pas de maison rose. Je t'en fais le serment solennel, entre hommes. Si on se préparait des Pop-Tarts pour le petit déjeuner ? Après, on s'habillera, on réveillera Mariah, et on prendra la route pour cette nouvelle aventure.

– Des Pop-Tarts, oh, oui ! À midi, on pourra s'arrêter au McDonald's et acheter des Happy Meals ?

– Je noterai ça sur notre carnet de route.

Le périple commença par la remise des clés à Bick et Pat, en grande cérémonie, puis se poursuivit par un bref arrêt chez Jonah, qui offrit aux enfants deux sacs remplis de friandises, jeux et BD, de quoi occuper un plein bus de gamins. Trente minutes seulement après le départ, une pause pipi s'imposa, à la demande urgente de Mariah.

Raylan l'accompagna et l'attendit devant la porte des toilettes pour dames, très mal à l'aise, redoutant de passer pour un pervers. Et cette désagréable expérience se renouvela à l'heure du déjeuner. Évidemment, comme tout le monde s'était gavé de sucreries, personne n'avait d'appétit.

À l'arrivée à Traveler's Creek, il n'aurait pas fallu mesurer leurs taux de glycémie respectifs.

Jan sortit en courant de la maison où elle vivait depuis plus de trente ans, sa natte tressautant dans son dos, les yeux brillants de larmes de joie.

– Vous voilà enfin ! Bienvenue, mes chéris ! Venez que je vous embrasse ! Vous m'avez tellement manqué !

Un peu sonné par cinq heures et demie de conduite, lui-même en légère overdose de sucre, Raylan s'extirpa de la voiture tandis que sa mère détachait Mariah et Bradley de leur siège auto. Elle se redressa pour l'étreindre affectueusement. Jasper bondissait autour de la voiture en jappant, aussi excité que s'il était resté enfermé des semaines.

– Je t'ai mis une bière au frais. Tu l'auras bien méritée.

– Une bière fraîche, pas de refus. Merci, maman.

Bradley et Mariah babillaient en même temps, laissant tout juste le temps à leur grand-mère d'émettre des onomatopées d'approbation, d'étonnement ou d'admiration.

– Doucement, doucement, les enfants ! Des surprises vous attendent dans vos chambres.

– C'est quoi ? demanda Mariah.

– Montez, vous verrez.

Avec des cris de joie et d'impatience, les enfants s'élancèrent dans l'escalier, Jasper sur leurs talons. Et des cris retentirent quelques minutes plus tard.

– J'ai eu une poupée 'Merican Girl !

– Une Batmobile télécommandée ! Trop bien !

– Une Batmobile… Tu ne m'aides pas, maman, soupira Raylan en enlaçant sa mère.

– Oh, mince ! Désolée, je n'ai pas réfléchi ! s'excusa-t-elle en l'entraînant dans la cuisine. Si tu n'es pas trop fatigué, Maya et sa famille viendront dîner. À moins que tu préfères…

– Non, non, c'est parfait.

Jan ouvrit une cannette et la tendit à son fils, puis elle lui caressa les cheveux.

– Tu es fatigué… Tu aurais besoin d'une bonne coupe de cheveux, d'un bon rasage et d'une bonne nuit de sommeil.

– Je n'ai pas touché terre ces dernières semaines.

– Tu vas enfin pouvoir te reposer. Quand tu auras fini ta bière et soufflé cinq minutes, on rentrera vos affaires pour que vous puissiez vous installer. Tu es sûr que tu ne veux pas prendre ma chambre ?

– Certain, je te l'ai dit au moins dix fois. C'est gentil, mais je serai très bien au salon.

– Avec tes grandes jambes qui dépasseront du canapé ? répliqua Jan en s'adossant contre le comptoir blanc immaculé de sa cuisine. Si j'étais égoïste, je ferais faire des travaux au sous-sol pour que vous restiez là jusqu'à ce que les enfants partent à la fac. Mais je suis une femme intelligente, je sais que vous avez besoin d'un chez-vous.

– Mariah rêve d'un château rose, et Bradley, du Manoir Wayne.

– Il y a une maison à vendre que tu devrais peut-être visiter.

– Ah bon ?

– C'est Dom qui m'en a parlé. Deux étages, quatre chambres, un bureau au premier, mille mètres carrés de terrain. Entièrement rénovée par un investisseur qui ne va pas tarder à la mettre en vente.

– Comment es-tu au courant ?

– Dom. Il sait tout. Elle est sur Mountain Laurel Lane.

– C'est vrai ? La rue où habitait Spencer.

– Ses parents sont toujours là, quelques numéros plus loin. La maison juste à côté a été achetée par des amis d'Adrianne Rizzo, Teesha et Monroe. Un couple charmant, avec un petit garçon. Ce seront de bons voisins.

Raylan esquissa un sourire au-dessus de sa cannette de bière.

– À t'entendre, on dirait que tu m'as déjà vendu cette maison.

– Tu pourras en visiter d'autres, mais celle-ci a de nombreux atouts. Dom a dit au propriétaire qu'une personne de sa connaissance viendrait sûrement la voir. Il m'a donné son nom et son numéro de téléphone, si tu veux…

– Je lui passerai un coup de fil. Comment va Dom ?

– Bien. Il a pris un coup de vieux, mais ça va. Heureusement qu'il a sa petite-fille, c'est ce qui l'a sauvé.

Les enfants dévalèrent l'escalier et se jetèrent dans les bras de leur grand-mère pour la remercier.

– Vous allez me changer la vie, vous aussi, dit-elle en souriant.

Ils transportèrent les bagages, les jouets, le matériel de dessin de Raylan. Ravie, Jan aida Mariah à s'installer dans l'ancienne chambre de Maya, Bradley, dans celle de Raylan, et ce dernier, dans le salon.

Il s'improvisa un coin travail, rangea le reste de ses affaires dans le placard du couloir que sa mère lui avait libéré, à côté de la minuscule salle de bains du rez-de-chaussée dont il se contenterait. Temporairement.

Mountain Laurel Lane… songea-t-il en s'allongeant quelques minutes sur le canapé. Une rue qu'il connaissait comme sa poche, enfant. Pourquoi pas…

Il se réveilla vaseux, désorienté, raide comme une planche. Sa sœur se tenait sur le pas de la porte, avec deux verres de vin, sourire aux lèvres.

– Tu m'épargnes d'avoir à te secouer…

Raylan se redressa tout en se massant les lombaires, puis les cervicales.

– Oh punaise… Comment ai-je pu oublier à quel point cette banquette est inconfortable ?

– Étire-toi, soldat. Dîner dans une heure. Tes enfants et le mien jouent dans le jardin avec le chien. Joe et maman se disputent le contrôle du barbecue.

Raylan se leva, enroula les épaules, s'étira le dos.

– Qu'est-ce qu'on mange ?

– Steak, pommes de terre sous la cendre, légumes et maïs grillés, tomates mozzarella et clafoutis aux cerises, pour célébrer ton retour.

– Pas mal.

Ils s'embrassèrent, puis Maya lui donna un verre.

– On va faire un tour dehors ? Ça te réveillera, et on pourra discuter un moment tous les deux avant de passer à table.

– Je ne pensais pas m'endormir… Je ne voulais pas laisser les enfants à maman. Mais je suis tombé comme une masse.

– Elle est aux anges. Tes petits aussi. Ils sont adorables, très bien élevés.

– J'espère.

Dans le jardin, Raylan s'immobilisa un instant, balayant du regard l'environnement où il avait grandi. Le quartier avait un peu changé, bien sûr, mais pas tant que ça ; il y planait toujours la même atmosphère conviviale et sereine.

– Je suis content d'être là. Je n'étais pas tout à fait sûr d'avoir fait le bon choix, mais je n'ai plus aucun doute. Comment ça va, toi, le boulot ?

– Très bien. J'adore. Je n'étais pas non plus tout à fait sûre de moi, mais je n'ai aucun regret. On a de la chance, non ?

– Maman nous a bien élevés.

Ils longèrent la haie d'hortensias croulant sous d'énormes fleurs roses.

– Il paraît que tu vas peut-être t'installer sur Mountain Laurel Lane ?

– Je n'ai même pas encore vu la maison !

– Elle est jolie, en tout cas de l'extérieur. Tu te souviens de Paul Wicker, qui était dans ta classe ?

– Il avait une moto, genre dur à cuire.

– Eh bien, c'est son frère Mark qui achète des biens immobiliers pour les rénover et les revendre. Paul travaille pour lui, il est devenu plutôt sympa. Et je peux te dire que les voisins sont également très sympathiques.

Maya baissa la tête pour passer sous les branches d'un érable rouge.

– Monroe est musicien, auteur-compositeur, poursuivit-elle. Teesha est la meilleure amie et *business manager* d'Adrianne Rizzo. Ils ont un petit garçon, Phineas, qui est devenu le meilleur copain de Collin. Du coup, on se voit assez souvent.

– J'appellerai le frère de Paul. Demain, peut-être.

Maya fit tinter son verre contre celui de son frère.

– Pourquoi pas aujourd'hui ?

À l'arrière de la maison, on entendait les enfants qui jouaient, sur la pelouse où Raylan avait combattu des monstres, joué au basket, passé la tondeuse. Bientôt, ils auraient leur jardin à eux. Le premier pas consistait à passer ce coup de fil.

– C'est vrai, tu as raison, je vais l'appeler tout de suite.

LA NOUVELLE-ORLÉANS, LOUISIANE

Une odeur de gombo s'échappait d'une fenêtre, bien qu'il fût près de 2 heures du matin. Des effluves nauséabonds s'élevaient de la benne à ordures. La ruelle avait tout du coupe-gorge ; malgré cela, elle était toujours la dernière à quitter le bar, par la porte de derrière.

Idiot de la part d'une femme intelligente et éduquée, titulaire d'une licence de gestion, complétée par une formation hôtelière. Parce qu'elle avait un taser et un couteau dans son sac, elle s'imaginait qu'elle ne risquait rien.

Elle n'aurait pas le loisir de s'en servir. Ce soir, elle serait totalement impuissante.

Encore une salope, divorcée deux fois, si imbue de sa personne qu'elle avait donné son nom à son bar, le Stella.

Stella Clancy venait de servir la dernière tournée de sa vie.

Le Poète transpirait dans sa combinaison jetable noire ; heureusement, elle ne tarderait plus à congédier les derniers clients et à fermer le bistrot.

Son appartement n'était qu'à quelques centaines de mètres, mais elle n'y rentrerait plus jamais. Elle crèverait dans la pestilence de cette ruelle, comme elle le méritait.

Il était près de 3 heures quand elle apparut enfin, la pute aux cheveux rouges, coupe courte pour qu'on voie bien le tatouage qu'elle avait sur la nuque.

Le tuyau s'abattit pile sur le tatouage.

Elle tomba comme un arbre, malgré sa constitution robuste, cette salope en dos-nu et short ras les fesses.

Sale pute.

Pas un son ne franchit ses lèvres. Du sang jaillit de son crâne sous le deuxième coup de tuyau. Un troisième, plus un autre, et encore un autre lui fracassèrent les os alors qu'elle ne respirait déjà plus.

Ha, ha ! Excellent ! Bon boulot.

Se ressaisir, maintenant. Se maîtriser.

Lui ôter sa montre, sa bague, vulgaire et tape-à-l'œil, les glisser dans son sac à main bon marché, en guise de souvenir et de trophée.

Un petit sourire pour la photo, mademoiselle ? *Cheese*… Merci !

Fourrer sa combinaison maculée de sang dans un sac avec le tuyau. Jeter le tout dans le Mississippi.

Puis se mettre en quête d'un bar où boire un verre avant de reprendre la route. Le Hurricane, peut-être, le passage obligé des touristes.

*

Le chien le réveilla de bonne heure. Le canapé grinça quand il s'en extirpa, avec la sensation d'avoir vieilli de trente ans. Il enfila un short, alla prendre un Coca dans la cuisine et sortit dans le jardin par la porte de derrière, accompagné d'un Jasper frétillant d'enthousiasme qui détala comme un lapin dans la moiteur de la brume matinale.

Raylan s'appuya contre l'encadrement de la porte. Pudique, le chien alla se cacher derrière un buisson pour faire ses besoins, tandis que son maître écoutait le silence, à mille lieues de la rumeur de Brooklyn.

Oui, il avait pris la bonne décision. S'il avait encore des doutes, ceux-ci s'étaient dissipés la veille au soir autour de la table de jardin fraîchement repeinte en bleu, les enfants excités comme des puces et bavards comme des pies, Collin barbouillé de sauce sur les genoux de Joe, avec ses petites lunettes à la John Lennon et sa casquette des Orioles, Maya discutant mode avec Mariah, Jan couvant son petit monde d'un regard bienheureux.

Quand le chien revint, Raylan lui remplit sa gamelle, puis il prépara du café avant que sa mère ne descende. Une longue douche chaude chassa ensuite les courbatures de la nuit.

En se rasant, devant le miroir, il examina sa coupe de cheveux et estima qu'il n'y avait pas d'urgence à prendre le risque d'aller chez un coiffeur qu'il ne connaissait pas.

Quand il ressortit de la salle de bains, Jan buvait son café au comptoir de la cuisine, Jasper couché à ses pieds.

– C'est agréable de trouver le café tout prêt le matin !

Il contourna le comptoir et l'embrassa.

– Les enfants dorment encore ?

– On les a épuisés. Tu veux un petit déjeuner ?

– J'ai mangé pour deux jours, hier soir.

– Quelques kilos en plus ne te feraient pas de mal.

Sans doute, pensa Raylan. Il avait repris un peu de poids, mais pas autant qu'il en avait perdu au cours de l'année qui avait suivi la mort de Lorilee.

– Avec tes bons petits plats, si je ne fais pas attention, j'aurais vite fait de devenir obèse ! Tu pourrais peut-être afficher ton planning quelque part, comme avant, et on établira un tour de rôle pour les repas. J'ai fait des progrès en cuisine.

– Il faut dire que tu partais de loin.

– Aïe.

– Blobs d'œufs et fromage flambé.

– C'était de la cuisine expérimentale.

– Tes enfants ont l'air bien nourris et en bonne santé, c'est l'essentiel.

– Tu verras, tu seras étonnée, affirma-t-il en déposant un baiser sur le front de sa mère. Je monte les réveiller. Il ne faut pas qu'on traîne trop, j'ai rendez-vous pour la visite de la maison de Mountain Laurel Lane.

– Laisse-les faire la grasse matinée. Ils pourront venir avec moi au restau.

– Tu veux les emmener au boulot ?

– Je vous emmenais bien, Maya et toi. Ils feront comme vous : ils m'aideront à faire le ménage et à dresser les tables, en échange de quelques pièces pour jouer aux jeux vidéo.

Raylan se rassit un instant aux côtés de Jan.

– Tu es sûre ?

– Ça me fait plaisir. Et toi, tu seras plus tranquille. Si la maison te plaît, tu viendras les chercher pour la leur montrer.

– Vous êtes une femme pleine de bon sens, Jan Marie.

– Je te l'ai toujours dit, rétorqua-t-elle en se levant pour se resservir un café au lait. Et je sais ce que c'est que d'élever des enfants seul en travaillant à plein temps. Heureusement que les Rizzo étaient là ; je leur dois une fière chandelle.

– Je sais.

– Les voisins aussi m'ont beaucoup aidée. L'avantage de vivre dans une petite communauté soudée. Tu verras, le nombre de personnes sur qui tu peux compter, à commencer par moi, Maya et Joe, bien sûr. On pourra établir des tours de rôle pour plein de choses, pas seulement la préparation des repas. Mais tu dois d'abord trouver une maison. Et pas seulement : il te faudra aussi un pédiatre, un dentiste, inscrire les enfants à l'école, aller chez le coiffeur.

Raylan se passa les doigts dans les cheveux.

– Ça, ça peut attendre. Pour le reste, je m'y mets dès aujourd'hui.

– Il y a un dentiste au village, maintenant. Je vais chez lui depuis un an ou deux, et j'en suis contente. Il a son cabinet juste en face de la caserne des pompiers ; il y a de la place à proximité pour se garer.

– Impeccable.

– Et je vais toujours me faire coiffer chez Bill.

– Ils te ratiboisent, chez Bill ! répliqua Raylan en donnant un petit coup de poing dans le bras de sa mère. Tu sais que tu n'as jamais réussi à m'y envoyer.

– Parce que j'aimais trop tes boucles d'or !

Raylan leva les yeux au ciel.

– Alors bientôt, tu aimeras mon chignon.

– Je monte m'habiller, dit Jan en souriant, et je redescends m'occuper du petit déjeuner des enfants.

Raylan avait oublié ce que signifiait pouvoir compter sur quelqu'un pour assurer des tâches aussi basiques.

– Alors si ça ne t'embête pas, j'emmène Jasper. Ça nous fera une promenade à tous les deux. Je verrai mieux le quartier à pied qu'en voiture.

– Sans aucun doute. Au cas où, il y a aussi une autre maison en vente, de l'autre côté de la ville, près de l'école. Le jardin est plus petit, il y a des travaux à prévoir, donc elle est certainement moins chère. Une belle maison de briques rouges, avec une jolie galerie, sur Schoolhouse Drive.

– Bon à savoir.

– Prends ton temps, et passe au restau après la visite.

Raylan appela le chien, rassembla la laisse, la pelle et le sachet à crottes qu'il glissa dans sa poche. Ses lunettes de soleil, sa casquette des Mets de New York, qu'il laissa finalement près de la porte d'entrée en se remémorant qu'il était en pays Orioles.

Jasper tournait la tête de tous côtés, fasciné par ce nouveau paysage, et comme Raylan n'était pas pressé, il s'arrêta chaque fois que le chien s'arrêtait pour renifler avidement ou bien lever la patte et faire trois gouttes.

À l'angle d'une rue, une vieille dame taillait un rosier en bermuda rose, révélant des jambes blanches marbrées de varices. Mme Pinsky. Pendant trois étés, Raylan lui avait tondu sa pelouse chaque semaine. Avec son petit job à la pizzeria, c'était ainsi qu'il avait pu se payer sa première voiture d'occasion.

Déjà à l'âge de quinze ans, il avait l'impression que Mme Pinsky avait mille ans. Or elle était toujours là, à entretenir méticuleusement son jardin.

– Bonjour, madame Pinsky.

Elle releva son chapeau de paille, plissa les yeux derrière ses lunettes et tripota son appareil auditif.

– Pardon ?

– Vous ne me reconnaissez pas ? Raylan Wells, le fils de Jan Wells.

– Tu es le fils de Jan ? Tu viens rendre visite à ta maman ? demanda-t-elle, une main sur la hanche.

– Je reviens vivre à Traveler's Creek.

– Ah oui ? Tu étais parti à la grande ville ?

– C'est ça.

– Ta mère est une femme bien.

– Absolument !

– C'est bien que tu en sois conscient. Tu me tondais ma pelouse, quand tu étais gamin. Tu cherches du travail ?

– Ah, non, j'en ai déjà.

– Impossible de trouver quelqu'un qui ne me réclame pas une fortune pour passer un coup de tondeuse…

Elle le surveillait toujours comme un faucon, se rappela-t-il, mais elle le payait bien et lui offrait chaque fois une boisson fraîche et des biscuits.

– Je viendrai vous tondre votre pelouse, dit-il et, aussitôt, il se mordit la langue.

– Combien ?

– Gratuit.

– Tout travail mérite salaire.

– Il se peut que j'achète une maison sur Mountain Laurel Lane. Dans ce cas, nous serons voisins, et entre voisins, c'est normal de se rendre des petits services.

– Ta mère t'a bien élevé, déclara la vieille dame avec un sourire. La tondeuse est dans l'abri de jardin.

– Je vais visiter la maison en question. Je repasserai après mon rendez-vous, si ça vous convient.

– Ce sera parfait. Merci beaucoup, jeune homme.

Raylan poursuivit son chemin en s'enjoignant de ne pas se montrer aussi serviable avec tous ceux qu'il croiserait. Il devrait maintenant trouver le temps de tondre chaque semaine le gazon de Mme Pinsky, alors qu'il avait déjà pris la résolution de tondre celui de sa mère. Comme s'il risquait de s'ennuyer, avec une maison à acheter et à aménager…

– Pourquoi tu ne m'as pas dit de me taire ? demanda-t-il au chien. Si ça continue, je vais me retrouver préposé à l'entretien des espaces verts.

Il s'engagea sur Mountain Laurel Lane et se figea net, médusé non pas par la maison – à l'évidence, celle-ci n'était pas à vendre puisqu'une femme enceinte se tenait sur le pas de la porte – ni par la jeune femme en question, mais par celle avec qui elle parlait, que Raylan ne voyait pour l'instant que de dos. Une crinière de minuscules boucles brunes, une silhouette grande et mince en legging bleu orné de flammes dorées s'enroulant autour de ses jambes, débardeur du même bleu sur des bras toniques et bronzés, baskets bleues à motif de flammes.

Cobalt Flame, pensa-t-il. Demi-démon. Prise au piège d'Endeuillax, qui la tourmentait sans relâche. True Angel lui livrerait une bataille épique mais, à la fin, elles s'allieraient.

Cette ébauche de scénario jaillit dans son cerveau comme une coulée de lave. Car c'était d'un volcan que Cobalt Flame tenait ses pouvoirs.

Elle s'écarta de la porte, toujours de dos, et une montagne de fourrure noire accourut à ses pieds. Jasper émit un drôle de son, ni grognement ni aboiement, l'équivalent en langue canine d'un petit cri d'admiration étouffé. Puis il se mit à trembler comme une feuille. Et alors que Raylan se baissait pour le réconforter, il se glissa sous le portail de la maison.

– Eh ! cria Raylan, manquant perdre l'équilibre.

Cobalt Flame se retourna, abaissa ses lunettes de soleil.

– Raylan ? Eh, salut ! Comment vas-tu ?

Adrianne Rizzo, réalisa-t-il en poussant le portillon. Aussi belle qu'il imaginait Cobalt Flame.

– Salut, Adrianne. Désolé, je ne sais pas ce qui lui est passé par la tête… Il ne mord pas.

Jasper s'aplatit au sol, puis s'approcha en rampant de la montagne de poils noirs.

– Elle non plus, dit Adrianne en observant Jasper prostré devant Sadie. Qu'est-ce qu'il fait ?

– Je ne sais pas.

– Ça ressemble à une demande en mariage.

La deuxième jeune femme s'avança, deux longues tresses rassemblées à l'arrière de son crâne, un petit garçon accroché à sa jambe, tenant un marteau en plastique à bout de bras.

Sadie posa l'une de ses grosses pattes sur la tête de Jasper, en jetant un coup d'œil à sa maîtresse.

– Elle lui dit de se ressaisir, je crois. Ils n'ont même pas été présentés. Elle, c'est Sadie.

– Et lui, Jasper. Eh, Jasper, reprends-toi ! Tu te ridiculises.

– Il a des étoiles plein les yeux. Comment vas-tu, Raylan ?

– Ça va, merci. Désolé de vous déranger.

– Pas du tout. J'étais sortie courir. Je me suis arrêtée cinq minutes chez Teesha. Mon amie Teesha Kirk et son fils Phineas Grant. Raylan Wells.

– Enchantée, dit Teesha avec un sourire. Je sais que Maya et Joe sont ravis de ton retour.

– On est très contents, nous aussi. En fait, je viens visiter la maison d'à côté.

– Elle est magnifique !

Teesha jeta un regard en direction de son fils qui tapait sur des clous invisibles.

– Je fais des travaux ! déclara le bambin.

– C'est bien, mon chéri. J'ai eu plusieurs fois l'occasion d'entrevoir l'intérieur. Mark a fait quelque chose de vraiment bien. Tu as des enfants, je crois ?

– Oui, deux, sept et cinq ans. Enfin… bientôt huit et six.

– Ce serait sympa d'avoir des enfants juste à côté.

Phineas s'interrompit dans sa tâche.

– J'ai envie de faire caca, dit-il, et il se dirigea vers la maison.

– Ah, désolée, une urgence, dit Teesha en emboîtant le pas à son fils.

En riant, Adrianne descendit les marches de la galerie.

– Mon grand-père sera vraiment content de te voir, avec tes enfants et ton chien transi d'amour.

– C'est la première fois que je le vois se comporter comme ça. Il faut dire que ta chienne est impressionnante.

– Sexy Sadie ! La maison est superbe, je l'ai visitée. Et les voisins sont adorables !

Adrianne fit un geste en direction de la maison de Teesha, d'où s'échappait une mélodie de piano.

– C'est ce que Maya m'a dit. Tu as l'air en forme, Adrianne. Ça fait plaisir de te revoir.

– C'est réciproque, dit-elle en se baissant pour caresser Jasper avant de fixer la laisse au collier de Sadie. Ne t'en fais pas, mon grand, je suis sûre que tu la reverras. L'amour ne peut être ignoré. Allez, Sadie, on est parties !

Sadie enjamba un Jasper subjugué, puis elle adapta son pas aux enjambées sportives de sa maîtresse.

– Impressionnante… murmura Raylan à son chien. Peut-être un peu trop imposante pour toi, mais le cœur a ses raisons que la raison ne connaît pas. Allez, allons visiter cette maison.

Chapitre 12

Après la visite de la maison, et un étrange échange de souvenirs de lycée avec l'ancien dur à cuire qui procédait avec deux artisans à ce qu'il appelait le « contrôle qualité », Raylan avait besoin de réfléchir.

Il convint avec Mark Wicker de revenir une heure plus tard avec ses enfants, ce que Mark Wicker approuva.

Il s'arrêta chez Mme Pinsky et lui tondit son gazon – avec une tondeuse qu'elle aurait pu revendre à un antiquaire. La pelouse lui sembla nettement moins vaste que lorsqu'il avait quinze ans, si bien que la tâche fut rapidement effectuée. Toutefois, il transpira et accepta avec reconnaissance un verre de thé glacé archi sucré.

La vieille dame lui dit qu'il était un bon gars, qu'il avait fait du bon boulot et, à nouveau, elle se répandit en éloges sur sa mère, qui lui avait inculqué de si bonnes manières.

Il ramena le chien chez sa mère, le laissa ruminer sa déception amoureuse dans le jardin, et il prit sa voiture pour se rendre Chez Rizzo, même si le restaurant n'était qu'à quelques pas.

Les premiers clients étaient déjà là pour le déjeuner. Jan s'affairait aux fourneaux, Dom travaillait la pâte à pizza.

Le vieil homme paraissait plus maigre et plus vieux que lorsque Raylan l'avait vu à Noël, mais il n'avait rien perdu de son habileté à jongler avec les pâtons.

Installée au comptoir avec des crayons de couleur et un album à colorier, Mariah le regardait avec fascination.

– Encore une, Popi ! Encore une !

Dom adressa un clin d'œil à Mariah, tout en façonnant un parfait disque de pâte.

– Je finis d'abord celle-ci. Les gens ont faim.

– Tu m'en feras une pour moi ? Nana a dit qu'on mangerait une pizza quand Bradley aura fini de jouer aux jeux vidéo.

– Je te ferai une pizza de princesse, ma belle.

La fillette poussa un petit cri, un peu comme Jasper à la vue de Sadie, puis elle s'aperçut de la présence de son père.

– Papa, tu as entendu ? M. Rizzo va me faire une pizza de princesse !

– Tu en as, de la chance. Comment allez-vous, Dom ?

– Ça va, je n'ai pas à me plaindre. Content de te revoir, Raylan.

– Merci. Ça ne vous ennuierait pas de remettre la pizza de princesse à plus tard ? Ma chérie, je voudrais vous montrer la maison que je suis allé visiter. Ensuite, on reviendra manger des pizzas.

– Mais moi, je veux une pizza de princesse !

– Tu l'auras. J'ai croisé votre petite-fille et son mastodonte de chien.

Dom parsema la pizza de poivron, puis de champignons, avant d'y ajouter quelques olives noires.

– Elle me l'a dit. Tu as bien fait d'aller visiter cette maison. Bon investissement, je pense. Et la crème des voisins.

– Alors, qu'est-ce que tu en as pensé ? demanda Jan en quittant la cuisine.

– Elle me paraît bien, mais je voudrais que les enfants la voient. Tiens… Quand on parle du loup, voici le grand gameur devant l'éternel.

À la tête que faisait Bradley, Raylan devina que son fils n'avait pas pulvérisé les scores.

– Je n'ai plus de pièces… marmonna le garçonnet.

– Je t'en donnerai, mais d'abord on va visiter une maison.

– Mais Nana a dit qu'on mangerait des pizzas !

– Tout à l'heure. Le propriétaire de la maison nous attend.

– J'ai super faim !

Avant que Raylan ne puisse objecter, Dom remplit un petit récipient de fromage et de rondelles de pepperoni.

– Tiens, ça t'aidera à patienter. Quand vous reviendrez, je te préparerai une pizza spéciale.

– Spéciale comment ? demanda Bradley, toujours avide de détails.

– Moi, j'aurai une pizza de princesse.

– Je pourrais avoir une pizza Batman ?

– Dépêche-toi d'aller voir cette maison avec ton père et je te ferai une pizza Batman.

– Cool ! Merci, Popi ! On y va, papa ?

– On est partis ! acquiesça Raylan en rassemblant les crayons de sa fille.

– Laisse, je m'en occuperai, lui dit sa mère.

Raylan souleva Mariah dans ses bras.

– Comme on avait bien travaillé, j'ai eu un livre de coloriage et Bradley, des pièces pour jouer, lui expliqua-t-elle. Popi a dit qu'on était des vaillants ouvriers.

– Super ! déclara Raylan en installant ses enfants dans leurs sièges, sur la banquette arrière.

– Et Jasper, il est où ? s'étonna Bradley en dévorant le pepperoni comme une friandise.

– Chez Nana. Il a déjà vu la maison.

– C'est la maison où on va habiter ? demanda Mariah.

– Peut-être.

– Moi, j'aime bien habiter chez Nana.

Essaie de dormir sur un canapé et de prendre ta douche dans un placard, pensa Raylan.

– Ce n'est pas très loin de chez Nana.

– Combien de kilomètres ?

Dans le rétroviseur, il croisa le regard suspicieux de son fils.

– Vous verrez. Là, c'est chez Nana, indiqua-t-il alors qu'ils passaient devant la maison.

Il tourna à gauche, longea les pelouses fraîchement tondues de Mme Pinsky, bifurqua à droite sur Mountain Laurel Lane, et s'engagea dans l'allée de la maison, sur la gauche.

– Voilà, on y est.

– Rien à voir avec notre maison d'avant… grommela Bradley.

Raylan s'était fait exactement la même réflexion, si bien que la remarque de son fils le toucha en plein cœur.

– En effet.

Au lieu d'une façade de briques patinées par le temps, des bardeaux horizontaux fraîchement repeints d'un joli gris, avec des volets bleus, le toit bordé de lambrequins blancs.

La rue était tranquille, atout primordial ; une vaste pelouse s'étendait jusqu'au trottoir, élément également important.

Raylan avait vu suffisamment d'émissions télé sur l'immobilier pour savoir que les cornouillers roses, en pleine floraison, apportaient un indéniable cachet à la propriété.

Deux étroites vitres encadraient la porte d'entrée. Une porte latérale, sans doute pratique, donnait face à la maison des voisins – les amis d'Adrianne.

Tous les critères étaient réunis, pensa Raylan en détachant les enfants de leur siège. Pour avoir lui-même retapé son ancienne maison, il avait parfaitement conscience de la qualité de la rénovation de celle-ci.

Mais elle ne ressemblait pas à la maison de Brooklyn.

La voisine lui adressa un signe de la main et s'avança à leur rencontre, son petit garçon trottinant derrière elle.

– C'est moi qui ai les clés ! déclara-t-elle. Mark a été appelé sur un autre chantier. Il va revenir, mais il ne voulait pas vous faire poireauter si vous arriviez avant lui.

– Merci. Les enfants, je vous présente Mme Kirk.

Bradley la regarda en ouvrant de grands yeux ronds.

– Comme le capitaine James Tiberius ?

– Pareil, répondit Teesha. Je me suis toujours dit que je pourrais être son arrière-arrière-arrière-arrière-grand-mère.

Bradley écarquilla encore plus les yeux.

– C'est vrai ?

– Ça me plaît de le penser. Lui, c'est Phineas. Et lui, ou elle, n'a pas encore de prénom, ajouta-t-elle en se tapotant le ventre. Si vous venez habiter ici, nous serons voisins.

– Je peux toucher le bébé ? demanda Mariah.

– Celui-ci ? Bien sûr.

Délicatement, Mariah posa une main sur le ventre de Teesha.

– Ma maîtresse aussi, elle avait un bébé dans le ventre, mais plus gros. Elle a dit qu'il allait sortir cet été.

– Celui-là est prévu pour novembre. Il doit encore grossir.

Plus intéressé par la gent masculine, Phineas brandit un dinosaure en plastique sous le nez de Bradley.

– C'est un T. Rex. Les T. Rex, ils pouvaient manger les hommes, mais quand il y avait des T. Rex, il n'y avait pas d'hommes, alors ils mangeaient des autres dinosaures. C'est mon préféré.

– Moi, j'aime bien les vélociraptors, parce qu'ils chassaient en meute.

– J'en ai ! Tu veux les voir ?

– Une autre fois. Il faut qu'on visite la maison.

– Et moi, j'ai aussi un marteau et une scie, comme les monsieurs qui travaillent dans la maison d'à côté.

– Bavard comme une pie… soupira Teesha en prenant la main de son fils. Dis-leur au revoir, Phin.

– Au revoir.

– Vous pouvez laisser les clés sur le comptoir de la cuisine en partant. Si jamais vous loupez Mark, il a des doubles pour rentrer.

– Merci. À plus tard. Allez, mauvaise troupe, allons voir cette maison.

– Elle est gentille, la dame avec un bébé dans le ventre. Elle a des jolis cheveux.

– En effet.

Raylan choisit d'entrer par la porte principale, comme des invités – qu'ils étaient encore.

– C'est hyper grand ! s'exclama Bradley.

– Ça paraît grand parce que c'est vide.

Le rez-de-chaussée formait un espace entièrement ouvert, aux parquets reluisants, jusqu'aux baies vitrées donnant sur l'arrière de la maison.

– Il y a une cheminée, constata Mariah. C'est bien pour le Père Noël.

À la différence de l'âtre en brique de Brooklyn, il s'agissait d'un insert blanc aux lignes design.

– Ça fait de l'écho !

Bradley cria son prénom et l'écouta se réverbérer entre les murs, avec un sourire satisfait.

Ces échos-là ne résonnaient d'aucun souvenir…

Puis le garçonnet fit le tour de la cuisine, dotée de meubles blancs, électroménager en acier rutilant, comptoir de granit gris, grand évier de ferme. Mariah se dirigea vers les baies vitrées.

– Le jardin est super grand ! Jasper sera content. Mais il n'y a pas de balançoire… Pourquoi il n'y a pas de balançoire, papa ? demanda-t-elle, déçue.

– Parce que personne n'habite là, banane ! lui rétorqua son frère. Papa installera une balançoire et des jeux.

Mariah courait déjà vers une porte vitrée coulissante.

– Banane toi-même ! Et là, c'est quoi ? Une salle de jeux ?

– La salle de jeux est à l'étage, déclara Raylan.

Derrière cette porte, il voyait plutôt son bureau, lumineux, spacieux, avec vue sur le jardin.

– On peut monter ?

– Bien sûr. On est là pour tout bien regarder. Les chambres sont en haut.

Tandis que ses enfants se précipitaient à l'étage, Raylan s'attarda un instant au rez-de-chaussée.

Des toilettes sous l'escalier, buanderie attenante à la cuisine. Chaudière neuve, bon espace de rangement au sous-sol, totalement isolé.

Belle maison, oui, et le prix était largement à leur portée.

Il monta rejoindre ses enfants dont on entendait les pas sur le plancher. Les yeux pétillants de joie, Mariah accourut à sa rencontre.

– Papa, ce sera laquelle, ma chambre ? Je peux choisir ?

Elle lui saisit la main, il l'entraîna dans l'une des quatre chambres.

– Regarde… La salle de bains communique avec cette chambre… Elles ont toutes les deux à peu près la même taille. Tu peux choisir celle que tu veux.

– Je ne veux pas partager ma salle de bains avec un garçon ! protesta la fillette avec une adorable moue horrifiée. Les garçons, ils sentent mauvais !

– Il y a une autre chambre de l'autre côté du couloir, mais elle est plus petite.

Mariah lui lâcha la main pour aller la voir.

– Elle a une salle de bains rien que pour elle ! Venez voir ! Les garçons n'auront pas le droit de venir dans cette salle de bains ! Ce sera la mienne. Il n'y aura que moi qui pourrai prendre des bains dans cette baignoire. Je peux prendre cette chambre, papa, s'il te plaît ?

Bradley, qui avait disparu, reparut brusquement.

– La salle de jeux est géante ! Je prends la chambre avec la cheminée ! J'étais le prem's à la voir !

– Il n'y a pas de prem's qui tienne. C'est la suite parentale, la chambre de celui qui paie les factures.

– Mais papa, je ne peux pas payer les factures !

– Alors tu devras choisir l'une des deux autres chambres, si on achète cette maison. Vu que Mariah préfère la petite chambre, tu auras une grande salle de bains pour toi tout seul.

Bradley entra dans la première des chambres, puis traversa la salle de bains pour ressortir par l'autre, lèvres pincées.

– OK, opina-t-il. Je prends celle du fond, pour être le plus loin possible de cette chipie.

Mais son visage se rembrunit quand il se tourna vers son père.

– Cette maison ne te plaît pas, papa ?

– Pardon ? Non… Enfin, si.

– Tu fais une drôle de tête.

Mariah était retournée dans la salle de bains.

– On pourra peindre la baignoire en rose ? demanda-t-elle en revenant dans le couloir. Qu'est-ce qu'il y a ?

– Papa n'aime pas la maison.

– Pourquoi ? Elle est jolie, et elle sent bon.

Les enfants avaient fait leur choix, pensa Raylan. Cette maison leur plaisait, ils étaient prêts à prendre un nouveau départ. Ils avaient accompli le travail de deuil.

– Ha, ha ! Monsieur Impassible vous a bien eus ! Je voulais savoir ce que vous en pensiez vraiment, et non user de ma supériorité intellectuelle pour influencer vos petits esprits faibles.

– T'es trop bête, papa ! ricana Bradley.

– On va habiter là ? demanda Mariah, cramponnée à la jambe de son père, le visage levé vers lui. On pourra peindre ma baignoire en rose ?

– Oui. Et non. Tu pourras avoir un rideau de douche rose, des serviettes roses, mais pas de baignoire rose.

– Et Bradley n'aura pas le droit, jamais, de faire caca dans mes toilettes.

– Je m'en fiche, ma salle de bains est plus grande que la tienne et tu n'auras pas le droit de faire caca dans mes toilettes.

La discussion autour du caca se poursuivit, et Raylan songea que ses enfants étaient déjà en train de s'approprier cet endroit.

Le compromis de vente signé, il se mit à compter les jours qui lui restaient à dormir sur le canapé et travailler dans un coin du salon ou au comptoir de la cuisine.

L'été était passé à toute vitesse, la rentrée scolaire approchait à grands pas, mais, chaque jour, il repoussait au lendemain le cauchemar de l'achat des fournitures scolaires.

Car en dépit de ses piètres conditions de travail, il était absorbé par son nouveau personnage, l'ennemie jurée de True Angel, qui deviendrait son faire-valoir et enfin son amie.

Il était infiniment reconnaissant envers sa mère et sa sœur qui l'aidèrent à occuper les enfants tout au long des vacances. Et qui les accueillaient pour deux ou trois jours quand il se rendait à New York afin de se concerter avec ses associés.

Il n'avait pas encore le courage de se faire inviter chez Bick et Pat, dans son ancienne maison, alors il dormait chez Jonah, dans la pagaille de son petit appartement de célibataire.

Avant de se lancer concrètement dans la création d'un nouveau roman graphique, il devait toutefois obtenir le feu vert de celle qui lui donnait l'inspiration.

Si elle lui opposait un refus, il changerait l'apparence physique de Cobalt Flame, mais il croisait les doigts, et il avait de l'espoir : enfant, Adrianne avait reconnu Iron Man sur le dessin punaisé au mur de sa chambre.

Comme il avait déjà suffisamment procrastiné, profitant d'un après-midi où les enfants étaient chez Maya, il prit son courage à deux mains, son carnet de croquis, le chien, et se rendit à la maison sur la colline.

Il avait toujours aimé son architecture hors du temps, sa grande galerie, les pignons sur le toit qui créaient un petit air de mystère, les grands arbres centenaires…

– Jasper, mais bon sang, que je suis bête… Un poil plus gothique, et ce sera le repaire de Flame ! Façade de pierre un peu plus sombre, les arbres plus oppressants, une tourelle… Oui, excellent !

Tout en crayonnant mentalement, il frappa à la porte à l'aide du gros heurtoir de bronze. Il le transformerait en gargouille. Une gargouille à la gueule menaçante.

Il attendit quelques minutes, puis il contourna la maison, comme sa sœur le lui avait recommandé, jusqu'à la petite terrasse attenante à l'entresol.

Elle se tenait au centre de la pièce, face à un mur de miroirs, en short noir et brassière de sport à fines lanières entrecroisées dans le dos, quelques mèches bouclées s'échappant de sa queue-de-cheval.

Pieds nus, en équilibre sur une jambe, elle leva l'autre vers le plafond, formant une parfaite ligne verticale.

Dans une posture anatomiquement impossible.

Elle abaissa la jambe, la tendit derrière elle, avant de la fléchir, toujours en équilibre sur un pied, puis elle attrapa son orteil et plongea vers l'avant, bras gracieusement tendu devant elle.

Sortant de son état d'hypnose et réalisant tout à coup qu'il était indiscret, Raylan fit mine de s'éloigner, mais elle tourna la tête et, de sa main libre, lui fit signe d'entrer avec un sourire amical.

– Excuse-moi, je… Je ne voulais pas te déranger.

– J'ai presque terminé. J'avais besoin d'une bonne séance d'étirements.

– Tu…

Il s'interrompit lorsque Jasper fonça à l'intérieur, après avoir humé l'odeur de sa dulcinée, couchée devant la cheminée.

– Jasper ! Désolé.

– Pas de problème.

Le chien s'allongea près de Sadie, qui l'ignora superbement.

– Tu voulais voir Popi ?

– Je… euh… non… Comment arrives-tu à faire ça ? Tu n'as pas d'articulations ?

– Si, bien huilées. La souplesse est essentielle dans le fitness.

– Ce n'est pas de la souplesse, c'est du contorsionnisme.

– J'ai fait de la danse, de la gym, je pratique tous les jours, et il doit y avoir une part d'hérédité. Et toi, tu es souple ?

– Moins que toi. La différence, c'est que je viens de la planète Terre… À ce propos…

– Touche tes orteils.

– Hein ?

– Tu arrives à toucher tes orteils sans plier les genoux ?

Gêné, il s'exécuta, et se sentit ridicule.

– Pas mal. Du potentiel. Tu es sportif ?

– Disons que…

– Ha, ha… fit-elle en reposant le pied au sol.

– Deux enfants, le boulot, un chien, l'achat d'une maison, nuits sur un canapé…

– Pas le temps, résuma-t-elle en souriant. On a tous le même problème. Tout le monde est très content que tu aies acheté la maison de Mountain Laurel Lane. Quand tu seras installé, je te préparerai des entraînements. Trente minutes chaque jour. Tu as des haltères ?

– Non, je…

– Procure-toi des haltères. Tu as besoin de faire de l'exercice.

– D'accord… bredouilla-t-il, penaud.

– Ce n'est pas une insulte, juste une recommandation professionnelle. Cardio, renforcement du centre, un peu de muscu, endurance, souplesse… Il faut s'entretenir, c'est important. Tes enfants sont magnifiques.

Raylan se décrispa quelque peu.

– Merci.

– Ils te ressemblent et ils ressemblent à Lorilee, que j'aimais beaucoup. Je ne les ai pas vus souvent, mais il m'a l'air clair que tu es un papa formidable.

– Ils me facilitent la tâche beaucoup plus que je ne veux bien le reconnaître. Question de survie.

– Une partie de ton job consiste à garder la forme, pour eux.

– Ça, c'est vicieux, répliqua-t-il en riant.

– Un peu, mais c'est vrai. Dans tous les cas, je te préparerai des séances d'exercice. Mais tu ne m'as toujours pas dit… Qu'est-ce qui t'amène ?

– Tu fais ça avec tout le monde ? Le speech santé et fitness ?

– Pas avec tout le monde, non, parce que tout le monde n'est pas prêt à l'entendre. Maya est l'une de mes meilleures amies. Et j'adore Jan. Elles se font du souci pour toi – tu le sais, je ne trahis pas un secret.

– Nnon… bredouilla Raylan en détournant le regard. Très chouette, cette salle de gym. J'imaginais… Regarde-les…

Les yeux fermés, Jasper était lové contre Sadie.

– On dirait qu'il sourit de béatitude. Elle lui accorde une chance. À toi aussi. Si tu ne lui plaisais pas, elle monterait la garde près de moi et ne te quitterait pas des yeux.

– Pourvu que ça dure. En fait, je suis venu te demander une autorisation.

– Oh… Doit-on s'asseoir pour avoir cette discussion ?

– Peut-être.

– Je t'en prie, dit-elle en désignant de la main le canapé du coin salon.

Elle remplit d'eau deux gourdes New Generation, en tendit une à Raylan, et prit place près de lui.

– Cadeau. Très important de bien s'hydrater quand on fait de l'exercice.

– OK. Merci. Bon… Je travaille sur un nouveau roman graphique, avec un nouveau personnage.

– J'ai adoré le premier tome de *True Angel*.

Décidément, elle ne cessait de l'épater.

– Tu l'as lu ?

– Bien sûr. Non seulement tu es le frère d'une amie, mais j'adore la BD.

Un bon point, pensa-t-il, susceptible de jouer en sa faveur.

– Ce personnage sera le faire-valoir de True Angel, d'abord une ennemie, ensuite une alliée. Il s'agit d'un demi-démon.

– Comme Endeuillax.

– Au départ, elle est contrainte d'œuvrer pour lui. Solitaire, tourmentée, elle lutte contre ses instincts les plus sombres. Pour faire court, Angel l'aidera à s'affranchir. Elle se fait passer pour une humaine, elle vit seule. Elle écrit des histoires d'horreur. Plus exactement, elle témoigne de diverses expériences vécues au cours de ses cinq cents et quelques années d'existence.

– J'ai hâte de faire sa connaissance… mais je ne vois pas en quoi tu as besoin de ma permission.

Raylan ouvrit son carnet de croquis.

– La voilà.

– Mais c'est moi ! En tenue Hot Stuff !

– En effet, tu étais assez *hot*, ce jour-là…

Ce commentaire lui valut un regard amusé.

– Merci. C'est le nom de la marque. À cause des flammes.

– Ah, d'accord. Tu discutais avec Teesha devant chez elle la première fois que je suis venu visiter la maison. Tu me tournais le dos, mais tu m'as inspiré le personnage de Cobalt Flame.

Fascinée, Adrianne leva les yeux vers lui.

– C'est comme ça que tu fonctionnes ?

– Parfois. Pas toujours. Rarement.

– Tu as d'autres dessins ? demanda-t-elle en tournant la page sans attendre de réponse. Waouh… Chevauchant un dragon !

– Un dragon de feu. Elle maîtrise le pouvoir du feu. Le dragon, c'est Vesta, déesse romaine du Foyer.

– Une dragonne, génial ! Cobalt Flame est belle, forte, farouche… (Adrianne continuait de feuilleter le carnet.) Oooh, furieuse, violente. Oh, oh, tourmentée ! J'adore !

– Sincèrement ? Tu es d'accord, alors ?

– Tu plaisantes, j'espère ? Une superhéroïne, demi-démon. Enfin… D'abord méchante, ensuite héroïque. Qui chevauche un dragon, armée d'une lance.

– Si je la garde, la lance crachera des flammes.

– Une lance-flamme ! Excellent ! Où vit-elle ?

– Ici. Je veux dire… Dans une grande demeure ancienne, un peu comme celle-ci, en plus sinistre. Mais je pense que je m'inspirerai de celle-ci.

– Popi sera fou de joie : sa maison immortalisée par une créature semi-démoniaque.

– Tu penses qu'il sera d'accord ?

– Et comment ! Tu te rappelles le dessin que tu avais fait de lui en train de jongler avec une pizza ? Il l'a fait encadrer et il l'a exposé dans son bureau.

– C'est vrai ?

– Il a beaucoup d'admiration pour toi. Normal, tu as du talent.

Tandis qu'Adrianne continuait de regarder les dessins, il s'étonna d'être à ce point touché par son compliment.

– Elle pourrait avoir une pièce secrète… une tour, ou une tourelle… OK, je n'ai pas de conseils à te donner. Comment s'appelle son alter ego ?

– Adrianna Dark. La tourelle était déjà prévue.

– Super ! Raylan, je suis flattée.

– Tu m'ôtes un poids, parce que j'ai déjà commencé à bosser sur ce projet, et je n'avais pas du tout envie de modifier ce personnage.

– De toute façon, tu ne peux plus le modifier, maintenant, où tu blesserais mon fragile ego.

– Je ne crois pas que ton ego soit si fragile, mais je n'ai pas l'intention de changer quoi que ce soit à Cobalt Flame.

– Tu me montreras ton travail, de temps en temps ? Ou tu es de ces artistes qui n'aiment pas montrer ce qu'ils font ?

– À Brooklyn, je travaillais dans un vieil entrepôt réhabilité, où tout le monde voyait ce que tout le monde faisait. (Raylan jeta un coup d'œil à sa montre.) Je ne vais pas tarder… Je dois aller chercher les enfants chez Maya.

Il prit son cahier et se leva, imité par Adrianne.

– Reviens avec Mariah et Bradley quand Popi sera là. Il adore avoir des enfants à la maison.

– Avec plaisir. Jasper ? Tu viens ?

Le chien ouvrit les yeux, puis tourna la tête de l'autre côté.

– Allez, Roméo, on s'en va. Sinon, je ne t'emmènerai pas avec moi la prochaine fois.

– Sadie ? appela Adrianne.

La chienne vint se poster aux pieds de sa maîtresse, et Jasper la suivit.

– On vous raccompagne ?

– Ça m'évitera de le traîner de force.

Raylan dut néanmoins soulever l'arrière-train de Jasper pour le faire monter dans la voiture, faisant gémir le chien comme s'il était maltraité.

– Arrête ce cinéma, les filles n'aiment pas les pleurnichards, lui dit Raylan en s'installant derrière le volant.

Puis avec un au revoir de la main, il démarra. En regardant Adrianne dans le rétroviseur, silhouette en short et brassière, une main sur la tête de son énorme terre-neuve, il ressentit un petit tiraillement qu'il n'avait pas éprouvé depuis longtemps.

Un petit tiraillement de désir. Qu'il ignora.

Il n'était pas encore prêt. Il ne le serait peut-être jamais, mais surtout pas avec l'une des plus vieilles amies de sa sœur.

Chapitre 13

Un nouveau poème arriva par une journée d'août étouffante, plombée par un ciel couleur de ciment. Le courrier, le troisième de l'année, avait été posté de Wichita, dans le Kansas. Adrianne le lut dans sa voiture, sur le parking du supermarché.

Alors que tu bouleverses mon cœur
Pourquoi de la rencontre repousser l'heure ?
Savourer l'attente est un tel délice
Que je préfère retarder ton supplice.

Comme chaque fois, elle en fut secouée, et demeura un long moment dans sa voiture le temps de se ressaisir, tandis que sur le parking une mère promettait d'une voix agacée à un bambin geignard qu'elle lui achèterait un cornet de glace plus tard.

Fidèle à son protocole, elle remit le poème dans l'enveloppe et rangea l'enveloppe dans son sac. Elle en ferait des photocopies qu'elle enverrait, comme d'habitude, à la police, à l'agent fédéral en charge du dossier et à Harry.

Bien sûr, il n'y aurait pas de suite, pas plus cette fois que les précédentes, malgré l'escalade, car cette missive était la troisième de l'année.

Le FBI partait du principe que le risque était négligeable ; ces quelques vers avaient certes un caractère effrayant, mais il ne s'agissait pas de menaces concrètes et il n'y avait jamais eu d'agression physique. Ils émanaient visiblement d'un lâche qui n'osait pas passer à l'acte et se contentait d'infliger à Adrianne un tourment mental et émotionnel.

La jeune femme était un personnage public, elle avait choisi de l'être. Elle payait la rançon de la gloire. Sa mère et la police ne démordaient pas de cette théorie.

Pour l'heure, elle devait faire ses courses, si bien qu'elle se résolut à quitter sa voiture et s'engagea dans les rayons du supermarché avec son chariot, sa liste sur son téléphone, transie par l'air conditionné.

En son for intérieur, elle se réjouissait que son grand-père n'ait pas insisté pour l'accompagner, car avec lui elle mettait deux fois plus de temps. Cuisine et nourriture étaient la passion du vieil homme, et il aimait tellement les gens… Il parlait à tout le monde, examinait chaque fruit avec le plus grand soin, tombait sur un légume qui lui inspirait une recette, puis disparaissait dans les rayons en quête des ingrédients indispensables à sa préparation. Une fois par semaine, quand ils allaient au marché paysan, ils y passaient la matinée.

Un sourire étira les lèvres d'Adrianne : faire les courses avec son grand-père prenait peut-être du temps, mais c'était aussi un bonheur !

Alors qu'elle quittait le rayon des produits laitiers, elle reconnut la voix de Raylan :

– Tu n'es pas sympa… On avait dit qu'on prenait des Cheerios.

– Mais ça, c'est magiquement délicieux !

Bradley serrait une boîte de céréales contre son cœur, Mariah faisait des saltos entre les rayonnages et Raylan paraissait désespéré.

– Allez, papa ! Les céréales, c'est bon pour la santé.

– Va-t-il céder ou tenir bon ? lança Adrianne en s'avançant dans le rayon. Salut, la petite famille !

– On avait fait un pacte, soupira Raylan, et on était tombés d'accord sur les Cheerios.

– Oui, mais tu dis toujours qu'il faut savoir faire des compromis, argua Bradley. C'est vrai, il dit toujours qu'il faut faire des compromis, répéta-t-il en se tournant vers Adrianne.

– Tu es un petit malin, toi, dit-elle en prenant un paquet de flocons d'avoine pour son grand-père.

– Tu as beaucoup de choses dans ton chariot… Tu vas manger tout ça ?

Raylan regarda son fils d'un air affligé.

– C'est malin, ça ? demanda-t-il à Adrianne.

– Pas idiot, en tout cas. J'ai beaucoup de choses, jeune homme, parce qu'on aura du monde à la maison.

– Nous aussi, on avait du monde à la maison pour mon anniversaire. J'ai eu huit ans et un gâteau Batman.

– J'ai toujours trouvé le Chevalier noir magiquement délicieux.

Raylan ne put s'empêcher de sourire.

– Moi, j'aurai six ans dans un mois et un gâteau ballerine. Ou princesse. Je n'ai pas encore décidé.

– Pourquoi pas les deux ? Une princesse ballerine ?

Une lueur s'alluma dans les yeux de Mariah, du même vert que ceux de son père.

– Oh, oui, papa ! Un gâteau princesse ballerine !

– C'est noté.

– Elles sont belles, tes sandales.

– Merci, répondit Adrianne, amusée. Les tiennes aussi sont jolies.

– C'est papa qui m'a mis du vernis à ongles. C'est beau, ta *french* pédicure. Ça va bien avec ta couleur de peau.

– Merci beaucoup. Elle va avoir six ans ? demanda Adrianne à Raylan.

– Selon le calendrier. En années mode, trente-cinq. Il paraît que tu as une équipe qui arrive pour tourner un nouveau DVD…

– Composée principalement d'amis qui dormiront à la maison et mangeront comme des ogres. Mon grand-père est déjà au paradis.

Du coin de l'œil, elle entrevit Bradley qui déposait discrètement ses céréales dans le chariot de son père. En repensant à Mimi qui lui achetait parfois des gâteaux en cachette, elle demanda :

– Alors, elle vous plaît, cette nouvelle maison ?

– J'ai des serviettes roses dans ma salle de bains ! Bradley, des rouges. Et on a un portique dans le jardin. Mais papa ne veut pas de piscine. Tu trouves que je suis assez grande pour mettre du rouge à lèvres ?

Adrianne s'accroupit face à la fillette.

– Pourquoi ? Tu penses que tu es trop petite ? En tout cas, tu as de très belles lèvres, d'un rose magnifique, parfaitement dessinées.

– C'est vrai ?

– Je ne dis que la vérité. Tu as de la chance qu'elles soient d'une aussi belle teinte naturellement.

– Impressionnant, murmura Raylan tandis qu'Adrianne se redressait.

– Bon, il faut que je me dépêche. C'était cool de vous rencontrer. Donne le bonjour à Jasper de ma part et de celle de Sadie.

– Passe nous voir un de ces jours. Jasper sera content.

– Je te montrerai ma chambre ! s'écria Mariah. Et mes nouveaux rideaux !

– Avec plaisir. À très bientôt.

En la suivant du regard, Raylan dit à son fils :

– Je t'ai vu mettre les céréales dans le chariot, Bradley. Mais je veux bien faire un compromis, pour cette fois.

– Comment tu m'as vu ?

– Bradley, je suis ton père, répondit Raylan avec la voix de Dark Vador.

Après avoir rangé ses courses chez elle, Adrianne fit sortir Sadie et photocopia le poème. Comme Harry arrivait le lendemain avec sa famille, elle lui remettrait son exemplaire en mains propres.

Elle envisagea de descendre répéter dans son studio, mais monta d'abord vérifier à l'étage que tout était en ordre. Ne manquaient que les fleurs fraîches, qu'elle achèterait le lendemain matin. Sinon, les chambres étaient prêtes : une pour Harry et Marshall, une pour leurs deux enfants, une pour Hector – qui serait seul, car son amie ne pouvait pas se libérer – et une pour Loren.

Elle jeta ensuite un coup d'œil dans les salles de bains, inutile car elles étaient fin prêtes aussi, mais elle avait besoin de s'occuper l'esprit pour ne pas penser aux poèmes.

Comme son grand-père, elle aimait recevoir. Penser à ses amis constituait la plus agréable des diversions. Ensuite, rien de tel qu'une bonne séance d'exercice !

Elle s'apprêtait à enfiler une tenue de sport quand elle entendit la porte d'entrée.

– Popi ? appela-t-elle du haut de l'escalier. Tu es déjà là ?

– Le restau tourne sans moi. Je voulais te parler de quelque chose.

– J'ai acheté des travers de porc, du poulet et tous les ingrédients que tu m'avais demandés pour le dessert, dit-elle en descendant à sa rencontre.

Quand elle parvint au bas des marches, il lui tendit les clés de sa voiture.

– J'abdique. J'ai failli griller le stop de Woodbine Street. Ce n'est pas la première fois.

– Oh, Popi… murmura-t-elle en le prenant dans ses bras. Je serai ton chauffeur. Je te conduirai où tu voudras quand tu voudras, promis.

– Au moins dix personnes m'ont déjà proposé de trimballer ma vieille carcasse, mais j'accepte ton offre. J'aurais d'ailleurs besoin de toi dès maintenant.

Adrianne s'écarta de son grand-père et l'observa, tête inclinée.

– Où veux-tu aller ?

– Je veux te montrer quelque chose.

– Quoi donc ?

– Où est Sadie ?

– Dehors.

– Appelle-la. Elle vient avec nous.

Ils prirent la voiture d'Adrianne, et elle ouvrit les vitres, car Dom détestait l'air conditionné. Sadie, assise sur la banquette arrière, sortit joyeusement la tête par l'une des fenêtres.

– Va jusqu'au centre et prends à droite sur la grand-rue.

– D'accord. J'ai rencontré Raylan et ses enfants au supermarché.

– Ils sont mignons comme tout.

– Très sympas, oui.

Pour amuser son grand-père, elle lui raconta l'épisode de la guerre des céréales, puis celui du rouge à lèvres.

– Monroe et son fils sont venus manger une pizza. Ils se font une journée entre hommes – des vacances pour Teesha. Tu tourneras à gauche après le feu… Et là tout de suite à droite… Tu peux te garer ici.

– L'ancienne école.

– Où j'ai fait toutes mes classes de primaire. On nous donnait encore des coups de martinet à l'époque.

– Ouille !

Avec un petit sourire, le vieil homme remonta ses lunettes sur son nez.

– C'est exactement ce que je disais !

Devant la vieille bâtisse de brique, la cour de récréation à l'asphalte craquelé était envahie de mauvaises herbes, son accès barré par une vieille chaîne rouillée. Des planches barricadaient certaines fenêtres, cassées par le vent ou un caillou malveillant. Des herbes folles surgissaient des gouttières – ou de ce qu'il en restait.

– Quelqu'un y avait monté un magasin d'antiquités, il y a déjà un certain nombre d'années, qui est vite devenu une sorte de marché aux puces miteux. Il y a eu aussi un dépanneur qui réparait des tondeuses à gazon et ce genre de choses. Mais aucun commerce n'a jamais duré très longtemps.

– Tu m'étonnes… Dans cette ruine.

– Dommage d'avoir laissé ce lieu à l'abandon… Le propriétaire actuel avait de grands rêves, des façons de faire pas très orthodoxes, et surtout pas assez d'argent. Il voulait ouvrir un bar. Il vient d'écoper d'une amende pour danger potentiel à la sécurité publique. Et la municipalité parle de démolition.

– Ah bon ?

– Je ne veux pas que cette école disparaisse, déclara Dom, la mâchoire déterminée. Cent ans d'histoire s'en iraient avec elle. Il faut lui offrir une nouvelle vie.

– Tu… Tu veux la racheter ? hasarda Adrianne.

– Je voudrais que tu me donnes ton avis, sachant que ce sera ça de moins sur ton héritage.

– Popi, ne dis pas de bêtises.

– En plus, quand je partirai rejoindre ta grand-mère, tu en auras la responsabilité.

– Comment ça ? Qu'est-ce que tu me racontes ?

– Viens… J'ai les clés.

– Évidemment… marmonna Adrianne.

Elle aurait laissé Sadie dans la voiture, mais Dom lui avait déjà ouvert la portière.

– Allez, viens, ma fille, on va faire de l'exploration urbaine.

– Ce n'est pas dangereux ? Ça ne paraît pas très sûr.

– Ça l'est assez pour jeter un coup d'œil.

En short kaki et polo bleu marine, le vieil homme précéda sa petite-fille, jusqu'aux marches de l'entrée qui s'effritaient.

– Tu devras faire preuve d'imagination, la prévint-il en fouillant dans ses poches à la recherche des clés.

– Je m'en doute.

Le bâtiment sentait le renfermé, la poussière et les crottes de rat. Mais Dom arborait un sourire radieux.

– Tu sens cette atmosphère ?

– Je sens surtout la pisse de rat.

Il enlaça les épaules d'Adrianne.

– Je voulais parler du souvenir de tous les enfants qui ont usé leurs fonds de culotte sur les bancs de cette école. Il ne reste plus grand-chose des salles de classe, c'est dommage. Le dernier propriétaire a tout cassé sans se poser de questions. Les fondations sont saines, heureusement, poursuivit Dom en s'aventurant vers le fond du bâtiment. Par contre, le toit est à refaire, mais ce n'est pas grave, ça permettra de surélever d'un étage.

– Ah…

Adrianne ne voyait que des vieux murs jaunis par les ans, du linoléum à moitié arraché.

– Il y a de beaux planchers là-dessous qu'on pourra certainement récupérer, déclara son grand-père. La plomberie et l'électricité sont à changer entièrement. Il faudra aussi ravaler la façade, refaire le sol de la cour et aménager une rampe d'accès pour les handicapés.

Il se tourna vers elle, guettant sa réaction, mais Adrianne ne voyait toujours qu'une vieille bâtisse délabrée.

– J'ai demandé à Mark Wicker de venir jeter un œil. D'après lui, il y en a pour environ un an de travaux et un million.

– Un million ! De dollars ? Popi, je crois que tu as besoin de t'allonger cinq minutes. Et moi aussi.

– Peut-être, mais d'abord, écoute-moi. Le propriétaire en voulait une somme exorbitante. J'ai fait une offre, il a un peu baissé, à peine, mais j'ai insisté, parce que je sais qu'il est aux abois et qu'il est gourmand. Il m'a rappelé aujourd'hui, en me proposant un prix beaucoup plus raisonnable. Je lui ai dit que j'en parlerai avec mon associée, que je le recontacterai.

– Je suis ton associée ?

– Tu es tout pour moi.

Adrianne avait conscience que son grand-père était résolu à acquérir son ancienne école. En revanche, elle se demandait bien ce qu'il voulait en faire…

– Sortons, dit-elle. On a assez respiré cette odeur de moisi. Et tu me diras ce que tu as l'intention de faire comme travaux pour un million de dollars. Un million… quand j'y pense…

Dom referma les portes, puis il prit la main de sa petite-fille. Elle posa la tête contre son épaule.

– Je me suis écorché les genoux plus d'une fois dans cette cour, en jouant au ballon prisonnier ou aux gendarmes et aux voleurs… Il y avait moins de monde à Traveler's Creek à l'époque, moins d'enfants. La région était surtout habitée par des fermiers. C'est différent aujourd'hui. Le village s'est développé. Il est presque devenu une petite ville. Tu sais ce qui manque ?

– Dis-moi.

– Un lieu pour les jeunes, où se retrouver après l'école et pendant les vacances, pour jouer au ballon, au ping-pong, aux jeux vidéo. Réviser, faire ses devoirs. Ou juste traîner, en toute sécurité. La plupart des parents travaillent ; les enfants sont livrés à eux-mêmes après les cours.

– Tu voudrais ouvrir un centre de loisirs ?

– Il pourrait y avoir des cours de musique, de dessin, toutes sortes d'activités. Des goûters diététiques, ajouta-t-il avec un sourire.

– Tu essaies de m'embobiner.

– Ce n'est pas faux. De l'aide aux devoirs, des activités physiques et sportives.

– Arrête de me caresser dans le sens du poil, dit-elle en lui enlaçant la taille.

– Avec Sophia, on avait cette idée en tête depuis longtemps, mais on n'avait ni les moyens ni le temps. C'est peut-être un projet fou et irréalisable mais…

– Rien n'est irréalisable quand on est décidé. Ceci dit, le projet est un peu effrayant, je ne veux pas te mentir. Mais en me concentrant très fort, et en laissant mon sens commun au vestiaire, je vois presque ce centre de loisirs.

Si Dom avait ce projet à cœur, Adrianne ne voulait pas le décevoir.

Elle s'écarta de lui, et lui tendit la main.

– Vendu, associé.

Il lui saisit la main, la serra entre les siennes.

– *Gioia mia*. Je suis fier de toi.

Dom n'aimait rien tant que cuisiner pour des invités, dans le brouhaha et l'animation d'une maison pleine de monde et d'enfants.

Avec les amis d'Adrianne, il était comblé.

Il fit mariner des kilos de travers de porc fondants à souhait dans une marinade aigre-douce préparée par ses soins, il cueillit des légumes du jardin, prépara une salade de pâtes aussi colorée qu'un carnaval, avec des grosses olives, des tomates cerises et une julienne de courgettes. Il confectionna aussi des focaccias. Et un énorme gâteau à la crème et aux fraises.

Tout le monde se régala, tout le monde se plaignit d'avoir trop mangé, la pagaille régnait dans la maison, et Dom était aux anges.

Il adorait voir Adrianne avec ses amis de lycée. Il adorait aussi Harry, presque un père pour sa petite-fille, et il adorait la famille atypique que celui-ci avait fondée.

Plusieurs générations autour d'une table formaient une famille, l'âme d'une maison.

Au moment du dessert et du cappuccino, il demanda à Hunter, l'aîné des enfants de Harry :

– Dis-moi, mon grand, qu'aimerais-tu trouver dans un centre de loisirs ?

– Une piscine, répondit le jeune garçon aux yeux noirs comme la braise.

– Des chevaux, pour faire de l'équitation, enchaîna sa petite sœur, Cybill, en dégustant une grosse cuillerée de crème chantilly.

– Et toi, Phineas ?

– Un planétarium.

Dom acquiesça de la tête, puis il se tourna vers Adrianne.

– Il va falloir pousser les murs.

– J'en ai bien peur… Pas de jeux, les enfants ? Des jeux de société, des jeux vidéo, un terrain de basket… Des cours d'arts créatifs, de musique… On a déjà le prof de musique… Suivez mon regard !

Hunter agita sa fourchette en direction de Monroe.

– Tu joues de la guitare ?

– Aussi. Tu aimes la guitare ?

– À fond ! Si j'en ai une pour Noël, tu m'apprendras quand on reviendra ?

– Avec plaisir. Si tu veux, passe à la maison demain, je te montrerai quelques accords.

– C'est vrai ? Cool !

– T'auras qu'à venir avec ton papa Marshall, comme ton papa Harry travaille avec ma maman et avec Adrianne demain, déclara Phineas. Tu peux venir aussi, ajouta-t-il à l'attention de Cybill. Moi, j'ai commandé un télescope pour Noël.

– Un télescope ? s'étonna Monroe en buvant son cappuccino.

– Oui, parce que je veux être astronaute-astronome quand je serai grand, pour étudier la vie sur les autres planètes.

– Ce n'est pas de moi qu'il tient ça, dit Monroe à sa femme.

– Les scientifiques sont convaincus que nous ne sommes pas seuls dans l'univers.

Monroe pointa sa cuillère en direction de Teesha.

– Vous avez vu ? C'est elle qui lui met ces idées en tête. Bref… Dom, Adrianne, vous nous avez régalés. Je propose qu'on se mette tous à la vaisselle.

– Je veux bien m'y coller, déclara Hector, qui portait désormais des lunettes en écaille et une petite queue-de-cheval. Si je ne bouge pas, je vais m'endormir.

Sur ces mots, il se leva et entreprit de débarrasser les assiettes.

– Je m'imagine toujours qu'on cuisine bien avec Sylvie, mais chaque fois que je mange ici, je me dis qu'on a encore du chemin à faire, ajouta-t-il.

– Dommage qu'elle n'ait pas pu venir, dit Loren en rassemblant les couverts.

Maintenant qu'il avait les cheveux courts, Adrianne trouvait que même en jean et tee-shirt son ami avait une allure d'avocat.

– Elle était déçue, mais avec le déménagement elle a des milliers de choses à faire.

Malgré son ventre arrondi, Teesha se leva d'un bond.

– Le déménagement ? Quel déménagement ?

– Je vous réservais cette nouvelle pour la fin du repas, dit Hector avec un sourire. On retourne vivre à New York. Elle a trouvé un super poste. Et moi, je suis sur plusieurs pistes. Mon père est ravi. D'autant que j'ai demandé à Sylvie de m'épouser.

– Et tu ne nous avais rien dit ? s'écria Loren en décochant un coup de poing amical dans le bras de son ami.

– Je suis en train de vous le dire. Je pensais profiter d'une place dans une voiture pour me faire amener à New York, visiter des apparts, et je repartirais en avion.

– *Road trip !*

Adrianne se leva pour embrasser Hector.

– Voilà une excellente nouvelle ! Qui mérite qu'on débouche une bouteille de champagne !

– La vaisselle d'abord.

Harry attendit que la vaisselle soit terminée et que ses enfants sortent courir dans le jardin, sous la supervision de Marshall.

– On va faire un tour ? proposa-t-il à Adrianne en lui saisissant la main.

– Si tu veux. J'allais juste descendre au studio vérifier que tout est en place pour demain.

– Hector s'est occupé de tout, répliqua Harry en l'entraînant sur la galerie.

– Il y a un problème ? Maman va bien ?

– Oui, ne t'inquiète pas, tout le monde va bien. Lina rentre à New York dans quelques jours. Elle va te parler d'une nouvelle production mère-fille. Pour cet hiver, sûrement.

– Pas avant, en tout cas. Je ne veux pas laisser Popi. Elle pourrait venir plus souvent…

– Quelle vue ! s'extasia Harry, accoudé à la balustrade. Même moi qui suis un citadin pur et dur, je suis toujours émerveillé par ce paysage. Dom a l'air au taquet avec son projet de centre de loisirs.

– Il est à fond. On a signé le compromis. Teesha a réussi à faire baisser le prix de douze mille dollars.

– Elle m'épatera toujours.

– Moi aussi, dit Adrianne en observant Harry, svelte, élégant, plus beau que jamais, ses cheveux bruns parsemés de quelques fils argentés.

– Que voulais-tu me dire, Harry ?

– Pourquoi as-tu caché le dernier poème à Dom ? Et pas qu'à lui, d'ailleurs.

– Qui te dit que je le lui ai caché ?

– Je le sais. Je te connais. Allons faire un tour, profiter de la fin de cette belle journée d'été, et tu m'expliqueras tout.

– Je ne veux pas que Popi se fasse du souci, alors qu'il flotte sur un petit nuage avec son nouveau projet. De toute façon, que pourrait-il faire à quatre-vingt-quatorze ans ?

– Et les autres ? Pourquoi n'as-tu rien dit à personne ?

Adrianne poussa un long soupir d'impatience.

– Teesha est enceinte. Je ne vois Hector et Loren que deux fois par an. Pourquoi gâcher ces moments ? Eux aussi, que voudrais-tu qu'ils fassent ? Ça fait des années que ça dure.

– Mais c'est l'escalade, tu le sais comme moi.

– J'ai porté plainte. C'est l'escalade, oui, et ça m'inquiète, ça me met à cran, ça me ronge… C'est le but recherché, je suppose. Mais je n'ai pas reçu de coup de téléphone, il n'y a pas eu de vandalisme ni de tentative d'effraction. Jamais rien de plus grave que ces poèmes hargneux.

– C'est déjà le troisième, cette année. Vous avez une alarme, je sais, et un gros chien, mais vous êtes quand même très isolés ici. Tu devrais songer à une protection rapprochée.

Adrianne s'arrêta net.

– Tu voudrais que j'aie une arme ?

Harry s'immobilisa face à elle.

– Une arme ? Non ! Grands dieux, non ! Je pensais à un garde du corps.

Elle éclata de rire.

– Harry, je t'en prie !

– Je suis sérieux. Lina a une équipe de sécurité quand elle se produit en public, alors qu'elle n'a jamais fait l'objet de menaces constantes, contrairement à toi. Ce n'est que du bon sens.

– Je ne me produis pas en public parce que, comme je te l'ai dit, Popi a quatre-vingt-quatorze ans. Depuis que j'ai pris la décision de travailler à domicile, je me rends compte que c'est exactement ce qui me convient. Je suis plus productive et je peux toucher beaucoup plus de monde.

– Je comprends. Mais vous seriez plus tranquilles avec un vigile.

– On n'aurait plus de vie privée. La police n'est qu'à quelques minutes. La personne qui m'envoie ces messages n'a jamais rien fait de plus violent ni de plus menaçant. Ce n'est que du harcèlement.

– Susceptible d'entraîner un passage à l'acte.

Harry ne faisait rien pour la rassurer, pensa Adrianne. Au contraire, la tactique était parfaitement délibérée.

– Certes, mais dans le pire des cas, si on tente de m'agresser, je suis forte, je suis agile, je suis rapide. Je ne suis pas une pauvre petite chose sans défense, Harry.

– Non, ça n'a jamais été le cas.

– Je n'aime pas que tu te fasses du souci pour moi, mais le seul fait que tu t'inquiètes me conforte dans ma décision de ne rien dire à Popi. Je prendrai des cours d'autodéfense.

Harry leva les yeux au ciel.

– Ah oui ? Où ?

– En ligne. On peut apprendre tout ce qu'on veut en ligne, quand on est motivé. Je le suis.

– D'accord, OK. Je me doutais qu'il ne serait pas facile de te convaincre, mais je devais au moins tenter le coup.

– C'est pour ça que je t'aime. Mais pas seulement ! Je me mets dès demain à la recherche d'une formation, et j'attaque la semaine prochaine. Avec mon esprit de compétition, je progresserai rapidement et je finirai première de la promo !

– Je ne serais pas étonné.

– Et tu sais quoi ? Quand j'aurai un bon niveau, je posterai des vidéos d'initiation à l'autodéfense sur mon blog.

– Là, je reconnais bien la fille de Lina, déclara Harry tandis qu'ils reprenaient le chemin de la maison.

– Mouais… grommela Adrianne en haussant les épaules. Peut-être. Un peu.

– Vous êtes des *self-made-women*. Quand un obstacle se dresse devant vous, vous ne cherchez pas à le contourner mais à en tirer le meilleur parti.

– Parfois, je me demande si je n'étais pas un obstacle…

– Non, répondit Harry en lui enlaçant les épaules. Tu n'as jamais été un obstacle pour elle, crois-moi. Tu étais un choix.

Peut-être, songea-t-elle. Mais alors, elle ne comprendrait jamais pourquoi sa mère avait fait ce choix.

Chapitre 14

Raylan reçut par e-mail un programme de fitness sur quatre semaines : quatre fois sept séances personnalisées, comprenant l'échauffement et les étirements de fin.

Surpris, ne sachant trop comment interpréter ce geste, il regarda la première vidéo sur son ordinateur portable, debout dans la cuisine, en faisant cuire des nuggets de poulet et des frites surgelés. Il avait eu une longue journée ; il ferait des brocolis à la vapeur, pour l'équilibre. Les enfants faisaient les fous dehors avec le chien.

Cardio, jour un. Adrianne montrait comment faire du jogging sur place en montant les genoux, première série de trente secondes d'un circuit qui se poursuivait par des *jumping jacks*, fentes avant, fentes arrière, squats et *burpees*. Le tout à répéter deux fois, indiquait-elle, pas le moins du monde essoufflée. Raylan pouvait ensuite s'accorder une pause de trente secondes pour s'hydrater, avant de passer au circuit suivant : *shuffles*, *mountain climbers* et autres tortures. Pour une suée de trente minutes au total.

À faire une fois par semaine, avec l'objectif de progresser et d'arriver à des séries de quarante-cinq secondes à la fin du mois. En option, fortement recommandée, Raylan pouvait faire dix minutes d'abdos tous les jours, en plus de sa séance.

– Mais bien sûr… Comme si je n'avais que ça à faire !

Il laissa la vidéo se poursuivre, sortit les brocolis du réfrigérateur et les tria, en regardant d'un œil la séance de renforcement musculaire, jour deux.

Focus sur le haut du corps… *Curls* biceps, flexions marteau, développés épaules, *butterfly* pour les pecs, tirages pour le dos. Pour les triceps, un exercice qu'Adrianne appelait le « *skull crusher* », ou barre au front.

Elle détaillait ses instructions d'une voix étonnamment apaisante, et Raylan observait ses muscles avec attention afin d'en doter Cobalt Flame.

Le problème… c'était qu'il n'avait pas d'haltères.

Il n'avait pas eu le temps de s'en procurer.

Jour trois, renforcement du centre. Aïe… Ça devait faire mal. En dépit de la voix apaisante d'Adrianne et de ses muscles fascinants, il arrêta la vidéo.

Il mit les brocolis au cuit-vapeur, sortit des assiettes. Se rappela tout à coup la lessive qu'il avait lancée avant de partir s'acquitter de la dernière étape du marathon de l'achat des fournitures scolaires.

Il transféra le contenu du lave-linge dans le sèche-linge, en se demandant pourquoi il ne s'était pas contenté de commander des pizzas. Puis il se souvint qu'il en avait déjà commandé la veille au soir, en rentrant de l'avant-dernière étape du marathon.

Au moins, les enfants étaient équipés de chaussures neuves, vêtements d'automne, sac à dos, sac isotherme pour transporter leur repas, cahiers, classeurs, crayons et gommes.

Tout le nécessaire, voire plus.

Dans l'enthousiasme de la rentrée, ils avaient aidé leur père à tout ranger. Les cartables étaient accrochés aux portemanteaux de la buanderie, les sacs isothermes, sur une chaise de la cuisine. Raylan n'aurait qu'à y déposer le déjeuner de ses enfants le lendemain matin.

De très bonne heure, car le ramassage scolaire passait à 7 h 20.

Était-ce indigne d'attendre ce moment avec impatience ? Non, se répétait-il, il était tout à fait normal d'avoir besoin de calme. La maison à lui tout seul pour une journée entière… Le bonheur. Le pied !

Il jeta un coup d'œil aux nuggets dans le four, estima qu'il manquait quatre ou cinq minutes de cuisson, et s'avança sur le pas de la porte pour appeler les enfants. Pendant un moment, il resta là à les regarder.

Mariah se prenait pour un petit rat de l'Opéra, face à Bradley imitant un guerrier ninja. Jasper gambadait autour d'eux, une balle de tennis jaune dans la gueule. Le short rose pâle de Mariah était taché d'herbe, les lacets des Converse de Bradley dénoués, noirs de terre.

Il les aimait tellement que c'en était douloureux.

Par cette journée chaude et moite, les enfants étaient en sueur.

Raylan les appela de nouveau, puis il s'empara du tuyau d'arrosage et les aspergea. Avec des cris d'orfraie, ils se mirent à courir en tous sens.

– Papa, arrête ! braillait Mariah en tentant d'esquiver le jet.

– À bas les envahisseurs de jardin ! Mon puissant tuyau vous vaincra !

– Jamais !

Bradley fonça vers son père, en mimant de furieux mouvements de natation, face au geyser qui l'éclaboussait. Fier de l'imagination de son fils, Raylan capitula et se jeta au sol. Le tuyau lui échappa, Jasper accourut laper l'eau, tandis que les deux enfants luttaient dans l'herbe contre leur père. Trempé, il en bloqua un au creux de chacun de ses bras et se laissa tomber sur le dos, à bout de souffle. Comme il avait laissé la porte ouverte, il entendit le signal sonore du four.

– Le dîner est prêt ! annonça-t-il.

Le lendemain matin, il les photographia avec leur nouvelle tenue, nouvelles chaussures, nouveau cartable, sourires réjouis. Et en les regardant monter dans le grand bus jaune, il éprouva un petit pincement au cœur. Qui ne dura guère.

– Nous voilà tous les deux, mon gars ! dit-il au chien. Je me mets au travail et je te laisse la vaisselle du petit déjeuner ? Non ? Ça ne marche pas comme ça ?

Il rangea la cuisine en savourant le calme. Pur bonheur. Néanmoins, il ne pouvait s'empêcher de penser à ses enfants. Nouveaux, dans une nouvelle école. Certes, ils s'étaient faits des amis pendant l'été. Mais ils seraient quand même nouveaux.

En rentrant, ils auraient des milliers de choses à raconter – et des milliers de formulaires à faire remplir à leur père.

Oui, profiter du calme avant le retour !

Dans son bureau, il s'installa devant sa planche à dessiner. Jasper se coucha sur le canapé où Raylan s'allongeait parfois – pour réfléchir.

Il avait terminé et relu le script. Il y apporterait sans doute encore des petites modifications mais, globalement, le scénario tenait la route, il en était content. Il avait également bien avancé les roughs.

Un instant, il examina la double page dessinée la veille, puis il choisit un crayon bleu et ajouta quelques détails aux personnages. Après quoi, il changea de couleur et peaufina le décor, accentua les ombres et les lumières.

De temps à autre, il jetait un coup d'œil aux croquis punaisés à son tableau : des profils, des traits du visage, des silhouettes.

Sa méchante était svelte, le visage romantique, longs cheveux blonds ondulés. Un physique charmeur dissimulant une âme monstrueuse.

Il lui brida davantage les yeux… qui seraient d'un bleu cristallin. Injectés de sang quand elle révélerait son côté démoniaque.

Satisfait, il passa à la planche suivante, consulta son script, traça les cases. Jasper sauta du canapé et demanda à sortir. Il alla lui ouvrir la porte et, au passage, prit un Coca dans le réfrigérateur.

Comme d'habitude, il commença par les bulles, afin d'être sûr de ne pas manquer de place pour les textes une fois le dessin effectué. Plus de narration que de dialogues sur cette page… pensa-t-il. Adrianna arpentait nerveusement sa demeure, luttant contre la tentation de répondre à l'appel d'Endeuillax. Néanmoins, elle y cédait sur la page opposée, composée d'une vignette unique, où elle se muait en Cobalt Flame, brandissant sa lance, le regard torturé.

Très sexy… dut-il admettre.

Il dessina la maison de l'héroïne, en se référant à ses croquis, ainsi qu'aux planches précédentes pour les détails. La tourelle se découpait dans la nuit, avec ses hautes fenêtres éclairées. Solitaire. Hantée. Tourmentée.

Qui résisterait à une héroïne solitaire et tourmentée ?

Pommettes saillantes, moins anguleuses que celles de son maître, mais hautes et marquées. Il devrait faire des mélanges de couleurs pour obtenir la bonne teinte de doré tirant sur le vert-brun. Pour l'instant, il se concentrait sur les formes, les expressions, la composition.

Il fignolait la case de la transformation quand Jasper se mit soudain à hurler à la mort. Abandonnant sur-le-champ son travail, il se rua dans le jardin. Le chien n'était nulle part en vue. Le cœur de Raylan s'emballa, puis des aboiements retentirent.

Les pattes sur la clôture, la queue agitée de battements frénétiques, tête en arrière, Jasper poussa un long ululement.

Raylan n'avait pas entendu la voiture, mais Adrianne était là, déchargeant de son coffre un sac de sport, puis un sac de yoga, Sadie sagement assise près d'elle.

– Désolée pour le barouf, dit-elle en verrouillant ses portières, un sac sur chaque épaule. On laisse les amoureux un moment tous les deux ?

– Pourquoi pas. Jasper, tu fais honte à la gent masculine. De toute façon, il est…

Raylan mima le geste des ciseaux.

– L'amour n'implique pas forcément le sexe, et le sexe n'implique pas forcément l'amour. Viens, Sadie, arrête de le torturer. Je t'apporte du matos, Raylan.

Il la regarda franchir le portillon du jardin en repensant à la vidéo personnalisée.

– Du matos ?

– J'en ai encore dans ma voiture, j'aurais besoin de ton aide.

Jasper bondit à la rencontre de Sadie, se roula dans l'herbe, sauta en l'air. Avec un sourire, Adrianne tendit son sac de yoga noir à Raylan.

– Comment se passe cette journée de rentrée scolaire ?

– Jusque-là, tout va bien. Mais je redoute le pire.

Elle lui donna son deuxième sac, plus lourd qu'il ne paraissait.
– Tapis, cales, bandes lestées, élastiques, poids.
– Ah… Il ne fallait pas.
– À quoi servent les amis ? Tu as reçu mes vidéos ?
– Je… Oui… mais…
– Tu n'as pas eu le temps, dit-elle avec son irrésistible sourire, l'expression à la fois compréhensive et amusée. Rentrons déjà ça et on ira chercher les haltères dans mon coffre. Je t'aiderai à les descendre au sous-sol – je présume que c'est là que tu seras le mieux pour faire du sport. Je ne te dérangerai pas longtemps, si tu es débordé.
– Des haltères ? Pour quoi faire ? bredouilla Raylan, pris de court.
– Des haltères et un identifiant gratuit pour suivre mes vidéos en ligne quand tu seras prêt.
Vive comme l'éclair, elle pénétra dans la maison.
– Très joli, commenta-t-elle en s'avançant dans la cuisine. Très chaleureux. Et très bien rangé. Puis-je être culottée et te demander de…
– Tu l'es déjà sans demander.
En riant, elle secoua ses cheveux bouclés.
– J'avoue, mais tu m'avais dit de passer chez toi, que tu me montrerais ton travail. Ton nouveau personnage a avancé ?
– Un peu… marmonna-t-il en déposant les sacs sur l'îlot central. Mon bureau est juste là, dit-il en se dirigeant vers les portes vitrées coulissantes.
– Waouh, super ! s'extasia-t-elle sur le seuil. Tous ces dessins… Belle luminosité… C'est important, j'imagine. Impeccablement rangé, ici aussi. Chaque crayon, chaque pinceau à sa place. Une vraie planche à dessiner ? Je pensais que tu faisais tout à l'ordinateur.
– Ça m'arrive, mais je préfère travailler à l'ancienne.
Adrianne s'approcha du tableau d'affichage.
– La maison de mes grands-parents… J'adore ! On la reconnaît bien, malgré ce petit air *Beetlejuice*.
Un sourire de fierté étira les lèvres de Raylan.
– Ton personnage a l'air si triste, si seul… Ça la rend sympa, même si elle commet des horreurs. Le lecteur s'y attachera. Et là…
– En pleine métamorphose.
– Tu as étudié l'anatomie ?
– Un peu, en fac d'arts plastiques. Pour dessiner le corps humain, il faut avoir quelques notions de la façon dont il fonctionne et s'articule.
– Comme en fitness, pour éviter de se blesser. J'adore ton bureau, et ta maison en général. Tu m'expliqueras comment on fait des BD, un jour ? Quand tu auras le temps. On va chercher les poids dans ma voiture ?

– Comment sais-tu que je n'en ai pas acheté ?

– J'ai demandé à Jan.

– Trahi par ma mère.

Raylan mit une demi-heure à transporter tous les haltères – ses trente minutes d'effort de la journée. Quand il descendit la dernière paire au sous-sol – deux fois seize kilos –, Adrianne avait assemblé le rack de rangement, où il ne restait plus que deux places libres.

– Il ne te manque plus qu'un banc de muscu, dit-elle.

Pour sa part, il trouvait que la pièce avait déjà l'air d'un donjon de torture.

– Ne dis plus rien, s'il te plaît.

– Tu verras, tu y prendras goût. Tu seras bien, ici, pour t'entraîner. Tu as de l'espace, de la lumière, un beau plancher en bois.

Elle se redressa et regarda autour d'elle, en short de course noir et bleu électrique, brassière assortie, et des chaussures du même bleu marquées d'un discret logo « New Generation »…

Une tenue qui plairait à Mariah, pensa Raylan.

– Au début, tu risques de trouver les exercices difficiles, mais en principe tu devrais commencer à voir les bénéfices dès la fin de la deuxième semaine. Tu dormiras mieux, tu te sentiras mieux. Au bout de trois semaines, ce sera devenu une routine. Tu descendras t'entraîner ici sans y penser, de la même manière que tu décides de prendre une douche ou te brosser les dents.

– Si tu le dis…

– Je te le dis. Rappelle-toi juste, si jamais tu as mal quelque part, n'insiste pas. Mais si ce n'est qu'une sensation désagréable, persévère ! Ne t'arrête que si tu ressens une vraie douleur.

– Je souffre déjà.

– Courage ! dit-elle en lui martelant le torse du doigt.

Puis elle se dirigea vers l'escalier, et il en profita pour la reluquer de haut en bas – afin de la dessiner de dos.

– Oh, tu as un blender ?

Il hésita un instant à répondre, méfiant.

– Euh… oui.

– Super ! Je t'ai mis un échantillon de notre smoothie *superfood* dans le sac, et des recettes de boissons diététiques à préparer soi-même.

– Va-t'en de cette maison !

– Je m'en vais, et j'emmène la chérie de ton chien.

Dehors, Sadie était couchée dans l'herbe, entourée des nombreuses offrandes que Jasper lui avait apportées : des branches, deux balles, un os en plastique mâchouillé, une corde et un chaton en peluche.

– Oh, comme c'est mignon ! roucoula Adrianne. Elle va craquer, j'en suis sûre. Qui résisterait à tant d'amour ? Tu sais quoi ? Tu pourrais amener Jasper chez moi, un après-midi. Ça te permettrait de travailler tranquillement.

– Tu travailles, toi aussi.

– On a un grand terrain, et ça fera plaisir à Popi.

– OK, dans ce cas.

– Super. Tu viens, Sadie ? Embrasse tes enfants de ma part.

– Ça marche.

En se dirigeant vers le portillon du jardin, Adrianne caressa Jasper, tout déconfit.

– J'allais te remercier pour le matos de sport, mais ce ne serait pas sincère.

Elle rejeta ses cheveux derrière ses épaules.

– Tu verras, tu y prendras goût, répéta-t-elle.

Afin d'éviter de nouveaux hurlements, Raylan attira Jasper à l'intérieur, au moyen d'un biscuit.

– Je comprends que tu sois amoureux de la belle Sadie, lui dit-il. Par contre, ça m'embête d'être sous le charme de la reine du fitness…

Comme il était l'heure du déjeuner, il mangea les restes de nuggets de poulet, puis il se remit au travail.

La canicule s'attarda jusqu'à fin septembre. Les piscines et jardins restèrent animés, les climatiseurs continuèrent de bourdonner. Le week-end, les touristes descendaient la rivière en canoë ou en chambre à air, sous la voûte des arbres toujours verts.

Puis en octobre, l'automne s'installa, les températures baissèrent, les feuilles jaunirent, les kayakistes cédèrent la place aux randonneurs et les oies canadiennes migrèrent en criaillant.

Par une superbe journée d'arrière-saison, les feuillages formant un tableau flamboyant sur la toile de fond d'un ciel radieux, Adrianne se gara sur le parking du restaurant. Portées par la brise, les feuilles rousses tourbillonnaient, décrivant des figures de gymnastes miniatures.

Quand son grand-père fut descendu de la voiture, elle ouvrit la portière arrière à Sadie et lui clippa sa laisse.

– Ne te fatigue pas trop, Popi.

– Toi non plus. Barry me ramènera à la maison en fin de journée. Je rapporte des cannellonis ?

– Excellente idée ! Qui refuserait des cannellonis de Chez Rizzo ?

Elle l'embrassa, puis attendit qu'il disparaisse derrière la porte des cuisines.

Cloué au lit par un mauvais rhume, le vieil homme n'était pas venu travailler durant plusieurs jours, sans doute épuisé par les incessants rendez-vous avec l'architecte, le maître d'œuvre, les artisans et l'adjoint au maire chargé de l'urbanisme. Heureusement, il avait vite retrouvé la forme, pensa Adrianne en prenant le chemin de la poste, et les travaux du centre de loisirs commenceraient enfin bientôt.

Elle s'apprêtait à attacher Sadie au parking à vélo, devant le bureau de poste, quand un aboiement retentit.

– Oh, oh… On dirait ton amoureux. Je vais vite chercher mon courrier et on ira lui dire bonjour.

La chienne s'assit docilement sur le trottoir, tournée vers la voiture aux vitres entrouvertes d'où provenaient les appels éperdus, une lueur de tendresse dans ses beaux yeux si expressifs. Comme Adrianne l'avait prédit, Sadie avait craqué.

– Je me dépêche, j'en ai pour une minute, lui dit-elle.

Au guichet, Raylan confiait un gros carton à la postière. Elle en profita pour l'observer, de dos, en jean et sweat-shirt à capuche. L'été avait éclairci ses cheveux blonds, il paraissait moins maigre. Quelques kilos de muscle supplémentaires et il serait carrément bel homme, bien bâti, jaugea-t-elle d'un regard critique.

Chassant rapidement cette pensée, elle s'avança vers le guichet.

– Bonjour, madame Grimes, salut, Raylan. J'ai entendu Jasper chanter la sérénade quand j'ai attaché Sadie dehors.

– Je ferais mieux de me dépêcher avant qu'il défonce la portière.

– Si tu as le temps, on pourrait aller les promener au bord de la rivière ?

De toute façon, elle avait prévu d'y faire un jogging avec Sadie.

– Bonne idée. Merci, madame Grimes. Passez une bonne journée.

– Au revoir. Votre paquet part ce soir pour New York. Vous êtes ravissante, aujourd'hui, Adrianne.

– Merci. C'est ma nouvelle ligne de collants de running.

– Ma petite-fille adore votre marque. Elle n'en porte plus d'autres. Elle fait du *cross training*, précisa la postière à l'attention de Raylan. Dans l'équipe de la fac. Elle a été sélectionnée pour le championnat inter-États.

– Vous connaissez sa taille ? demanda Adrianne.

– Elle est toute menue avec des grandes jambes, comme vous. 34, je dirais. Je ne suis jamais rentrée dans du 34, même à son âge.

– Quelle est sa couleur préférée ?

– Le violet.

– Je vous apporterai un legging.

– C'est trop gentil, Adrianne ! Vous n'êtes pas obligée !

– Ça lui fera plaisir et moi, ça me fera de la pub.

– Elle sera tellement contente !

– En échange, elle devra me donner son opinion, circonstanciée et sincère. Je viens juste relever ma boîte postale.

– D'accord. Merci pour elle, et bonne balade !

Raylan s'écarta tandis qu'Adrianne sortait sa clé d'une petite poche dissimulée dans la taille de son collant.

– Le vert est ta couleur préférée ?

– Oui. Comment le sais-tu ? Ah, mon legging ! On a appelé cette teinte « Forest Shadows ». On fait aussi des collants de course pour homme, dit-elle en ouvrant sa boîte.

– Plutôt mourir.

Quand elle prit son courrier, son visage s'assombrit soudain, et Raylan lut l'angoisse dans son regard quand elle glissa les enveloppes dans son sac.

– Eh bien, à plus tard, Raylan. Je me dépêche.

Il lui saisit le bras avant qu'elle n'ait le temps de s'en aller.

– Un souci ? Une mauvaise nouvelle ?

– Non, non, je…

– Dis-moi ce qui t'a contrariée, insista-t-il en l'entraînant à l'extérieur. Bonjour, la belle Sadie.

Il prit les devants et détacha la chienne du parking à vélo.

– Je me mêle peut-être de ce qui ne me regarde pas…

Avec autant de diplomatie qu'elle en était capable, Sadie l'entraîna en direction de sa voiture, où Jasper se mit à japper de joie et à sauter sur la banquette arrière comme s'il était monté sur des ressorts. Raylan rendit la laisse à Adrianne, pour prendre celle de Jasper dans la boîte à gants.

Il eut du mal à la fixer à son collier, car les deux chiens fêtèrent leurs retrouvailles comme des amoureux séparés par la guerre.

– Ouf ! soupira-t-il en parvenant à ses fins. Allons faire cette balade, tu me diras ce qui te tracasse.

– Et on dit que j'ai tendance à trop insister…

– Ce n'est pas faux.

– Tu es pire que moi ! répliqua-t-elle en lui emboîtant le pas, les chiens ne lui laissant pas d'autre choix.

D'un accord tacite, ils empruntèrent une petite rue, plutôt que l'artère principale, et Raylan lui laissa le temps de reprendre ses esprits. Elle en avait besoin, il le voyait. Il savait déchiffrer les expressions du visage et le langage corporel – notions indispensables à son art – et Adrianne Rizzo, d'ordinaire si sûre d'elle, avait perdu l'usage de la parole, manifestement très inquiète. Raylan garda donc le silence jusqu'à ce qu'ils aient gagné le parc et le premier des ponts couverts, au-dessus de la rivière.

– Tu as reçu une lettre qui t'a contrariée ?

– Oui.

– De qui ?

– Je n'en sais rien. C'est bien ça, le problème. En partie.

Ils s'engagèrent sur le sentier au bord de l'eau. Ici, la rivière suivait tranquillement son cours. Au-delà du parc, elle s'élargissait et le courant devenait plus violent. Plus loin encore, il y avait des rapides, parfois même des crues éclair en cas de fortes pluies.

Souvent, trop souvent aux yeux Adrianne, des dangers mortels pouvaient se cacher sous des dehors innocents.

– Je te demanderai de garder pour toi ce que je vais te dire.

– OK.

– Je sais que je peux te faire confiance, pour la simple et bonne raison que je t'ai vu trois fois depuis que Maya t'a annoncé qu'elle était enceinte, et tu ne m'as rien dit.

– Elle ne voulait pas que ça se sache, pour le moment.

– Et moi, je ne veux pas que mon grand-père se fasse du souci. Et Teesha n'a pas besoin de stress, pour ses dernières semaines de grossesse. De toute façon, personne ne peut rien faire, à part s'inquiéter.

– Qu'y avait-il dans ta boîte postale, Adrianne ?

– Je vais te montrer.

La laisse enroulée autour du poignet, elle retira une enveloppe de son sac.

– Tu ne l'as même pas ouverte.

– Je reconnais l'écriture. La lettre a été postée de Detroit, cette fois. Elles ne proviennent jamais du même endroit. Je suppose que tu n'as pas de canif ?

– Bien sûr que j'ai un canif. Qui n'a pas de canif ?

– Moi, et je tiens à les ouvrir soigneusement.

De sa poche, Raylan retira un petit couteau pliant. Malgré elle, Adrianne ne put retenir un petit sourire.

– Un couteau Spiderman…

– Je l'ai gagné à la kermesse quand j'étais petit. Il coupe très bien.

– Tu conserves vraiment tout… murmura-t-elle en décachetant délicatement l'enveloppe.

Ils s'arrêtèrent près du second pont de pierre. Des coureurs les dépassèrent. Les chiens se couchèrent dans l'herbe. Adrianne déplia la feuille de papier. Raylan lut par-dessus son épaule.

AUTRE SAISON, AUTRE RAISON POUR TOI DE MOURIR
AVEC L'AUTOMNE, CETTE CERTITUDE TU PEUX DÉTENIR
PARTOUT OÙ TU FUIRAS, JE TE SUIVRAI
POUR ENFIN T'ENTENDRE IMPLORER MA PITIÉ.

– Oh, bon sang… Il faut prévenir la police.

– Je porte plainte systématiquement. J'avais dix-sept ans la première fois ; mon premier DVD était paru le mois précédent. Au début, les poèmes arrivaient toujours en février, comme un message pervers pour la Saint-Valentin.

Avec précaution, elle remit la feuille dans l'enveloppe, et l'enveloppe dans son sac.

– J'ai instauré une sorte de protocole, poursuivit-elle. Je fais des photocopies, j'envoie l'original au FBI – trois agents se sont déjà succédé sur le dossier –, une copie à la police new-yorkaise, puisque l'affaire a commencé à New York et qu'elle n'est toujours pas classée, une copie à la police de Traveler's Creek, une à Harry, et j'en garde une pour mes archives personnelles.

– J'imagine qu'on n'a jamais relevé d'empreintes digitales ni de traces d'ADN… Et qu'on ne pousse pas trop l'enquête, comme il n'y a jamais eu de passage à l'acte.

– C'est ça.

– On n'est pas en février.

– Avant, je n'en recevais qu'une par an. Et puis, il y a deux ans et demi, quand j'ai lancé mon blog à Traveler's Creek, j'ai reçu un poème peu après. L'année suivante, un en février et un en juillet. Celui-ci est le quatrième de l'année.

– Une sorte d'escalade.

– C'est ce que tout le monde dit.

– Du harcèlement… dit Raylan en contemplant le parc, les arbres, les chemins. Quelqu'un qui voyage, sans doute.

– Probablement, acquiesça Adrianne, rassérénée par le simple fait de discuter. Les poèmes font toujours quatre vers, écrits à la main, jamais à l'ordinateur ni à la machine, toujours au stylo à bille noir, toujours en majuscules, sur du papier bon marché.

– Les lettres manuscrites sont plus personnelles, plus intimidantes.

– C'est exactement ce que dit le psychologue criminel.

– C'est évident, répliqua Raylan en haussant les épaules. Je tape mes scripts à l'ordinateur, mais je fais mes dessins, le lettrage, l'encrage et la colorisation à la main. Justement parce que je trouve que c'est…

– Plus personnel.

– Tu n'as aucune idée de qui pourrait être obsédé à ce point par son ressentiment ? La police a dû te poser la question un certain nombre de fois, et tu dois te la poser toi-même, donc je suppose que non.

Oui, c'était réconfortant d'aborder le sujet avec lui, pensa de nouveau Adrianne.

– Je ne connaissais quasiment personne quand ça a commencé. J'étais dans un nouveau lycée, je venais juste de sympathiser avec Teesha, Hector et Loren.

– Mais les gens te connaissaient grâce à tes vidéos. On pourrait penser à un mec jaloux, ou un amoureux éconduit, mais ce n'est pas obligatoirement quelqu'un qui te connaît personnellement.

– Je n'avais jamais eu de petit copain quand ça a démarré.

– Ah bon ? Cela dit, je vois mal un gars ruminer une déception amoureuse pendant tant d'années. Quoique… tu le mériterais…

– Merci, c'est gentil. Non, je ne crois pas que ce soit un amoureux déçu.

– Je pencherais plutôt pour quelqu'un qui ne te connaît pas plus que tu ne le connais.

Sans pouvoir se l'expliquer, Adrianne avait elle aussi cette intuition.

– Qu'est-ce qui te fait dire ça ?

– Le gars est obsédé et il veut que tu le sois autant que lui, déclara Raylan. C'est le but. Te hanter, te pourrir la vie. Mais ça ne marche pas. Parce que tu es forte.

– Pas tant que ça…

Spontanément, il lui enlaça les épaules et la serra brièvement contre lui.

– Sur le coup, ça te fait peur, c'est normal. Seule une idiote resterait indifférente et tu n'es pas idiote. Tu suis ton protocole, tu t'efforces de ne pas trop y penser, et tu poursuis le cours de ta vie et de ta carrière. Ça, à mon avis, il ne le sait pas, parce qu'il n'est pas là pour voir comment tu réagis.

– Je l'espère de tout cœur.

– Il n'est pas là, j'en suis presque certain. Il n'y a pas assez de rage dans ce poème, pas assez de frustration. Le type se trouve sûrement intelligent, insidieux. Il est suffisamment malin pour couvrir ses traces et pondre quelques vers qui riment, mais il n'est pas si futé que ça, pas très psychologue. Sinon, d'après tes vidéos, et je parie qu'il les a toutes vues, il saurait que tu es une force de la nature.

– Une force de la nature ? Waouh !

Machinalement, il lui caressa les cheveux.

– Tu le sais, parce que toi, tu es psychologue. C'est pour ça que tu es bonne dans ce que tu fais.

D'un geste réconfortant, il lui frictionna le dos.

– C'est pour ça, poursuivit-il, que tu es venue t'installer ici quand ta grand-mère est décédée. Ma mère dit que Dom se serait laissé mourir sans toi. Tu en es consciente. Tu as l'intention d'offrir un legging, et probablement une tenue complète, à la petite-fille de Mme Grimes, parce que tu sais ce que ça représente pour une jeune sportive et pour sa grand-mère.

Tu m'as apporté tout ce matériel de sport parce que tu savais que je n'étais pas assez motivé pour me mettre de moi-même à l'exercice.

– Tu t'en sers ? demanda-t-elle en lui palpant un biceps. Tu t'en sers ! constata-t-elle.

Il la regarda dans les yeux, ces yeux d'une couleur fabuleuse, inhabituelle, d'une teinte qu'il devrait parvenir à reproduire.

– Ce type ne te connaît pas et il ne connaît même pas la Adrianne Rizzo des DVD.

– Je ne sais pas si ça me rassure ou si ça me fait encore plus peur… Si, ça me rassure ! Je ne veux pas que ce taré me connaisse. Ou cette tarée. C'est peut-être une femme. Mais peu importe. Tu m'as remonté le moral, j'apprécie. Sans toi, je serais rentrée chez moi et j'aurais psychoté toute la journée.

– Tu dois quand même être vigilante.

– Je le suis. J'ai un gros chien qui me suit partout. Je vérifie tous les soirs que les portes sont fermées à double tour et l'alarme, activée. Et je m'initie à l'autodéfense et au taekwondo, en ligne, depuis deux mois.

– Sérieux ?

– Tout ce qu'il y a de plus sérieux. Qu'est-ce que tu fais, ce soir ? Viens dîner à la maison, avec tes enfants et Jasper. Popi doit rapporter des cannellonis du restau, je lui dirai de prendre trois portions de plus. Il sera ravi. Tes enfants aiment les cannellonis ?

– Ils aiment tout ce qui est à base de pâtes, sauce tomate et fromage.

– Alors, venez dîner.

– Avec plaisir. Les enfants seront contents.

– 18 heures, ça te paraît bien ?

– C'est parfait.

– Super ! Sadie ? On y va ?

Dans l'herbe, la tête posée tout contre celle de Jasper, la chienne tourna le regard vers sa maîtresse.

– Allez… Il faut qu'on rentre. Je suis censée alimenter mon blog et tu as du boulot, toi aussi.

Raylan n'eut pas besoin d'appeler Jasper, qui ne quittait pas Sadie d'une semelle.

– Si je viens avec mon carnet de croquis ce soir, tu pourras me faire une démonstration de taekwondo ? Pour que Flame se batte avec classe.

– Je ne me sens pas vraiment l'étoffe d'une superhéroïne aujourd'hui, mais je te ferai une démo.

Pour sa part, Raylan était convaincu que, s'il lui arrivait quoi que ce soit, elle serait tout à fait capable de se défendre.

Chapitre 15

Dom apprécia tellement la soirée en compagnie de Raylan et ses enfants qu'Adrianne instaura un dîner hebdomadaire, avec un roulement d'invités, en petit nombre et de bonne heure, car son grand-père avait beau prétendre le contraire, elle voyait bien qu'il se fatiguait plus vite qu'autrefois.

Comme la plupart des amis du vieil homme étaient décédés ou coulaient leur retraite sous les tropiques, les convives étaient plutôt de la génération d'Adrianne, et ils semblaient communiquer leur énergie à Dom.

Une fois par semaine, donc, le grand-père et sa petite-fille convenaient d'un menu et le préparaient ensemble.

Novembre succédant à octobre, ils allumaient du feu dans la cheminée et mitonnaient de grosses marmites de bons petits plats d'hiver.

Ce soir, à la lumière des bougies, avec de vieilles chansons de variété en fond sonore, Dom discutait avec Phineas d'Ernest et Bart.

– Dieu soit loué pour ce délicieux repas et l'inégalable patience de Dom, murmura Teesha. Il faut être un saint pour parler aussi sérieusement et aussi longuement de gestion de la colère d'une marionnette avec un gamin de quatre ans…

– La semaine dernière, il était branché molécules, soupira Monroe. J'aime autant qu'il psychanalyse les personnages de *Sesame Street*.

– Ta mère arrive bientôt, non ? demanda Adrianne à son amie, un verre de vin à la main. Elle se fera une joie de papoter avec Phineas quand tu seras à la maternité.

– Sans aucun doute, répondit Teesha qui, elle, ne buvait que de l'eau, une main sur son ventre arrondi. Le hic, c'est que la mère de Monroe a décidé de venir aussi.

– La Bataille des mamies… Épique ! plaisanta Monroe en se resservant une assiette de ragoût de bœuf à l'italienne.

– Maman devait venir lundi, une semaine avant le jour J.

– La mienne devait attendre que je lui envoie un texto, mais quand elle a su que sa rivale serait là lundi, elle a décrété qu'elle arriverait lundi elle aussi.

– Et quand ma mère a su ça, elle a dit qu'elle viendrait ce week-end.

– Du coup, elles arrivent toutes les deux en fin de semaine.

– Priez pour nous, grommela Teesha en se massant le ventre. Ça ne m'étonnerait pas que j'accouche ce soir, ou demain matin.

– Quoi ?! s'écrièrent Monroe et Adrianne d'une seule voix.

– Pas de panique. Ce ne sont que les premières contractions, espacées de six minutes.

Phineas se tourna vers sa mère.

– Papa va chronométrer. C'est son boulot. Quand elles seront espacées de cinq minutes, il faudra appeler la clinique.

– Tout à fait, mon canard, acquiesça Teesha avec un sourire attendri. Surtout, ne dis rien aux mères, pour l'instant, recommanda-t-elle à Monroe.

– Elles ont tout de même un petit bout de route…

Phineas croisa les bras sur sa poitrine, la moue défiante.

– Je veux pas rester à la maison avec Gram ou Nanny. Je veux aller à la clinique avec vous. C'est aussi mon bébé.

– On en a déjà discuté, Phin. Maman aura beaucoup de travail et je devrais l'aider.

– Je peux faire une suggestion ? intervint Dom.

– Suggérez, lui dit Teesha. Monroe, lance le chrono. Je vais marcher un peu.

Adrianne se leva et offrit son bras à son amie.

– Adrianne et moi, on pourrait amener Phineas à la maternité. Il doit bien y avoir une salle d'attente.

– Il y en a une.

– On passera chez vous chercher tout ce dont ce petit bonhomme a besoin, on partira tous les trois à la maternité et on attendra ensemble.

– Ça peut prendre des heures…

– Moi, j'ai mis dix heures et trente-cinq minutes pour sortir, déclara fièrement le bambin. J'avais déjà des cheveux.

– Ce serait un honneur, ajouta Dom. Et un plaisir.

Teesha souffla un grand coup.

– Ouf… Celle-ci est passée.

– Vingt-huit secondes. Je démarre le compte à rebours jusqu'à la prochaine, déclara Monroe. Tu as raison, pas la peine de prévenir les mères tout de suite. Inutile qu'elles rappliquent toutes les deux pour une fausse alerte.

– Attendons d'être sûrs, oui, convint Teesha avec un sourire.

– Ce serait mieux que j'attende là-bas avec Popi et Adrianne, insista Phineas. Parce que c'est important que les bébés découvrent tout de suite toute leur famille. Je l'ai vu dans un livre.

– D'accord, tu peux venir. Merci, Dom. Mais s'il est très, très tard et que tout le monde est très, très fatigué, vous rentrerez et tu iras dormir sans rouspéter.

– Je pourrai dormir ici ?

– Bien sûr, acquiesça Adrianne en enlaçant la taille de Teesha pour l'aider à faire quelques pas.

Huit heures plus tard, les grands-mères étaient là, dans la salle d'attente, Phineas endormi sur les genoux de Dom, lui aussi assoupi, formant un tableau si touchant qu'Adrianne les prit en photo. Puis elle tapota l'épaule de son grand-père.

– Popi…

Péniblement, le vieil homme souleva les paupières et son regard s'éveilla peu à peu, tandis qu'elle lui frictionnait le bras.

– Comment va Teesha ? demanda-t-il en se redressant.

– Impec'. Heureuse comme un poisson dans l'eau.

– Mon bébé est né ? demanda Phineas en ouvrant les yeux.

– Tu as un petit frère, un beau petit garçon qui a hâte de faire ta connaissance.

– Viens vite, Popi, il veut nous voir !

– Moi, peut-être pas…

– Teesha t'a demandé, si tu n'es pas trop fatigué.

– Trop fatigué pour être présenté à un nouveau bébé ? Ça m'étonnerait !

Dans la chambre de l'heureuse maman, les deux grands-mères fondirent en larmes et, la trêve s'imposant, elles s'embrassèrent chaleureusement. Penché au-dessus de Teesha, Monroe ne se lassait pas de couvrir de baisers le nouveau-né qu'elle tenait au creux de ses bras. Puis il hissa Phineas sur le bord du lit.

– Regarde, petit homme… chuchota-t-il. Voici ton frère.

– Il a des cheveux, sous son bonnet ?

– Oui, comme toi quand tu es né.

– Je peux le tenir ? Je vais enlever mon pyjama pour qu'il sente ma peau, comme ils montrent dans le livre.

Les joues baignées de larmes, Teesha opina d'un hochement de tête.

– Tout à fait, mon grand. Aide-le, Monroe.

Tandis que les grands-mères prenaient des photos, Teesha plaça délicatement le nourrisson entre les bras de son frère aîné.

– Regardez… Il me regarde ! Bonjour, je suis ton grand frère, je t'apprendrai plein de choses.

– Il faut qu'on décide du prénom, dit Monroe en jetant un regard à sa mère pour lui intimer le silence. Tu te rappelles, Phin, les trois qu'on avait choisis pour un garçon ?

– Oui, je me rappelle. Thaddeus. Les deux autres ne lui vont pas. Bébé, tu t'appelles Thaddeus. Je m'occuperai bien de toi.

Les larmes aux yeux, Monroe saisit la main de Teesha.

– Eh bien voilà, la question du prénom est réglée.

Noël fut moins difficile cette année-là, car Raylan avait une nouvelle maison, un nouveau quotidien, ses proches autour de lui, et les enfants adoraient Traveler's Creek.

Au gala de danse de Mariah, son cœur se serra douloureusement, mais sa famille était à ses côtés pour applaudir les entrechats de la fillette en tutu rose.

Chaque jour, il descendait faire de l'exercice au sous-sol, et même s'il répugnait à le reconnaître, ses efforts commençaient à porter leurs fruits.

Il dormait mieux, il se sentait mieux.

Incontestablement.

De temps à autre, il allait boire une bière au pub avec Joe, les Rizzo l'invitaient à dîner avec les enfants, et il avait revu plusieurs de ses anciens copains quand ceux-ci venaient passer le week-end chez leurs parents.

Son deuxième voyage à Brooklyn fut beaucoup plus facile que le premier.

La rude épreuve que la vie lui avait infligée l'avait poussé à prendre un chemin différent. Il se réjouissait que ce chemin l'ait mené à Traveler's Creek.

Le soir de la Saint-Sylvestre, les enfants endormis sur le canapé, Jasper ronflant sous la table basse, il leva son verre à Lorilee.

– Encore une année qui s'achève, mon amour… Tu me manques. Mais on est bien, ici. Si tu as envie de me rendre visite, ce sera avec plaisir ! Ça fait longtemps… Quand tu veux… Je t'attends.

Pendant ce temps-là, Adrianne dégustait un verre de vin en solitaire. Avec la neige et le verglas, elle avait préféré décliner toute invitation. En vérité, elle ne voulait pas que son grand-père attrape froid, mais elle lui avait dit qu'elle avait peur de conduire sur les routes glissantes.

Dom s'était endormi avant 23 heures, lui confirmant ainsi qu'elle avait fait le bon choix.

Elle aurait sûrement apprécié un réveillon en bonne compagnie, mais elle ne regrettait pas d'être là, au coin du feu, le grésil fouettant les fenêtres, un verre de bon vin à la main. Elle n'était pas en manque de vie sociale : ils étaient souvent sortis et avaient reçu du monde les semaines précédentes.

Lina leur avait rendu visite le week-end avant Noël, pour quatre jours, un record ! Elle avait consacré beaucoup de temps à Dom, qui lui avait bien sûr fait visiter le chantier du centre de loisirs. Puis elle s'était envolée sous le soleil des Antilles qu'elle préférait depuis toujours au vent glacial du Maryland.

Un projet de vidéo à deux avait été évoqué : mère et fille étaient convenues de commencer à en ébaucher les grandes lignes dans le courant du mois de janvier. Adrianne avait une idée en tête. C'est pourquoi elle avait jugé plus sage d'éviter d'aborder le sujet pendant les fêtes.

Lorsqu'un cri de joie jaillit de la foule rassemblée sur Times Square, à New York, elle leva son verre en direction de la télé, en caressant Sadie du pied.

– Une bonne année qui s'achève… Souhaitons que la nouvelle soit encore meilleure.

Quelques minutes plus tard, elle éteignit l'écran et Sadie la suivit tandis qu'elle faisait le tour de la maison silencieuse, vérifiant les verrous et éteignant les lumières.

– Ah… Il tombe de gros flocons maintenant, constata-t-elle en s'arrêtant un instant devant une fenêtre. Demain, on s'habillera chaudement et on ira se balader dans la neige. Regarde, Sadie, toutes les maisons illuminées… Les gens fêtent le Nouvel An. Meilleurs vœux, tout le monde, bonne année ! Nous, on est chez nous, ce soir, tranquilles… Un peu seuls… Mais pas tristes. Parce qu'on sait que vous êtes tous là… C'est chouette d'appartenir à une communauté… Allez, Sadie, on monte se coucher !

Alors qu'elle s'engageait dans l'escalier, son téléphone lui signala qu'elle avait reçu un message. « Bonne année, ma chérie, et meilleurs vœux à Popi. Maman », lut-elle.

– Eh bien, c'est une première !

Touchée, amusée, elle répondit immédiatement : « Je transmettrai. Très bonne année à toi, maman. Profite du soleil d'Aruba. Adrianne »

– Une nouveauté pour commencer l'année, dit-elle à Sadie. Je l'interprète comme un signe positif !

L'année débuta sous les auspices d'un vent impitoyable, accompagné de températures glaciales. Adrianne aurait volontiers hiberné comme une marmotte, mais elle avait trop de choses à faire.

Outre son travail, elle était souvent appelée sur le chantier du centre de loisirs pour répondre aux questions des artisans.

Heureusement, le toit avait été posé avant la vague de froid.

Elle avait un grand-père et un chien qui lui réclamaient de l'attention, un projet de DVD avec sa mère et une fête à organiser pour le quatre-vingt-quinzième anniversaire de Popi. Elle avait un mois pour la préparer, et l'espoir qu'à la mi-mars le temps se serait radouci.

Tout en s'habillant – pantalon chaud en suédine, tee-shirt technique sous un pull de cachemire et bottes fourrées –, elle dressa mentalement la liste de tout ce qu'elle devait faire dans la journée.

D'abord, le centre de loisirs. Puis elle se garerait sur le parking du restaurant et braverait les éléments pour se rendre chez le fleuriste, afin de choisir les fleurs pour l'anniversaire. Elle passerait également chez le pâtissier pour commander le gâteau et les desserts. Après quoi, elle irait chercher son courrier à la poste, non sans appréhension car le poème de février ne tarderait sûrement pas à arriver. Et pour finir, elle s'arrêterait au restaurant, discuter avec Jan du menu d'anniversaire. Elle en aurait sans doute pour deux bonnes heures, voire trois. Ensuite, elle passerait l'après-midi au chaud, à la maison.

En descendant à la cuisine, elle trouva Dom qui préparait du thé.

– Couvre-toi bien, ma puce, lui recommanda-t-il.

– Y a intérêt ! Je prendrai des photos du chantier pour que tu voies l'avancée des travaux.

– Tu es gentille. Par ce froid, je préfère regarder des photos que sortir. Mes vieux os se fendraient. Je vais passer la matinée au coin du feu avec le Stephen King que tu m'as offert la semaine dernière.

– Tout seul dans une grande maison avec un bouquin qui fait peur par une sombre journée d'hiver ? Tu ne veux pas que Sadie reste avec toi ?

– Je n'ai pas peur des livres, répondit le vieil homme en riant.

– Tu es moins trouillard que moi. J'apporte la théière au salon.

– Laisse, je m'en occuperai.

– Je l'apporte au salon, avec cette assiette de biscuits que tu t'apprêtais à te préparer.

Il remonta ses lunettes sur son nez.

– On ne peut rien te cacher !

– Je connais mon grand-père. Va t'installer dans ton fauteuil. Je m'occupe de tout.

Elle coupa une pomme en quartiers, éplucha une clémentine, puis elle transporta un plateau au salon, où une flambée crépitait dans la cheminée.

Elle posa le plateau sur une petite table à côté du fauteuil, remplit une tasse de thé et étendit un plaid sur les genoux de son grand-père.

– Tu me gâtes. Quand tu reviendras, on préparera les valises.

– Pour aller où ?

– À Sorrente. Sophia adorait Sorrente. Elle me le disait encore à l'instant.

Elle lui caressa les cheveux. Depuis le début de l'hiver, ce n'était pas la première fois que Dom mentionnait des conversations avec son épouse.

– Je partirais volontiers en Italie avec vous.

– Tu rencontrerais peut-être un bel Italien, gentil et riche, qui te mérite… Et on ferait un beau mariage où on danserait, dit le vieil homme en attirant sa petite-fille pour l'embrasser.

– Dans ce cas, je prépare mes bagages dès que je rentre.

– Que ferais-je sans toi ?

– Et moi donc ? Bonne lecture, Popi. À tout à l'heure.

– Bonne balade, les filles.

Bien qu'Adrianne se fût emmitouflée – gilet thermique, manteau, écharpe, gants et bonnet de laine –, la première bourrasque la frigorifia.

De part et d'autre de la route, le paysage était couvert de neige. Les gens avaient dégagé les allées, des bonshommes de neige au sourire tordu se dressaient dans les jardins.

Au village, les rares courageux qui s'étaient hasardés à mettre le nez dehors marchaient d'un pas rapide, engoncés dans leurs habits d'hiver, la tête dans les épaules, entre les congères poussées par le chasse-neige contre les trottoirs. Au loin, les montagnes avaient revêtu leur manteau blanc.

Adrianne se gara devant l'ancienne école. La façade de pierre n'avait pas encore été rénovée, mais le nouvel étage de bardeaux bleus était bâti, doté de grandes baies vitrées.

À l'intérieur, il faisait un peu moins froid. Dans le vacarme des scies et des marteaux, Adrianne enjamba divers outils répandus sur le sol couvert de bâches.

Les toilettes du rez-de-chaussée étaient terminées, elle les photographia. Puis elle filma le chantier, sachant que son grand-père serait amusé par les effets sonores, notamment la bordée de jurons que quelqu'un lâcha à l'étage.

Avec Sadie, elle gravit l'escalier provisoire.

– Salut, Adrianne, lui lança Mark Wicker en arrêtant sa perceuse. Salut, belle Sadie. Le boss n'est pas venu, aujourd'hui ?

– Il est resté au coin du feu. Il a bien fait, avec ce froid. J'ai pris des photos, il sera content. Vous avez bien avancé depuis la semaine dernière.

– Pas mal, acquiesça Mark, l'air satisfait, les pouces dans les passants de sa ceinture à outils. C'est gratifiant de voir cette vieille bâtisse revenir à la vie. Dom a eu une excellente idée. Le plombier et l'électricien doivent passer cet après-midi.

– Super. Je n'avais jamais fait l'expérience de ce genre de projet, mais j'ai l'impression que vous faites du bon boulot.

– On ne sait faire que ça.

Elle le croyait et, en remontant dans sa voiture, elle était impatiente de montrer ses photos et vidéos à son grand-père. D'ici quelques jours, elle reviendrait photographier la plomberie et l'électricité.

– Au début, je n'arrivais pas à me projeter, dit-elle à Sadie, même avec les plans. Popi avait son idée, mais je ne voyais absolument pas ce que ça donnerait. Je suis épatée !

Enthousiaste, elle resta près d'une heure chez le fleuriste. Peut-être parce qu'on était au plus rude de l'hiver, elle avait envie que la maison soit remplie de fleurs pour l'anniversaire de son grand-père.

Comme prévu, elle se rendit ensuite à la pâtisserie, puis à la poste, en marchant d'un pas dynamique pour se réchauffer, et en essayant de rester d'humeur positive.

– Il a peut-être attrapé une pneumonie, ou il est mort d'hypothermie, et je n'aurai pas de poème…

Hélas, l'enveloppe était là, avec l'adresse en majuscules au stylo à bille noir. Elle la fourra dans son sac sans l'ouvrir, avec le reste de son courrier.

Chez Rizzo, Jan l'accueillit dans le petit bureau encombré, et Adrianne s'enjoignit de ne penser à rien d'autre qu'à l'anniversaire de Popi.

– On pourrait dresser un grand buffet dans la salle à manger et un plus petit au salon… À mon avis, il faudra au moins trois bars, un pour les boissons sans alcool, un pour le vin et la bière, un pour les cocktails. Plus un comptoir où on servira le café.

Imaginer la fête lui remonta aussitôt le moral.

– On fera venir des serveurs du restau, suggéra Jan.

– Non, toute l'équipe est invitée, mais personne ne travaille. Teesha engagera des extras.

– Comment va son bébé ?

– Il est mignon comme tout et dodu comme un chou à la crème. Phineas est aux petits soins. Au fait, Maya approche du terme ? Elle est resplendissante.

– Dodue comme un chou à la crème, elle aussi ! Par contre, Collin n'est pas emballé à l'idée d'avoir une petite sœur. Il préférerait un petit frère, comme son copain Phineas. Il n'arrête pas de demander à sa mère si elle ne peut vraiment pas faire un garçon.

– Trop mignon.

– Raylan ne voulait pas entendre parler d'une petite sœur, lui non plus. Puis il en est tombé fou amoureux, jusqu'à ce qu'elle se mette à lui chiper ses jouets. Certains jours, j'ai bien cru qu'ils allaient s'entretuer. Et puis, tout d'un coup, ils redevenaient les meilleurs amis du monde.

Jan ôta ses lunettes, accrochées à une chaînette dorée autour de son cou.

– Ça me manque, parfois, ces bagarres de chiffonniers, ces mauvaises têtes et ces grimaces, poursuivit-elle. Quoique… il m'arrive de retrouver leurs expressions butées chez Mariah et Bradley.

– Tes enfants ont fait des enfants adorables.

– Oh oui ! Pour en revenir à l'anniversaire de Dom, c'est toi qui organises tout ou il aura son mot à dire ?

– Je m'occupe de tout. Il n'est pas encore au courant. Je lui annoncerai la nouvelle en rentrant. Il rouspétera, mais le jour J, il sera heureux comme un pape. D'ailleurs, il faut que je me dépêche de rentrer. Je me suis absentée plus longtemps que prévu. Merci, Jan.

– Tout le plaisir est pour moi. Je dois tant à Dom et Sophia. Quatre-vingt-quinze ans… C'est un bel âge. J'ai hâte de les arroser !

– Il a l'intention de passer demain au restau. Attends-toi à ce qu'il essaie de te soutirer des infos sur les menus.

Jan zippa ses lèvres avec ses doigts, puis elle raccompagna Adrianne.

Matinée productive, se félicita celle-ci en reprenant le volant. Si son grand-père n'avait rien préparé pour le déjeuner – elle le soupçonnait de somnoler devant la cheminée –, elle ferait cuire des spaghettis et profiterait de ce moment en tête à tête pour lui parler de la fête d'anniversaire.

– On le mettra devant le fait accompli, hein, Sadie ?

En se garant devant la maison, son humeur s'assombrit tout à coup quand elle repensa au poème, mais elle s'empressa de chasser les idées noires.

– Rien à foutre de ce taré… maugréa-t-elle en accrochant ses vêtements au portemanteau. Ce n'est pas ce malade mental qui me gâchera ma journée… Popi ! On est là ! cria-t-elle.

Et elle se dirigea vers le salon.

– Je m'en doutais… murmura-t-elle.

Son livre sur les genoux, la tête sur la poitrine, Dom s'était assoupi et ses lunettes avaient glissé au bout de son nez. Adrianne tourna les talons pour se rendre dans la cuisine, mais Sadie s'approcha du vieil homme, posa le museau sur sa jambe et se mit à gémir.

– Chut ! Laisse-le dormir, on le réveillera quand le repas sera prêt.

En attrapant le collier de la chienne, Adrianne effleura la main de son grand-père, glacée, et quand elle voulut remonter le plaid, son bras retomba mollement le long de l'accoudoir du fauteuil.

– Popi ? Popi ! Popi… s'il te plaît… Ne me fais pas ça ! Popi, réveille-toi, je t'en supplie…

Un frisson la parcourut, et elle fut saisie d'un tremblement. Quand un coup de heurtoir retentit contre la porte, elle sursauta, puis se précipita dans l'entrée.

– Reste avec lui ! ordonna-t-elle à Sadie.

Tout sourire, Raylan se tenait sur le seuil de la maison. En voyant l'expression d'Adrianne, il lui posa les mains sur les épaules.

– Que se passe-t-il ?

– Popi… Dans le salon…

Il la suivit, elle s'agenouilla près du fauteuil.

– Je n'arrive pas à le réveiller… Il ne se réveille pas…

Bien que conscient qu'il était trop tard, Raylan palpa le pouls du vieil homme. Puis, sans un mot, il se redressa et prit Adrianne dans ses bras, qui fondit en sanglots.

– Je n'aurais pas dû le laisser aussi longtemps… bredouilla-t-elle.

– Tu n'y es pour rien, lui dit-il d'une voix douce, en la berçant. Il était tranquillement assis au coin du feu avec un bon bouquin, une photo de sa femme comme marque-page. Du thé, des biscuits et des fruits à portée de main, que tu lui avais préparés, je parie. Une couverture sur les genoux, que tu avais installée sur lui, je parie.

– Mais…

– Il est parti serein, en regardant la photo de sa femme. Il a eu une vie bien remplie, longue, belle et généreuse. Le destin lui a offert une belle mort.

– Je ne sais pas ce que je dois faire…

– Je vais t'aider. Viens, sortons.

Adrianne enfouit le visage contre l'épaule de Raylan.

– Je ne veux pas le laisser seul.

– Il n'est pas seul, il est avec Sophia.

Chapitre 16

Au lieu de préparer un anniversaire, Adrianne organisa des funérailles. Plutôt que de lutter contre le chagrin, elle l'exploita, en faisant primer l'émotion sur les considérations pratiques avant de prendre une quelconque décision.

Pour chaque chose, elle se demandait ce que son grand-père aurait souhaité, ce qui l'aurait le plus touché. Et son cœur lui dictait les réponses.

L'enterrement eut lieu dans l'intimité, puis quelques semaines plus tard, le jour où Dom aurait fêté ses quatre-vingt-quinze ans, tous ceux qui désiraient lui dire au revoir se rassemblèrent au parc municipal.

La fonte des neiges grossissait la rivière qui coulait sous les arches de pierre des ponts couverts. Le soleil filtrait à travers les arbres aux branches encore nues et scintillait sur les dernières plaques de neige.

Un trio formé de Monroe et deux de ses amis jouait de la musique douce. Malgré le vent de mars encore vif, des centaines de personnes étaient là, et beaucoup tinrent à prendre la parole pour partager un souvenir, une anecdote.

Puis ce fut au tour d'Adrianne de monter sur l'estrade, face à une mer de visages attristés.

– Merci à tous d'être si nombreux aujourd'hui pour rendre hommage à un homme qui aura eu une vie heureuse. Beaucoup d'entre vous ont fait un long voyage, preuve que Dom Rizzo aura marqué de nombreux esprits. Traveler's Creek n'était pas seulement son village ; Chez Rizzo représentait plus à ses yeux qu'un simple restaurant. Dom nourrissait un très fort sentiment d'appartenance à une communauté, à laquelle il était entièrement dévoué, tout comme sa chère Sophia. Votre présence aujourd'hui atteste du rôle qu'ils ont joué au sein de cette communauté.

Elle dut s'interrompre un instant en voyant Jan enfouir son visage au creux de l'épaule de Raylan.

– Mon grand-père était mon port d'attache, mais il me donnait aussi des ailes. Il me manquera, mais je me console en songeant combien il était apprécié de vous tous, et je me dis qu'il est parti rejoindre celle qu'il aimait tant. Dom désirait que j'assure la pérennité de ce qu'il a bâti avec Sophia ; ce souhait sera exaucé, j'y puise de la force, et je serai chaque jour reconnaissante de l'héritage que mes grands-parents m'ont légué. Ce qu'ils ont accompli continuera de vivre. Merci.

Quand elle quitta l'estrade, Hector lui prit la main afin de la soutenir.

Des dizaines et des dizaines d'amis se réunirent ensuite à la maison sur la colline, emplie de fleurs de sympathie. Jan avait préparé un copieux buffet. Le service était assuré par les employés du restaurant. Monroe avait mis de la musique en fond sonore, de vieilles chansons de variété, les préférées de Dom.

Des rires se mêlaient maintenant aux sanglots étouffés, et Adrianne éprouvait un certain réconfort à penser que toutes ces générations garderaient le souvenir de son grand-père.

– Tu as très bien parlé, lui dit Lina en se faufilant dans la foule pour la rejoindre. Cette cérémonie était parfaite. Elle lui aurait plu.

– Tu m'as aidée.

– Je ne voyais pas mon père comme tu voyais ton grand-père, mais tu as dressé un portrait de lui très touchant… Dom Rizzo, qui jonglait avec la pâte à pizza…

– Où était-il plus heureux que derrière le comptoir du restaurant ?

– Il était heureux partout, mais là bien plus qu'ailleurs, c'est vrai.

Raylan s'approcha avec ses enfants, qui tenaient chacun une rose blanche à la main. Bradley tendit la sienne à Adrianne.

– On est très tristes pour ton Popi. Il était gentil. Il disait qu'il m'embaucherait pour faire des pizzas quand je serai grand.

– Merci, murmura-t-elle en se baissant pour l'embrasser. Quand tu seras grand, tu seras embauché à la pizzeria si tu en as toujours envie, je te le promets.

Mariah offrit sa fleur à Lina.

– Pour toi… bredouilla-t-elle. Parce qu'il était ton papa. Il est au ciel avec Nonna et notre maman, maintenant.

Lina demeura un instant privée de voix.

– Merci, tu es adorable… Excusez-moi, je vais chercher un vase.

– Comment vas-tu ? demanda Raylan à Adrianne.

– Mieux, aujourd'hui… répondit-elle en regardant autour d'elle les gens qui bavardaient en petits groupes. Nettement mieux, oui. Je voudrais te parler d'un truc… Une autre fois, au calme.

– Bien sûr. Si jamais tu as besoin de quoi que ce soit…

– Je sais que je peux compter sur toi, tu me l'as déjà prouvé.

Elle l'embrassa, et elle s'apprêtait à lui dire quelque chose quand on l'interpella, et elle dut le quitter.

Puis tour à tour, chacun prit congé, et le calme revint peu à peu dans la maison. Monroe partit avec Phineas et Thaddeus, accompagné de Sylvie, la compagne d'Hector, qui s'était portée volontaire pour l'aider. Fatiguée par sa grossesse qui approchait du terme, Maya s'en alla peu après, et Adrianne se retrouva dans le salon avec Teesha, Hector et Loren.

– Je ne connais personne qui ait eu droit à de si beaux adieux, dit Hector en exerçant une pression sur la main d'Adrianne. Il aurait été fier de toi.

– C'est la première fois que je vois autant de monde à une cérémonie du souvenir, renchérit Loren. Tu es sûre que ça va aller, seule dans cette grande maison ?

– Oui. Ce n'est pas juste une grande maison, c'est la maison de ma famille.

– Je sais, mais… Je pensais que Marshall et Harry resteraient quelques jours.

– Leurs enfants ont classe. Ma mère est là, pour le moment.

– Elle repart quand ? demanda Teesha.

– Aucune idée. Elle ne m'a rien dit.

– Vous maintenez le tournage début mai ? s'enquit Hector.

– J'aimerais bien. Il faut que je lui parle, j'ai une idée à lui soumettre. J'ai négligé pas mal de choses, ces dernières semaines.

– Accorde-toi une pause.

– Ne t'inquiète pas, Teesh. Les Rizzo aiment travailler. Ça m'aidera de me remettre au boulot. Votre présence m'a aussi beaucoup aidée.

– On avait presque autant d'amitié pour lui que pour toi, déclara Loren en se penchant vers Adrianne pour lui faire une bise. Tu sais quoi, Adri ? Hector et Teesha sont casés, mais nous, si on ne trouve pas l'âme sœur, on se mariera ensemble. Donnons-nous jusqu'à quarante ans.

– Ça marche.

– Hein ?! s'exclama Teesha. Rizz est vraiment fatiguée, je crois… Allez, les copains, laissons-la aller se coucher. Repose-toi, Adri.

– Ne t'en fais pas, je me mettrai sûrement au lit de bonne heure. Mais d'abord, je crois qu'on va aller se balader toutes les deux, dit Adrianne en caressant la tête de Sadie.

Une part d'elle aurait aimé que ses amis restent dormir dans la grande maison, car elle appréhendait de se retrouver seule dans le silence, sans programme pour le lendemain, maintenant qu'elle était libérée de toutes ces démarches qui l'avaient occupée depuis le décès de son grand-père.

Or chacun devait retourner à sa vie ; elle aussi, aussi inconcevable que cette perspective lui parût.

Dans la cuisine, elle remercia chaleureusement les serveurs et serveuses du restaurant qui terminaient de ranger, puis elle prit un blouson, appela la chienne et sortit.

Sa mère était assise avec un verre de vin sur la terrasse à l'arrière de la maison, illuminée par des bougies. Adrianne l'avait oubliée… et elle en eut mauvaise conscience.

– Il fait trop froid pour rester dehors.

– J'avais besoin d'air et de tranquillité, mais tu as raison, il ne fait pas chaud. Tes amis sont partis ? J'ai entendu les voitures.

– Oui.

– J'espère que ce n'est pas moi qui les ai fait fuir.

– Bien sûr que non. Ils avaient prévu de dormir chez Teesha et Monroe.

– Harry serait resté plus longtemps s'il avait pu. Mimi aussi.

– Je sais. Chacun a ses obligations.

– Oui. Tu dois être vidée, j'imagine, mais je voudrais te parler. Rentrons, avant que je sois complètement gelée.

– OK, je fais juste un tour rapide avec Sadie.

– Je t'attends dans la cuisine.

Adrianne souffla les bougies, puis elle s'éloigna dans le jardin avec la chienne.

– À ton avis, qu'est-ce qu'elle veut me dire ? J'espère qu'elle n'est pas vexée parce qu'il m'a légué la maison et le restau. Je n'ai vraiment pas envie d'un conflit ce soir…

Quand elle revint, sa mère avait servi deux verres de vin et préparé une assiette de fromage et de fruits. Assise au comptoir, elle paraissait extrêmement lasse.

– Tu as eu une dure journée, toi aussi. On pourra discuter demain matin.

– J'ai déjà assez retardé ce moment. Je voulais attendre que les obsèques soient passées.

Adrianne s'installa en face de sa mère.

– S'il s'agit de la maison et du restaurant…

– Comment ? Oh, non ! s'exclama Lina en riant presque. Il savait que je n'en voulais pas, que je n'aurais pas su quoi en faire. Je ne suis pas faite pour vivre ici. Il m'a laissé ce tableau peint par sa grand-mère, le champ de tournesols, parce qu'il savait que je l'aimais. Ce n'est pas une œuvre d'art, mais elle me parle. Il m'a laissé aussi la montre gousset de son père, parce que mon Nonno me laissait jouer avec quand j'étais petite. Il m'a laissé ce genre de petites choses qui ont pour moi une valeur sentimentale. Je l'aimais beaucoup, tu sais…

– Bien sûr que je le sais.

– Je les aimais beaucoup tous les deux, mais nous ne vivions pas dans le même monde. Tout du moins, j'ai choisi de vivre dans un monde différent et, tout à leur honneur, ils n'ont jamais essayé de me retenir.

Lina se tut, puis elle prit une profonde inspiration avant de poursuivre :

– Ma mère a été emportée si brutalement, si soudainement… J'étais furieuse. Elle n'était pas censée mourir si tôt, sur une route glissante… Popi n'est pas parti de la même manière. Quand je venais le voir, je me rendais compte qu'il vieillissait, qu'il devenait plus lent. Je voyais que la fin approchait, et ça me faisait peur. Lui si invulnérable. Je croyais qu'il vivrait toujours. Je croyais avoir le temps de rattraper le temps perdu.

Sa voix se brisa. Elle but une gorgée de vin.

– J'avais prévu de passer une semaine entière ici, pour son anniversaire. Et j'avais décidé de venir au moins tous les deux mois, dorénavant… Trop tard, malheureusement.

– Il était fier de toi. Ils l'étaient tous les deux.

– Je sais. J'avais l'impression d'étouffer ici… La vieille maison sur la colline, au-dessus d'un petit village… Je me sentais coupée du monde. J'ai besoin de voir du monde, de bouger…

De nouveau, Lina dut s'interrompre, et s'essuyer les yeux.

– Mais ça ne sert à rien de se justifier. Je suis une mauvaise mère.

– Tu… Quoi ?

– Crois-tu que je ne me rends pas compte que j'ai failli à mon rôle ? Je ne pensais qu'à réaliser mes ambitions, coûte que coûte. Du coup, j'ai négligé tout le reste. Je ne me suis pas beaucoup occupée de toi, je le reconnais.

Désemparée, Adrianne garda un instant le silence.

– Je n'ai jamais manqué de rien, dit-elle enfin.

– Parce que Mimi et Harry étaient là pour pallier mon absence, répliqua sa mère. Et tes grands-parents te tenaient lieu de famille. En perdant mes parents… j'ai réalisé que j'étais une mère indigne.

– Tu m'as inculqué la discipline, la volonté, l'importance du travail si je voulais vivre de ma passion. Je n'aurais jamais pu créer New Generation si tu n'avais pas tracé le chemin.

– Tu as su trouver ta voie toute seule, avec l'aide de tes amis. Tu ne m'as jamais rien demandé, parce que tu savais que je n'avais pas de temps à te consacrer.

– Je crois que tu es trop sévère avec toi, déclara Adrianne, elle-même surprise de le penser sincèrement.

– Non, tu dis ça pour être gentille, parce que je te fais de la peine. Alors je vais en profiter : accorde-moi une chance de me racheter. Tu es adulte, rien ne compensera ce qui t'a manqué dans l'enfance, mais j'aimerais essayer d'être maintenant une meilleure mère.

– Je t'aime, maman. J'ai du mal à te le montrer, mais je t'aime.

Aussi loin que remontaient les souvenirs d'Adrianne, sa mère ne lui avait jamais rien demandé, elle non plus. Elle lui avait donné des ordres, des consignes, des conseils, des interdits, elle l'avait critiquée, désapprouvée, mais jamais elle ne lui avait rien demandé.

– Je peux te poser une question ?

Avec un petit sourire amer, Lina inclina son verre dans un sens puis dans l'autre.

– J'ai bu plus de vin aujourd'hui qu'en une semaine en temps normal… Alors, profites-en, c'est le moment de poser des questions.

Adrianne prit son temps, en buvant elle-même quelques gorgées.

– Pourquoi m'avoir gardée alors que tu avais le choix ?

– OK… soupira sa mère. Je ne te mentirai pas… Ce choix, j'y ai pensé. J'étais jeune, je n'avais pas terminé mes études. Ton géniteur avait non seulement une femme dont il n'était pas divorcé, mais d'autres maîtresses que moi…

– Ça a dû être horrible.

Lina eut un instant d'hésitation, puis elle se pencha vers sa fille.

– Tu t'en rends compte, tu le comprends, c'est l'une des grandes différences entre nous. Tu es capable d'empathie, moi pas. Cette qualité a sauté une génération. C'était horrible, oui, dit-elle en se redressant. Heureusement que Mimi était là, elle m'a toujours beaucoup aidée. Je savais que je pouvais compter sur elle, quoi que je fasse… Je voulais prévenir Jon. Je ne le voyais plus, mais je me sentais le devoir de lui dire que j'attendais un enfant. Alors je suis allée le trouver dans son bureau, à l'université… Ça ne s'est pas bien passé.

Le front plissé, le regard noir, Lina baissa les yeux.

– Il avait toujours une bouteille cachée dans un tiroir, et ce jour-là il avait bu. J'aurais dû me méfier… mais j'étais là pour lui parler, j'étais déterminée.

Elle releva la tête et s'éclaircit la voix avant de poursuivre :

– Il m'a traitée de menteuse, de marie-couche-toi-là. Il m'a accusée de chercher à ruiner sa vie, à le piéger. Je lui ai dit que je n'attendais rien de lui et que je ne dirais rien à personne, mais ça ne lui suffisait pas. Il voulait que j'avorte. Si je ne me débarrassais pas de ce bébé, il me le ferait regretter. J'étais furieuse, j'ai riposté que j'étais libre de faire ce que je voulais de mon corps… Il s'est jeté sur moi, il m'a poussée contre le mur, si violemment que des livres sont tombés des étagères. Et il m'a donné un coup de poing dans le ventre… En aboyant que c'était lui qui décidait et qu'il allait régler lui-même le sort de cet avorton… Je savais qu'il pouvait avoir des accès de violence… Là, j'ai compris qu'il était capable de tuer…

Je ne sais pas ce qui se serait passé si quelqu'un n'était pas entré dans le bureau… une étudiante avec qui il couchait, je le savais. Il lui a hurlé de ficher le camp et il l'a frappée elle aussi… J'en ai profité pour me sauver.

Lina reprit son verre.

– Voilà pourquoi j'ai fait le choix de te garder. Pour de mauvaises raisons, peut-être. Je n'arrêtais pas de penser qu'il avait tenté de nous détruire. *Nous*. Alors j'ai pris une décision en pensant à nous. J'aurais dû porter plainte, je regrette de ne pas l'avoir fait… J'avais tellement peur que je suis rentrée chez mes parents. Je leur ai tout raconté, ils ont été très compréhensifs.

– Tu as dû vivre un cauchemar.

– Je me suis vite reprise. À partir du moment où j'ai décidé de travailler, la grossesse est devenue un plaisir. Je la considérais comme un défi, un objectif. Ma façon de fonctionner, en somme…

– La façon de fonctionner des Rizzo.

– Dans un certain sens, oui. En tout cas, c'est comme ça que Yoga Baby est né, grâce à *nous*. Mais je n'ai pas mis longtemps à réaliser, après ta naissance, que je n'avais pas la fibre maternelle. Je ne savais pas m'y prendre, pas plus avec un bébé qu'avec un enfant en bas âge… Tu étais en bonne santé, en sécurité. Pour subvenir à tes besoins, je me concentrais à fond sur ma carrière. Mimi était là pour s'occuper de toi. Harry également, et tes grands-parents. Grâce à eux, j'étais libre de faire ce qui me plaisait.

Lina baissa de nouveau les yeux.

– Je ne m'en suis pas privée, murmura-t-elle. Je déléguais mes obligations maternelles, et tu étais bien élevée, bonne élève, tu avais du talent… Je pensais que j'aurais le temps, plus tard… Mais pour les câlins que je ne t'ai pas faits, l'affection que je ne t'ai pas donnée, il est trop tard, maintenant.

Lina esquissa un geste désespéré. Adrianne lui saisit la main.

– Sais-tu quelle est l'image la plus marquante que je garderai toujours de toi ?

– Je n'ose pas te le demander.

– Je te reverrai toujours si forte, si calme, quand Jon s'en est pris à moi après avoir frappé Mimi. J'étais terrorisée, mais heureusement, tu étais là, et tu étais forte, pleine de sang-froid.

– Oh non…

– Si. Tu lui as ordonné de me lâcher, tu as essayé de lui parler, de négocier, dans le but de me protéger. Tu ne pensais qu'à me protéger. Quand il m'a jetée dans l'escalier, je ne voyais que toi : il te frappait, tu saignais, mais tu t'es battue comme une lionne enragée. Si tu n'avais pas été aussi forte, il nous aurait tuées. Toutes les trois. Et quand il est tombé par-dessus l'escalier, tu as couru vers moi. Ton enfant. Tu m'as prise dans tes bras, le visage en sang et en larmes.

Sur le comptoir, Adrianne saisit l'autre main de sa mère.

– Je n'ai jamais douté que tu m'aimais, même si au quotidien tu ne le montres pas trop, toi non plus.

Lina eut un petit rire surpris, qui s'étrangla dans un sanglot.

– En cas de coup dur, je sais que ma mère ne me laissera jamais tomber, ajouta Adrianne. Je le sais depuis toujours, même si je n'en étais pas tout à fait sûre lorsque tu m'as laissée ici tout l'été après le drame, pour m'épargner des retombées désagréables.

– C'était la raison principale, mais c'était aussi dans mon intérêt. Je me suis servi de ce drame pour donner un coup de pouce à ma carrière. Sinon, il m'aurait démolie.

– Tu as décidément bu beaucoup de vin, ce soir, dit Adrianne avec un petit sourire.

– Je suis désolée… J'espère que je réussirai à me racheter. Je vais essayer d'être une meilleure mère, c'est mon nouvel objectif. J'espère que ce ne sera pas le premier que je ne parviendrai pas à atteindre. Tu tiens trop de tes grands-parents pour me refuser une seconde chance. J'en tire parti.

Adrianne lâcha les mains de sa mère et reprit son verre.

– Continue de boire, dit-elle en le levant vers elle.

– OK, je finis de vider mon sac, acquiesça Lina en riant. J'aime la vie que je mène. Je suis fière de ce que j'ai construit ; je pense avoir aidé des gens, j'en suis sûre, même. J'aime le feu des projecteurs, l'argent, les voyages. J'aime la liberté… c'est l'une des raisons pour lesquelles je ne me suis jamais mariée. Mais je suis consciente de ne pas avoir consacré assez de temps ni à ma fille ni à mes parents. Et maintenant, ils ne sont plus là…

Lina trinqua avec Adrianne.

– Tu es une meilleure personne que je ne l'ai jamais été, poursuivit-elle. Tu es plus accessible, plus sociable, plus ouverte que moi. Tu as le sens des affaires… mais sur ce plan, je te bats ! Tu sais t'entourer de personnes que tu aimes et qui t'aiment, un talent qui me fait défaut. Et surtout, tu es naturellement plus brillante que moi dans ce que tu fais. Je t'ai peut-être offert les fondations, mais ce que tu as construit sur ces fondations, tu ne le dois qu'à toi-même, et je t'admire.

Lina but une gorgée, en observant sa fille.

– Je pensais que c'était du gâchis de venir t'installer ici. Je me suis trompée, reconnut-elle. Au contraire, tu t'épanouis. Que vas-tu faire, maintenant, dans cette maison immense ?

– Y vivre, tout simplement, pour commencer. Y travailler. On verra ensuite. Chaque chose en son temps.

– J'aimerais rester quelques jours, si ça ne te dérange pas.

– Avec plaisir ! Je te ferai visiter le chantier du centre de loisirs. Tu auras peut-être des idées à me suggérer.

– Les accepterais-tu ?

– Peut-être, répondit Adrianne avec un sourire. Si elles me plaisent. Et je voudrais que tu reviennes en mai, la première semaine… (Elle réfléchit un instant, calcula.) Ou la deuxième, pour notre vidéo. J'ai obtenu presque toutes les autorisations.

– Mais on n'a même pas encore… Quelles autorisations ? Je croyais qu'on devait tourner à New York.

– J'ai une meilleure idée.

Lina Rizzo n'était pas la seule, pensa Adrianne, à savoir profiter des circonstances.

– On va tourner au gymnase du lycée de Traveler's Creek, avec des élèves et des profs. J'ai tout arrangé. Un double DVD.

– Au lycée ? Avec des gamins ?

– Des adolescents qui auront l'accord de leurs parents et un certificat médical. Six lycéens, six enseignants. Des séances de trente à trente-cinq minutes : cardio, renfo, travail au sol, yoga, etc. On fournit les tenues, Yoga Baby pour les profs, New Generation pour les jeunes.

– Une compétition ?

– Amicale.

– *Fitness 101*.

– J'aime beaucoup ! s'écria Adrianne. Vachement mieux que le titre que j'avais en tête !

– Qui était ?

– Laisse tomber. Le concept repose sur la nostalgie : retour au village où tu as grandi et où je vis maintenant, au lycée que tu as fréquenté.

– On ne précisera pas en quelle année j'étais lycéenne.

– Ne t'inquiète pas ! répliqua Adrianne avec un clin d'œil.

– Tu aurais réalisé ce projet de toute façon, avec ou sans moi.

– Oui. Si tu ne veux pas y participer, je ferai quand même un DVD avec toi, comme tu l'entendras. Mais je pense que mon idée a du potentiel.

– Je veux voir les entraînements.

– Je ne les ai pas encore tous préparés.

– OK. J'ai des idées, moi aussi. Si tu es prête à les accepter, je suis partante.

– Marché conclu !

– Je serai désormais une meilleure mère, murmura Lina en serrant la main que sa fille lui tendait.

– Tu l'es déjà.

Le lendemain matin de bonne heure, Adrianne sortit courir avec Sadie, afin de laisser la salle de gym à sa mère. Puis avec un smoothie en guise de petit déjeuner, elle s'installa au comptoir de la cuisine et entreprit de trier le plein sac de lettres de condoléances auxquelles elle désirait répondre rapidement.

Elle avait remercié beaucoup de monde en personne, mais de nombreuses cartes étaient arrivées au restaurant, de la part de gens qu'elle ne connaissait pas : un homme de Chicago, par exemple, à qui Dom avait confié son premier emploi ; une femme de Memphis qui s'était fiancée Chez Rizzo et se souvenait que Dom lui avait offert une bouteille de prosecco. Certains se souvenaient d'un anniversaire célébré au restaurant, d'autres, d'y avoir arrosé une victoire ou une défaite sportive, et chacune de ces anecdotes touchait profondément Adrianne.

Puis, tout à coup, son cœur fit un bond. L'enveloppe n'était pas la même que d'habitude, ce qui expliquait qu'elle ne l'avait pas repérée, mais elle aurait reconnu l'écriture entre mille.

D'un format plus grand, d'un papier de meilleure qualité, le pli avait été posté de Philadelphie. Elle le décacheta avec précaution, et en retira une carte, ornée d'une photo en noir et blanc représentant un chat au poil hérissé et au regard affolé.

MAUVAISE JOURNÉE ?
DIS-TOI QUE ÇA POURRAIT ÊTRE PIRE !

Elle l'ouvrit et lut le poème.

Popi n'est plus, toutes mes condoléances
Mais ne pleure pas, tu le retrouveras
Un jour, bientôt, viendra la délivrance
Et en enfer tu le rejoindras.

Furieuse, elle déchira la carte. Puis elle ferma les yeux et s'efforça de contrôler sa respiration.

– Trop, c'est trop… Tu n'as pas le droit de te servir de Popi…

Elle se leva et marcha de long en large dans la cuisine, luttant contre les tremblements qui menaçaient de s'emparer de son corps tout entier, trop en colère pour réfléchir posément.

Or elle devait réfléchir posément.

Elle ouvrit le réfrigérateur, en sortit un Coca, et elle était en train de boire les premières gorgées lorsque Lina apparut sur le seuil de la pièce.

– Du soda ! s'écria-t-elle. Moi qui avais pris de bonnes résolutions…

Adrianne lui montra la carte déchirée en deux. Sa mère la parcourut, puis s'assit au comptoir.

– Si tu ne bois pas ce smoothie, je le veux bien.

– Prends-le.

– C'est plus grave que je ne pensais… Quiconque suit ton blog ou lit tes interviews sait combien tu étais proche de Popi. Cette fois, c'est de la cruauté pure.

– Exactement. On voulait me mettre dans tous mes états. C'est réussi.

– Non, le but était de te causer encore plus de chagrin, et de te faire peur. Or tu es seulement furieuse. Il, ou elle, te connaît très mal.

Étonnée, Adrianne se tourna vers sa mère.

– C'est exactement ce que pense Raylan.

– Raylan Wells ? Tu lui en as parlé ?

– On s'est rencontrés par hasard à la poste un jour où j'ai reçu un poème. Il a vu que j'étais contrariée. Alors je lui ai tout raconté.

– Tu as bien fait. Autant que les gens qui tiennent à toi soient au courant. Que comptes-tu faire ?

Adrianne fut surprise que sa mère, d'ordinaire si secrète, approuve que sa fille se soit confiée à quelqu'un n'appartenant pas au cercle de ses proches.

– Je n'en sais rien…

– Engageons un détective privé. Un professionnel rémunéré pour mener une enquête s'investira davantage que la police et le FBI. Les fonctionnaires n'ont pas le temps.

– Je ne vois pas trop ce que pourrait faire un détective.

– Peut-être rien, mais ça vaut le coup d'essayer. Laisse-moi faire ça pour toi. Laisse-moi trouver un privé compétent et le payer. On aurait dû y penser il y a des années, mais j'étais persuadée que ces lettres n'étaient que la rançon du succès.

– C'est ce que tout le monde pense.

– À tort, je crois. Essayons de faire appel à un détective privé.

– OK. Ce sera toujours mieux qu'attendre le prochain poème sans rien faire.

Si le Poète ne se manifestait pas en personne… pensa Adrianne. Car combien de temps encore se contenterait-il de lui faire parvenir quelques rimes ?

Chapitre 17

Dans sa voiture, Raylan observait son ancienne maison, à Brooklyn. Elle n'avait pas changé – pourquoi aurait-elle changé ? –, mais elle n'était pas non plus tout à fait la même.

Près d'un an s'était écoulé depuis son déménagement. Rien n'était plus vraiment comme avant.

Désormais, la maison était habitée par son amie et associée. Il était temps que Raylan intègre cette réalité.

Un bouquet à la main, un gros dragon en peluche arc-en-ciel sous le bras, il gravit les marches du perron. Cela lui fit bizarre de frapper à la porte, mais un sourire sincère éclaira son visage dès l'instant où Pat vint ouvrir.

Grande, les épaules carrées, les cheveux bruns coupés court et les yeux bleus pétillants, la compagne de Bick l'accueillit d'une étreinte aussi robuste que chaleureuse.

– Salut, Raylan ! C'est cool de te voir !

– Salut, et félicitations !

– Merci. Je n'arrive pas à réaliser… Je pourrais la contempler des heures ; elle est si belle ! Entre, que je te présente notre Callie Rose. Oh, un dragon ! Un dragon arc-en-ciel, j'adore !

– Tu en aurais voulu un ? Des fleurs pour les mamans, un dragon pour le bébé. Il veillera sur elle.

– Un dragon gardien, excellent ! Il n'y a que toi pour avoir des idées pareilles !

Émue, Pat prit le bouquet, puis elle saisit la main de Raylan et la garda un instant entre les siennes.

Les murs avaient été repeints, de nouveaux meubles se mêlaient à ceux que Raylan avait laissés à ses amies. Un babyphone, un transat, une table à langer, une petite baignoire, un paquet de Pampers, une poubelle à couches…

Raylan n'était pas le seul à avoir offert des fleurs aux jeunes mamans. Plusieurs bouquets étaient disposés çà et là, leur parfum se mêlant à l'odeur des crèmes et lotions pour bébés.

Une nouvelle âme animait la maison. Il en était heureux.

– Eh, ça va ?

Il reporta son attention sur Pat et lui fit une bise sur la joue.

– Yes ! Impec' !

– Reviens sur Terre… Tu veux un Coca ?

– Volontiers. C'est chouette, chez vous. Très chaleureux. Cette maison respire le bonheur.

– On y est bien, elle dégage de bonnes ondes. Bick vient de monter avec Callie pour lui mettre une jolie petite robe ridicule, en l'honneur de ta visite. Eh oui, on est ce genre de mères… Comment vont tes enfants ? Et tout le monde à Traveler's Creek ?

– Tout le monde va bien. Les petits étaient tout contents de dormir chez leur grand-mère. Mariah avait hâte que je parte ! Maya ne devrait pas tarder à accoucher. Bick a vraiment accouché à la maison, alors ?

Pat remplit un verre de Coca, y ajouta des glaçons.

– Ouais… Je t'avoue que j'ai flippé. Mais tout s'est bien passé. Bick est une guerrière. J'en ai encore les larmes aux yeux, excuse-moi.

– Pas de quoi.

– La sage-femme, Sherri, était formidable. Callie Rose est arrivée comme une fleur ! La plus belle créature du monde. « Eh, les mecs, c'est quoi, ce bordel ?! » qu'elle braillait en serrant ses petits poings minuscules.

Pat se servit un verre et ils trinquèrent, quand Bick apparut dans l'escalier, une petite fille en robe rose dans les bras, bandeau assorti dans ses cheveux de bébé.

– Tan-tan… Fanfare ! Raylan, je te présente Callie Rose, la huitième merveille du monde.

De grands yeux en amande, la peau couleur chocolat doré, une petite bouche parfaitement dessinée, le nez pareil à un bouton de rose, la fillette promenait autour d'elle un regard étonné de nouveau-né.

– Elle est adorable. Tu as bien bossé, Bick.

– Mieux que jamais. Tu veux la tenir ?

– Avec grand plaisir !

Raylan posa son Coca pour prendre le bébé dans ses bras. Et son cœur fondit.

– Je t'apporterai toujours des bonbons, quoi qu'en disent tes mamans. Tu peux compter sur moi.

Callie l'observa un instant, puis elle régurgita un filet de lait.

– OK, je n'ai rien dit… maugréa-t-il.

– Mince, désolée !

En riant, Bick essuya la chemise de Raylan à l'aide du lange qu'elle avait sur l'épaule.

– Pas de mal, ce n'est pas grave.

– Tu veux qu'on lave ta chemise ? proposa Pat. On peut faire une machine.

– Non, ce n'est pas la peine. Bick, tu es resplendissante. On ne devinerait jamais que tu as accouché il y a une semaine.

– On est réveillées je ne sais combien de fois par nuit, mes nichons sont en état de choc, et on vient de découvrir qu'un humain de quatre kilos produit une demi-tonne de caca par jour ; mais à part ça, on vit les plus beaux jours de notre vie. Oh, un dragon !

– Il est pour Callie, je vous signale.

Raylan s'assit sur le canapé, le bébé dans les bras, tandis que Bick s'installait en tailleur dans un fauteuil. Elle s'était fait couper les cheveux à la Halle Berry, et la coupe courte lui allait à ravir.

– Comment va ta mère ? s'enquit-elle.

– Ça va. C'est dur, mais ça va. Dom était comme un père pour elle. Ça lui fera du bien d'avoir les enfants jusqu'à demain.

– Tu repars demain ?

– Oui. Mariah a son gala de printemps ce week-end, et Maya va accoucher d'un jour à l'autre, dit-il en caressant du doigt la joue de Callie Rose. Je viens juste déposer des planches à Triquetra et prendre des nouvelles de tout le monde.

Pat apporta un verre de jus d'orange à Bick.

– Merci, chérie. Tu sais que ton premier tome de *Cobalt Flame* est génial ?

– L'évolution de sa relation avec Angel crée une certaine tension, et de l'émotion. En plus des batailles, bien sûr. Du coup, je pense que l'idée d'alliance dont on a discuté la dernière fois a toutes les chances de fonctionner.

– Le club des superhéros.

– Ce n'est pas la première fois que nos personnages s'entrecroisent. Mais on pourrait aller plus loin, avec un concept à part entière : l'Avant-Garde.

– L'Avant-Garde… répéta Bick, pensive, en décrivant des mouvements circulaires du pied. Il faudrait qu'on trouve un scénar pour justifier la formation de cette union, et qu'on imagine une infrastructure. Où se trouvent les quartiers généraux ? À quoi ressemblent-ils ? La coalition pourrait être motivée par un redoutable ennemi, un personnage qu'on conserverait par la suite.

– Ouais, j'y ai pensé. J'ai fait quelques croquis et ébauché une trame narrative. Je voulais en parler avec Jonah, avant qu'on en discute tous en visio.

– Va au bureau avec Raylan, chérie, si tu veux, suggéra Pat, et elle leva la main avant que Bick n'objecte. On a plein de lait au congélo. Tu l'as allaitée il y a une heure. On est tranquilles pour un moment. Vas-y, tu as au moins deux ou trois heures devant toi.

– Tu es sûre ?

– J'aurai Callie pour moi toute seule ! Raylan t'amènera et te ramènera en voiture. Il est encore un peu tôt pour que tu fasses l'aller-retour à pied. On ira se balader avec Callie quand tu reviendras.

– OK, alors. Je serai de retour dans deux heures maximum. Deux heures… répéta Bick en regardant sa fille. Je ne l'ai encore jamais quittée plus de deux minutes. Ça va me faire drôle… Non, je ne veux pas être ce genre de mère ! Je peux bien m'absenter quelques heures, quand même, surtout pour l'Avant-Garde !

Finalement, Raylan resta deux nuits à New York – pour la plus grande joie de ses enfants et de sa mère –, car le brainstorming se révéla aussi stimulant que fécond.

Le second soir, il emmena ses collègues à la pizzeria où il aimait aller avec Lorilee, et ils s'assirent à leur table préférée, toujours absorbés par l'histoire de l'Avant-Garde.

– Franchement, je kiffe le visuel du QG dans la grotte, déclara Jonah en dévorant une pizza à la viande. Les stalactites, les stalagmites, les passages labyrinthiques… Mais ce qui me gêne, c'est que les demi-démons auront vite fait de les débusquer, sous terre.

– Il a raison, approuva Bick en examinant l'un des dessins étalés entre eux. Et je suis dégoûtée, parce que j'adorais la grande table en pierre rétroéclairée.

– Leur planque doit être loin de tout. No One est toujours activement recherché par l'armée.

– Une caverne à flanc de montagne ? Dans les Andes ? suggéra Jonah, en crayonnant d'une main et en mangeant de l'autre.

Bick s'apprêtait à dire quelque chose quand sa fille, dans son couffin, se réveilla et se mit à pleurer.

– Elle a faim, je m'en occupe, dit-elle avant que Pat ne se lève. Ou dans l'Himalaya, non ? Pour le côté mystérieux.

Le bébé dans les bras, elle entreprit de dégrafer son chemisier.

– Je ne sais pas pourquoi vous tenez tant à une grotte ou une caverne, intervint Pat. Pourquoi vivraient-ils dans l'ombre alors qu'ils combattent les forces de l'ombre ? Faites-leur un QG sur une île. Une île tropicale lointaine, ensoleillée, ourlée de plages de sable fin.

Pendant une bonne dizaine de secondes, personne ne prononça un mot.

– Enfin, je dis ça, je dis rien… marmonna Pat. C'est vous, les dessinateurs de BD.

– En vérité, Pat, on est tous en train de se dire que tu viens d'avoir une idée géniale : l'île de l'Avant-Garde. Perso, je trouve ça excellent, déclara Raylan.

– À l'écart des couloirs de navigation, enchaîna Jonah. Vierge et luxuriante. No One a-t-il les moyens de faire en sorte qu'elle n'apparaisse pas sur les images radars et satellites ?

– Il peut.

– L'île a surgi des profondeurs de l'océan, dans les brumes des temps anciens… Je t'aime, Pat ! dit Bick avec un sourire réjoui. Je veux une cascade.

– Et un volcan, ajouta Raylan. Il nous faut un volcan, impérativement. Le QG sera entièrement vitré. Une bulle transparente qui se fondra dans l'environnement.

– Yes ! approuva Jonah en esquissant un croquis. Pat, je t'aime, moi aussi.

Le déplacement avait été productif, pensa Raylan en franchissant les ponts couverts, de retour à Traveler's Creek. Avec le premier tome de *Flame* en impression, les bases de l'Avant-Garde bien ébauchées, et les prochaines aventures de No One qui commençaient à prendre forme, il était satisfait de son travail et des fruits de la collaboration d'équipe.

Du reste, sur le plan personnel, il avait franchi une étape importante : heureux de savoir ses amies heureuses dans la maison de Brooklyn, il en avait enfin accompli le deuil.

Ce soir, il dînerait chez sa mère – ainsi en avait-elle décidé, elle venait de l'en informer. Puis quand les enfants auraient pris leur bain, qu'ils lui auraient raconté leur week-end chez Nana, il se remettrait au travail, car il avait des idées plein la tête.

En apercevant Adrianne et Sadie courant le long de la route, il ne se sentit pas coupable, cette fois, du petit frisson de désir qui le parcourut. Elle portait un legging court, du même violet que son haut, ouvert dans le dos, dont les pans voletaient à chacun de ses pas, comme ses cheveux bouclés.

Mais il leva les yeux au ciel, furieux contre lui-même d'avoir oublié de ralentir à l'approche de la maison de sa mère, ce qui l'obligea à braquer le volant un peu trop brusquement afin de s'engager dans l'allée. En descendant de voiture, il vit Adrianne et son chien prendre la direction de sa rue. Sans doute allaient-elles chez Teesha.

Comme elle n'était pas pressée de se retrouver seule dans le silence, Adrianne avait décidé de faire un petit détour et de s'arrêter chez Teesha.

La voiture de Raylan n'était toujours pas revenue, constata-t-elle en passant devant chez lui. Elle avait entendu dire au village qu'il était allé à New York un jour ou deux. Elle ne l'avait pas revu depuis la cérémonie en hommage à son grand-père.

Elle avait tant de choses à faire.

Alors qu'elle s'apprêtait à sonner chez Teesha, des rires et des cris lui parvinrent du jardin, si bien qu'elle redescendit de la galerie et fit le tour de la maison.

Phineas et Collins faisaient du toboggan, les joues rosies d'excitation. Sitôt qu'elle eut détaché la laisse de Sadie, la chienne courut vers les enfants, qui s'élancèrent à sa rencontre et la couvrirent de caresses.

– Sadie ! Ouais ! Coucou, Adrianne !

– Salut, les p'tits gars. Beau dimanche, hein ? Vous voulez jouer un moment avec Sadie ?

– Oh, oui ! Ma maman, elle dit que Sadie est mon chien de substitution, en attendant que Thaddeus ait au moins un an. Après, peut-être qu'on adoptera un chiot. Il reste encore cent dix-huit jours.

Du Phineas tout craché, pensa-t-elle avec amusement.

– Sadie veut bien être ton chien de substitution. Comment va ta maman, Collin ?

– Elle va avoir une fille. Les filles n'ont pas de zizi.

– Il paraît. Tu seras un bon grand frère, comme Phin.

– Oui, mais lui, il a un petit frère avec un zizi.

– Vous avez de la chance, tous les deux. Parce que moi, par exemple, je n'ai ni frère ni sœur. Ta maman est à l'intérieur, Phin ?

– Oui. Elle a dit qu'on pouvait jouer dehors pendant qu'elle allaitait le bébé. Elle lui donne du lait de ses nénés. Les garçons ne peuvent pas nourrir les bébés.

– Tu en sais, des choses, dis donc !

Là-dessus, Adrianne se dirigea vers la maison, puis passa la tête par la porte de la cuisine. Assise au comptoir, Teesha lui fit signe d'entrer.

– Je viens de me poser pour la première fois depuis ce matin, soupira-t-elle. Thad fait la sieste, les garçons jouent dehors, Monroe travaille un nouveau morceau.

– J'entends.

– Et on a commandé le dîner parce que je suis au bout du rouleau. Si tu veux boire quelque chose, sers-toi.

– J'ai ce qu'il me faut, dit Adrianne en tapotant sa gourde. Tu as l'air crevée.

– Je suis morte ! Thad fait ses dents. J'avais oublié ce que c'était… Ta mère est partie ?

– Il y a deux ou trois heures, oui. C'était… intéressant.

– Vous avez réussi à ne pas vous crêper le chignon ? C'est la première fois qu'elle reste aussi longtemps, non ?

– Un record ! Elle a décidé d'être une meilleure mère, et elle fait vraiment des efforts, c'est cool. Je passais te dire qu'elle est d'accord pour la vidéo au lycée. Je devrais faire quelques concessions, mais globalement c'est OK. Je t'enverrai tout par mail, si tu veux commencer à rédiger les contrats.

– Il le faut, si tu veux tourner la deuxième semaine de mai.

– Dans tous les cas, on devra boucler avant les examens de fin d'année.

– Bien sûr. Tu as l'air fatiguée, toi aussi.

– J'ai eu une grosse journée. Entre le chantier et le restau, je ne sais plus où donner de la tête. Je suis en toute confiance, avec Jan et toi aux rênes de Chez Rizzo, mais je dois quand même m'investir un minimum. C'est ce que Popi aurait souhaité.

– Et le détective privé ? Tu l'as rencontré ?

– Oui, c'est une femme, Rachel McNee. Sérieuse, intelligente, bonne première impression. Elle pense pouvoir tracer la dernière carte. Parce que c'est une carte, justement, éditée par une maison d'édition, à la différence des poèmes sur papier libre.

– C'est un peu inquiétant, non, qu'il ait changé sa façon de procéder ?

– Il voulait me donner un coup de pied dans le ventre alors que j'étais déjà à terre… Il a réussi. Mais d'après la détective, il a commis un faux pas, puisqu'on va pouvoir tracer la carte. J'espère qu'elle a raison. Dans tous les cas, ma mère voulait tenter de confier l'enquête à un privé, et je n'avais pas envie de la contrarier.

En souriant, Adrianne jeta un coup d'œil à l'extérieur.

– Sadie est aux anges.

– Les garçons aussi. Je suis contente que Phin ait trouvé un copain. Les surdoués peuvent être odieux avec les gamins de leur âge.

– Collin est toujours aussi déçu de savoir qu'il aura une petite sœur sans zizi.

– Il n'arrête pas d'en parler.

– J'aurais volontiers fait quelques bisous au petit frère de Phin, mais tant pis. Une prochaine fois.

– Reste dîner avec nous. Les plats qu'on a commandés seront sûrement trop copieux.

– J'aurais bien aimé, mais je dois rechorégraphier des trucs.

– Ça va aller, toute seule ?

– Oui, je me sens bien dans cette maison. Et j'ai Sadie.

– En tout cas, si tu changes d'avis, n'hésite pas. Je commence dès demain à caler les dates de la prod', je te tiendrai au courant.

– OK, acquiesça Adrianne en se levant. Raylan n'est pas rentré ?

– Maya m'a dit qu'il dînait chez sa mère ce soir, répondit Teesha en se calant contre le dossier de son tabouret. Pourquoi tu ne tentes pas ta chance avec lui ?

– Hein ? s'écria Adrianne avec un mouvement de recul. Avec Raylan ? T'es dingue ! Ce serait trop bizarre.

– Pourquoi ? Il est mignon, on sait que ce n'est ni un psychopathe, ni un drogué, ni un violeur, et il est libre.

– C'est le frère d'une amie, et je suis maintenant l'employeur de sa mère. Je connaissais sa femme, Lorilee, j'avais beaucoup de sympathie pour elle. Il porte toujours son alliance. Et ça fait un bail que je n'ai pas dragué quelqu'un. Je ne suis pas sûre de savoir encore le faire.

– Tu avais bien un mec, l'automne dernier.

– Wayne ? J'ai dû sortir avec lui deux fois, et c'est lui qui me draguait. Le déclic ne s'est pas produit.

Adrianne poussa un soupir, puis elle expira d'un air las.

– Je t'avoue que je suis en manque de sexe, mais pas assez pour draguer un ami ou coucher avec des mecs qui ne me plaisent pas. Si tu me prêtais Monroe ? suggéra-t-elle en revissant le bouchon de sa gourde.

– J'allais te le dire !

– Bref… Fais des bisous à ton bébé de ma part. Je me dépêche de rentrer, avec le chien de substitution de ton fils.

Teesha éclata de rire.

– Il t'a dit ça ? Il a bien fallu que j'invente quelque chose ; il commençait à me sortir des statistiques sur les bienfaits des animaux domestiques pour le développement de l'enfant. Hors de question que je prenne un chien avec un bébé qui fait ses dents et un gamin de même pas cinq ans.

– Je te comprends. On se tient au courant par mail pour la prod'.

Teesha se leva pour raccompagner Adrianne et, sur le seuil de la maison, elle lui lança :

– Tu sais, Monroe était un ami, à la base.

– Combien de temps ? Cinq minutes ?

– Environ huit. Au bout de huit, on a craqué. Tu réfléchiras à ce que je t'ai dit.

Adrianne lui adressa un signe de la main, puis elle crocheta la laisse de Sadie et s'éloigna en courant.

La dernière semaine d'avril touchait à sa fin, les arbres tentaient de bourgeonner, quand le soleil daignait paraître, entre deux averses glaciales et des nuits de gelée, et Adrianne buvait le café dans le salon avec Rachel McNee.

La quarantaine, la silhouette sportive, celle-ci portait un tailleur anthracite et un col roulé bleu marine. Ancienne de la police, elle avait les cheveux de la même couleur que son tailleur et ressemblait davantage à une bibliothécaire qu'à une détective privée. Raison pour laquelle, peut-être, Adrianne se sentait à l'aise avec elle.

– Je ne m'attendais pas à un rapport aussi rapidement.

– J'aurais pu vous l'envoyer, mais comme j'ai du nouveau, j'ai préféré qu'on se voie en tête à tête.

– Déjà ? Je suis épatée !

– Il était temps, depuis toutes ces années ! répliqua Rachel avec sympathie. Mais jusque-là, votre mystérieux correspondant n'utilisait que du papier et des enveloppes bon marché, ainsi que des timbres ordinaires. Il est assez malin pour ne pas lécher l'enveloppe, et il écrit à la main, de sorte qu'on ne puisse pas identifier un logiciel de traitement de texte ou une machine à écrire.

– L'écriture manuscrite est également plus personnelle.

– Tout à fait. Il emploie aussi toujours le même type d'encre, un stylo à bille, toujours de la même marque, je dirais. C'est quelqu'un d'attaché à ses habitudes. Or cette fois, il a rompu avec ses habitudes.

– Vous avez pu tracer la carte ?

– Oui. L'agent du FBI en charge du dossier aurait aussi pu le faire, si elle en avait eu le temps. Pour ce qui me concerne, vous êtes ma seule cliente en ce moment. Votre mère l'a exigé.

– Ma mère est la championne des exigences.

– Il me semblait… Mais bref. Notre poète aurait pu acheter une carte commercialisée par un gros éditeur. Mais il a commis une erreur que j'ai pu exploiter. Cette carte est éditée par Cat Club Cards, une microentreprise de Silver Spring, dans le Maryland, qui ne diffuse ses produits que depuis le 18 février dernier. En fait, il s'agit d'une autoentrepreneuse, Mme Linney, qui n'a que des moyens très limités. Elle photographie elle-même ses chats, elle en a six, et elle imprime à domicile avec l'aide de son mari.

– C'est elle qui a vendu la carte au Poète ?

– Non. Elle a un site marchand, mais il n'est fonctionnel que depuis la semaine dernière. Sa sœur tient une petite papeterie à Georgetown ; elle lui a laissé un stock de cartes, le 18 février. Elle a ensuite prospecté pendant les deux semaines qui ont suivi, et déposé des cartes dans trois autres commerces : un petit magasin de Silver Spring où elle est cliente, le 23 ; et deux boutiques éphémères, une à Bethesda dans le Maryland, l'autre dans le quartier Northwest de Washington, le 2 mars.

– La carte que j'ai reçue a donc été achetée dans l'une de ces quatre boutiques.

– Forcément, madame Rizzo.

– Adrianne.

– Adrianne, OK. Le champ d'investigation était donc restreint. Les cartes sont vendues à l'unité ou en coffret de huit. La sœur de Mme Linney lui a pris six coffrets et vingt-quatre cartes, dont le modèle que vous avez reçu. À la date figurant sur le cachet de la poste, elle avait vendu deux coffrets et dix cartes, dont la « Mauvaise journée ? ». Les autres boutiques avaient vendu huit coffrets et six cartes du modèle en question.

– Il vit dans la région.

– Ou il était de passage. Aucun des magasins n'a pu me fournir de vidéos remontant aussi loin. Certaines cartes ont été payées en liquide, d'autres, avec une carte de crédit. Aucun des commerçants n'a le souvenir d'avoir été frappé par quelqu'un de bizarre…

La détective posa sa tasse de café, puis chaussa une paire de lunettes à monture rouge afin de consulter ses notes.

– Le dernier poème qui vous a été envoyé de la manière habituelle a été posté le 10 février de Topeka, au Kansas. Vous m'avez dit être allée relever votre boîte postale le 13, mais ne pas avoir ouvert l'enveloppe tout de suite… (Rachel leva les yeux de son calepin.) C'est ce jour-là que votre grand-père est décédé, ajouta-t-elle avec compassion.

– Oui…

– Une nécrologie et un portrait de lui sont parus dans les journaux de la région le 17 février, avec un lien vers le site web de Traveler's Creek.

– C'est exact. Le lendemain, les cartes étaient en vente à Georgetown, chez la sœur de Mme Linney. Quelques jours plus tard, on pouvait aussi les acheter à Silver Spring, et quelques jours plus tard encore, dans les deux boutiques éphémères.

– Correct. La vôtre a été oblitérée le 16 mars, dix jours avant la cérémonie en hommage à votre grand-père dont la date était indiquée dans la presse et sur le site internet de la municipalité. Cette carte a été envoyée au restaurant, au lieu d'être adressée à votre boîte postale, comme les précédentes. Vous l'avez ouverte le lendemain de la cérémonie.

Lorsque Adrianne se leva, Sadie redressa la tête, pour voir si sa maîtresse avait besoin d'elle, et elle la suivit du regard tandis qu'elle marchait de long en large dans le salon.

– L'article est également paru dans le journal de Kitty Hawk, précisa-t-elle. Mes arrière-grands-parents y ont vécu quelques années, avant ma naissance ; ils y avaient ouvert un deuxième Chez Rizzo. Mon grand-père l'a vendu quand il a perdu ses parents. Ils ne pouvaient pas tenir deux établissements. Le Poète a pu apprendre le décès de mon grand-père à divers endroits.

– En effet. À mon avis, il est à l'affût de toute info vous concernant, vous ou votre famille. Pour ainsi dire, il vous observe de loin. Il suit votre blog, vos séances de gym en streaming, il achète vos DVD. Je suis prête à parier qu'il les a tous. Et qu'il les regarde souvent.

Adrianne réprima un frisson.

– Selon la police et le FBI, il ne s'agirait pas d'une obsession sexuelle.

– Je ne le pense pas non plus. Il n'y a jamais aucune allusion sexuelle dans les poèmes. Il se peut d'ailleurs que leur auteur soit une femme. C'est surtout la récurrence des menaces qui vous affecte et vous effraie. Le Poète prend trop de plaisir à vous faire peur pour mettre fin à ce petit jeu.

– Jusqu'à maintenant…

Rachel hocha la tête, en écartant les mains.

– L'escalade n'est pas bon signe. Bien qu'il n'y ait jamais eu de passage à l'acte, et même s'il n'y en aura peut-être jamais, vous devriez envisager une sécurité rapprochée. Je peux vous recommander des professionnels sérieux.

– J'ai Sadie, et un système d'alarme. Je suis des cours d'autodéfense et d'arts martiaux. Je ne veux pas d'un garde du corps. Pour combien de temps ? Cette histoire peut encore durer dix ou douze ans. Ça fait partie de la torture, c'est ça ? De ne pas savoir si ça cessera un jour, de se demander ce qu'il faudra en conclure le jour où ça cessera.

Adrianne se rassit.

– Merci pour votre travail, dit-elle à Rachel. Pour la première fois, quelqu'un s'est enfin penché de façon concrète sur ce qui m'arrive.

– Ce n'est qu'un début. Votre mère souhaite une enquête approfondie, et j'aime aller au fond des choses.

De sa sacoche, la détective retira une enveloppe en papier kraft.

– Une copie de mon rapport, dit-elle en la remettant à Adrianne. J'en ai envoyé un exemplaire à votre maman. N'hésitez pas à me contacter si vous avez des questions, ou si vous recevez un nouveau poème.

– Bien sûr. Puis-je vous demander pourquoi vous avez quitté la police ?

– Trop dangereux… J'ai pris cette décision d'un commun accord avec mon mari, à la naissance de notre deuxième enfant. L'image du détective privé véhiculée par la télé et le cinéma n'est pas tout à fait fidèle à la réalité. Les enquêtes comportent beaucoup de recherches, d'entretiens, de rédaction de rapports. Et puis surtout, je voulais être indépendante.

Sur ces mots, Rachel rassembla ses affaires et se leva.

– Je comprends.

– Soyez vigilante, ne prenez pas de risques. Je vous appellerai.

Les deux femmes échangèrent une poignée de main, puis Rachel prit congé et Adrianne apporta les tasses dans l'évier et les lava. Elle avait du travail, elle avait toujours de quoi s'occuper, mais si elle restait là, elle lirait le rapport, ruminerait, cogiterait, angoisserait.

– Il fait beau aujourd'hui, dit-elle à Sadie. Que dirais-tu d'un petit jogging ?

Au mot « jogging », la chienne courut dans le vestibule où sa laisse était accrochée, et poussa un jappement d'approbation.

– Laisse-moi me changer et on est parties.

Chapitre 18

Au centre de loisirs, les murs étaient à présent plaqués, jointés, poncés.

– Ça commence à prendre forme, hein ? se réjouit Adrianne en compagnie de Kayla, qui était de retour chez ses parents pour les vacances de printemps.

En jean délavé et sweat-shirt à capuche orné du blason de son université, la jeune femme pivota sur elle-même afin de porter un regard circulaire sur le chantier.

– Le lieu est méconnaissable. On racontait qu'il était hanté quand j'étais gamine.

– Il l'est peut-être, mais s'il y a des fantômes, je dirais qu'ils n'ont plus de raisons de nous tourmenter, maintenant. Merci de me consacrer du temps pendant tes vacances, Kayla.

– Je suis tellement contente que vous ayez fait appel à moi ! Et on aurait tellement aimé avoir un centre de loisirs quand j'étais ado. Toutes mes condoléances pour votre grand-père. Tout le monde l'aimait beaucoup. Je suis honorée de participer à ce projet.

– Tu peux me tutoyer, tu sais.

– OK, je vais essayer.

– Heureusement que tu es là pour m'aider, parce que je n'ai pas peur de prendre des décisions, je pense avoir du goût et le sens pratique, mais là, je ne sais pas par où commencer !

– OK… Vous m'avez dit… *tu m'as* dit que les mots-clés étaient « accueillant, joyeux, facile à entretenir, ni trop prétentieux ni trop austère, respect de l'histoire du bâtiment ».

– Tu arriveras à tout concilier ?

– J'ai apporté des catalogues et des *moodboards*. Je vais les chercher ?

– Des *moodboards* ? Waouh, ça fait sérieux ! Je viens avec toi pour t'aider à tout transporter.

Du haut de l'escalier, Mark interpella Adrianne :

– Tu peux venir voir cinq minutes, s'il te plaît ? Eh, salut, Kayla. Tu vas bien ?

– Super. Et vous, monsieur Wicker ? Comment vont Rich et Charlie ?

– Ils poussent comme des mauvaises herbes. Kayla était la baby-sitter de mes enfants, précisa-t-il à l'attention d'Adrianne.

Toujours un lien entre les uns et les autres à Traveler's Creek, pensa-t-elle.

– J'arrive. Je vais juste aider Kayla à prendre des trucs dans son coffre et je reviens.

– Oh, je peux me débrouiller toute seule.

– Eh, Derrick ? Va aider Kayla à décharger sa voiture, tu seras sympa.

– Tout de suite ! acquiesça un grand gaillard en descendant l'escalier, ses chaussures de chantier résonnant sur les marches. Tu vas bien, Kayla ?

Adrianne rejoignit Mark à l'étage, qui désirait son feu vert pour une modification – judicieuse – des espaces de rangement. Lorsqu'elle redescendit, Kayla avait étalé des montages de visuels, des catalogues et plusieurs nuanciers sur une planche en contreplaqué posée sur deux tréteaux.

– Encore une fois : waouh !

– Les photos et les vidéos que tu m'as envoyées m'ont bien aidée. Du coup, j'ai plusieurs choix à te proposer. Je suis partie dans l'idée de créer un flux de couleurs, au sein duquel les différentes zones du centre de loisirs seraient définies par différentes teintes. Je me dis aussi que des coloris un peu vintage ne seraient pas mal pour l'aspect historique. Par exemple, je verrais bien ce type de sol pour les toilettes et le coin snack…

– On dirait de la brique.

– C'est du carrelage antidérapant, très facile à laver. Ou alors, on opte pour un revêtement vinyle d'une couleur neutre, avec éventuellement un mur d'aspect brique. Pour les placards, je te conseillerais des façades lisses, faciles à nettoyer, dans une teinte gaie et lumineuse. Et je verrais bien une robinetterie rustique.

– J'adore ce vert sapin pour les rangements. D'une manière générale, j'adore le vert.

– Je m'en souvenais. Personnellement, je le marierais avec des comptoirs de ce genre, blancs. L'avantage, c'est qu'ils sont déjà traités – il n'y a pas besoin de les revernir et les taches s'enlèvent d'un coup d'éponge. Les bords sont arrondis, pour que les enfants ne se blessent pas – en même temps, ça crée un certain style…

Adrianne examinait les planches d'inspiration réalisées par la jeune étudiante, tout en écoutant ses conseils et suggestions, et peu à peu elles sélectionnèrent la plupart des matériaux, et mirent de côté une série d'échantillons qu'Adrianne emporterait chez elle afin de se donner le temps de la réflexion.

– Ça va être chouette ! commenta Mark en venant regarder. Tu es devenue une pro ! dit-il à Kayla en lui décochant une petite tape amicale dans le bras.

Son frère les rejoignit – l'ancien dur à cuire.

– J'aime bien ce vert, il pète ! déclara-t-il en adressant un clin d'œil à Kayla. Je ne savais pas que vous deviez passer aujourd'hui, ajouta-t-il, charmeur, en se tournant vers Adrianne. Ou sinon, j'aurais mis ma plus belle casquette !

Paul, se remémora-t-elle.

– Celle-ci est déjà très belle.

– Ce vieux truc ? Vous rigolez !

– Paul, si tu aidais ces dames à rapporter tout ça dans leurs voitures ? suggéra Mark.

– Avec plaisir !

Torse bombé, biceps saillants, Paul souleva une pile de catalogues de papiers peints.

– Vivement les beaux jours, hein ? lança-t-il à Adrianne en lui emboîtant le pas. Je vous vois courir avec votre chien de temps en temps. Sportives, toutes les deux !

– Sadie a besoin de se dégourdir les jambes, et moi aussi. Juste celui-ci dans cette voiture, Paul, merci.

– S'il ne pleut pas, Jason attaque la façade la semaine prochaine, dit-il en s'adossant contre la voiture. Ça aura déjà une autre allure quand la façade sera refaite. D'ici quelques semaines, on pourra commencer à se faire une bonne idée du rendu final.

– J'ai hâte. Merci encore.

– À votre service. J'irai sûrement boire une bière et manger une pizza Chez Rizzo, ce soir. Je serais ravi de vous offrir un verre un de ces jours, si vous voulez qu'on discute du chantier.

– C'est sympa, merci. Sinon, on se verra ici.

– Entendu. Prenez soin de vous. À plus.

Et il retourna dans le bâtiment en roulant des mécaniques.

– Il te drague… chuchota Kayla.

– J'en ai bien l'impression.

– Il est plutôt beau garçon, et bien roulé. Barry est sorti avec sa sœur, il y a quelque temps. Paul était un peu voyou quand il était plus jeune, mais il paraît qu'il s'est bien rangé.

– Mouais…

– Il ne te plaît pas ?

– Il est sympa, répondit Adrianne, évasive. Il faudra aussi qu'on discute du mobilier avant la fin de tes vacances.

– J'ai des idées.

– Je compte sur toi. À très bientôt. On s'appelle.

Non, Paul ne lui plaisait pas, pensa Adrianne sur le chemin du retour. Pas de déclic. Cela dit, rien ne l'empêchait d'aller prendre un verre avec lui, car en fait, elle ne le connaissait pas.

– Pas trop d'énergie pour les mecs… soupira-t-elle. Peut-être quand le centre de loisirs sera fini, hein, Sadie ?

Elle fit un détour par chez Teesha, afin de lui demander son avis sur les échantillons pour lesquels elle était encore indécise. Mais la voiture familiale n'était pas dans l'allée, ce qui signifiait que la famille était partie vaquer à ses occupations.

En revanche, celle de Raylan était là. Elle se gara derrière. Depuis la cérémonie d'adieux, elle n'avait toujours pas trouvé l'occasion de lui parler.

Sans doute était-il en train de travailler, pensa-t-elle en détachant la laisse de Sadie. Elle ne le dérangerait pas longtemps.

– Ça fait un bout de temps que tu n'as pas vu ton chéri, dit-elle à la chienne en lui caressant la tête, tout en frappant à la porte. Ne t'excite pas trop, lui chuchota-t-elle. Fais-toi désirer.

Raylan vint ouvrir, téléphone à l'oreille. Les chiens se jetèrent l'un sur l'autre et se roulèrent ensemble sur le plancher du salon.

– Ou pas, marmonna Adrianne.

Raylan lui fit signe d'entrer. Vêtu d'un pantalon de jogging gris et d'un sweat-shirt No One, mal rasé, il n'en était que plus charmant.

– La copine de mon chien, dit-il au téléphone, en faisant un bond de côté pour éviter l'amalgame délirant des retrouvailles canines. Oui, parfaitement, mon chien a une copine. Ha, ha, très drôle. Non, c'est une excellente idée, vraiment. Ma mère les gardera. Ça fait trop longtemps qu'on n'a pas passé une soirée ensemble. OK. Ça marche. On se voit dans quinze jours, alors. Bises.

Il raccrocha et rangea son téléphone dans sa poche.

– Salut.

– Salut. Désolée de me pointer sans t'avoir prévenu.

– Pas de problème, dit-il en regardant les chiens qui échangeaient de grands coups de langue énamourés. Ça faisait longtemps que les tourtereaux ne s'étaient pas vus.

– À cause de nous, les pauvres.

– On les laisse tous les deux tranquilles dans le jardin ?

– Bonne idée, mais je ne te dérangerai pas longtemps. Tu devais être en train de travailler…

– Une petite pause ne me fera pas de mal. Allez, dehors, les amoureux ! Tu veux boire quelque chose ? Un Coca, un jus de fruits, un verre d'eau ?

– Ça va, je te remercie.

Une vraie cuisine familiale… pensa-t-elle. Le calendrier sur le réfrigérateur, avec des rendez-vous marqués en rouge ; les dessins des enfants punaisés sur un panneau de liège, avec quelques cartes de visite ; sur le comptoir, une corbeille à fruits presque vide.

– On ne s'est pas revus depuis la cérémonie, dit-elle. Et je voulais te parler d'un truc.

– Comment vas-tu ?

– Bien, je te remercie… Quand Nonna est morte, je ne venais chez mes grands-parents qu'en visite. En plus d'être triste de la perdre, je me faisais du souci pour Popi. Alors je me suis installée ici. Ça fait maintenant plus de deux ans. Parfois, en me levant, le matin, je me dis que c'est à mon tour de le conduire au restaurant, ou bien je crois sentir l'odeur du café dans la cuisine. Et puis je me rappelle qu'il n'est plus là…

– Presque chaque fois je m'attends à le voir derrière le comptoir, Chez Rizzo. Il aura joué un rôle important pour beaucoup d'entre nous.

– Oui, c'était une figure locale… Je voulais te dire… Je t'ai déjà remercié, je sais, pour toute l'aide que tu m'as apportée. Mais je tenais à ce que tu saches combien j'ai été touchée par ce que tu m'as dit… Qu'il a eu une vie bien remplie, longue, belle et généreuse, et que le destin lui avait offert une belle mort. Ces paroles m'ont aidée à franchir un cap difficile. Aujourd'hui encore, je me les répète quand j'ai le spleen, et elles me remontent le moral. J'ai apprécié que tu passes tous ces appels à ma place, que tu me tiennes la main pendant que je téléphonais à ma mère… Heureusement que tu étais là. Et tes mots resteront gravés dans mon cœur à jamais.

– Là, je ne sais plus quoi dire…

– Sur le coup, j'étais sidérée, incapable de réfléchir. Mais depuis, j'ai beaucoup pensé à cette coïncidence… Pourquoi étais-tu là ? Pile au moment où j'avais besoin de toi ?

– Je voulais te montrer la maquette de *Flame*.

– L'album est terminé ?

– Oui. Je voulais que tu y jettes un œil, comme le personnage est directement inspiré de toi.

– Tu l'as toujours, cette maquette ?

– Oui.

– Je pourrais la voir ?

– Bien sûr.

Elle le suivit dans son bureau et, tandis qu'il ouvrait un tiroir, elle contempla les dessins affichés au mur.

– Tu bosses sur une nouvelle histoire de No One… Aux prises avec Divina la Sorcière. Cool. On sent cette tension sexuelle entre eux, alors qu'ils cherchent à se détruire…

Elle se déplaça, s'immobilisa devant un autre croquis.

– Une forteresse de verre… Non, pas de verre. Une sorte de matériau organique transparent, impénétrable… C'est ça ? Très chouette. Sur une île ? On dirait une île. C'en est une. Une île volcanique ! Génial ! Qui n'est pas fasciné par les volcans ?

Lorsqu'elle se retourna, Raylan semblait la regarder sans la voir, totalement absorbé dans ses pensées.

– C'est un QG, n'est-ce pas ? Celui des gentils, vu qu'il est transparent. Dis-moi que tu as enfin formé une équipe de héros, tes Avengers, ta Justice League…

– L'Avant-Garde.

– L'Avant-Garde, répéta-t-elle, admirative. C'est parfait. Ils ont uni leurs forces et leurs pouvoirs pour forger une coalition contre le mal.

– On réutilisera peut-être cette phrase.

– Il y aura des frictions, obligé. Violet Queen et Snow Raven ont déjà eu maille à partir dans *Le Gambit de la reine.*

Raylan en resta sidéré.

– Mais Snow Raven et No One ont fait équipe dans *Pas de quartier* et *Tous pour un*. Cobalt Flame sera-t-elle membre de l'alliance ? Les autres lui feront-ils confiance ?

– On se disait que True Angel pourrait se porter garante de Flame, et, après moult débats, elle serait admise à titre probatoire. Tu as vraiment lu tous mes albums.

– J'adore la dualité des personnages, et les bagarres. Le combat entre le bien et le mal, la solitude de ces héros ambivalents, prêts à tout risquer. Et j'adhère à la célèbre phrase de l'oncle de Spiderman : « Un grand pouvoir implique de grandes responsabilités. » C'est le livre ? demanda Adrianne en désignant le livret que Raylan tenait à la main.

Il la lui tendit.

– Ce n'est qu'une maquette, précisa-t-il. Une impression et une reliure bas de gamme sur du papier bas de gamme.

– Génial ! s'exclama-t-elle en feuilletant le fascicule. Elle a l'air si triste, si tourmentée, quand elle est seule… Waouh ! Magnifique, sur son dragon. Tout l'opposé d'Angel, et pas seulement physiquement. Je suis totalement fan, et totalement épatée par ton talent.

– Eh, tu ne voudrais pas vivre dans mon bureau et me répéter ça toutes les heures ?

– Quand on est bon dans ce qu'on fait et qu'on travaille, on sait qu'on est bon. Alors on continue de travailler. Merci de me l'avoir montrée, dit-elle en rendant la maquette à Raylan.

– Elle est pour toi.

– Je peux la garder ? Vraiment ? s'écria-t-elle en lui donnant un petit coup de poing dans l'épaule.

– Tu ne sens pas ta force, maugréa-t-il en se frictionnant le bras. Tu peux la garder, oui, c'est un cadeau.

– Tu me la dédicaces ?

– Si tu promets de ne plus me frapper, répondit-il en se munissant d'un feutre rouge.

– Maintenant que je t'ai couvert de compliments sincères, il y a autre chose dont j'aimerais te parler. Les travaux du centre de loisirs avancent bon train, l'ouverture est prévue pour septembre. On a déjà un prof de musique, Monroe, mais on cherche des intervenants pour animer toutes sortes d'ateliers : danse, arts créatifs, activités sportives, etc. Tu serais partant pour donner des cours de bande dessinée ?

– Pourquoi pas…

– Super ! Merci !

– Il nous arrive d'intervenir dans les écoles avec mes associés. C'est sympa, on aime bien. C'est comme ça qu'on a trouvé un de nos stagiaires, l'an dernier.

– Par contre, on rémunère en poignées de main de reconnaissance.

– Ça me va.

– Merci, Raylan. Et encore merci pour la maquette, dit-elle en la serrant contre son cœur. Une dernière chose, et je te laisse te remettre au boulot. Je vais recommencer à inviter des amis chaque semaine. Cette maison a besoin d'accueillir du monde. Ça te dit de venir tester mes talents culinaires, vendredi, avec tes enfants ?

– Volontiers… Ah, mince, non, les petits vont chez ma mère vendredi. Ils ont négocié une soirée vidéo. Je ne suis pas convié.

– Viens dîner sans eux, alors. À moins que tu ne préfères savourer ta soirée en solitaire. Teesha prétend que c'est encore meilleur que le champagne et le caviar.

– Je déteste le caviar. Je trouve ça répugnant, comme Tom Hanks dans *Big*. Mais je veux bien venir manger chez toi. C'est cool, aussi, de mettre les pieds sous la table.

– Super, tu seras ma première victime. Euh, mon premier invité. Je me souviendrai, pour le caviar. 19 heures, ça te va ?

– Parfait.

– À vendredi, alors. Je fais rentrer Jasper ?

– Non, il reste dehors jusqu'à ce qu'il ait fini de bouder. Il est d'une humeur massacrante chaque fois que Sadie s'en va.

– Amène-le vendredi !

Raylan resta dans son bureau, tandis qu'Adrianne repartait par la porte de derrière. Comme une amie de longue date qui connaissait la maison.

Mais n'était-elle pas une amie de longue date ? Il n'y avait rien d'ambigu dans son invitation, puisqu'elle avait aussi invité les enfants. De toute façon, Raylan n'avait pas eu de rendez-vous galant depuis si longtemps qu'il n'était pas sûr de savoir encore comment se comporter dans ces occasions-là. Tant mieux, donc, si ce n'en était pas un.

Néanmoins, le vendredi soir, il mit un temps fou à choisir ses vêtements pour la soirée. Et se trouva ridicule.

Finalement, il opta pour un jean – passe-partout – et, comme il ne savait pas s'il devait rentrer sa chemise dans son pantalon ou la porter par-dessus, il la troqua contre un petit pull de coton.

Il avait acheté une bonne bouteille de vin, mais s'arrêta quand même chez le fleuriste. Après quoi, il redouta que son bouquet soit mal interprété…

– Bon… On arrête de se prendre la tête, se murmura-t-il à lui-même, assis dans sa voiture devant chez elle. Tu ne l'intéresses pas… Pas de cette manière. Elle ne s'est jamais intéressée à toi. De toute façon, si tu lui plaisais, tu serais bien embêté… Alors basta !

Sur la banquette arrière, Jasper trépignait d'impatience. Sitôt que son maître ouvrit la portière, il fila comme une flèche et l'attendit sur le paillasson. Dans la poche de Raylan, son téléphone sonna. Un appel FaceTime de Jonah.

– Salut, associé.

– Salut, je ne te dérange pas ?

– Je suis invité à dîner. Je te rappelle plus tard, OK ?

– Pas de problème. Tu es seul ? Je n'entends pas les enfants…

– Ils sont chez ma mère.

– Oh, oh… Un dîner en amoureux ? Tu t'es rasé ?

– Non, avec une amie.

– Ah, j'entends Jasper… Pourquoi il pleure comme ça ? Ah, OK, tu passes la soirée avec Flame ! Qui a une chienne dont ton chien est raide dingue. Ça alors !

– Ce n'est qu'une amie.

– La reine du fitness au corps de rêve… Vous allez au restau ou tu es invité chez elle ? Chez elle, forcément, puisque tu as emmené ton chien. Elle cuisine pour toi… Ouh là là…

– La prochaine fois qu'on se voit, rappelle-moi de t'en coller une.

– Compte sur moi. Allez, je te laisse, passe une bonne soirée. Tu m'enverras un texto pour me raconter.

Raylan raccrocha en se disant qu'il venait d'avoir une conversation digne d'un gamin de quinze ans. Mais étrangement, cette réflexion l'apaisa, et il actionna le lourd heurtoir de bronze, son bouquet à la main, sa bouteille sous le bras.

Elle était en jean – ouf – et chemisier jaune pâle ouvert sur un caraco blanc, ses magnifiques cheveux bouclés attachés en queue-de-cheval.

– Pile à l'heure, dit-elle en regardant Jasper se précipiter vers Sadie. Excellent choix, ajouta-t-elle quand il lui offrit la bouteille de vin. Parfait avec le menu que j'ai préparé. Allons nous asseoir sur la terrasse, derrière.

Elle avait mis de la musique, comme Dom chaque fois qu'il recevait un invité, un discret fond sonore. Des arômes tout aussi subtils embaumaient la maison.

– Ça sent bon…

– J'espère que ce sera réussi. Popi m'a légué la recette secrète de sa sauce tomate. Par testament, sous enveloppe scellée, dit-elle avec un sourire, tout en débouchant habilement la bouteille de vin. Je suis censée l'apprendre par cœur, puis la remettre dans une enveloppe cachetée à la cire, et dans un coffre-fort, pour la transmettre à mes enfants, si et seulement si ils le méritent. Ta mère la connaît, ajouta-t-elle en sortant deux verres. Pour te dire à quel point Dom lui faisait confiance.

– Elle la méritait. Elle n'a jamais révélé le secret, ni même jamais préparé de la sauce tomate Rizzo à la maison.

– J'ai fait des lasagnes. Je n'en fais jamais pour moi toute seule. Si elles ne sont pas très bonnes, tu es prié de mentir. Merci d'être là. C'est en quelque sorte un crash-test pour moi, de préparer le repas de A à Z, de reprendre une vie sociale…

Elle versa le vin, et Raylan fit tinter son verre contre le sien.

– Au succès de ton crash-test.

– *Salute*. Prenons l'apéro et les antipasti ici. On rentrera pour le plat principal.

– Tu m'as préparé un repas de première classe.

– Un repas à l'italienne.

Sur la table, elle posa un plateau garni de pepperoncini, tomates cerises, pois chiches, olives et autres amuse-gueule marinés dans la vinaigrette de sa grand-mère. Puis elle servit deux petites assiettes.

– Je ne me fais pas de souci pour l'entrée ni pour le dessert. Nonna m'a appris à être confiante. Et toi, tu cuisines ? Obligé, j'imagine, avec deux enfants.

– Hélas, on ne peut pas acheter des pizzas Chez Rizzo tous les jours, même si les enfants n'y verraient pas d'objection. Le gril et le wok sont mes deux fidèles alliés, mais je sais aussi faire rôtir un poulet. On ne peut pas être les enfants de ma mère sans apprendre à cuisiner.

– J'imagine.

– Ne me juge pas, mais quand je suis pressé, il m'arrive de faire des nuggets de poulet surgelés.

– Mimi m'en achetait de temps en temps, quand ma mère n'était pas là. C'était notre secret. Je ne juge jamais, j'éduque, déclara Adrianne en dégustant un morceau de provolone. Ma mère a tendance à juger hâtivement, mais elle essaie de se surveiller depuis quelque temps.

– C'est bien.

– On fait une sorte de crash-test, toutes les deux. La mort de Popi l'a beaucoup affectée. Du coup, elle se remet en question. Elle avait commencé un peu avant. Le 31 décembre à minuit, elle m'a envoyé un texto pour me souhaiter une bonne année. C'était la première fois. Et elle a accepté sans trop rechigner de tourner notre prochain DVD au lycée.

– J'ai appris ça. Le téléphone arabe fonctionne bien, à Traveler's Creek.

– Je suis super contente. J'adore l'idée de mêler deux générations. Deux et demie, en fait. Il y a un petit moment que je ne suis plus lycéenne.

– Il y aura aussi des sportifs pros ? Tes antipasti sont délicieux.

– Merci. Une pom-pom girl, un joueur de football américain, une prof de gym, un entraîneur de foot – tous du lycée. Il y aura aussi un fort en maths, un théâtreux, une fille qui deviendra sûrement ingénieure ou chercheuse… Diversité, résuma Adrianne en buvant une gorgée de vin. De sexe, d'âge, d'appartenance ethnique, de physique. C'est un challenge de penser à tout.

– Mais tu y prends du plaisir.

– Énormément. Ma mère revient dans quelques semaines pour les répétitions générales. Ensuite, on tournera sur un week-end, deux longues journées, plus un soir après les cours, si besoin. Prêt pour le plat de résistance ?

– Je n'attends que ça ! Ces odeurs qui me chatouillent les narines vont virer au supplice.

– Je croise les doigts. Tu veux bien appeler les chiens et allumer les bougies sur la table de la salle à manger ? Je m'occupe du reste.

Raylan était plus à l'aise qu'il ne l'aurait cru. Adrianne avait toujours été d'un naturel si agréable, et il s'était toujours senti bien dans cette maison. Elle apporta les lasagnes, du pain maison et un plat de tomates cerises cuites au four, à l'huile d'olive et à l'origan.

– Je te sers ?

– Avec plaisir.

– J'espère que tu ne le regretteras pas.

Elle servit de généreuses parts, tandis que Raylan remplissait les verres. Puis elle s'installa face à lui et goûta une première bouchée. Il l'imita.

– Tu as hérité du talent culinaire des Rizzo, dit-il.

Elle semblait elle-même satisfaite de ses lasagnes, et accueillit le compliment avec un grand sourire.

– Je ne cuisinerai jamais aussi bien que mes grands-parents, mais au moins je ne les déshonore pas. Et maintenant que je n'ai plus à me soucier de mes performances gastronomiques, il faut que je te dise : j'ai lu ton bouquin. Deux fois.

– Ne me gâche pas le repas en abordant mes performances à moi.

– Je te rassure, tu n'as pas à t'inquiéter ! À la première lecture, je le reconnais, je me suis plus intéressée à moi-même qu'à autre chose. C'était bizarre, et fascinant. À la deuxième, ce n'était plus moi, c'était Flame, mais je m'identifiais encore un peu. Elle est si torturée par cette attraction et à la fois cette répulsion qu'Endeuillax lui inspire. Par son admiration et sa jalousie pour True Angel. (Adrianne prit son verre, et poursuivit en le tenant à la main.) Même si je connaissais le dénouement, j'étais autant en haleine la deuxième fois que la première, quand Endeuillax encourage Flame à achever Angel, blessée, dans la boîte de nuit souterraine, sous le Styx, pour allumer l'étincelle qui mettra le feu aux poudres et ravagera la ville. En tuant True Angel, elle sacrifie son âme à Endeuillax, et elle s'affranchit de lui, en se condamnant aux ténèbres, mais elle est attirée par les ténèbres. La scène est hyper poignante.

– Je commence à me demander comment mon ego survivait sans toi.

– Je te donne un avis sincère. Le combat est loin d'être gagné d'avance – Flame est quand même un peu tarée ! Elle fonctionne à l'émotion, et elle s'est persuadée qu'Angel représente tout ce qu'elle ne sera jamais. Du coup, elle l'envie de façon malsaine.

Adrianne s'interrompit un instant pour piquer une tomate sur sa fourchette.

– Anéantir True Angel, reprit-elle, lui procurerait tout ce qu'elle estime mériter.

– Mais elle se couperait définitivement et irrémédiablement de son côté humain.

– Alors elle choisit l'humain. Tes enfants sont fiers de ce que fait leur papa ?

– Dans leur tête, ce n'est qu'un métier comme un autre. Bradley ne jure que par Batman.

Amusée, Adrianne but une gorgée de vin.

– Ça lui passera, j'en suis certaine.

– Quand on a fait des œufs de Pâques, il a dessiné des têtes de Batman sur les siens, assez réussies, je dois avouer. J'essaie de me faire une raison et de défendre mon fils, car Jonah, mon associé, le prend personnellement.

– Ça ne te manque pas, l'ambiance de la maison d'édition ?

– Si, un peu. Heureusement, il y a la visio, mais l'énergie n'est pas la même. Une chose est sûre, c'est que je perds moins de temps quand je travaille chez moi, mais mes collègues me manquent, oui. Et toi, tu ne regrettes pas New York ?

– Je croyais que la ville me manquerait, mais non. De toute façon, où que je sois, je travaille principalement seule. Teesha et Monroe sont ici, maintenant, et ça, j'apprécie vraiment. Mais sur le plan professionnel, mon métier est plus solitaire que le tien, à part dans les phases finales.

Raylan termina son petit pain en le trempant dans une soucoupe d'huile d'olive.

– Je ne me doutais pas, quand je suis devenu son voisin, que Monroe avait composé au moins 10 % de ma playlist.

– Il est discret.

– Pas du tout frimeur, en effet. Parfois, il joue dans son jardin ; de la guitare, du clavier ou du sax. Un jour, je lui ai demandé s'il n'avait pas envie d'interpréter les morceaux qu'il écrit…

– Il t'a répondu : « Pour vivre heureux, vivons cachés. »

– Exactement. Adrianne, je me suis régalé. Vraiment.

– Ce n'est pas fini. J'ai préparé du sabayon. Et là, je suis totalement sûre de moi ; ma grand-mère m'a transmis son secret il y a des années. Mais d'abord, je débarrasse. Cappuccino ?

– Avec plaisir. Je vais te donner un coup de main.

Ils se levèrent tous deux et rassemblèrent les assiettes.

– Au fait, j'ai croisé Maya aujourd'hui, dit Adrianne. Elle revenait de sa visite chez le gynéco, qui lui a dit que tout se passait bien.

– Elle m'a dit ça. Ma mère est folle de joie de savoir que c'est une fille. Joe aussi. Collin, nettement moins. Il m'a confié que les filles étaient bêtes.

– Qu'est-ce que tu lui as répondu ?

– Je n'ai pas voulu le contredire, pour ne pas perdre son estime. Mais je lui ai cité quelques représentantes de la gent féminine tout à fait respectables : la Power Ranger rose, Wonder Woman, Princesse Leia, la Femme invisible, Violet Queen, sa mère, sa grand-mère. Je n'ai pas mentionné sa cousine, parce qu'en ce moment Mariah incarne la nullité absolue à ses yeux.

– Judicieux.

En se tournant vers la machine à café, Adrianne se heurta à Raylan, et croisa son regard… si vert… Pourquoi diable avait-il de si beaux yeux ?

– Oups… Excuse-moi… Désolée… bredouilla-t-elle en s'écartant, mais il lui saisit le bras et la retint contre lui.

– Ne sois pas désolée, il n'y a pas de raison, murmura-t-il.

Chapitre 19

Adrianne se retrouva soudain privée de toutes ses facultés, incapable de la moindre pensée cohérente.

– Non… mais… je ne… je ne voulais pas… je…

Il se pencha vers elle et lui déposa un baiser sur les lèvres, léger, furtif, une sorte de test, afin que l'un et l'autre puissent faire machine arrière sans mettre à mal une vieille et précieuse amitié.

Elle se laissa aller contre son torse, et sentit instantanément ce déclic qui ne s'était pas produit depuis des années. Comme lorsqu'on insérait la bonne clé dans la bonne serrure.

Elle lui caressa tendrement la joue, puis elle enfouit les doigts dans ses cheveux.

Était-ce lui, ou elle, qui initia le deuxième baiser, plus appuyé, plus ardent ? Elle n'aurait su le dire. Elle ne savait qu'une chose : que tout en elle désirait davantage.

– Alors, désolée ? demanda-t-il en s'écartant, les yeux plongés au fond de son regard.

– Pas du tout. Même pas un peu.

– *Idem*.

Cette fois, elle noua les bras autour de son cou, et un son rauque s'échappa de sa gorge quand il s'agrippa à ses hanches.

– La sagesse voudrait… parvint-elle à articuler avant qu'il l'embrasse à nouveau. La sagesse voudrait qu'on s'accorde quelques jours.

– Crois-tu ?

– Ou bien on monte tout de suite. On gagnera du temps.

– Important, la gestion du temps. Je vote pour monter tout de suite.

Elle lui saisit la main, et l'entraîna hors de la cuisine.

– Je n’imaginais pas que la soirée se terminerait comme ça.

– Moi non plus. Mais j’avoue que l’idée me trottait dans la tête.

Elle s’arrêta au pied de l’escalier.

– Ah bon ?

– Montons avant que tu changes d’avis.

– Pas de risque… murmura-t-elle, parcourue d’un frisson de désir.

– Il faut que je te dise… Je n’ai fréquenté personne depuis Lorilee. Je suis sûrement un peu rouillé.

– Je sors moi-même d’une longue période d’abstinence. On se rafraîchira mutuellement la mémoire.

Dans sa chambre, comme toujours à la tombée du soir, elle avait allumé la jolie lampe sur le rebord de la fenêtre.

Elle se tourna face à Raylan, de nouveau en proie à ce délicieux frisson.

– Jusque-là, je sais encore faire, murmura-t-il contre sa bouche, en laissant ses mains courir le long de son corps.

Quand il voulut lui détacher les cheveux, instinctivement elle tenta de l’en empêcher.

– Laisse, sinon…

– Tu as de si beaux cheveux, dit-il en les caressant, puis il la serra contre lui. Tout me revient, je crois…

Avec autant de grâce que de douceur, il la souleva et la déposa sur le lit, où il s’allongea avec elle.

– Joli, commenta-t-elle, le cœur battant à tout rompre. Tu marques des points.

– Merci.

Il prit le temps de contempler son visage, les ombres et les lumières du crépuscule qui jouaient sur ses traits. Ce visage qu’il avait dessiné d’innombrables fois, dont il connaissait chaque détail, et pourtant…

– Qui aurait cru qu’on en arriverait là ?

Lorsqu’il l’embrassa, cette fois, tous deux cessèrent de réfléchir.

Après avoir si longtemps muselé sa libido, Raylan redécouvrait ce bonheur à nul autre pareil… Désirer, se sentir désiré. Retrouver cette glorieuse sensation, cette délicieuse chaleur, le sentiment procuré par une femme éveillant son désir et lui offrant de le combler.

Il lui ôta son chemiser, effleurant ses longs bras musclés à la peau douce comme du satin. Quand il lui retira son caraco, elle arqua le dos afin de l’aider. Délicatement, il lui caressa les seins, puis posa la tête contre sa poitrine, à l’écoute des battements de son cœur.

Adrianne se sentait si… précieuse, glorifiée, sous les caresses de Raylan, empreintes de révérence, ses lèvres courant sur sa peau comme si son goût leur était vital. Comment une telle harmonie était-elle possible ? Alors qu'ils se connaissaient depuis des années, même si leurs chemins s'étaient éloignés. Pour mieux se retrouver.

Sa bouche brûlante lui procurait des sensations qu'elle croyait avoir oubliées, des sensations qui faisaient vibrer son corps tout entier et défaillir son cœur. Ses mains allumaient des incendies dans chacune de ses veines. Et elle en désirait encore davantage.

Elle lui enleva son pull de coton, explora son torse, ses épaules, lui arrachant des murmures de délice. Lorsque leurs yeux se rencontrèrent, dans l'ombre, elle lui sourit.

– Ne sois pas si majestueuse.

– Je suis ce que tu fais de moi. Je t'ai juste inspiré.

– Parfois, je te haïssais, je maudissais ton nom. Dans une démarche purement créative.

Tout en lui caressant la joue, elle contemplait ses yeux, ses beaux yeux verts dont elle avait toujours été un peu amoureuse.

– Raylan… murmura-t-elle en l'embrassant.

Il perçut de l'urgence dans ce baiser, dans la tension de son corps contre le sien, mais il s'efforça de se maîtriser, de calmer leurs ardeurs.

La magie ne se dévorait pas en une bouchée.

Tout en échangeant des baisers langoureux, ils se déshabillèrent l'un l'autre, et quand elle se pressa contre lui, impatiente, brûlante, il se servit de ses doigts pour lui donner un premier orgasme.

Lorsqu'elle s'abandonna entièrement, elle qui incarnait la force féminine, il se sentit aussi puissant qu'un dieu.

Il se rassasia alors du goût de sa peau, des pulsations de son cœur, parcourut de ses mains chaque parcelle de son corps, jusqu'à en être privé de souffle, suffoqué de désir.

Et quand il se glissa en elle, doucement, tout doucement, il eut la sensation d'une clé s'introduisant dans une serrure. Un instant, il posa son front contre le sien, essayant de garder le contrôle.

Elle lui encadra le visage de ses mains, les yeux rivés au fond des siens, et il se perdit dans son regard. S'abîma en elle. Elle noua les jambes autour de sa taille, et il céda alors à ses pulsions, jusqu'à être repu, comblé, le visage enfoui dans les boucles de ses cheveux.

À bout de souffle, hagarde, elle demeura longtemps immobile, comme si elle venait de courir un marathon dans le désert et de franchir la ligne d'arrivée dans une oasis éclairée par la lune. Son corps aurait pleuré de gratitude s'il lui était resté de l'énergie. Puis avec un soupir alangui, elle promena une main sur le dos de Raylan.

– Finalement, on savait encore faire.

– Je ne sais pas si je dois te dire merci ou waouh. Alors, waouh, merci.

Il roula sur le dos, étendu à ses côtés, et elle se sourit à elle-même, certaine d'entendre ce qui se passait dans sa tête.

– Il faut que je te dise deux ou trois choses… Je ne suis pas du genre à disparaître après avoir tiré un coup.

– Tant mieux ! répliqua-t-elle.

– Je veux dire… Les aventures sans lendemain ne sont pas mon genre. J'espère qu'on se reverra.

Elle se retourna sur le ventre, afin de lui faire face.

– Je l'espère aussi.

– Parfait. On pourra… sortir, faire des trucs ensemble.

– Il n'y a qu'un truc qui m'intéresse.

– Quelle vamp ! répliqua-t-il, en plissant ses superbes yeux verts.

Elle lui déposa un baiser sur les lèvres.

– Ça, c'est un terme qu'on n'entend pas tous les jours. Je plaisantais. Je veux bien qu'on aille au restau ou au ciné. Ce qui me gêne, c'est le côté obligatoire, genre l'incontournable sortie du samedi soir. Si on a envie de sortir, on sort. Si on n'en a pas envie, on a le droit de passer le week-end au lit.

– Je n'y vois aucune objection.

– Ensuite, que voulais-tu me dire ?

– Tout à l'heure, je t'ai dit que je n'aurais jamais cru qu'on en arriverait là… Mais en vérité, j'ai toujours eu un faible pour toi.

En appui sur les coudes, elle écarta ses cheveux qui lui tombaient devant les yeux.

– Développe, sans omettre aucun détail.

– Ce n'est pas quelque chose qui se détaille… La première fois que tu es venue passer l'été à Traveler's Creek, que tu t'es liée avec Maya… Un jour, tu m'as parlé de mes dessins. Tu connaissais Iron Man, Spiderman. J'ai été bluffé, alors qu'à l'époque, comme Collins, je trouvais les filles débiles.

– Ce jour-là, j'ai été tellement impressionnée que j'ai voulu me mettre au dessin. Qu'ai-je essayé de dessiner ? (Le front plissé, Adrianne fouilla un instant dans sa mémoire.) Ah oui, la Veuve noire. Je rêvais d'être la Veuve noire, alors j'ai tenté de la dessiner. J'ai été très frustrée de ne pas y arriver.

Raylan entortilla l'une de ses mèches autour de son doigt.

– Natasha ou Yelena ?

– Natasha.

– Je t'apprendrai à dessiner, si tu veux.

– J'en doute.

– Pourquoi partir vaincue d'avance ? Mais je reviens à mes moutons. Je me rappelle aussi l'été après ma première année de fac. Je travaillais Chez Rizzo. Un jour, tu es venue acheter des pizzas avec Maya et d'autres copines. Tu devais avoir une quinzaine d'années. Je t'ai trouvée canon. Mais tu étais la petite-fille de M. Rizzo, une amie de ma frangine, et une gamine, par rapport à moi qui étais à la fac.

– Pour moi, c'était l'été précédent.

– Quoi donc ?

– Que tu m'as tapé dans l'œil. Tu tondais la pelouse chez ta mère, torse nu, en sueur. Tu étais un peu gringalet, mais…

– Je n'étais pas gringalet !

– Tu as toujours été maigre. Maintenant que tu commences à t'étoffer, tu es mince. Tu ressemblais à un surfeur, avec tes cheveux éclaircis par le soleil, bouclés par la transpiration, et tes lunettes de soleil. Dommage, elles cachaient tes yeux verts. Je suis dingue des yeux verts.

– Ça tombe bien, je réponds à ce critère.

– J'étais tout émoustillée par ce beau gosse au torse luisant, mais mon cœur était pris. J'étais amoureuse de Daniel Radcliffe.

– Harry Potter ? Tu es sortie avec lui ?

– Hélas, je n'ai jamais eu la chance de le rencontrer, mais j'en rêvais, car j'étais persuadée qu'il tomberait fou amoureux de moi, qu'on se marierait et qu'on vivrait heureux ensemble. J'ai aussi un faible pour les geeks.

– Je réponds aussi à ce critère-là.

– Je craque aussi pour Peter Parker, et je n'hésiterais pas une seconde à me faire l'esclave sexuelle de Tom Holland.

– Ça, c'est des confessions sur l'oreiller !

– N'est-ce pas ? répliqua-t-elle en lui tâtant le biceps. Combien tu soulèves, maintenant ?

– Ne commence pas avec ça.

– Déformation professionnelle. Je te préparerai un nouveau programme.

– Je me suis abonné à tes vidéos en ligne, et à celles de ta mère. J'ai tous les programmes qu'il me faut.

– Excellent.

– De te voir presque tous les jours en legging moulant a probablement contribué à ce qui est arrivé aujourd'hui.

– *Presque* tous les jours ? releva-t-elle, le sourcil sévère.

– Je fais aussi de la muscu avec Hugo The Hammer, pour varier les plaisirs. Il est terrible.

– Le gars le plus gentil du monde.

– Et son collègue… Mince, j'ai oublié son nom… Celui qui a un petit chignon et des abdos de folie…

– Vince Harris.

– C'est ça ! Ne me dis pas qu'il est doux comme un agneau, je ne te croirai pas.

– Non, il est vicieux comme un serpent, mais c'est un super coach. Essaie les séances de Margo Mayfield. Tu verras, ça envoie du lourd ! (Elle lui embrassa les pecs.) Bref, de parler sport me donne faim. Tu n'as pas envie de goûter mon dessert ?

– Oh si ! répondit Raylan, et il roula sur elle.

– Je parlais de mon sabayon, dit-elle en riant, mais je peux attendre un peu.

Il resta dormir chez elle, ce qui les surprit tous les deux. Enchantés, les chiens passèrent la nuit ensemble dans le panier de Sadie.

Adrianne fut étonnée que Raylan se réveille en même temps qu'elle.

– Je vais sortir les chiens, chuchota-t-elle. Tu peux te rendormir.

– Avec les enfants, j'ai l'habitude de me lever tôt. À leur âge, l'horloge biologique ne connaît pas le concept du week-end.

– À quelle heure dois-tu aller les chercher ?

– On avait dit vers 10 heures.

– Super. On a le temps de faire un peu d'exercice et de prendre un petit déjeuner.

– Je n'ai pas de tenue de sport, protesta Raylan en enfilant son pantalon.

– Je t'en prêterai une. Sadie, Jasper… vous venez ?

– Hors de question que je porte un legging moulant ! s'écria-t-il, paniqué.

– Ne t'affole pas. Si tu as besoin d'une brosse à dents, tu en trouveras des neuves dans le placard de la salle de bains.

– Bien, chef… On ne pourrait pas plutôt faire du sport en chambre ?

De mauvaise grâce, il alla se brosser les dents, et en se regardant dans le miroir, il vit le sourire d'un homme qui venait de passer une nuit d'amour. Sa mère ne s'y méprendrait pas… La première fois qu'il avait couché avec une fille, Ella Sinclair, elle l'avait vu tout de suite, et lui avait demandé s'il s'était protégé, question qui l'avait mortifié.

S'il voulait éviter une situation gênante, il devait à tout prix effacer ce sourire béat de son visage avant de sonner chez sa mère.

Quand il ressortit de la salle de bains, Adrianne était en tenue de gym, brassière à damier noir et blanc avec un petit short noir. Ce dernier lui allait à ravir, mais pour rien au monde Raylan n'aurait porté ce genre de vêtement.

– Et si je te jure sur la tête de mes enfants que je ferai du sport en rentrant chez moi ?

Sans un mot, elle lui tendit un short large et long, ainsi qu'un tee-shirt New Generation.

– Tu fais à peu près la même taille que Popi. Je n'ai pas encore trié ses affaires.

Plus d'échappatoire… pensa Raylan.

– OK, il devrait m'aller. Je t'aiderai pour le tri, si tu veux. Je sais que c'est dur.

– Merci, c'est sympa. Je m'en occuperai peut-être ce week-end. Je n'arrête pas de me dire que je devrais m'installer dans la grande chambre, celle de mes grands-parents, avec le balcon, la vue. Elle dégage de bonnes vibrations. Il faut juste que je prenne mon courage à deux mains.

Raylan enfila le short, noua le cordon. Non, il n'était pas maigre ! Pas une armoire à glace, certes, mais pas un gringalet !

Bon gré mal gré, il suivit Adrianne dans l'escalier qui menait au sous-sol.

– Tu as travaillé le haut du corps, hier ? demanda-t-elle.

– Non…

– Parfait, moi non plus. On va faire une séance haut du corps. Tu préfères un programme ou un entraînement personnalisé ?

– Tu vas me tuer, je le vois d'avance.

– Entraînement personnalisé, alors.

Dans la salle de gym, elle s'empara d'une télécommande et mit de la musique.

– Échauffement, déclara-t-elle avec un sourire.

S'il la savait pédagogue – il suivait maintenant ses vidéos depuis plusieurs mois –, il découvrit qu'elle excellait en tant que coach privé. Elle corrigeait ses postures, et son entrain l'encourageait à fournir plus d'efforts que lorsqu'il était seul. Quand il prit des haltères de dix kilos, par exemple, elle secoua la tête.

– Prends des quinze, challenge-toi ! Si ça devient trop difficile, tu prendras des poids plus légers à ce moment-là. C'est parti pour une série de squats, flexions marteau, squats, développés épaules, dit-elle en montrant les mouvements. Tout le corps est engagé. On est partis ?

Il acquiesça de la tête.

Elle le stimulait, elle le motivait ; son énergie semblait inépuisable.

– On descend, on souffle, la poitrine fière, fesses en arrière !

Quand il commença à suer, il ne voulut pas lui donner la satisfaction d'avouer qu'il était content.

Elle poursuivit avec des exercices de cardio, puis enchaîna en faisant dix minutes intensives d'abdos.

– Super, bravo ! Et maintenant, une petite récompense : un peu de yoga pour s'étirer et récupérer.

Il se sentait toujours gauche et coincé quand il faisait du yoga, mais, là aussi, elle modifiait le placement de ses épaules, de ses hanches, le poussait à tenir les postures plus longtemps qu'il ne l'aurait fait sans elle.

– Tu es assez souple, tu sais.

Peut-être… mais il était encore loin de pouvoir faire un grand écart et d'aplatir le buste au sol, comme elle.

Ils terminèrent assis face à face en tailleur.

– *Namasté.* On a bien travaillé. On finit juste par quelques enroulés d'épaules, parce qu'on les a beaucoup sollicitées, et deux minutes de méditation.

Il se jeta sur elle et l'allongea sur son tapis.

– Je n'ai aucune envie de méditer !

Il arriva un peu en retard chez sa mère, qui le dévisagea en fronçant les sourcils, avec un petit sourire entendu.

Deux semaines plus tard, Maya donna naissance à Quinn Marie Abbott. Collin examina longuement sa petite sœur, puis il haussa les épaules et baissa la tête pour dissimuler un sourire, avant de concéder :

– Peut-être qu'elle sera sympa.

Adrianne arriva avec un bouquet de roses roses juste au moment où Jan plaçait le bébé dans les bras de Raylan. En s'approchant, elle l'entendit chuchoter à sa nièce :

– Je t'offrirai des bonbons, tu peux compter sur moi.

Et en le regardant caresser les joues du bébé du bout de ses longs doigts, elle se demanda si elle n'était pas un peu amoureuse.

KENTUCKY

Un *road trip* printanier… Qu'y avait-il de plus délicieux ? Le redoux des températures, les arbres en fleurs, les chevaux dans les prés reverdissants…

Tant de choses à voir, tant de choses à faire.

Voler un vieux pick-up dans l'Indiana, changer les plaques d'immatriculation, rouler jusqu'à Louisville – Loo-a-ville, avec l'accent des gens du coin.

Le derby approchait, il y aurait de l'ambiance.

Excellent. Les ambiances surchauffées lui plaisaient.

Sa proie habitait l'une de ces jolies banlieues aux rues arborées. Une salope qui se faisait passer pour une bonne mère de famille, une infirmière dévouée, une épouse modèle.

Une vie de mensonges, qui bientôt prendrait fin.

L'observer pendant quelques jours – un plaisir simple.

Pour ensuite l'achever aisément.

La tabasser était tentant, mais les circonstances ne le permettaient pas, hélas, à 13 heures devant l'hôpital. Pas assez de temps, pas assez de tranquillité.

Dommage. La méthode procurait un tel frisson.

Après une brève attente, elle apparut sur le parking, en sabots de caoutchouc blanc.

Surgir de nulle part – bouh ! – et lui trancher la gorge.

Un geyser de sang gargouillant. Magnifique.

Lui prendre ses clés, son sac à main, pousser le corps sous une voiture.

Elle possédait une jolie Subaru, un modèle récent – impeccable, pour la prochaine étape de ce voyage printanier. Même pas besoin de changer les plaques, vu que personne ne découvrirait le cadavre avant plusieurs heures.

Allumer la musique, descendre les vitres. Un petit cacheton pour l'harmonie du corps et de l'esprit. La Subaru aurait avalé au moins deux cents kilomètres avant que l'on commence à s'inquiéter de sa disparition.

*

Adrianne aimait recevoir, et elle se réjouissait d'accueillir bientôt Hector, Loren, Harry et Mimi pour une semaine entière. Sa mère aussi serait là, bien sûr, mais elle ne pouvait pas décemment la considérer comme une invitée.

La fiancée d'Hector les rejoindrait en train pour le week-end, le mari de Harry également, s'il pouvait faire garder les enfants.

L'équipe de production logerait dans une petite auberge ; néanmoins, la maison serait pleine pendant quelques jours, et Adrianne en était ravie. Ceci dit, même si elle estimait ses talents culinaires au-dessus de la moyenne, elle avait commandé le premier repas Chez Rizzo, ainsi que le service traiteur pour toute la durée du tournage.

La semaine précédant l'arrivée de ses amis, elle entreprit de débarrasser la chambre de ses grands-parents, ce qui se révéla moins difficile qu'elle n'aurait cru, et elle se surprit à sourire en pliant le pull fétiche de Dom, ou en jetant les vieilles pantoufles trouées dont il refusait de se séparer.

Comme il était très fier de sa crinière blanche, à juste titre, elle garda sa brosse à cheveux en souvenir, et laissa son cardigan vert dans l'armoire, dans l'idée de le porter à l'intérieur, quand reviendraient les longues soirées d'hiver.

Lui-même avait conservé un flacon de parfum de Nonna, qu'Adrianne conserva aussi, avec un flacon d'after-shave. Des petites choses, des petits souvenirs, des petits réconforts.

Elle mit de côté ce qu'elle donnerait à des proches, puis emporta tous les autres cartons dans sa voiture, et s'attela à un grand ménage.

Une entreprise de nettoyage se chargerait du reste de la maison, mais elle tenait à s'occuper elle-même de la chambre, en signe de respect, d'affection et de gratitude envers les deux personnes qui avaient si longtemps dormi là.

Elle ouvrit les fenêtres en grand pour laisser entrer le bon air printanier, et Sadie alla se coucher sur le balcon.

Non, cette chambre ne serait pas trop grande pour elle, pensa Adrianne en passant l'aspirateur. Elle l'avait toujours adorée, avec son plafond coffré, son plancher de bois sombre, ses murs tapissés de bleu clair.

Dans un élan de sentimentalité, elle disposa les deux flacons de parfum sur le manteau de la cheminée, à côté d'un bougeoir en cuivre que sa grand-mère aimait tout particulièrement.

Elle refit le grand lit rustique avec sa couette blanche, une montagne d'oreillers, un plaid au bout du lit.

Puis elle rangea ses produits de beauté et ses serviettes de toilette sur les étagères de la salle de bains, ajouta quelques bougies. Ses vêtements dans le dressing. Apporta la corbeille de Sadie dans le coin salon, avec un tapis de yoga.

Un jour, elle ferait peut-être appel à Kayla pour repenser la déco mais pour l'instant, quand elle regardait autour d'elle, elle ne voyait qu'un juste équilibre entre ancien et nouveau, et elle se sentait bien dans cette pièce riche en souvenirs à laquelle elle avait maintenant apporté sa touche personnelle.

Sur le balcon, elle admira le paysage : les montagnes au loin, la rivière serpentant à travers champs, les jardins, les arbres.

Ses grands-parents lui avaient légué ce lieu qu'ils chérissaient ; elle en prendrait soin et le chérirait à son tour comme le plus précieux des trésors.

– On sera bien, ici, hein, ma Sadie ? dit-elle à la chienne en s'asseyant près d'elle.

Le lendemain, elle confia la maison aux bons soins de l'entreprise de nettoyage et termina de planter les fleurs qu'elle avait achetées pour les jardinières de la galerie et des balcons.

Elle avait déjà semé des légumes et des herbes aromatiques dans le potager, comme ses grands-parents le faisaient chaque année. Elle croisait les doigts pour que la météo leur soit favorable.

Éprouvant le besoin de se défouler, elle monta se mettre en tenue de sport et appela Sadie.

– On va courir ?

Elles partirent à un rythme tranquille, afin de s'échauffer, savourer le printemps, contempler les massifs fraîchement refleuris, humer la bonne odeur des pelouses tondues. Mais aujourd'hui était une date anniversaire, et elle avait le cœur gros.

Elle eut une pensée pour Raylan, et s'engagea dans sa rue. Une mélodie de piano, rapide et entraînante, s'échappait des fenêtres de la maison de Teesha et Monroe. Raylan passait la tondeuse.

Le gringalet de ses souvenirs avait maintenant des bras musclés – en partie grâce à elle – et il ne portait toujours pas de chapeau sur ses cheveux blondis par le soleil.

En la voyant, il coupa le moteur. Un aboiement plaintif retentit derrière la maison.

– Je la laisse le rejoindre une minute ?

– S'il te plaît, avant que les voisins appellent la police.

Adrianne détacha la laisse de Sadie, qui s'empressa d'aller trouver son amoureux. Raylan s'assit sur les marches de la galerie, avec une bouteille de Gatorade. Elle s'installa à ses côtés, avec sa bouteille d'eau.

– Tu fais les corvées du samedi le lundi ?

– Je n'arrivais pas à me concentrer. J'avais besoin de me dépenser.

– Moi aussi.

– Les anniversaires sont toujours difficiles… dit-il en posant une main sur la sienne. Trois ans, déjà. Hier pour toi, aujourd'hui pour moi. J'ai acheté un laurier-rose. On le plantera avec les enfants quand ils rentreront de l'école.

– C'est drôle, moi aussi, j'ai planté des fleurs aujourd'hui, dans les poteries italiennes que Nonna adorait. Et hier… je me suis installée dans leur chambre. Je m'y sens bien.

Elle retourna sa main pour entrecroiser ses doigts avec ceux de Raylan.

– Le temps aide à guérir. Lorilee aimait bien venir à Traveler's Creek, mais c'était un peu dur pour elle… Ça se comprend, avec l'enfance qu'elle a eue, de famille d'accueil en famille d'accueil… En fait, elle n'a pour ainsi dire jamais eu de famille.

– Elle m'en avait un peu parlé, dans ses lettres.

– Elle n'en parlait presque jamais.

– Par écrit, ça devait être plus facile. Elle m'avait dit qu'elle ne s'était jamais sentie chez elle nulle part, jusqu'à ce que vous achetiez la maison de Brooklyn.

– Elle en était amoureuse. Elle disait qu'elle y habiterait jusqu'à la fin de ses jours.

Adrianne garda un instant le silence.

– Elle aimerait ce laurier-rose, dit-elle enfin.

– Je crois, oui. Tu vas avoir une maison pleine de monde, cette semaine…

– Tout est prêt. Le gros des troupes arrive vers 15 heures. En fin d'après-midi, on fera les repérages au lycée. Ensuite, on dîne tous à la maison.

– Et nous, on fait des burgers au barbecue, avec Monroe et les enfants.

– Venez, si vous voulez.

– C'est sympa, mais il y a école demain. À l'heure où les enfants sont censés se coucher, vous n'aurez peut-être même pas commencé à manger.

– Vous viendrez un jour où il n'y aura pas classe le lendemain. Ou un dimanche, on se couchera tôt. Ça me ferait plaisir d'avoir tes enfants à la maison. Je les aime bien. J'aime bien les enfants en général.

– Je sais. Certains font semblant, mais je sais que tu es sincère.

– Pas ce dimanche, mais celui d'après, si c'est OK pour toi. Ce week-end…

– Tu as cours de gym, compléta-t-il avec un clin d'œil.

– Vendredi tous les deux et dimanche en huit avec tes enfants, alors ?

– C'est noté.

Ils avaient pris l'habitude de se voir les vendredis soir, de partager un repas, puis le lit d'Adrianne.

– Cette fois, tu ne cuisineras pas. J'achèterai des plats à emporter.

– Ça marche.

Quand elle se leva, il se leva aussi, sans lui lâcher la main, et il lui saisit l'autre.

– C'est cool que tu sois passée, dit-il en l'embrassant. Grâce à toi, la journée sera un peu moins dure.

– Ça m'a fait du bien à moi aussi, murmura-t-elle en exerçant une pression sur ses mains.

Puis elle appela Sadie, et disparut derrière la maison. En redémarrant sa tondeuse, Raylan entendit Jasper gémir tristement, et Adrianne lui promettre qu'il reverrait bientôt son amoureuse.

Quand elle repartit, il la suivit des yeux en pensant au laurier qu'il planterait avec les enfants, aux souvenirs que ses fleurs évoqueraient.

Puis au son de la musique de Monroe, il se remit à la tâche, laissant son esprit vagabonder vers la nouvelle vie qui s'ouvrait à lui.

Chapitre 20

On ne voyait pas souvent de taxi à Traveler's Creek, si bien que Sadie se mit à aboyer en voyant la voiture se garer devant la maison.

– Ce n'est rien, gentille, tout va bien, lui dit Adrianne en regardant par la fenêtre et en lui posant une main sur la tête. Oh, mais c'est Mimi ! s'écria-t-elle, et la chienne remua joyeusement la queue.

Adrianne courut à la rencontre de Mimi et se jeta à son cou.

– Comment se fait-il que tu arrives en taxi ? Je suis si heureuse de te voir, ma Mimi !

Celle-ci l'embrassa sur les deux joues, et prit le sac de voyage que lui tendait le chauffeur, en le remerciant.

– Tu n'as que ça comme bagages ? Pour une semaine ? S'il te plaît, ne me dis pas que tu dois repartir plus tôt…

– Non, non. Ta mère et Harry avaient une interview à Washington. Alors je leur ai confié ma valise et j'ai pris le train. Je n'avais pas envie de me lever aux aurores ni de faire tant de route toute seule en voiture.

– Viens, entre. Je vais te servir un verre de vin.

– Il n'est même pas 16 heures !

– Les jours de voyage, ce n'est pas pareil. Laisse ton sac sur les marches, on s'en occupera tout à l'heure. Je suis tellement contente que tu sois là ! Gentille ! ordonna-t-elle de nouveau à Sadie, qui tournait joyeusement autour de Mimi et l'empêchait de mettre un pied devant l'autre.

– Elle a encore grandi ? Il me semble qu'elle est plus impressionnante que la dernière fois.

– Peut-être un peu. Tu as l'air en pleine forme !

– J'ai dormi dans le train. Pour une fois, je n'ai pas emporté de travail. J'ai bouquiné et je me suis assoupie. Je n'ai pas vu le temps passer !

En jean et chemisier rouge, carré court et bouclé, Mimi paraissait en effet merveilleusement détendue.

– Assieds-toi, mets-toi à l'aise.

– J'étais assise pendant tout le voyage. Mes fessiers en ont marre !

– Alors, sortons faire un tour dans le jardin, emportons nos verres. Comment vont Isaac et les enfants ?

– Tout le monde va bien. Ce vin est très bon. Natalie a trouvé un stage à Rome.

– Super !

– Elle a reçu la réponse hier, elle est folle de joie. Elle nous manquera, mais je suis contente pour elle.

– C'est génial !

– Un fils en médecine et une fille qui étudie la finance internationale… La moitié du temps, je ne comprends pas de quoi ils parlent, mais je suis fière de ma progéniture.

– Tu peux !

Mimi enlaça la taille d'Adrianne et la serra contre elle.

– Mes trois petits sont devenus grands… Le jardin est magnifique ! Qu'est-ce que tu fais pousser ?

– Tomates, poivrons, concombres, carottes, courges, courgettes, toutes sortes d'herbes aromatiques…

Mimi souleva ses lunettes de soleil afin de mieux examiner les rangées de plants.

– C'est presque une ferme.

– Tu es une vraie citadine. Ça s'appelle un potager.

– Du pareil au même, pour moi. Tu as tout planté seule ?

– Oui, on verra si j'ai hérité de la main verte de Nonna et Popi. C'est relaxant, de jardiner, et j'ai pas mal de temps libre. En général, je ne travaille que le matin, quand je ne suis pas en production.

Non sans fierté, Adrianne contempla son jardin.

– J'ai trouvé le rythme qui me convient, ajouta-t-elle. En fait, je suis comme Monroe, j'aime la tranquillité.

– Tu n'as jamais beaucoup aimé voyager.

– Non, pas vraiment.

– Lina ne peut pas s'en passer. À propos… Avant qu'elle arrive, je voudrais te poser une question, et j'aimerais que tu me répondes sincèrement. Je connais sa perspective, pas la tienne. Ça restera entre nous. Où en sont vos relations, à toutes les deux ?

– En net progrès ! J'espère qu'elle t'a dit la même chose ! On se comprend mieux, maintenant que je suis adulte. C'est toi qui assumais son rôle de mère quand j'étais petite.

– Oh, ma chérie… Elle t'a toujours aimée, tu sais.

Adrianne ramassa la balle que Sadie avait déposée à ses pieds et la lança au loin.

– Ce n'était pas toujours évident mais maintenant, oui, je le sais. C'est une énorme concession de sa part d'avoir accepté quasiment tous mes choix pour le nouveau DVD. J'en suis consciente et j'apprécie.

– Elle appréhende.

– Quoi ?! s'exclama Adrianne en riant, puis, en voyant l'expression de Mimi, elle reprit son sérieux. C'est vrai ? Lina Rizzo ? Appréhender ?

– Oui, elle appréhende de retourner dans son ancien lycée, de revoir deux de ses anciens profs. Dont un avec qui elle a eu une petite aventure…

– Ah bon ? Je n'étais pas au courant.

– Rien de sérieux, d'après ce qu'elle m'a raconté. Juste un flirt, très peu de temps avant qu'elle rencontre le fils d'agriculteur, le footballeur.

– Ma mère avec un fils d'agriculteur qui joue au foot ?!

– Elle en était un peu amoureuse, si j'ai bien compris.

Fascinant, pensa Adrianne, ce que l'on pouvait découvrir sur sa mère à partir du moment où l'on vous considérait enfin comme une adulte.

– C'est drôle, elle ne me parle jamais de sa jeunesse.

– Et toi, tu lui parles des mecs avec qui tu sors ?

– Absolument pas !

Elle jeta de nouveau la balle au loin.

– En tout cas, tu as l'air heureuse…

– Je le suis. Je fais un boulot que j'aime, je vis dans une belle maison où je me sens bien, avec un beau jardin, des amis en or, un chien adorable. Que demander de plus ?

– Je ne voudrais pas jouer la rabat-joie, mais tu as des nouvelles de la détective privée ?

– Elle est sur une piste à Pittsburgh. Tout du moins, elle pensait être sur une piste il y a quelques jours. Je ne sais pas ce que ça a donné… Qu'elle ait pris l'affaire en main me libère d'un fardeau, en quelque sorte.

Sadie revint avec la balle, et poussa un petit jappement en levant la tête vers sa maîtresse.

– Elle entend une voiture, traduisit Adrianne. Maman et Harry, sûrement. Quoique les autres ne devraient pas tarder non plus. Et nous, on est déjà en train de boire du vin alors qu'il n'est même pas 16 heures… Un autre verre ?

– Pas de refus, acquiesça Mimi avec un clin d'œil.

En fin de journée, Adrianne, sa mère, ses amis et l'équipe de tournage étaient réunis au gymnase du lycée. Hector et son assistant vérifiaient le placement des caméras fixes, et les mouvements potentiels des caméras mobiles. L'éclairagiste réglait les projecteurs, fixait les câbles au sol, sélectionnait les filtres.

– Bel espace, non ? dit Adrianne à sa mère.

– Mmm, répondit Lina, évasive.

– Chargé de souvenirs ?

– Pas trop. Je ne faisais pas de sports collectifs.

– Mais les bals avaient lieu au gymnase.

L'ombre d'un sourire se dessina sur le visage de Lina.

– Les bals du lycée, avec un orchestre… C'était une autre époque… Toutes les tenues sont là ? demanda-t-elle, changeant délibérément de sujet.

– En principe, oui. Dans les vestiaires. Allons vérifier.

– Ils ont changé les casiers… commenta Lina. Et ça ne sent plus la transpiration ni le *Love's Baby Soft*. Un parfum à la mode dans les années 80, précisa-t-elle devant le regard interrogateur de sa fille.

– Que tu n'aimais pas, bien entendu.

– Non. Comment le sais-tu ?

– Tu voulais te distinguer, sortir du lot. Ce n'est pas une critique.

– Je ne le prenais pas comme tel.

– Tes tenues, indiqua Adrianne en désignant un portant. Et les miennes. Comme convenu, couleurs coordonnées ou complémentaires selon les séances, mix de logos « Yoga Baby » et « New Generation ». Les filles seront en legging, court ou long, brassière, tee-shirt ou débardeur ; les garçons, en short ou pantalon de jogging, tee-shirt à manches courtes ou sans manches. On fournit également les chaussettes, les baskets, les bandeaux, les gourdes et des échantillons de notre boisson Energy Up. Chacun garde ensuite tout ce qu'il a porté en cadeau de remerciement. Les techniciens auront des sweat-shirts avec leur prénom dans le dos. Une idée de Harry.

– Ça ne m'étonne pas. Si on se mettait en rouge pour l'intro et le cardio ? suggéra Lina. Pour ma part, je prends un débardeur rouge et un legging noir avec une flamme sur le côté.

– Et moi, une brassière rouge, un débardeur noir et un legging court rouge et noir. Pour le renforcement musculaire ?

– Je te laisse choisir.

Comme beaucoup de choses, les relations mère-fille pouvaient donc réellement évoluer avec le temps… Adrianne s'en félicitait.

Par une journée qui s'annonçait radieuse, Adrianne parcourait le script une dernière fois, très tôt le samedi matin, assise dans les gradins du gymnase, au côté de Teesha qui parlait au téléphone avec Monroe :

– Oui, on va commencer à l'heure, à peu près. Adrianne et sa mère ont déjà tourné l'intro. Si tu les amènes, disons dans une heure, je pourrai allaiter Thad pendant la pause. Phin en profitera pour poser ses dix milliards de questions à l'équipe. Parfait. Tu assures, chéri. À tout à l'heure, alors. Tu as vu, Adrianne, ta mère qui fait du charme au prof de gym ?

Surprise, Adrianne leva les yeux et suivit la direction du regard de son amie. De l'autre côté du gymnase, en effet, sa mère bavardait gaiement, en faisant les yeux doux, avec un homme aux cheveux grisonnants, lunettes à monture d'écaille, silhouette athlétique en tenue de sport.

– C'est avec lui qu'elle est sortie quand elle était au lycée.

– Ah, d'accord. Pourquoi tu chuchotes ?

– Je n'en sais rien. C'est la première fois de ma vie que je vois ma mère draguer. Trop bizarre.

– Ils vont peut-être remettre le couvert.

– Arrête… Il est marié, il a des enfants et des petits-enfants. C'est lui qui me l'a dit.

– Séduction nostalgique, alors. Par contre, Loren drague carrément la jeune prof, là.

Effectivement, leur ami était en grande conversation avec une jolie blonde à queue-de-cheval, et l'expression de son regard en disait long sur ses intentions.

– Allyson, Ally pour les intimes. Célibataire, pas d'enfant, vingt-sept ans, prof de bio. Elle travaille cinq jours par semaine et elle adore le yoga.

– Tu sais tout sur tout le monde ?

– Je n'ai pas ta mémoire des chiffres et des faits, mais je me rappelle en général les noms et les visages. Essentiel, dans mon métier.

Un assistant de production rassembla les garçons et les professeurs de sexe masculin. Aussitôt, le brouhaha enfla d'un ton.

– Tu avais raison, on commence à l'heure !

En lui donnant une tape sur la cuisse, Adrianne laissa à Teesha son script, puis elle descendit des gradins.

– Prêt ? demanda-t-elle à Hector qui réglait le pied de sa caméra.

– Quand vous voulez, répondit-il en regardant dans le viseur.

À leur tour, les filles se mirent en place. Adrianne les observa sur l'écran de la caméra.

– Parfait… se murmura-t-elle à elle-même. Bon, on va juste rappeler quelques consignes et on pourra commencer la première séquence.

Elle adressa un signe à sa mère, et elles s'avancèrent au centre de la salle.

– Je te laisse prendre la parole, chuchota Lina.

– OK. Bonjour, tout le monde ! lança Adrianne joyeusement, en agitant les mains, et elle attendit que les bavardages et les rires se taisent. Tout d'abord, un grand merci d'être là aujourd'hui pour participer avec nous à ce projet. Pendant deux jours, nous allons transpirer, en baver, mais aussi nous amuser. Je vous rappelle quelques consignes. La première…

– Quand vous dites « droite », ça veut dire « gauche » ! cria un adolescent.

– Exactement. La caméra inverse l'image. Si vous vous trompez, ce n'est pas grave, continuez. Si vous avez besoin de souffler quelques minutes, voire de vous arrêter, faites une petite pause… mais essayez de repousser vos limites ! Mandy, que voici, vous proposera des options plus faciles ; libres à vous de la suivre si les exercices vous paraissent trop durs. Les gourdes sont étiquetées à vos prénoms ; évitez de piquer celles des autres.

Adrianne se tourna vers sa mère, qui enchaîna :

– Hector et Charlene circuleront entre vous avec leur caméra. Vous pouvez regarder l'objectif si vous voulez, mais ne vous laissez pas déconcentrer et ne vous arrêtez pas en plein milieu d'un exercice ! Nous passerons nous aussi de temps à autre entre les rangs, pour vous corriger, vous encourager, éventuellement vous suggérer de vous reposer quelques secondes. À la mi-séance, nous ferons une pause d'une minute – je dis bien une minute, pas plus – pour nous hydrater. Après la récup', vous pourrez aller vous essuyer, vous changer, vous asseoir un moment. Des questions ?

Quand tout fut clair pour tout le monde, elles se positionnèrent à l'avant de la salle, face à la caméra.

– N'oubliez pas de respirer, tout le monde, rappela Adrianne, et elle attendit le signal d'Hector.

– On est partis pour le cardio *Fitness 101* ! Préparez-vous à transpirer !

– On s'entraîne aujourd'hui avec les élèves et les professeurs du lycée public de Traveler's Creek, où ma mère a grandi. Tout le monde est motivé ? Vous êtes motivés ?

– Ouiii !!!

– Je ne vous entends pas ! dit-elle, la main en cornet près de l'oreille. Vous êtes motivés ?

Cette fois, des rugissements lui répondirent.

– Alors, on commence l'échauffement !

Quarante minutes plus tard, Lina se désaltérait, satisfaite.

– Pas mal, hein ?

– Carrément bien ! Attendons de voir les images, mais je ne suis pas inquiète.

– On a assuré ! J'avais un peu peur que les gamins fassent les idiots et qu'ils se moquent des moins doués, comme tu as délibérément choisi des profils éclectiques, tant parmi les élèves que les profs. Mais non, ils sont adorables.

– On n'en est qu'à la première séquence, mais je ne me fais pas trop de souci de ce côté-là.

– Si tout continue de se passer aussi bien, on pourra prendre deux heures de pause pour le déjeuner et on terminera dans les temps. Juste une chose…

– Dis-moi.

– Kevin… Je ne veux pas trop m'intéresser à lui, je vois que ça le gêne. Mais tu pourrais peut-être lui proposer un programme, un de ces jours. Il a honte de son poids, mais il a eu le cran de participer, et c'est tout à son honneur. Je pense qu'il mérite d'être encouragé.

– Tu as toujours fait ça… murmura Adrianne.

Instantanément, Lina se crispa.

– Quoi donc ?

– Encourager ceux qui en ont besoin mais n'osent pas le demander. Tu as toujours eu cette qualité et je l'ai toujours admirée. C'est l'une des raisons pour lesquelles tu es bonne dans ce que tu fais.

– Je… Merci, ma chérie.

– J'ai déjà discuté avec Kevin. Tu vois, je suis comme toi. Et je lui ai préparé des entraînements. Ses parents sont enchantés. On se verra une fois par semaine pour évaluer ses progrès.

– Tu lui as aussi proposé des conseils nutrition ?

– Bien sûr. En moins d'une semaine, je vois déjà que le régime porte ses fruits. Tu voudras que je te donne de ses nouvelles ?

– Pourquoi pas…

Lina hésita un instant, puis elle prit son courage à deux mains.

– Ça va mieux, hein, entre nous ?

– Carrément ! acquiesça Adrianne en lui déposant une bise sur la joue.

Le dimanche soir, après deux journées aussi productives que fatigantes, Adrianne concluait la séance, assise en tailleur sur un tapis de yoga, mains sur les genoux, paumes tournées vers le ciel.

– Et on termine les mains jointes en prière, buste incliné… On se félicite des efforts accomplis. *Namasté*. Bravo, tout le monde. Vous pouvez être fiers de vous.

Élèves et profs se redressèrent, échangèrent poignées de mains et accolades.

– Merci à vous tous d'avoir suivi *Fitness 101*, enchaîna Lina face caméra. N'oubliez pas : si vous voulez garder la forme, entretenez-la ! Chaque jour vous offre une nouvelle chance. C'était Lina Rizzo… (elle enlaça les épaules de sa fille) et Adrianne Rizzo. Au plaisir de vous revoir. À très bientôt.

Là-dessus, elles se joignirent aux participants pour les féliciter et les remercier.

– Coupez ! cria Hector. Bravo, tout le monde !

Le temps de ranger le matériel, la nuit était presque tombée lorsque les derniers de l'équipe quittèrent le gymnase.

Lina se figea quand une voix masculine l'interpella, et le cœur d'Adrianne fit un bond à la vue d'un homme à demi dissimulé dans l'ombre qui s'avançait vers elles, casquette à la main et sourire crispé. Instinctivement, elle arma le poing droit et posa l'autre main sur le bras de sa mère.

– Matt ? bredouilla celle-ci, entre le rire et le soupir de soulagement. Matthew Weawer ! Ça alors… Matt…

Ils s'embrassèrent, et Adrianne vit Matt fermer les yeux et prendre une profonde inspiration.

– Adrianne, un vieil ami ; Matt, ma fille Adrianne.

– Enchanté. Vous ressemblez à votre maman. Tu te rends compte, Lina… On a des enfants adultes…

– Eh oui, ça ne nous rajeunit pas.

– Toutes mes condoléances pour ton papa. J'étais aux funérailles, mais il y avait tellement de monde… Je n'ai pas osé t'importuner…

– Tu n'as jamais aimé la foule.

– Ça n'a pas changé. Cliff aussi était là.

– Cliff, bien sûr, ton cousin, qui jouait au foot avec toi.

Lorsque Matt souriait, une légère fossette se creusait dans son menton. Gêné, il triturait sa casquette en tous sens.

– Je ne veux pas vous retarder… Je me disais juste… On pourrait peut-être aller manger un morceau…

– Bonne idée. Toute la production se retrouve au restaurant…

– Une autre fois, alors.

– Non, viens avec nous ce soir. On a réservé toute la salle, mais je suis sûre que la patronne nous trouvera une petite table pour deux.

– Naturellement, acquiesça Adrianne en riant.

– Je vous retrouve là-bas, ma chérie, d'accord ? Toujours en pick-up, Matt ?

– Je suis en voiture, aujourd'hui. Je me suis rappelé que tu détestais ma camionnette.

Intéressant… pensa Adrianne, amusée, en s'installant au volant de sa voiture. Ce Matt était plutôt bel homme, avec ses cheveux blonds aux tempes grisonnantes, sa mâchoire carrée, son sourire timide et sa petite fossette.

Et la fin de soirée se révéla encore plus intéressante.

– On ne va pas tarder, dit Adrianne à Jan en réglant l'addition. On a déjà dépassé l'heure de fermeture.

– Ne t'inquiète pas, on aime les équipes de joyeux drilles, ici.

– Pour être joyeux, on l'était ! acquiesça-t-elle en parcourant la salle du regard. Dis-moi… Je ne vois plus ma mère et son ami.

– Oh, ils sont partis il y a environ une demi-heure. Elle m'a dit de te dire que Matt voulait lui montrer sa ferme. À ta place, je ne l'attendrais pas, déclara Jan en rendant sa carte de crédit à Adrianne.

– Merci, je… Pardon, tu disais ?

Avec un air entendu, Jan se pencha par-dessus le comptoir.

– Depuis le temps que je bosse dans un restau, j'ai appris à reconnaître certaines expressions, certains gestes, certaines façons de se parler. Il y a des signes qui ne trompent pas. Et là, je crois bien avoir vu une ancienne flamme se raviver…

– Mais…

– Je connais Matt depuis longtemps. C'est quelqu'un de bien. Ils avaient l'air contents de se revoir, et il m'a semblé qu'ils avaient des milliers de choses à se dire.

– Eh bien… J'en reste baba… Allez, je vais dire aux autres que tu fermes. Presque tout le monde dort chez moi, de toute façon.

Adrianne préféra ne rien dire à Mimi et Harry, et lorsque ce dernier fit remarquer, en arrivant chez elle, que Lina était montée se coucher de bonne heure, elle étouffa un petit rire et se contenta de répondre par un vague :

– On dirait…

Le lendemain matin, elle se leva avant tout le monde, fit une brève séance d'exercices, puis prépara des *frittatas* qu'elle garda au chaud dans le four. Elle vérifia qu'il y avait de l'eau dans le percolateur, y ajouta du café en grains, puis elle s'installa au comptoir avec un smoothie, en consultant ses e-mails sur sa tablette.

En entendant la porte d'entrée s'ouvrir puis se refermer, elle pensa que quelqu'un était sorti prendre l'air, mais un instant plus tard sa mère la rejoignit dans la cuisine.

– Tu te doutes que tu es punie ! lui dit-elle sur le ton de l'humour.

– Ha, ha. Très drôle.

Lina prit un mug dans le placard et le plaça sous le percolateur. Adrianne arqua les sourcils.

– Tu bois du café ?

– De temps en temps. Tout est question de modération et de choix, pas de privations.

– J'aurais aimé que tu dises ça à une ado qui adorait le Coca.

– Moi aussi.

– Ce n'était pas un reproche. D'ailleurs, je crois que je vais boire un Coca, décréta Adrianne en se levant pour prendre une cannette dans le réfrigérateur.

Lina s'installa en face d'elle, avec sa tasse de café noir.

– Alors, tu as passé la nuit avec Matt Weawer ?

– Rien de sérieux. Ni lui ni moi ne recherchons une relation suivie. Mais ça m'a fait plaisir de le revoir. Après trente ans, tu te rends compte ? Il poursuit l'exploitation laitière de ses parents avec son plus jeune fils. L'aîné fait des études de droit. Il a aussi une fille, infirmière libérale. Il est divorcé depuis douze ans et il a cinq petits-enfants.

– Grand-père, donc, commenta Adrianne avec un clin d'œil.

– Je t'en prie ! Il est aussi attaché à sa ferme que moi à ma carrière. Nous ne sommes pas faits l'un pour l'autre, on le savait depuis le début. Mais on a passé un bon moment… Et on s'est dit que tant qu'on serait libres l'un et l'autre, on pourrait renouveler ça, quand je serai là.

– Ma mère est une femme moderne.

– Crois-tu que j'ai porté une ceinture de chasteté pendant trente ans ? Simplement, je sais être discrète. Qu'est-ce que tu as préparé ? Ça sent bon…

– Des *frittatas*.

– Des *frittatas*… répéta Lina, admirative, sa tasse à la main, en observant sa fille. Tu as hérité du gène Rizzo, on dirait.

– J'essaie de le cultiver. Au fait… je me disais qu'on pourrait publier un livre de cuisine. Des recettes saines mais savoureuses. Rizzo et Rizzo… *Cuisinez votre forme*… Quelque chose dans ce goût-là.

– À voir. Tu sais comme moi que je n'y connais rien en cuisine mais… J'y réfléchirai, on en reparlera. Je monte me changer. Tout le monde est au courant que j'ai découché ?

– Non, je n'ai rien dit à personne.

– Super.

Amusée, Adrianne reprit sa tablette et ouvrit un message de Rachel McKnee.

Bonjour, Adrianne,

De retour à Washington, je souhaiterais vous voir au plus tôt – cette semaine si possible. Je vous transmettrai bien sûr un rapport écrit, mais j'aimerais d'abord vous parler en personne.

Dites-moi quel jour et quelle heure vous conviendraient ; je m'organiserai en fonction de vous.

Cordialement,

Rachel

Adrianne consulta son planning, indiqua à la détective les dates où elle n'était pas disponible, et la pria de lui fixer un rendez-vous à n'importe quel autre moment.

La beauté des métiers indépendants, pensa-t-elle, et elle rangea sa tablette.

Ses amis repartaient dans la matinée. Elle voulait profiter de ce dernier petit déjeuner en leur compagnie. Ce n'était pas le moment de broyer du noir.

TROISIÈME PARTIE

HÉRITAGES

L'avenir se construit au présent.

SAMUEL JOHNSON

Chapitre 21

Adrianne reçut un nouveau poème en milieu de semaine suivante, quelques heures avant son rendez-vous avec Rachel McNee. Une feuille de papier ordinaire, à nouveau, dans une enveloppe blanche ordinaire, oblitérée à Omaha, dans le Nebraska.

Elle le lut sur la galerie, Sadie couchée à ses pieds, qui la couvait d'un regard bienveillant.

L'ÉTÉ ENFIN REVIENT, TON DERNIER
MA PATIENCE RÉCOMPENSÉE
TOI, MOI, NOUS, BIENTÔT RÉUNIS
AVEC TA MORT, MA VIE ACCOMPLIE.

– Ça va aller, ne t'en fais pas, murmura-t-elle à la chienne. Ce type est un cinglé. « Toi, moi, nous, bientôt réunis »… Qui peut écrire des trucs pareils ?

Elle se redressa, arpenta la galerie. Un colibri se posa sur une mangeoire suspendue dans un arbre.

– Et ce dernier vers, « Avec ta mort, ma vie accomplie », qu'est-ce que ça veut dire ? Que son but suprême est de me tuer ? Qu'il va se suicider après m'avoir assassinée ? Mettre fin à ma vie et ensuite à la sienne ? Je ne sais même pas pourquoi je cherche à comprendre… marmonna-t-elle en se frottant les yeux.

Elle contempla le paysage, les prairies verdoyantes, les feuillages agités par la brise, le grand rhododendron en fleur.

– En tout cas, il a raison : l'été approche. Et tu sais quoi ? Moi aussi, j'en ai ras le bol d'être patiente !

La réaction était peut-être impulsive, voire inconsciente, mais peu lui importait. Sur le moment, elle s'en moquait.

Elle monta se mettre en tenue de gym, puis se maquilla légèrement. Après une courte hésitation, elle se passa du gel dans les cheveux et les attacha en queue-de-cheval.

– Sport mais sexy, hein, Sadie ? Je vais lui montrer de quel bois je me chauffe !

La chienne descendit avec elle dans son studio et s'installa devant la cheminée, pendant qu'elle préparait son matériel pour se filmer.

Elle publierait la vidéo sur son blog, puisqu'il le suivait. Et elle la posterait sur les réseaux sociaux.

– À nous deux, connard…

En cliquant sur *Record*, elle afficha un grand sourire.

– Bonjour, tout le monde ! Ici Adrianne Rizzo, pour un petit bonus cette semaine. Neuf minutes pour canaliser nos énergies et évacuer le stress. Je vous préviens, ce sera un circuit difficile. Je le dédicace au Poète – il se reconnaîtra… C'est facile de toujours remettre à plus tard, mais qu'y gagne-t-on ? Rien du tout. On déprime, on angoisse, on s'énerve mais on ne fait rien pour avancer. On en veut aux autres, on en veut à la Terre entière, alors qu'au fond tout ne tient qu'à soi-même.

Elle se frappa le cœur.

– Si tu te sens mal, si tu te sens seul, si tu as la rage, alors défoule-toi ! Je répète, cette séance ne s'adresse pas aux débutants, mais, cher Poète, depuis le temps, tu es un pratiquant confirmé. On est partis pour un circuit de trois fois trois séries, trente secondes par mouvement. On commence par des fentes sautées alternées avec des squats.

Elle s'éloigna de l'objectif afin de montrer l'exemple.

– Fente à droite, fente à gauche, et squat. On est rapides. Attention, ne vous faites pas mal. Performance, oui, mais sécurité avant tout.

En position de fente, elle précisa :

– Genou au-dessus de la cheville, poids du corps sur l'avant, le genou arrière se rapproche au maximum du sol. Et on switche ! On amortit l'impact. Squat. On enchaîne par un *pike push-up*, pompe Spiderman à droite… On remonte et… *split jack* ! Et on repasse en planche, pompe Spiderman à gauche…

Sa queue-de-cheval tressautait au rythme de ses mouvements.

– Ce circuit requiert de l'endurance, de la force, de la volonté. Neuf minutes ! On est motivés ! Allez !

Elle accéléra le rythme, tout en annonçant chaque mouvement, les yeux rivés sur la caméra.

– Si c'est trop dur, soufflez quelques secondes et repartez. Il n'y a pas de honte à atteindre ses limites. La honte, c'est de ne pas essayer. Poitrine fière, tête haute. On descend au maximum sur les squats, fesses en arrière. Et planche, pompe épaules, Spiderman à droite, pompe, Spiderman à gauche ! Allez ! L'été revient, on tonifie sa silhouette ! Toi, moi, nous, tous ensemble ! Et… *split jack* !

Elle ne pouvait plus s'arrêter, elle ne voulait plus s'arrêter.

– Deuxième round. Si nécessaire, on fait une petite pause, mais on se challenge ! Dès que vous avez récupéré, vous nous rejoignez !

Son cœur battait autant de fatigue que de satisfaction. Elle attaqua le troisième round en sueur, le regard braqué sur la caméra.

Sur celui qui la regardait.

– Et voilà… Neuf minutes. On récupère, on s'étire. Bravo à vous tous qui avez relevé le défi. Récupérez à votre rythme, faites descendre la fréquence cardiaque, étirez tous les muscles qu'on a sollicités. Et n'oubliez pas… Ma vie m'appartient, je cultive ma force et ma tonicité. Rien ne m'arrête, ni le doute, ni l'angoisse, car de ma destinée je reste maître.

Elle s'interrompit un instant, avec un petit rire.

– OK, voilà que je me mets à faire de la poésie, mais là, ce n'est pas mon fort… À très bientôt, les amis. C'était Adrianne Rizzo, gardez la forme, gardez la rage !

Elle visionna l'enregistrement, l'intitula « Bonus Circuit Challenge », puis le posta sur son blog ainsi que sur les réseaux sociaux.

– Je parie que ça va t'énerver… Tant mieux !

Elle s'hydrata, s'étira.

– Allez viens, Sadie, on va prendre l'air. Sans téléphone. Teesha va me passer un de ces savons quand elle verra ça… Ce qui ne saurait tarder… Viens, on va voir les tomates.

En effet, moins de dix minutes plus tard, Teesha débarquait tambour battant.

– Ne pas répondre au téléphone, c'est comme se boucher les oreilles et chanter à tue-tête ! tonna-t-elle en marchant droit sur Adrianne, qui jouait à la balle avec la chienne.

– Peut-être, mais j'avais besoin de décompresser. Tu as été rapide.

– Je veux que tu supprimes tout. J'aurais pu le faire moi-même, j'ai les autorisations, mais…

– Mais tu respectes mon choix.

– Tu as fait une connerie.

– Ah oui ? C'est mieux de s'écraser, de subir, depuis toutes ces années ?

– La police et le FBI sont sur l'affaire, et maintenant une détective privée. Oui, c'est mieux de faire confiance à des professionnels.

– J'ai encore reçu un poème.

– Je m'en doutais, grommela Teesha en se passant les mains sur le visage. Excuse-moi, je suis énervée. Mais à quoi cette provocation va-t-elle servir ?

– Ce type est un lâche ; il était temps que je le lui dise en face.

– Que disait son nouveau torchon ?

Les yeux fermés, Adrianne se remémora le poème, et le récita.

– Quel grand malade… maugréa son amie en pivotant sur elle-même, les mains sur les hanches. À quelle heure as-tu rendez-vous avec la détective ?

– Entre 16 heures et 16 h 30.

– OK, tu n'as qu'à venir à la maison en attendant. Il est peut-être à moins d'un kilomètre.

– Ou bien à Omaha. Et c'est exactement pour cette raison que j'éprouvais le besoin d'agir. Ça ne peut plus durer. S'il veut me rendre dingue, il va bientôt y parvenir. Je n'ose plus aller relever mon courrier, tu te rends compte ? Oui, d'accord, je pourrais fermer cette boîte postale, mais il trouverait un autre moyen.

– Obligé de modifier ses habitudes, il commettrait peut-être une erreur.

– Peut-être, ou pas. De toute façon, avec mon nom, les lettres atterriraient au bureau de poste de Traveler's Creek, vu qu'elles n'ont pas d'expéditeur. Donc ça ne servirait pas à grand-chose. Je ne sais pas si ce que j'ai fait servira à quelque chose mais, au moins, ça m'a fait du bien. J'ai l'impression de lui avoir rendu la monnaie de sa pièce.

Avec un soupir, Teesha prit son téléphone qui vibrait dans sa poche.

– Harry… chuchota-t-elle. Salut, Harry… Oui… Ah… Oui, je sais. Je suis avec elle en ce moment. Mmm… Je te la passe.

– Et merde, bougonna Adrianne.

Elle le laissa vider son sac, avant de déclarer posément :

– Non, je ne la supprime pas. De toute façon, tu viens de me dire toi-même qu'elle a déjà été vue plus de deux cents fois. Donc certainement par lui – ou elle. Non, pas du tout, je n'ai aucun regret… Il fallait que je riposte. Non… Attends…

Elle inspira profondément.

– Teesha, je m'adresse aussi à toi. Je suis désolée de vous causer de l'inquiétude, à vous deux, à ma mère, et aux autres quand ils seront au courant. Mais la carte qu'il m'a envoyée pour le décès de Popi a été la goutte d'eau qui a fait déborder le vase. Je n'en peux plus, c'est tout. Je te repasse Teesha.

Là-dessus, elle alla chercher la balle, la ramassa et la lança.

Quelques minutes plus tard, Teesha la rejoignait et lui passait un bras autour des épaules.

– On t'aime, Adri.

– Je sais. Je m'en veux de vous causer du tracas. Je suis consciente que ce n'était pas prudent, ni très malin, de faire ce que j'ai fait. Mais j'avais vraiment besoin de riposter. Ce n'est peut-être qu'une illusion mais, au moins, je ne me sens plus totalement impuissante.

– Je comprends. Depuis le temps qu'on est amies, heureusement que je te comprends.

– Je te comprends moi aussi, et je suis sincèrement désolée. J'avais épuisé toutes les options rationnelles : la police, le FBI, la détective, l'alarme, l'autodéfense, le chien…

Sadie rapporta la balle aux pieds de sa maîtresse et leva vers elle un regard plein d'amour.

– Le gros chien méchant qui fait peur… ironisa Teesha. En vérité, à ta place, je ne sais pas si j'aurais tenu aussi longtemps sans craquer. Tu as raison, ce taré saura maintenant que tu ne te contenteras pas éternellement de subir son harcèlement. Il faut que je te laisse. On se voit demain pour calculer le budget du mobilier du centre de loisirs.

– Le Rizzo Family Youth Center.

– Ça sonne pas mal. C'est officiel ?

– Ça fait un moment que je réfléchis à un nom. Est-ce que je lui donnais le nom de Popi, comme c'était son projet ? Mais il partageait ce rêve avec Nonna. Et ils n'auraient pas pu le concrétiser sans mes arrière-grands-parents paternels. Ni sans moi – ni sans ma mère, par conséquent. D'où le mot « famille ». Tu ajouteras le coût d'une plaque commémorative dans le budget.

Teesha partie, Adrianne jeta de nouveau la balle à Sadie, en se demandant comment elle se justifierait de son acte impulsif auprès de la détective privée.

– Je vais encore avoir droit à une leçon… Pourquoi les leçons sont-elles plus douloureuses qu'une bonne gifle ?

Quand Rachel la prévint par texto qu'elle serait un peu en retard, elle lui répondit que ce n'était pas grave, puis elle s'installa sur la galerie avec sa tablette, et commença à se documenter sur les plaques.

Elle ne la voulait ni ostentatoire ni prétentieuse, mais au contraire sobre et discrète, comme ses grands-parents l'auraient souhaité. Elle avait restreint ses choix à trois quand elle reçut un nouveau message de Rachel : « Coincée dans un bouchon. Je n'arriverai pas avant 18 heures. On peut fixer un autre rendez-vous si ça vous fait trop tard. »

Adrianne consulta l'heure avant de répondre : « Pas de problème – rien de prévu ce soir. Je vous attends. »

– Rien de prévu, hein, Sadie ? On devait juste passer la soirée tranquille toutes les deux.

Rachel lui répondit : « Parfait. Je serai là d'ici une demi-heure environ ».

Quarante minutes plus tard, Sadie aboya pour signaler qu'une voiture gravissait la colline. Adrianne n'avait pas perdu son temps : elle avait choisi non seulement les dimensions et le matériau de la plaque commémorative, mais également préparé un plateau de fromages et une carafe de vin.

La chienne attendit que la visiteuse descende de sa voiture et qu'Adrianne lui serre la main avant de se mettre à remuer frénétiquement la queue.

– Je suis vraiment navrée, s'excusa la détective.

– Ne vous en faites pas, j'en ai profité pour régler quelques affaires. J'allais me servir un verre de vin. Je dirais que vous en avez bien mérité un, vous aussi. À moins que vous ne préfériez autre chose, comme vous reprenez le volant tout à l'heure.

Rachel n'hésita qu'un bref instant, en regardant la carafe.

– Je veux bien une goutte de vin, merci. Il y avait un accident sur la route. La circulation était complètement paralysée.

Prenant le verre qu'Adrianne lui tendait, elle s'installa confortablement.

– Vous avez un petit paradis ici.

En blazer bleu pastel et tee-shirt blanc, elle portait des lunettes de soleil aux verres ambrés.

– Je fais mon possible pour le préserver. Cette année, je me suis essayée au jardinage. Je suis folle de joie d'avoir réussi à faire pousser des tomates et des poivrons. Et terrifiée à l'idée de les tuer.

– Sels d'Epsom dilués dans l'eau.

– Tout à fait ! approuva Adrianne en riant, surprise. Ma grand-mère ne jurait que par ça. Vous jardinez ?

– En bacs. J'habite en ville. Il n'y a rien de meilleur que les tomates fraîches cueillies sur pied. Cela dit…

– Avant toute chose, j'ai reçu un poème, ce matin. Oblitéré à Omaha. J'ai fait des copies de la lettre et de l'enveloppe.

Elle les retira d'un dossier qu'elle avait posé sur une chaise, sous la table.

Rachel chaussa ses lunettes afin de lire le poème.

– Plus direct que d'habitude, commenta-t-elle. Il évoque un passage à l'acte, et il mentionne une échéance.

– L'été, qui approche à grands pas. Il faut que je vous dise : j'ai réagi.

– De quelle manière ? s'enquit la détective en observant sa cliente par-dessus ses lunettes.

Adrianne alluma sa tablette et lança la vidéo. Rachel la regarda sans faire de commentaire, en dégustant son verre de vin.

– Vous l'avez publiée aujourd'hui ?

– Oui, sur mon blog et sur les réseaux sociaux. Je guette les commentaires. Pour le moment, rien à signaler.

Rachel hocha la tête, puis elle ôta ses lunettes, suspendues à une chaîne, et regarda Adrianne en face.

– Vous êtes intelligente, vous savez que cette provocation est susceptible d'entraîner une escalade, voire un passage à l'acte…

– Oui.

– Je n'ai pas d'ordres à vous donner, mais permettez-moi de vous faire part de mon opinion : vous auriez dû attendre et m'en parler, d'autant qu'on se voyait aujourd'hui.

– J'attends depuis mes dix-sept ans. Au lieu de s'arranger, ça s'aggrave.

– Certes… De toute façon, la vidéo est en ligne, maintenant. Alors, espérons qu'elle suscite une réaction, auquel cas nous pourrons identifier une adresse IP. C'était le but de votre manœuvre, n'est-ce pas ?

– Oui. Il sait sans doute qu'il n'a pas intérêt à poster un commentaire, mais il peut commettre une erreur. On commet souvent des faux pas sous le coup de la colère.

– Tout à fait. Par conséquent, tenons-nous à l'affût. J'alerte l'agent du FBI en charge de votre dossier ?

– S'il vous plaît, oui.

– Bon. De mon côté, j'ai du nouveau, et des théories, déclara la détective en retirant une enveloppe de son sac.

– Vous rapportez de nouveaux éléments de Pittsburgh ?

– Oui. C'est là que réside le journaliste qui a révélé l'identité de votre père. Il travaille maintenant pour un journal people en ligne.

– Vous pensez que c'est lui ?

– Non. Il a été entendu par la police dans le cadre de l'enquête qui vous concerne. Le décès de Jonathan Bennett, accidentellement tué par votre mère, a suscité un gros intérêt médiatique. Elle-même était déjà un peu connue et faisait parler d'elle. Elle jouissait plutôt d'une bonne presse, mais pas seulement. Rien n'est jamais tout blanc ou tout noir.

Adrianne éteignit sa tablette et la posa de côté.

– Certains voyaient d'un mauvais œil qu'elle soit mère célibataire. On lui a reproché des mœurs légères, du fait qu'elle refusait de dire qui était mon père. Je n'en étais pas consciente à l'époque, j'étais petite, elle a tout fait pour me protéger, mais on l'a beaucoup calomniée quand le scandale a éclaté.

Très calme, très posée, elle s'interrompit un instant pour boire un peu de vin.

– Elle m'a laissée ici, chez mes grands-parents, et elle a tout misé sur sa carrière, poursuivit-elle. Elle était prête à tout, elle n'aurait reculé devant rien. Je me suis sentie abandonnée, je lui en ai voulu, mais aujourd'hui, j'admire sa pugnacité.

– Quand la presse à sensation n'a rien à se mettre sous la dent, elle cherche de vieilles histoires à réchauffer, et c'est ce qu'a fait ce journaliste, Dennis Browne, quelques années plus tard.

– Je sais. Ma mère n'a pas fait cas de ses articles. Elle est si forte. Quand on l'interroge à ce sujet durant les interviews, elle refuse de répondre. En règle générale, d'ailleurs, elle ne parle jamais de cet épisode de son passé. Quand Lina Rizzo ferme une porte, impossible de l'ouvrir, ni même de la forcer.

– Je m'en suis rendu compte. C'est pour ça que je suis allée à Pittsburgh. Alors que votre maman était résolue à garder le secret, quelqu'un a révélé l'identité de votre père biologique. Qui, et pourquoi ? C'est ce que j'ai tenté de comprendre.

– Et ?

– Au bout d'un certain nombre d'années, les journalistes sont moins à cheval sur la protection des sources, surtout quand les sources se sont taries. Et je peux employer d'autres méthodes que celles qu'utilise la police. Dennis Browne est deux fois divorcé, il verse trois pensions alimentaires et ne roule pas sur l'or, c'est le moins qu'on puisse dire. Il est en outre porté sur le bourbon…

Adrianne esquissa un petit sourire.

– Vous l'avez acheté ?

– Avec la bénédiction de votre mère, qui s'est engagée à me rembourser tous mes frais. Mille dollars. Elle m'avait accordé jusqu'à cinq mille ; mille ont suffi. Plus une bouteille de Maker's Mark.

Rachel prit un cracker et le tartina de fromage.

– Hum, délicieux ! Qu'est-ce que c'est ?

– Du rustico au poivre rouge.

– J'adore. Au bout de quelques verres, le bonhomme était plutôt loquace, il m'a révélé d'où il tenait son scoop. Catherine Bennett.

– Je… Je ne comprends pas.

– La femme de Bennett était au courant de son attirance pour les jolies jeunes filles. Elle a longtemps fermé les yeux, pour préserver son couple, sa famille, le statut universitaire de son mari. Mais quand elle a su qu'une étudiante était enceinte de lui, elle a craqué, mais elle n'a pas osé lui en parler. De crainte du divorce, peut-être, je ne sais pas… Elle était déjà déprimée, elle prenait du Xanax, du Valium. Elle a augmenté les doses, pour occulter la réalité. Yoga Baby a très vite gagné en visibilité et en popularité. Et si Catherine Bennett pouvait tolérer les infidélités de son mari, elle ne supportait pas que l'une de ses jeunes maîtresses s'affiche au grand jour avec un enfant biologique de son époux.

– Alors elle a tout balancé. Et lui, il s'en est pris à ma mère, et à moi, sans jamais se remettre en question, alors que c'était sa femme qui voulait le détruire.

– Elle pensait se faire passer pour la victime. Il paierait de l'avoir humiliée, votre mère paierait, vous paieriez. Je ne sais pas si elle a agi sous le coup de la colère ou si la manœuvre était calculée… Toujours est-il qu'elle a pris contact avec Browne et lui a fourni les noms de plusieurs des conquêtes de son mari, dates à l'appui. Le journaliste a mené sa petite enquête. À l'époque, Bennett entretenait une liaison avec une autre étudiante, une jeune fille de vingt ans, mais Catherine en avait surtout après votre mère. C'est donc vous qui avez fait le sujet principal de l'article. Un prof de fac qui séduit ses élèves… Pas de quoi fouetter un chat, ce n'était pas le scoop du siècle. Mais le même prof père d'un enfant illégitime ? Sa jeune maîtresse qui devient prof de yoga à succès grâce à cette enfant ? Browne tenait un ragot croustillant.

– Au lieu de le quitter, elle a préféré le détruire… et nous avec…

– Une femme humiliée est capable de tout, surtout quand elle rumine depuis dix ans. Mais sa rancœur ne vous a pas détruites. Elle a seulement causé la mort prématurée de Jonathan Bennett. Mort pour avoir agressé sa fille, la mère de sa fille et l'une de ses amies. Catherine Bennett n'était plus une épouse meurtrie et stoïque, elle était la femme d'un prédateur sexuel, alcoolique et violent. Cruellement, l'ignominie de son mari rejaillissait sur elle.

– Vous croyez que c'est elle qui m'envoie les poèmes ?

– Non. Elle est morte. Suicide par médicaments, il y a près de quatorze ans. Mais vous avez un demi-frère et une demi-sœur.

– Oh, mon Dieu…

Adrianne se leva et se mit à faire les cent pas, les bras refermés autour de son buste.

– Jonathan Junior, trente-quatre ans, et Nikki, trente-sept. Vous voulez qu'on fasse une pause ?

– Non, continuez.

– Je n'ai pas encore pu les rencontrer, ni l'un ni l'autre. Junior s'est marginalisé depuis qu'il a touché son héritage, il y a une dizaine d'années, un joli magot ; les parents de sa mère étaient riches. J'essaie de le retrouver mais il semblerait qu'il ait disparu… Sa sœur Nikki est conseillère financière, souvent en déplacement. Elle travaille depuis quinze ans pour le cabinet Ardaro Consultants. Elle est assez demandée.

– Elle voyage, vous dites…

– Souvent, et dans tout le pays.

– Omaha. Le dernier poème a été posté d'Omaha.

– Elle est en ce moment à San Diego, elle part ensuite pour Santa Fe et Billings. Elle sera de retour chez elle, à Georgetown, en fin de semaine prochaine. J'ai l'intention de la rencontrer dès que possible. Pas de casier judiciaire, jamais mariée, pas d'enfant. Elle vit seule, apparemment, dans la maison où son frère et elle ont grandi. Une maison achetée avec l'argent de famille de la mère. On me l'a décrite comme une femme discrète, aimable, travailleuse. Il semblerait qu'elle n'ait pas d'amis proches, ni d'ennemis.

– Une solitaire. Comme la plupart des psychopathes, non ?

– Souvent, oui. Son frère a un profil moins lisse. Il a été interpellé à plusieurs reprises pour ébriété sur la voie publique, conduite en état d'ivresse, deux fois pour voie de fait, mais les plaintes ont été retirées. Pas marié, pas d'enfant lui non plus. Jusqu'à il y a dix ans, bientôt onze, il résidait officiellement à l'adresse de Georgetown. On le dit antipathique, voire asocial. Il a exercé divers petits boulots, jamais plus d'un an, souvent largement moins. Avant de se volatiliser, il avait quelques amis, dont l'un, un alcoolique repenti, m'a raconté qu'il parlait souvent de construire une cabane dans les bois, près d'un lac ou d'une rivière, et de se retirer de « ce monde de merde », je cite. C'est peut-être ce qu'il a fait. Je suis à sa recherche.

Adrianne se rassit.

– Je vous avoue que j'ai du mal à considérer ces gens comme mon demi-frère et ma demi-sœur.

– Je le conçois.

– Entre eux et moi, il n'y a qu'un lien purement biologique, accidentel, et à mes yeux, infime. D'après vous, donc, l'un d'eux aurait une dent contre moi, comme la mère… Et vous penchez pour la fille, en raison de ses déplacements.

– La mère a pu en effet leur monter la tête.

– Évidemment… Le père est mort déshonoré par la faute de ma mère. Elle n'a fait que se défendre, me protéger, mais eux nous voient comme responsables de leur malheur. Leur père est d'abord mort à cause de nous, ensuite leur mère. Les poèmes ont d'ailleurs commencé peu après qu'ils l'ont perdue…

– Ce deuil a pu entraîner un trauma, oui. Et votre DVD est paru à la même période. J'ai l'intime conviction que ces menaces émanent de l'un des deux, mais avant toute chose, je dois m'entretenir avec eux. Car je crois avoir levé un autre lièvre… Quand je vous ai envoyé un premier message pour vous prévenir de mon retard, j'étais encore à Washington, dans le quartier de Foggy Bottom, où je suis allée rendre visite à une femme qui a eu une liaison avec Bennett, un an environ avant votre mère. Elle m'a très bien accueillie et, au détour de la discussion, je lui ai demandé si elle avait reçu des lettres anonymes, ou si elle avait ressenti une quelconque menace.

Rachel reprit un cracker et un morceau de fromage, avant de poursuivre :

– Non, ni lettres ni appels téléphoniques. Mais il y a quelques années, elle a déménagé, suite à une effraction qui a tourné au drame. Elle était partie en week-end, elle avait laissé sa maison à sa sœur. Elle-même venait de divorcer, sa sœur avait perdu son emploi, toutes deux avaient besoin de changer de décor. Or la sœur a été tuée dans son sommeil, de plusieurs balles de revolver. Quelques objets de valeur ont été volés, pour simuler un cambriolage.

– Ce n'en était pas un ?

– Non. Je suis allée voir cette personne suite à une conversation que j'ai eue avec la mère d'une autre femme dont le nom figurait sur la liste de Catherine, celle qu'elle avait donnée au journaliste.

D'un geste absent, la détective grignota un autre cracker.

– Inutile de vous préciser qu'il me faudra du temps pour localiser toutes celles qui figurent sur cette liste. Certaines sont mariées, divorcées, d'autres ont déménagé plusieurs fois. En l'occurrence, la mère en question habite à Bethesda. J'ai pu la rencontrer facilement. Elle savait que sa fille avait eu une relation avec un homme marié, plus âgé, quand elle était étudiante. Une aventure passagère, rien de plus. Si je suis allée voir la mère, c'est parce que la fille a été poignardée il y a quelques années, sur un chemin de randonnée, en Californie du Nord, où elle vivait avec son mari et ses deux enfants.

Sans quitter la détective des yeux, Adrianne se versa un demi-verre de vin.

– Toutes les deux avaient eu une liaison avec Jonathan Bennett… murmura-t-elle.

– Leur nom figurait en tout cas sur la liste remise au journaliste, dont la police n'a manifestement jamais eu connaissance. Du coup, rien ne reliait une mort par balles à Washington à un meurtre par arme blanche en Californie. Ces deux victimes n'ont en commun que l'université de Georgetown, qu'elles ont fréquentée à des époques différentes. Je tenais en tout cas à vous faire part de cette information. Je me lance dès demain sur la piste des autres noms de la liste.

– Je suppose que le nom de ma mère y figure…

– Je l'ai prévenue, elle se tient sur ses gardes. Je ne peux pas vous affirmer qu'elle ne risque rien mais, à mon avis, c'est plutôt vous qui seriez visée. On tentera sûrement de s'en prendre à elle tôt ou tard, mais pour l'instant, c'est à vous qu'on envoie des poèmes. On vous en veut pour votre simple existence. À cause de vous, on s'est senti dépossédé de quelque chose, rabaissé. On vous tient pour responsable de la mort d'un père, du suicide d'une mère. À la lumière de cette théorie, les poèmes deviennent plus limpides.

– Oui, c'est vrai, acquiesça Adrianne.

– De surcroît, vous avez réussi, vous êtes célèbre. Vous n'avez jamais payé l'affront de votre naissance, bien au contraire. Vous êtes jeune et jolie, vous avez la sécurité financière, un bel héritage familial. Eux n'ont hérité qu'adultère, abus de confiance, suicide, humiliation publique.

– Se venger sur moi n'y changera rien, mais je vous suis. Qu'allez-vous faire ? En parler à la police, au FBI ?

– Oui, mais je voudrais d'abord contacter les autres femmes, si possible. Tout du moins celles que je parviendrai à retrouver. J'aimerais aussi m'entretenir avec Nikki Bennett. Il me faut une théorie solide pour que la police la convoque et recherche le frère.

– Tout se tient… C'est horrible mais cohérent. Depuis toutes ces années, personne n'en avait encore découvert autant que vous en quelques semaines.

– Je vous l'ai dit, j'ai la chance de pouvoir entièrement me consacrer à cette enquête, avec un regard neuf. J'ai eu aussi la chance de tomber pile au moment où Browne était disposé à cracher le morceau. C'est lui qui a tout débloqué.

– En tout cas, je commence enfin à comprendre le pourquoi de cette sombre histoire, et à entrevoir le bout du tunnel. Malheureusement… on risque de découvrir d'autres victimes, ajouta Adrianne en fermant les yeux.

– Oui.

– Combien y a-t-il de noms sur la liste ?

Rachel prit le temps de terminer les dernières gorgées de son verre.

– Trente-quatre, accompagnés de dates étalées sur les quatorze ans précédant la mort de Jonathan Bennett. Ce qui fait une moyenne d'un peu plus de deux maîtresses chaque année. Tout du moins pour ce qu'en savait madame.

– Trente-quatre ? Cette pauvre femme devait être minée. À ce stade, ce n'est plus de la séduction mais de l'obsession. Les enfants aussi devaient en pâtir. Même petit, on s'en rend compte quand il y a quelque chose qui cloche dans la famille, et on en souffre.

– Bien sûr. Naît-on psychopathe ou le devient-on ? Il existe toutes sortes de théories à ce sujet. Dans le cas qui nous préoccupe, je dirais que plusieurs facteurs entrent en jeu. Sur ce, je vais vous laisser, il commence à se faire tard. À moins que vous n'ayez d'autres questions…

– Non, je ne crois pas. Vous m'avez donné du grain à moudre.

– Vous trouverez plus de détails dans mon rapport. Si vous avez besoin d'éclaircissements, n'hésitez pas. Et soyez prudente.

– Bien sûr. J'espère que vous n'aurez pas de bouchon, cette fois, sur la route.

Elles se levèrent.

– Je l'espère aussi, mais à cette heure-ci, ça m'étonnerait. Merci pour le vin et ce délicieux fromage.

– Attendez, je vais vous en donner.

– Oh, non, c'est gentil mais…

Adrianne était déjà dans la cuisine, où elle emballa du fromage, des crackers et des olives, à quoi elle ajouta une petite bouteille d'eau gazeuse.

– Ma mère vous rémunère. Un petit cadeau de ma part.

– Merci beaucoup, ça me fait plaisir. Je vous tiens au courant.

Adrianne regarda la voiture s'éloigner, en caressant la tête de Sadie.

– Je suis écœurée, tu sais. Vraiment écœurée. Je n'avais pas pensé à ses enfants depuis… En fait, je ne pense jamais à eux.

Les jambes tremblantes, elle s'assit près de la chienne et se blottit contre elle.

– De savoir qu'ils sont obsédés par moi… peut-être… De les savoir aussi tordus… Ça me rend malade…

Elle demeura ainsi un long moment, puis elle finit par se ressaisir. Elle devait lire le rapport de la détective. Se sentant incapable d'avaler quoi que ce soit, elle allait se préparer un smoothie. Ensuite…

Quand Sadie se redressa d'un bond, l'estomac d'Adrianne se noua, mais elle se détendit aussitôt à la vue de la voiture de Raylan. Et lorsque Sadie et Jasper s'élancèrent l'un vers l'autre, elle parvint même à esquisser un sourire.

– Tu as échappé à tes enfants ?

– Brièvement. Je ne reste pas. Monroe donne un cours de guitare à Bradley et Mariah daigne jouer avec Phin. Je ne m'attarderai pas.

– Si tu viens me faire la leçon, je vais avoir besoin d'un verre de vin et j'en ai déjà bu un et demi.

– Non…

Il la rejoignit sur la galerie et lui encadra le visage de ses mains. Il sentait l'herbe et le printemps.

– Tu as tondu tes pelouses ?

Il l'embrassa avec une grande douceur, comme il aurait embrassé une personne souffrante.

– Désolé, j'ai transpiré… Teesha m'a raconté.

– Elle m'en veut encore ?

– Je crois qu'elle t'a dit tout ce qu'elle avait à te dire. J'ai cru comprendre que Harry aussi. J'ai regardé la vidéo. Un jour, il faudra que tu me dises comment tu fais pour sauter en l'air et passer en planche sans te casser un truc. Cela dit, c'était peut-être imprudent mais… brillant.

– Pardon ?

– Tu éprouvais le besoin de riposter, tu l'as fait et tu as visé juste. L'internaute lambda ne se rendra compte de rien, mais tu as tapé en plein dans le mille. Bravo.

– Tu me félicites ?

– Bien sûr, j'aurais préféré que tu t'abstiennes. Bien sûr, je préférerais que tu ne reçoives pas ces immondes poèmes. Mais on peut toujours essayer de frotter une lampe, pas sûr qu'il en sorte un génie. Alors on fait ce qu'on peut avec ce qu'on a.

Tout à coup, des larmes roulèrent sur les joues d'Adrianne. Il la prit dans ses bras et la serra contre lui.

– Ça va aller. Tu as eu une journée pourrie.

– Horrible. Heureusement que tu es là. Tu viens de me dire exactement ce que j'avais besoin d'entendre.

– Qui était là ? Deux verres, deux assiettes…

– Rachel McNee, la détective privée.

– Elle en a rajouté une couche ?

– Si tu savais…

– Tu sais quoi ? Teesha gardera les enfants une demi-heure de plus. Je vais l'appeler et tu me raconteras tout.

Le visage enfoui au creux de son épaule, elle fondit en sanglots.

Chapitre 22

Elle s'aspergea le visage d'eau fraîche, avant de préparer deux verres de citronnade, plus adaptée aux circonstances que le vin, estima-t-elle. Puis elle s'assit en face de Raylan et lui raconta tout.

– Pour commencer, d'après ce que tu me dis de ta détective privée, on dirait que ta mère a déniché la perle rare.

– Oui, Rachel est formidable. Très posée, et beaucoup d'empathie. Bien sûr, elle se concentre sur les faits, mais elle se soucie aussi de moi, de ce que je ressens, et ça m'aide beaucoup.

– Normal. Ensuite, si sa théorie se confirme, permets-moi de te dire que les motivations du Poète sont complètement débiles. Mais tu n'as pas besoin que je te le dise : tu n'es ni idiote ni du genre à jouer les martyrs.

– Encore une fois, exactement ce que j'ai besoin d'entendre. J'ai fait abstraction il y a très longtemps du facteur biologique de mon ascendance paternelle. Ce Jonathan Bennett n'a jamais rien représenté à mes yeux. Outre son ADN, je n'ai absolument rien de lui en moi. J'aurais eu peut-être plus de mal à l'accepter sans mes grands-parents… et sans ma mère, je le dis aujourd'hui, avec du recul. Sans Mimi et Harry ; sans Hector, Teesha et Loren ; sans Maya et ta mère. Sans tout ça, ajouta-t-elle en désignant le village en contrebas. Et parce que je vis d'un métier que j'aime, parce que j'ai tout ce que j'ai, je ne pense jamais à lui, encore moins à sa femme et ses enfants.

– Ils n'ont jamais fait partie de ta vie. Pourquoi penserais-tu à eux ? S'ils avaient essayé d'entrer en contact avec toi, pour une raison ou pour une autre, ce serait peut-être différent. Mais ils ne l'ont pas fait. Ou alors, avec des intentions malveillantes.

– Quand je pense qu'ils ont peut-être tué ces deux femmes… Ça me fait froid dans le dos.

Raylan posa une main sur celle d'Adrianne.

– Elles n'ont rien vu venir, elles ne se méfiaient pas… Alors que toi, on te menace, et tu te tiens sur tes gardes.

Ses yeux verts rivés au fond de son regard, il porta sa main à ses lèvres et lui embrassa le bout des doigts, d'un geste qu'elle aurait trouvé terriblement romantique en d'autres circonstances.

– L'un d'entre eux est un assassin, dit-elle. Un psychopathe qui s'est mis en tête d'accomplir ce que leur père n'a pas réussi à faire en me poussant dans l'escalier, c'est-à-dire me tuer.

Il lui embrassa de nouveau la main.

– Ils n'y parviendront pas. Ta superdétective rassemblera suffisamment de preuves pour qu'ils soient arrêtés. D'ici là, tu pourrais partir en voyage quelque part…

– Où ? Au fin fond de la forêt, sur une plage loin de tout ? Pour me retrouver complètement seule et isolée ? Tu sais comme moi ce qui arrive aux femmes menacées qui se croient en sécurité cachées au milieu de nulle part. Le méchant finit toujours par les retrouver.

– Dans les films.

– La fiction s'inspire souvent de la réalité. Si on veut s'en prendre à moi, qu'on vienne s'en prendre à moi ici. Je connais le moindre recoin de cette maison. La police est à cinq minutes. J'ai des amis sur qui je peux compter à cinq minutes. Mon mec à cinq minutes. Je ne suis pas seule. Je me sens plus en sécurité ici que n'importe où ailleurs. Et j'ai confiance en Rachel : elle fera tout pour que la police les mette hors d'état de nuire.

– Tu ne m'en voudras pas si je ne suis pas rassuré de te savoir seule ici.

– Non, mais les alternatives sont pires.

– Peut-être. Je n'insiste pas. Je peux quand même te faire une autre proposition ? Dès que les enfants sont en vacances, on part tous ensemble…

– Tu crois ?

Il lui décocha un sourire ironique.

– Ne me dis pas que tu as peur de partir en vacances avec deux gamins et deux chiens…

– Je n'ai peur de rien. Il y a une éternité que je n'ai pas pris de vraies vacances.

– Alors il est grand temps. Je vote pour la plage, les enfants voteront pour la plage, donc ta voix ne comptera pas. Je vais voir ce que je peux organiser. Maintenant, il faut que je te laisse.

– Les enfants ont école demain.

– Eh oui…

Il lui tendit la main pour l'inviter à se lever et, cette fois, il ne l'embrassa pas du tout comme il aurait embrassé une personne souffrante.

– Ferme toutes les portes à clé, recommanda-t-il. Et vérifie plutôt deux fois qu'une que tout est bien fermé, l'alarme, activée. Tu m'enverras un message avant de te coucher ?

– D'accord. Tu me réconfortes davantage que le smoothie au kale que je vais me préparer pour le dîner.

– J'espère !

Il lui donna encore un baiser, puis appela Jasper.

– Inutile de m'en servir un jour, je ne le boirai pas, ajouta-t-il.

– Tu serais agréablement surpris.

– C'est très vilain de mentir.

Il dut avoir recours à la force pour faire monter le chien dans la voiture.

– OK, c'est peut-être un goût acquis, concéda Adrianne.

Raylan secoua la tête d'un air désespéré.

– Rien que pour ça, je vais manger un plein sachet de chips quand les enfants seront au lit. N'oublie pas de m'envoyer un texto.

Quand la voiture eut disparu au bas de la colline, Adrianne débarrassa la table en songeant qu'il avait raison : elle fermerait les portes à double tour, elle vérifierait à deux reprises que l'alarme était activée. Et elle dormirait mieux, elle le savait, parce que Raylan était venu lui dire exactement ce qu'elle avait besoin d'entendre.

Tout le reste de la semaine, elle se débrouilla pour ne pas avoir une seconde à elle. Entre autres, elle visionna avec Hector la première mouture de *Fitness 101* et s'entretint longuement avec sa mère sur FaceTime des différentes options de montage.

Elle acheta les luminaires pour le centre de loisirs, la robinetterie, les peintures, les consoles de jeux. Et se jura de ne plus jamais se lancer dans un chantier de cette envergure, même avec l'aide de Kayla.

Elle n'eut donc pas le temps de cogiter, jusqu'au vendredi après-midi, quand Rachel l'appela. La détective avait localisé trois autres femmes. La première était décédée d'un cancer. La deuxième avait été tabassée ; on avait retrouvé son corps dans une ruelle près du bar qu'elle tenait, à La Nouvelle-Orléans. La troisième avait été tuée d'une balle derrière la tête, dans sa voiture, en quittant une chambre de motel où elle avait l'habitude de retrouver son amant. La police d'Érié, en Pennsylvanie, avait longuement interrogé le mari : il avait un alibi en béton.

Le nombre de victimes s'élevait maintenant à quatre.

Adrianne jeta un coup d'œil à l'heure. Raylan serait bientôt là et elle s'en réjouissait. Il l'écouterait, et il saurait lui changer les idées.

Elle ignorait ce qu'il apporterait pour le dîner, mais ils mangeraient à l'extérieur, dans le délicieux parfum de fraîcheur laissé par les averses du matin. Elle choisirait les assiettes en fonction du menu. *Idem* pour le vin.

Comme elle n'avait rien à préparer, elle se mit en robe et s'attacha les cheveux sur la nuque, en laissant quelques mèches s'échapper. Quand elle se regarda dans le miroir, pieds nus, simple, féminine, printanière, elle se trouva parfaite pour une soirée en amoureux à la maison.

Elle entendit Sadie aboyer avant d'entendre la voiture, et sortit sur le balcon de sa chambre.

Superbe, pensa-t-il en la voyant apparaître, en robe fleurie, avec son gros chien, entre les pots et les jardinières débordant de fleurs colorées.

Une soirée et une nuit entières pour l'admirer… Merveilleuse perspective.

– Qu'est-ce que tu apportes pour le dîner ? lança-t-elle.

– Descends, tu verras.

Sitôt qu'elle eut déverrouillé la porte, Sadie bondit à la rencontre de Jasper, pour des retrouvailles avec force effusion.

– Tu crois qu'un jour ils se salueront normalement ? s'interrogea Adrianne.

– Non.

– Je prends modèle sur eux.

Sur ces mots, elle se pendit au cou de Raylan et l'embrassa à lui en faire perdre haleine.

– Les chiens sont définitivement mes meilleurs amis. Tu es magnifique.

– J'avais envie de me mettre en robe pour célébrer le retour du soleil. Ça ne m'arrive pas souvent. Ce sac n'a pas l'air de venir d'un restau…

– Non. Ce sont des steaks que je vais faire griller au barbecue.

– Des steaks ?

– On ne peut pas se nourrir exclusivement de smoothies au chou. La viande rouge est essentielle à l'organisme, de temps en temps.

– Tu sais la quantité de fer qu'il y a dans le kale ?

– Non, et je m'en fiche, répondit Raylan en déposant son sac sur le comptoir pour en retirer deux steaks. Et qui dit viande dit forcément pommes de terre, dit-il en en sortant deux énormes.

Adrianne en prit une, la soupesa.

– Elles sont plus grosses que des ballons de foot. Une suffirait pour une famille de quatre. Mais je devrais pouvoir en faire quelque chose d'intéressant.

Il s'empara de l'autre, comme pour la protéger.

– Il y a du kale dans ta recette ?

– Non, seulement du beurre, des herbes et des épices.

– Alors tu es de corvée de patates, déclara-t-il en brandissant un sachet de salade. Pas de commentaire, s'il te plaît.

– Je m'en abstiens à condition qu'on agrémente ce mesclun de quelques produits frais.

– Ça marche. J'ai de l'expérience en matière de salade ; tu peux me faire confiance. Par contre, je laisse ça entre tes mains expertes, dit-il en lui lançant la seconde pomme de terre. Je vais allumer le barbecue.

Quand il revint, elle se tenait devant le comptoir, occupée à confectionner des papillotes avec de l'aluminium.

– Ton potager est superbe. Les quelques fleurs et légumes qu'on a plantés n'arrivent pas à la cheville des tiens.

– Tu compostes ?

– Je n'arrête pas de me dire qu'il faudrait.

– Arrête de dire et fais-le ! répliqua-t-elle en lui martelant le torse. Pense à la planète, et ton jardin te remerciera. Va les mettre sur le feu, ajouta-t-elle en lui tendant les patates. Vu leur taille, elles mettront une semaine à cuire. J'ouvre une bonne bouteille de vin rouge et je te propose qu'on s'installe sur la terrasse. Rachel m'a envoyé un nouveau rapport. J'aimerais qu'on en parle tout de suite, histoire de ne plus y penser et de passer une bonne soirée.

– OK, dit-il en l'embrassant sur le front. Ne t'en fais pas.

Il savait être rassurant comme seul un papa pouvait l'être, pensa-t-elle. Non qu'elle eût jamais souffert de l'absence de son père. Son grand-père avait pallié ce manque, ainsi que Harry, dans une moindre mesure. Cependant, elle aimait beaucoup le côté protecteur de Raylan.

Après avoir allumé le barbecue, il déposa les steaks et la salade au réfrigérateur, et prit la bouteille de vin débouchée.

– On y va ?

Elle le suivit avec une soucoupe d'olives, une autre d'amandes. S'il avait en lui le gène papa poule, elle possédait celui des gourmandises qui font du bien à l'âme. Tandis qu'il versait le vin, elle inspira profondément.

– Tu sais pourquoi mon potager est si beau ? Parce que j'adorais aider mes grands-parents à jardiner. Maintenant que je jardine seule, je le fais avec amour.

– Je rouspétais quand ma mère m'obligeait à arracher les mauvaises herbes. Pour l'instant, ce genre de petit boulot amuse encore Bradley et Mariah, mais un jour je me marrerai en les écoutant rouspéter.

– Et un jour, ils se souviendront d'avoir jardiné avec leur papa, et ils cultiveront leur jardin.

– J'espère. Alors, explique-moi…

Raylan se cala dans sa chaise et regarda Adrianne dans les yeux.

– Rachel a retrouvé trois autres femmes. Mortes toutes les trois. Une de causes naturelles, mais les deux autres…

– Pas naturelles.

– Non… La première a été rouée de coups dans une ruelle derrière son bar, à La Nouvelle-Orléans. On lui a pris sa montre et son sac à main.

– Pour faire croire à un vol avec violence.

– Oui. L'autre a été tuée dans sa voiture, à Érié, en Pennsylvanie. Une balle derrière la tête. L'assassin était caché à l'arrière de sa voiture, garée sur le parking d'un motel où elle avait rendez-vous avec un amant.

– On a interrogé le mari ?

Adrianne acquiesça, tout en pensant qu'ils étaient en train de parler d'horribles crimes alors que le barbecue fumait, les papillons dansaient autour des fleurs et les chiens jouaient dans l'herbe.

– Il était en déplacement professionnel, vérifié. On s'est demandé s'il n'avait pas pu engager quelqu'un pour abattre sa femme, mais il n'était même pas au courant de ses infidélités. Ces deux meurtres ont été commis à plusieurs années d'intervalle, à des milliers de kilomètres l'un de l'autre, par des moyens différents. Il n'y avait aucune raison de faire un rapprochement.

– Jusqu'à maintenant. Ce qui nous fait quatre sur… combien, déjà ? Trente-quatre ? Soit environ 12 %.

Adrianne ne put s'empêcher de rire.

– Tu es comme Teesha. Mathophile.

– La vérité est dans les chiffres. À partir de trois, on parle de tueur en série, non ?

– Je n'en sais rien. Rachel s'attend à en découvrir d'autres. Oh, mon Dieu…

Parcourue d'un frisson, elle but un peu de vin, avant de poursuivre :

– Le meurtre le plus ancien qu'elle ait trouvé remonte à plus de douze ans. Il a été commis dans l'année qui a suivi mon premier poème.

– L'intervalle est donc passé de trois ans à deux. Ce serait étonnant que le tueur soit ensuite resté tranquille pendant cinq ans. Désolé, c'est terrible mais…

– Non, non, c'est exactement ce qu'il me faut : de la logique pure et froide, pas de sentiment. Nikki Bennett sera bientôt de retour à Washington, Rachel va prendre rendez-vous avec elle. En général, elle reste quelques jours chez elle avant de repartir, pour passer des coups de fil, assurer le suivi de ses missions, etc. En attendant de la rencontrer, Rachel continue d'éplucher la liste.

– Je déteste qu'on me dise comment faire mon métier, mais tu ne crois pas qu'elle devrait alerter le FBI ou la police ?

– Elle va le faire. Elle se donne juste une semaine pour rassembler plus d'éléments et étayer son hypothèse. Toutes ces femmes figuraient sur la liste de Catherine Bennett, mais elles ne vivaient pas au même endroit, elles ne se connaissaient pas et elles n'ont pas été tuées de la même manière. Aucune, jusqu'à preuve du contraire, n'avait reçu de menaces ni de poèmes.

– OK, je comprends, elle veut monter un dossier convaincant. En tout cas, moi, je suis convaincu.

Adrianne remplit le verre de Raylan, puis le sien. Le barbecue, les papillons, les chiens, un bon vin rouge… Un peu de normalité pour contrebalancer l'indicible horreur…

– Ce que Rachel ne dit pas, ou ce que tu ne dis pas, c'est que si elles n'ont pas reçu de poèmes, c'est qu'elles ne détenaient pas le premier rôle. Ce n'est pas à cause d'elles que Bennett est mort, que sa femme s'est suicidée. Ces meurtres ne sont peut-être qu'une sorte d'entraînement, ou des préliminaires, pour faire durer l'attente jusqu'à l'acte ultime.

Raylan saisit la main d'Adrianne et garda un instant le silence.

– Je sais que tu ne te sens aucun lien avec ce demi-frère et cette demi-sœur, reprit-il. Mais celui des deux qui écrit les poèmes se sent lié à toi, par le sang. Tu représentes beaucoup plus que les autres. Il ou elle veut que tu en sois consciente.

– Jusqu'à présent, je n'avais pas la moindre idée de la provenance de ces poèmes.

– Suspense… Jusqu'à la grande révélation. Quand ton métier consiste à inventer des récits opposant le bien et le mal, tu t'interroges sur les motivations des personnages, les raisons de leurs actes, de leurs réactions. Pourquoi ce choix-là à ce moment-là ? OK, ce ne sont que des bandes dessinées, mais…

– Ce ne sont pas *que* des bandes dessinées. Tu écris des histoires fortes, avec des personnages complexes, multidimensionnels.

– Merci. Pour autant, je ne me prends par pour un Freud ou un Jung. Simplement, je réfléchis à ce qui fait d'un héros un héros, d'un méchant un méchant. Quelles sont leurs aspirations, quels sont leurs désirs ? Ici, de mon point de vue, le tueur a une dent contre les femmes.

Adrianne fronça les sourcils en observant son verre.

– Contre la gent féminine ?

– Je crois, oui. Prenons le cas de celle tuée au motel. L'assassin se cache dans sa voiture et lui loge une balle dans la nuque. Il ne s'en prend pas au gars avec qui elle avait rendez-vous. Où était-il ?

– Dans la chambre. Selon sa déposition, il a pris une douche, il s'est habillé et, en partant, il s'est étonné que la voiture de sa maîtresse soit toujours là. Il s'est approché, il a vu le carnage. Il a appelé la police. On l'a interrogé, naturellement.

– L'assassin aurait pu faire irruption dans la chambre et le buter, s'il condamnait l'adultère. Mais non, il n'en veut qu'aux femmes. Il ne blâme pas son père, qui trompait sa mère, mais les filles avec qui il couchait.

– Misogynie meurtrière. D'après toi, ce serait donc le fils.

– Pas forcément. Il y a plein de femmes qui détestent leurs semblables.

– C'est vrai. Triste, mais vrai.

– La sœur est constamment en déplacement pour son boulot, elle aurait l'occasion de poster des lettres des quatre coins du pays. Je pense que ta détective privée ne tardera pas à découvrir le fin mot de l'histoire et tout ça ne sera bientôt plus qu'un mauvais souvenir.

Adrianne dégusta quelques gorgées de vin en regardant la fumée qui s'élevait au-dessus du gril.

– Tu sais, dit-elle, ça m'aide énormément de parler avec toi. Ça me fait plus de bien que d'occulter. D'autant que tu sembles persuadé que je pourrai bientôt reléguer cette sombre affaire au rang des souvenirs. Et puis mince ! ajouta-t-elle en haussant les épaules. Pourquoi les femmes sont-elles toujours coupables depuis Ève ? Je me demande si ces deux-là sont au courant que c'est leur mère qui a enclenché le début de la fin…

– S'ils le savent, alors elle ne s'est peut-être pas suicidée…

– Comment ça ? demanda Adrianne avec un sursaut.

– Pardon, j'extrapole.

– Non, tu n'as pas tort, le raisonnement se tient. La mère a trahi le père, si on considère qu'il n'a pas fauté, que seules ses maîtresses sont coupables. Si sa femme avait continué de fermer les yeux, les enfants auraient toujours leur père, et tout irait pour le mieux dans le meilleur des mondes. Ça ne doit pas être difficile de faire avaler des comprimés à quelqu'un qui en prend déjà beaucoup trop…

– Il suffit de lui en donner toujours plus, et elle finit par s'endormir à tout jamais. Une mort plus sereine que les autres, sans violence, parce qu'elle était tout de même leur mère. Le sang de leur sang.

– Tout commence par un lien du sang et finit par un lien du sang. Moi, en l'occurrence. Ça ne change peut-être rien mais, bizarrement, ça me fait du bien de comprendre le pourquoi du comment.

– On est peut-être complètement à côté de la plaque.

– C'est quand même un début de réflexion. Quand quelqu'un cherche à te tuer, tu veux savoir pourquoi. Je soumettrai nos spéculations à Rachel. Demain. Ce soir, essayons de ne plus y penser.

– Je n'aborde plus le sujet, mais je suis là si tu veux qu'on en discute. Avec deux mômes et une maison d'édition, tu es obligé d'apprendre à compartimenter. De mon côté, je voulais te parler d'une maison en bord de mer, sur Buck Island, en Caroline.

Adrianne mit quelques secondes à percuter.

– Tu as trouvé une location si tard dans la saison ?

– Le réseau. Tu te rappelles mon pote Spencer ?

– Vaguement.

– Je mentirai, je lui dirai que tu te souviens très bien de lui. Bref. Il vit dans le Connecticut avec sa femme, et ils ont une superbe résidence secondaire à Buck Island, où ils passent en général une grande partie de l'été. Or cette année, ils attendent un bébé, pour juillet. Ils sont là-bas en ce moment, mais ils repartent dans une quinzaine de jours. Ils y retourneront en août, si tout va bien. Certaines semaines, ils prêtent la maison à leur famille, mais on peut l'avoir pour quinze jours à partir du 5 juillet. Les chiens sont les bienvenus ; ils ont deux carlins. Ça te dit ?

– Quinze jours ?! Qui s'occupera du jardin ?

Elle ne pensait pas que l'idée se concrétiserait.

– On connaît tous les deux plusieurs personnes prêtes à te rendre ce petit service, surtout en échange de tomates et de beaux légumes mûris au soleil.

– Je ne suis pas partie deux semaines depuis… Je ne suis jamais partie deux semaines. Pour le boulot, oui, mais jamais pour des vacances.

– Tu pourras travailler là-bas, éventuellement, et moi aussi. Il y a une salle de gym.

– Non ?! Tu te moques de moi…

– Pas du tout. Et une piscine, face à l'océan. L'endroit est très tranquille, sur une plage magnifique. Pour l'animation, Nags Head et Myrtle Beach ne sont pas très loin.

– Je n'ai pas besoin d'animation. Ça me paraît génial.

– L'inconvénient, c'est que ce n'est pas la porte à côté. Plusieurs heures de route, avec deux enfants et deux chiens.

– J'aime les enfants et les chiens.

– J'avais remarqué.

– Bradley et Mariah sont d'accord pour que je vienne avec vous ?

– Ils t'aiment bien. Et ils adorent la plage.

– Alors c'est OK.

Deux semaines de plage et… rien d'autre. C'était presque trop beau pour être vrai.

– Si tes enfants sont d'accord, je suis partante. Sinon, vous partez sans moi. Ce serait dommage de louper une occasion pareille.

– Je leur en parlerai. Mais je les connais, ils diront oui.

– Parfait. Je vais voir les pommes de terre.

– Je m'occupe de la salade. Pour le steak, quelle cuisson ?

– Tant qu'à manger un gros pavé de viande, saignant.

– Ouf !

Ils préparèrent le repas ensemble pour la première fois, et le dégustèrent sur la galerie, tout en parlant de Bradley, de Mariah, du centre de loisirs, de leur travail à l'un et à l'autre, tandis que le soleil disparaissait derrière les montagnes. Ils parlèrent de tout et de rien, des petites choses qui faisaient le quotidien.

– À partir de maintenant et jusqu'à nouvel ordre, tu es nommée responsable des pommes de terre, déclara Raylan en se renversant contre le dossier de sa chaise, repu.

– J'avoue que je suis impressionnée par tes compétences en matière de salade et de cuisson de la viande. Et je suis une Rizzo, je ne dis pas ça à la légère.

– Attends de goûter mon gratin de macaronis. Non, pas en boîte, précisa-t-il devant son regard sceptique. La recette de ma mère.

– Pour autant que je me souvienne, Jan fait un gratin de macaronis à tomber.

– Tu vois ?! J'en préparerai un pendant les vacances.

En l'observant, il répartit les dernières gouttes de vin entre les deux verres.

– J'aime ton visage, dit-il.

– Ah oui ?

Amusée, elle cala son menton sur sa main.

– Je l'avais dessiné quand on était gamins.

– C'est vrai ?

– Je dessinais tout le monde. Maya, beaucoup ; souvent avec des cornes de démon et une langue fourchue. Tes grands-parents… ils avaient de si beaux visages. Parfois, j'allais faire mes devoirs Chez Rizzo quand ma mère était de service, et j'essayais de dessiner les clients du restau. Je préférais les superhéros masqués, mais je voulais aussi apprendre à faire de vrais portraits. Je me demande si je n'étais pas déjà un peu mordu…

– De l'art ? Certainement.

– Non, de toi. Je crois que j'avais dessiné Cassie, en serpent – tu te souviens de Cassie ? Une vraie langue de vipère. Ceci dit, je l'aimais bien. Mais toi, je t'avais dessinée fidèle à la réalité. Peut-être parce que j'étais un peu amoureux. Je le suis complètement, maintenant.

Elle lui saisit la main.

– Tant mieux, moi aussi.

– J'aime bien penser à toi quand on n'est pas ensemble. Qu'est-elle en train de faire en ce moment ? Si ça se trouve, je vais jeter un coup d'œil par la fenêtre et elle sera juste là, chez Teesha. Ou bien je vais aller faire des courses et je la croiserai qui fait son jogging. Je ne pensais pas éprouver de nouveau ce genre de sentiment. Je pensais ne plus le vouloir.

Le cœur gonflé de joie, elle se leva et exerça une pression sur la main de Raylan, pour l'inviter à se lever lui aussi.

– Rentrons juste les assiettes, on fera la vaisselle plus tard.

– Ça me va, comme programme.

– Donnons des biscuits aux chiens et montons.

– Ils les ont mérités.

Elle s'approcha de lui et leva les yeux vers son visage.

– Quand on redescendra, on fera la vaisselle, et puis on se préparera un cappuccino qu'on boira sur la galerie en regardant les lumières de Traveler's Creek s'allumer. Ensuite, on remontera.

– Tout ce que tu voudras, murmura-t-il avant de l'embrasser. J'ai apporté ma brosse à dents, cette fois. Je vais chercher mon sac dans ma voiture.

– Tu iras le chercher tout à l'heure, dit-elle en souriant. Tu n'as pas besoin de ta brosse à dents tout de suite.

Chapitre 23

Le lendemain matin, lorsque Adrianne se réveilla, blottie contre Raylan, en plein milieu du lit, la pluie tombait paresseusement dehors, dans un murmure au tempo régulier. Une légère brise entrait par la fenêtre ouverte sur fond de ciel gris et brumeux.

Un autre jour, elle aurait trouvé le temps maussade. Aujourd'hui, il lui paraissait délicieusement romantique.

Elle se pressa contre Raylan, promena les lèvres sur son visage, sur sa barbe naissante, et sentit son sexe durcir tandis que ses paupières s'ouvraient lentement sur ses beaux yeux verts.

– Bonjour, chuchota-t-elle.

– Une journée qui commence plutôt bien…

Les mains enfouies dans ses cheveux, elle l'embrassa langoureusement. Elle le désirait, alors elle lui communiqua son désir, brûlant, dévorant.

Puis elle grimpa sur lui afin de dicter les règles de leur étreinte, se donnant du plaisir autant qu'elle en donnait, elle le savait.

Les mains fortes de Raylan sur son corps faisaient tambouriner son cœur au son de la mélodie de la pluie. Elle laissa glisser ses lèvres dans son cou, sur son épaule. Pour mieux retrouver sa bouche, leurs langues entremêlées, merveilleuses sensations. Un petit coup de dents pour aiguiser l'excitation, un gémissement rauque en réponse.

Tous les sens en éveil, ivre du goût de sa peau, le regard au fond de ses yeux, elle l'accueillit en elle lentement, très lentement, tout en observant le plaisir qui s'emparait de lui en même temps qu'il la submergeait.

Elle l'avait réveillé d'un rêve pour l'entraîner dans un rêve éveillé, une hallucination sensorielle d'une grande beauté. Perdu en elle, il s'abandonna à son exquise chaleur, à la douceur de ce moment partagé.

Dans la lumière du matin, son corps mince et agile se soulevait au-dessus du sien, à un rythme langoureux, dicté par le bruit de la pluie, un univers sonore n'appartenant qu'à eux, loin du monde, loin de tout et de tous.

Dans ses yeux mordorés, il lisait le plaisir, le pouvoir, le savoir, tout ce qui rendait une femme désirable, dangereuse, irrésistible.

Quand elle succomba à l'orgasme, le dos cambré et la tête rejetée en arrière, les mains dans ses magnifiques cheveux détachés, un râle de bien-être s'échappa de ses lèvres, le cri d'une femme savourant sa puissance et son triomphe.

Puis elle continua d'onduler au-dessus de lui, en secouant ses cheveux et en lui souriant, et il s'agrippa à ses hanches pour céder à son tour à une déferlante de plaisir.

Sans le quitter du regard, haletante, elle se caressa les seins, et il aurait juré qu'il sentait le relief de ses mamelons sur sa langue. Elle se toucha ensuite le ventre, puis promena les mains sur celui de Raylan, changea de position et se pencha au-dessus de lui pour refermer sa bouche sur ses lèvres. Il la sentit tressaillir, il entendit son gémissement étouffé lorsqu'elle eut un nouvel orgasme.

Et ce son lui fit perdre tout contrôle, toute retenue.

Il la fit basculer sur le dos et s'abîma en elle, possédé, au bord de la folie quand elle noua les jambes autour de sa taille.

Cette fois, la force du raz-de-marée les engloutit tous les deux.

Un instant, elle demeura inerte, redoutant que son cœur ne jaillisse hors de sa poitrine tant il battait violemment.

– Reste là une minute, dit-elle. Ou une heure. Une journée, peut-être, le temps que nos constantes vitales se rétablissent.

– Hein ? Tu as parlé ? Je n'entends rien avec le sang qui pulse à mes tympans.

– Ce n'était pas à tes oreilles qu'il pulsait il y a une minute.

En riant, il souleva la tête et lui sourit.

– Tu m'as achevé.

– C'était le but. D'habitude, je ne suis pas fan des samedis pluvieux, mais celui-ci commence sous d'excellents auspices.

– Toujours ça de gagné, parce qu'un samedi pluvieux avec deux mômes et un chien…

Il enfouit son visage au creux de son cou.

– Tu viens dîner avec eux demain ?

– Ils ont hâte. Mariah a déjà choisi sa tenue. Il faut dire qu'elle choisit une tenue pour manger son goûter.

– J'aime bien son style.

– Lorilee disait qu'elle lisait déjà *Vogue* dans son ventre, répliqua-t-il.

Il se mordit aussitôt la langue. Nu au lit avec Adrianne, le moment était-il opportun pour évoquer son épouse décédée ?

– Bref… Je peux prendre une douche ?

– Fais comme chez toi. Je descends faire sortir les chiens et préparer le petit déjeuner.

– Tu crois ?

– Je suis sûre. Après cette séance d'exercice intense, j'ai une faim de loup.

En se douchant, il s'interrogea sur ce qui lui arrivait… Que devait-il en penser ? Que devait-il faire ? Rien, peut-être, tout simplement…

La veille, il était sincère en disant qu'il ne croyait pas être capable d'éprouver à nouveau ces sentiments. Pourtant, il était bel et bien amoureux.

Il regarda sa main, son alliance. Il la portait depuis si longtemps qu'elle faisait partie de lui. Mais était-ce bien de la porter tout en faisant l'amour à une autre ?

Une autre dont il était clairement amoureux…

Car la relation n'était pas seulement sexuelle. Un temps, il avait essayé de s'en convaincre, en vain. Il y avait autre chose, il ne pouvait plus le nier.

Qu'avait-elle dit le jour où elle lui avait apporté les haltères ? « L'amour n'implique pas forcément le sexe, et le sexe n'implique pas forcément l'amour. »

Exact, mais quand les deux étaient réunis, on pouvait parler de miracle. Il le savait, car il vivait le second miracle de sa vie.

Seulement… Il n'était pas sûr de ce qu'elle ressentait pour lui. De l'attirance, de l'amitié, de l'affection, indiscutablement. Sans compter qu'il avait des bagages : deux enfants et un chien. Adrianne voudrait-elle s'encombrer de ces bagages ?

Il ne tenait qu'à lui de l'interroger sur ses sentiments. En règle générale, il préférait être franc et direct. Mais… encore un « mais »… était-ce une bonne idée de lui mettre la pression alors qu'elle était déjà confrontée à un stress énorme ?

Ce psychopathe qui la harcelait et la menaçait.

Non, inutile de la tourmenter davantage.

Chaque chose en son temps, se dit-il en se séchant.

Il ferait tout ce qui était en son pouvoir pour l'aider à surmonter cette épreuve. Il la verrait le plus souvent possible ; il inciterait les enfants à passer avec elle autant de temps qu'elle le souhaiterait. Et puis il aviserait.

Quand il descendit, les chiens dévoraient des croquettes dans deux gamelles servies côte à côte.

– On est synchros, dit-elle. Tu sais te servir du percolateur ? Je finis juste de préparer ça.

– « Ça »… C'est-à-dire ?

– Œuf poché, tomate et épinard sur bagel au blé complet, plus yaourt grec aux fruits rouges et muesli. Un petit déjeuner équilibré.

– OK. Ça ne me paraît pas trop flippant. Je peux te faire un café mais, perso, je préférerais un Coca. J'ai vu que tu en avais dans ton frigo. C'est ma caféine du matin.

Elle s'interrompit dans sa tâche et se tourna vers lui. Tous les samedis, elle lui préparait du café, persuadée qu'il buvait du café le matin.

– C'est vrai ? Moi aussi, j'adore le Coca le matin. Je m'en autorise une fois par semaine.

– Pourquoi seulement une fois par semaine ?

– Diverses raisons, mais aujourd'hui j'en boirai un avec toi.

Elle déposa les deux assiettes sur le comptoir.

– C'est ce que je cuisinais à mon grand-père quand je me levais avant lui. La semaine, il mangeait des céréales. Le week-end, il préparait des pancakes, du pain perdu, du bacon et encore du bacon.

– Le bacon, c'est la vie.

Raylan s'installa et goûta une bouchée de l'alternative diététique.

– Très bon, déclara-t-il. Je n'aurais jamais eu l'idée de cette association mais j'essaierai, pour les enfants, avec des œufs brouillés.

– Tu ne sais pas pocher les œufs ?

– Je n'en ai jamais fait, mais je vois de là un gamin de huit ans manger des œufs pochés avec sa sœur. « Eh, regarde, Mariah, on dirait un œil… » Et vas-y que j'y plante des coups de fourchette… « Oooh, aark, beurk, du sang jaune… » Résultat, elle serait dégoûtée des œufs à tout jamais.

– Tu dis ça parce que tu faisais le même genre de trucs dégueulasses avec ta sœur.

– C'était mon rôle, et les hommes de la famille Wells prennent leur rôle au sérieux.

– Dire que je rêvais d'avoir un frère ou une sœur… Remarque, je suis servie…

Il lui posa une main sur le bras.

– Ne pense pas à eux.

– Ne t'inquiète pas, j'ai suffisamment à faire aujourd'hui pour m'occuper l'esprit. Entraînement, ménage du week-end, visionnage du nouveau montage de la vidéo du lycée. Et s'il me reste du temps, il faudrait que je commence à réfléchir à mon prochain projet solo.

– Comment décides-tu du contenu ? demanda Raylan, pour ne pas revenir sur les sujets fâcheux.

– Il faut trouver le juste équilibre entre l'ancien et le nouveau. Les gens se lassent de faire toujours les mêmes exercices. Ils reviennent toujours à leurs préférés, mais il faut leur proposer de la variété. Il en faut pour les débutants et pour les confirmés. Une part de fun et une part de challenge. Comme pour un petit déjeuner équilibré. Le muesli et le quinoa sans rien d'autre, ce n'est pas très rigolo.

En le regardant terminer son bagel, elle lui demanda avec un sourire :

– Tu en veux un autre ?

– Non, je te remercie. Mais je me suis régalé. Tu devrais faire un livre de recettes.

Elle lui donna un petit coup d'index sur l'épaule.

– C'est ce que j'ai dit à ma mère ! J'y réfléchis.

– L'idée a du potentiel, je crois. Je m'occupe de la vaisselle, déclara Raylan en se levant et en lui faisant une bise sur la joue. Ensuite, je file chercher les enfants. Je leur parlerai des vacances à la mer. Ils seront contents et, du coup, j'espère, un peu plus faciles à gérer par un samedi de pluie. Mariah va me dire qu'il lui faut des vêtements d'été.

– Normal, répliqua Adrianne.

Tout en chargeant le lave-vaisselle, il la fusilla du regard.

– Elle n'a pas besoin de tes encouragements. Je vais être obligé de me taper ce que tous les pères de la Terre détestent : une séance de shopping.

– Je peux te remplacer.

Raylan se redressa.

– Tu es sérieuse ?

– Moi aussi, j'aurai des achats à faire si je pars avec vous. Je veux bien emmener Mariah. On se fera une journée entre filles. On ira déjeuner quelque part toutes les deux, on discutera de trucs de filles. Ce sera cool.

– Tu ne sais pas à quoi tu t'exposes. Sans rire.

– J'accepte le challenge, dit Adrianne en sirotant son Coca. J'en parlerai demain soir à Mariah ; on fixera un jour.

– Je peux te demander de jurer un truc, là, maintenant, tout de suite ?

– Ne t'inquiète pas, je ne la laisserai pas traverser la rue en courant ni jouer avec des allumettes.

– Non, je veux que tu fasses le serment solennel de continuer à coucher avec moi après cette expérience, quoi qu'il advienne.

– Promis juré, dit-elle, une main sur le cœur.

– Je m'en vais avant que tu changes d'avis.

Elle se leva et noua les bras autour de sa taille.

– Ah, les hommes… Vous vous faites tout un monde de quelques pauvres petits achats de fringues.

– Parfaitement, je l'assume. Ne te tue pas au travail, OK ?

– Ne t'en fais pas pour moi.

Il l'embrassa, puis il la serra un instant contre lui.

– À demain. Dis au revoir à ta chérie, Jasper. On est partis.

Quand il arriva chez sa mère, les enfants faisaient un puzzle sur la table de la salle à manger. Juchée sur un escabeau, leur grand-mère nettoyait le dessus des placards de sa cuisine.

– Tu n'es pas dingue ? s'exclama Raylan. Qu'est-ce que tu fabriques sur un escabeau ?

– Vu que je n'ai pas le don de lévitation, j'en ai besoin pour passer une éponge là-haut.

– Descends, je m'en occuperai.

Flacon de détergent dans une main, chiffon dans l'autre, elle lui jeta un regard noir.

– Tu veux dire que je suis trop vieille pour monter sur un escabeau ?

– Non, je veux dire que tu es ma mère.

– OK, bonne réponse. De toute façon, j'ai terminé.

Tandis qu'elle descendait, il remarqua tous les ramasse-poussière dans l'évier qui s'alignaient en temps normal au-dessus des placards.

– Je remettrai tout ça là-haut, dit-il. Tu me les passeras.

Les mains sur les hanches, Jan se campa face à lui.

– Il faut d'abord que je leur donne un coup d'éponge. Depuis quand tu te mêles de ce genre de choses, toi ?

– Depuis que je t'ai vue en haut d'un escabeau. Attends, je reviens, je vais m'en occuper.

Dans la salle à manger, une main sur la tête de chacun de ses deux enfants, il examina le puzzle sur lequel ils étaient penchés.

– Vous l'avez presque fini… Très chouette, cette confiserie.

Mariah tenta de placer une pièce presque partout où il restait de l'espace, avant de trouver l'endroit où elle s'imbriquait.

– Nana a dit qu'elle avait un autre puzzle qu'on pourrait emporter à la maison, si jamais il continue de pleuvoir.

Bradley casa une pièce au centre d'un bocal de bonbons.

– Ne nous aide pas, papa, dit-il, la langue entre les dents, tellement il était concentré.

– Non, je vous observe.

Tout en s'emparant d'une autre pièce, le garçonnet en dissimula deux sous sa main.

Lorsque celles-ci se révélèrent manquantes, son père lui donna une petite tape. Jan arriva alors de la cuisine.

Raylan n'avait jamais cru au mythe des yeux derrière la tête. Pour lui, il s'agissait de la toute-puissance maternelle.

Jan transperça Bradley du regard, et le garçonnet se ratatina sur lui-même, comme l'aurait fait tout être humain, tout mammifère, poisson, oiseau ou toute autre créature vivante, sous un regard d'une telle intensité.

– Où sont les deux pièces qui manquent ?

Mariah regarda sous la table. Son frère en rendit une.

– Ah ! s'écria la fillette. Donne l'autre tout de suite ! Je compte jusqu'à trois… Un… deux…

Bradley posa l'ultime pièce qui compléta le tableau.

– Nana a dit que si on finissait sans se bagarrer, on aurait une barre chocolatée. On peut, papa ?

– Ici, c'est Nana qui commande. Mais montez d'abord chercher vos affaires. Je donne juste un coup de main à Nana, puis on rentre à la maison.

Les enfants se ruèrent dans l'escalier, Jasper sur leurs talons. Raylan prit un torchon pour essuyer les bibelots que sa mère lavait.

– Ils illuminent ma vie, dit-elle.

– Tu illumines la leur. Je voulais te dire… pendant que les lumières ne sont pas là… mais tu le sais déjà, je parie, grâce à ton super radar… Adrianne et moi, on fait des puzzles ensemble.

Elle lui sourit, en lui tendant une vieille théière en faïence de Delft héritée de sa grand-mère.

– J'avais remarqué… Les puzzles vous réussissent, à tous les deux. Vous avez l'air heureux.

– On l'est. Tu sais qu'elle a de gros ennuis…

– Oui, je me fais beaucoup de souci. Maya m'a dit qu'elle avait engagé un détective privé.

– *Une* détective, très efficace. Mais elle a besoin de se changer les idées, et Spencer me prête sa maison sur Buck Island pour deux semaines. Du coup, j'ai proposé à Adrianne de venir avec nous.

– Très bonne idée. Plus à droite, la théière, s'il te plaît. Ne te pose pas trop de questions sur tes sentiments. Contente-toi de vivre l'instant présent. Tu as le cœur fort et bon ; il y reste tant de place.

– Il va falloir que j'en parle aux enfants. Et qu'ils l'acceptent.

– Bien sûr. Grâce à l'éducation que tu leur as donnée, ils ont le cœur fort et bon eux aussi et il y reste plein de place. Attention, il est fragile, prévint Jan en passant à son fils un gros bocal à biscuits. J'aimais leur mère comme si elle était ma propre fille. Elle aussi illuminait ma vie.

– Je sais.

– L'amour ne connaît pas de limite. Il lui reste toujours de la place.

Raylan médita ces paroles dans la voiture, tout en écoutant d'une oreille distraite les enfants qui lui racontaient ce qu'ils avaient fait chez Nana :

une cabane avec les draps et les couvertures, des marshmallows grillés, une partie de *Destins*, une de yahtzee, une de pouilleux.

Sitôt eurent-ils franchi les portes de la maison qu'ils voulurent commencer leur nouveau puzzle. Comme il pleuvait toujours, leur père s'y attela avec eux, pendant que Jasper faisait un petit somme.

– Combien de jours reste-t-il avant les vacances, Bradley ?

– Treize ! Plus que treize jours et vive la liberté !

– Je vous prépare un programme pour l'été.

– Papa… soupira Bradley en s'effondrant contre le dossier de sa chaise.

Concentrée, Mariah cherchait les pièces correspondant au pourtour du tableau.

– En premier lieu, on installera un panier de basket ; je vous l'avais promis depuis longtemps. Ensuite, vous serez chargés de balayer la terrasse, arroser les plantes et ranger vos chambres.

– Les vacances, c'est pour s'amuser.

– Bien sûr. On fera un concours de basket, un tournoi de lecture, vous irez voir vos copains et copines, on partira faire des balades à vélo, deux semaines à la mer, on fera des barbecues, on…

– À la mer ! s'écria Mariah. Youpi, on part à la mer ! Dans la même maison que l'année dernière ?

– Non, une autre, sur une autre plage, répondit Raylan.

Bradley dansait déjà de joie.

– Pourquoi on ne va pas dans la même maison ? demanda-t-il. Elle était bien, la plage de l'année dernière.

– Celle-ci aussi sera bien. Vous allez découvrir un nouvel État, la Caroline du Nord. Je vous montrerai sur la carte. Mon copain Spencer me prête sa maison, juste au bord de la mer. Et il y a une piscine.

– Une piscine, ouais ! s'exclama Bradley en dansant de plus belle.

Sa sœur semblait en revanche plus mitigée.

– Est-ce que la maison sera aussi jolie que celle de l'an dernier ?

– C'est une très belle maison.

– J'aurai une chambre rien que pour moi ? Je ne serai pas obligée de dormir dans la même chambre qu'un garçon qui pue ?

– Vous aurez chacun la vôtre, répondit Raylan, ignorant les bruits de pet de son fils. La maison est très grande. Du coup, j'aimerais inviter Adrianne, si vous êtes d'accord.

Les bruits de pet se turent. Bradley dévisagea son père.

– Deux filles, deux garçons, c'est mieux, déclara Mariah. Elle est gentille. Elle m'a appris à faire la roue.

– Ah bon ? Je ne savais pas.

– Un jour où j'étais chez Phin. Elle est venue voir Teesha et elle m'a montré comment on fait la roue. Elle, elle en fait plusieurs de suite. Elle sent bon, et j'aime bien comment elle s'habille. Phin, il a dit que tu l'avais embrassée sur la bouche. C'est ta petite copine ?

Et mince… pensa Raylan. Lui qui voulait amener le sujet en douceur…

– Elle n'est pas vraiment petite, mais c'est une amie, oui, une très bonne amie. Toi aussi, Bradley, tu l'aimes bien ?

– Elle sait marcher sur les mains, c'est la classe ! Et elle nous parle normalement, pas genre : « Oooh, qu'est-ce que tu as grandi, dis donc… » En plus, elle sait pourquoi le Joker est l'ennemi juré de Batman. Et d'autres trucs comme ça.

– Des trucs essentiels.

– Ouais, elle est sympa, je l'aime bien.

– Alors on peut l'inviter à la mer, avec Sadie ?

– Jasper est amoureux de Sadie, dit Mariah. C'est sa chérie. Il va me falloir des vêtements pour aller à la mer. On ira acheter des vêtements ?

– C'est marrant… Adrianne m'a dit qu'elle avait besoin de vêtements d'été, elle aussi, et que vous pourriez peut-être aller faire les magasins toutes les deux…

Mariah en resta bouche bée, les yeux écarquillés.

– Je pourrais aller faire du shopping avec Adrianne ? Juste avec Adrianne ?

– Si tu veux. On va manger chez elle demain soir. Vous en discuterez.

– D'accord ! Je monte dans ma chambre voir de quoi j'ai besoin… Des sandales, des tongs, trois maillots de bain.

– Doucement… Trois ?

La fillette leva les yeux au ciel.

– Je ne pourrai pas porter le même tous les jours ! Il faut rincer le sel et les produits de la piscine, il m'en faut trois ! Je monte voir ! Je vais faire une liste !

Là-dessus, la fashionista disparut dans l'escalier. Bradley se rassit sur sa chaise.

– Papa, il faut que je te parle. En privé.

– OK.

– Tu vas faire du sexe, avec Adrianne ?

Sous le crâne de Raylan, son cerveau explosa, et il dut se passer une main dans les cheveux afin de s'assurer que les flammes n'étaient que métaphoriques.

– Waouh… Je ne l'avais pas vue venir, celle-ci.

– Tu l'as embrassée sur la bouche.

– Certes, mais l'un n'entraîne pas nécessairement l'autre.

Comme son fils le regardait avec insistance, Raylan se résolut à la franchise.

– OK, le sexe, c'est compliqué et normalement, ça doit rester privé. Mais dans les circonstances… J'ai des sentiments pour Adrianne, et nous sommes tous les deux adultes… Donc, oui.

– Tu embrassais maman sur la bouche, souvent, et vous faisiez du sexe, parce qu'il faut faire du sexe pour avoir des bébés.

– Oui, on te désirait, et on désirait Mariah. Mais parfois le sexe, ce n'est pas forcément pour faire des bébés.

Huit ans, bientôt neuf, pensa Raylan. Que dire à un enfant de cet âge-là ?

– J'aimais ta maman, beaucoup.

– Tu ne l'aimes plus ?

Son cœur se serra douloureusement.

– Bien sûr que si.

Puis, soudain, il comprit que son fils avait seulement besoin d'être rassuré, pas d'une leçon de biologie.

– Je l'aimerai toujours, affirma-t-il en le prenant sur ses genoux. Il me suffit de te regarder, de regarder Mariah, et je vois votre maman. Elle est en vous, et j'aime la voir en vous.

– Mariah s'en souvient moins bien que moi, parce qu'elle était bébé, mais moi, je me souviens très bien de maman, et des fois je lui parle dans ma tête.

– Moi aussi.

– C'est vrai ?

– Oui. Elle me manquera toujours énormément, mais quand je vous regarde, toi et ta sœur, elle est là. Je l'aime, et je suis heureux d'avoir fait des enfants avec elle.

Soudain, les paroles de sa mère lui revinrent à l'esprit, comme si elle venait juste de les prononcer.

– L'amour n'a pas de limite, Brad, il lui reste toujours de la place.

Après une longue journée pluvieuse, un goûter avec des copains et copines, suivi d'un marathon de dessins animés que Raylan avait autorisé afin de préserver sa santé mentale, Mariah dormait maintenant avec sa peluche dans les bras, Bradley, au milieu de ses figurines.

Après avoir jeté un dernier coup d'œil par la porte entrebâillée de leur chambre à l'un et à l'autre, Raylan gagna la sienne et s'assit sur le bord de son lit.

Il contemplait son alliance quand elle vint s'asseoir près de lui.

– Lorilee… chuchota-t-il.

– Je serais triste si tu ne me gardais pas une place dans ton cœur.

– Tu es toujours là.

– Je sais. Les enfants le savent. Adrianne aussi, je parie. Je l'aime beaucoup. Ça aussi, tu le sais.

– Je ne pensais pas tomber à nouveau amoureux. Jamais.

– Mais tu l'es, et je suis heureuse pour toi.

Il se tourna vers elle, si belle, si réelle.

– Vraiment ?

– Je ne veux pas que tu restes seul. Si je préférais te voir seul, ça voudrait dire que je ne t'aime pas. Il est temps de tourner la page, mon amour. Ça ne signifie pas que tu m'oublieras. Tu vas juste te construire une autre vie, pour toi, pour les enfants. Tu as une maison chaleureuse, une maison heureuse. Tu savais qu'il le fallait. Tu sais maintenant que le moment est venu de refaire ta vie.

– Oui…

– Range ton alliance dans la boîte avec les mèches de cheveux des enfants, les échographies, tous ces souvenirs.

En acquiesçant de la tête, il se leva pour ouvrir un tiroir et en retira la boîte. Puis, avant d'ôter son alliance, il se tourna vers elle.

– Je ne te reverrai plus, maintenant ?

– Pas de la même manière. Mais tu l'as dit toi-même, il te suffit de regarder les enfants.

– Lorilee, tu as changé ma vie.

– Tu as changé la mienne.

– Je me rappelle la première fois que je t'ai vue, en cours de peinture ; j'en ai eu le souffle coupé. Je me rappelle la dernière fois où je t'ai vue… tu es partie en voiture. Et je me souviens de tous ces moments passés ensemble. Aujourd'hui, je peux me remémorer nos souvenirs avec le sourire, et je me dis que j'ai eu de la chance, ma Lorilee, de faire ces deux beaux enfants avec toi.

Elle lui posa une main sur le cœur.

– Garde-moi une place ici. Ça ne me dérange pas d'avoir de la compagnie. Au contraire, je suis contente.

Il regarda son alliance, ferma les yeux. Puis il la retira.

– Avec le bronzage, c'est comme si je l'avais encore.

– La marque s'effacera, avec le temps et le soleil.

Il déposa l'anneau dans la boîte. Et Lorilee s'évapora.

Chapitre 24

Par une après-midi de juin ensoleillée, Thaddeus dans les bras, qui mâchouillait un jouet baveux, Adrianne discutait avec Teesha, dans son bureau, des bilans, budgets prévisionnels et plans marketing du restaurant et du centre de loisirs. Sur le plancher, Phineas bâtissait une cité de Lego futuriste. À l'étage, Monroe jouait une balade au piano.

– Et pour finir, conclut Teesha, Jan a su me convaincre que Barry méritait une promotion et une augmentation. Comme Bob Ray va prendre sa retraite, elle pense que Barry est le mieux qualifié pour la seconder à la direction. Elle t'expose ses arguments dans un courrier de recommandation. J'appuie la candidature.

– OK, je lirai cette lettre, mais je suis d'accord sur le principe. Je connais Barry, son sérieux, son dévouement et son attachement au restau. Ça va, mon poussin ? roucoula Adrianne en faisant sauter le bébé sur ses genoux.

– Super, Jan sera contente. Dernière chose, fais attention à ne pas dépasser le budget quand tu iras faire des achats avec Kayla.

– Oui, madame. On n'a pas abusé sur les luminaires et la robinetterie.

– Tu dépenses un peu plus par-ci, un peu plus par-là, et sans t'en rendre compte, tu exploses le budget. Tu l'as dépassé de 1,6 % pour les luminaires et de 2 % pour la robinetterie.

– Ta maman est trop stricte, chuchota Adrianne à Thaddeus.

– Plus que papa, intervint Phineas. Papa, il dit que des fois on n'est pas obligé d'aller se coucher à l'heure, même si c'est l'heure.

– Il faut bien que quelqu'un fixe des règles et les fasse appliquer, mon petit bonhomme. Qu'est-ce que tu construis ?

– Phinville. Quand je serai grand, je construirai ma ville et je serai le chef de tout le monde.

– Tu crois que tu pourras être à la fois astronaute et maire de Phinville ?

Le garçonnet regarda sa mère d'un air condescendant.

– Je construirai Phinville dans l'espace.

– Évidemment. Que je suis bête.

– En septembre, j'entre à la grande école. Je prendrai le bus scolaire avec Bradley et Mariah et je garderai une place pour Collin, parce que le ramassage passe d'abord chez nous et après chez lui.

– Comment sais-tu cela ? demanda Adrianne.

– Parce que Cissy, la copine de Mariah, elle prend le bus après Mariah, et elle habite dans la même rue que Collin, alors je lui garderai une place, parce que c'est mon meilleur copain. À Phinville, il n'y aura pas besoin de ramassage scolaire. Tout le monde se téléportera.

– Ce sera plus pratique et plus rapide, approuva Adrianne, sous le charme du fils de son amie, de ses cheveux crépus et son regard noisette si expressif.

– Les bus utilisent de l'essence, ce n'est pas bon pour l'air. À Phinville, il faudra fabriquer de l'air, comme on sera dans l'espace. Hey, papa, regarde ! Je suis en train de faire la maquette de Phinville !

Monroe, qui se tenait sur le pas de la porte, vint s'accroupir auprès de son fils pour examiner la cité miniature.

– Tu habiteras là, dit-il en désignant une tour, parce que c'est la plus haute, et tu veilleras à ce que la paix règne sur la ville. Je viens prendre la relève, ajouta-t-il en caressant Sadie, couchée aux pieds de sa maîtresse. Désolée, je ne t'avais pas entendue arriver, ou je serais descendu plus tôt.

– Pas de problème. Ça m'a permis de passer un moment avec vos adorables bouts de chou. J'adore le morceau que tu jouais tout à l'heure. Il a des paroles ? Je parie qu'il parle de cœurs brisés.

– Je suis en train d'écrire le texte. La mélodie m'est venue en premier, cette fois. Tu viens, Phin ? On va promener Thad et prendre l'air. Maman ne dira rien si tu abandonnes ta ville un moment. Pas vrai, maman ?

– Non, allez vous balader. Ça fera du bien à Thad.

Adrianne embrassa le bébé, puis le confia à son papa.

– Viens vite me faire un bisou, dit-elle à Phineas.

Le petit garçon se jeta à son cou, et, quand elle l'étreignit, il referma les bras autour d'elle en se balançant d'un côté et de l'autre, ce qu'elle trouvait toujours terriblement attendrissant.

– Tu pourras habiter à Phinville, si tu veux.

– J'y compte bien !

Alors que Monroe s'éloignait dans le couloir avec les enfants, Adrianne et Teesha entendirent Phineas demander :

– On pourra aller acheter des glaces, papa ?

– Chuuut ! répondit-il. Tu sais bien que maman a l'ouïe hyper aiguisée.

Adrianne fronça les sourcils.

– Tu n'interdis tout de même pas les glaces par un après-midi de juin ? demanda-t-elle à son amie.

– Ils aiment bien jouer à ce petit jeu ; ça m'amuse, moi aussi. Il faut encore qu'on regarde la compta de New Gen, mais puisqu'il n'y a plus d'oreilles qui traînent, j'en profite… Tu as des nouvelles de la détective privée ?

– Oui. Elle a localisé quatorze femmes de plus, en vie et bien portantes. Elle a pu toutes les contacter, sauf une, dont elle pense qu'elle habite à Richmond. Elle va y aller bientôt.

– Bien. Ça en fait un peu plus de 41 % en vie.

– Je peux te dire que c'est un énorme soulagement.

– Je comprends. Ceci dit, il en reste encore un certain nombre à localiser. Mais elle les retrouvera. Elle est sérieuse.

– Très. À part ça, Nikki Bennett n'est toujours pas rentrée à Washington. Apparemment, elle a fait un détour pour rendre visite à un client. Toujours pas de trace non plus du frère. Rachel a interrogé quelques voisins. Personne ne l'a vu depuis des années.

– Sa sœur l'a peut-être tué et enterré dans la cave.

– J'adore quand tu essaies d'être rassurante.

– Ben quoi ? Ce n'est pas impossible. En tout cas, j'aime autant savoir que ni l'un ni l'autre ne sont dans les parages et que ta détective mène l'enquête. J'ai hâte que cette sale histoire se termine. Ces poèmes te pourrissent la vie depuis trop longtemps. Alors comme ça, enchaîna Teesha en frappant dans ses mains, il paraît que tu pars à la mer avec mon beau voisin…

– Tu pourras t'occuper du jardin ?

– Avec plaisir.

– Tu es sûre que ça ne t'ennuie pas ?

– Deux semaines, Adri, ce n'est pas comme si tu partais deux ans. Sans vouloir être indiscrète, vous en êtes où, avec mon beau voisin ?

– Eh bien… On a passé une excellente soirée avec les enfants. Mariah a déjà établi le programme de notre virée shopping. En fait, je ne sais pas si je n'ai pas parlé un peu trop vite… Je n'ai jamais emmené une enfant faire des achats. Tu ne voudrais pas…

– Venir avec vous ? Non. D'abord, tu sais que j'ai horreur du shopping et ensuite, Mariah se fait une joie de passer la journée seule avec toi. C'est une occasion de tisser des liens. Saisis-la. Mariah est une gamine sympa. Son frère aussi. Je sais de quoi je parle, ce sont mes voisins.

– À ton avis, je la laisse acheter tout ce qu'elle veut ou je dois mettre des freins ?

– Alors là, ce n'est pas à moi de te donner des conseils. Fais selon ton instinct. Et arrête de te créer des obstacles.

– Je ne me crée pas d'obstacles. Enfin, pas vraiment. Mais… il a enlevé son alliance.

– Oh, oh… fit Teesha, en se renversant contre le dossier de sa chaise.

– Comme tu dis… Je ne sais pas comment l'interpréter. Je ne sais pas si je dois lui dire que j'ai remarqué. Je ne m'attendais pas à ce qu'on en arrive là…

– Qui ? Toi ou lui ?

– Les deux. Tu me connais depuis toujours, Teesh. Je n'ai jamais eu de relation sérieuse.

– Parce que tu les évitais.

– Peut-être. OK, je les évitais, reconnut Adrianne face au regard narquois de son amie. Mais là, c'est trop tard, et je navigue à vue… On a tous les deux des métiers prenants. Il a deux enfants. De mon côté, je dois aussi jongler avec le restau et le centre de loisirs. Comment vous faites, Monroe et toi, pour arriver à tout concilier ?

– Question de rythme, et de cohésion d'équipe. Tu veux rompre ?

– Non ! Au contraire. Enfin, je ne sais pas trop, et c'est ce qui m'inquiète. Alors que je ne suis pas du genre à m'inquiéter. Pas trop. D'habitude, je sais ce que je veux et je me débrouille pour l'avoir.

Elle avait toujours fonctionné ainsi, et elle était persuadée qu'elle n'aurait jamais à remettre ce principe en question.

– Là, je ne sais pas ce que je veux, poursuivit-elle. Je ne me suis jamais demandé si j'aurais un jour envie de partager ma vie avec un mec. OK, je me pose sans doute trop de questions, mais ça non plus, ça ne m'arrive jamais d'habitude.

Teesha leva un regard ironique au plafond.

– Tu te rappelles comme tu t'es moquée de moi quand je t'ai dit que j'allais partir en Amérique du Sud la première fois que Monroe m'a demandée en mariage ?

– La première fois qu'il t'a dit « je t'aime », tu voulais partir sur la côte Ouest.

– Exact. Pour te dire que même les plus intelligents peuvent flipper quand ils tombent amoureux.

– Bon sang… Je ne m'attendais pas à ça… Je me sens complètement déboussolée. Embarquée dans un truc que je n'ai pas programmé, qui échappe totalement à mon contrôle.

– C'est sûr que ça doit te faire bizarre, toi qui as toujours mené ta barque comme tu l'entendais. Remarque, tu sais aussi ramer à contre-courant. C'est ce que tu as fait quand on s'est rencontrées : tu as changé de vie, et tu as par la même occasion changé le cours de la mienne. Tu as également pris un tournant décisif en venant t'installer ici. Alors tu peux peut-être essayer maintenant de confier les rênes à quelqu'un d'autre et profiter du paysage.

– Jusqu'à présent, je ne me prenais pas la tête au sujet de Raylan.

– Parce qu'il avait son alliance. Sa femme était en quelque sorte un garde-fou.

– Je ne veux pas la considérer de cette façon.

– J'imagine qu'elle l'était aussi pour lui, dans une certaine mesure. Mais il s'est rendu compte avant toi que cette page était tournée. Détends-toi, Rizz, admire le paysage.

– J'essaierai. De toute façon, je ne peux pas venir chez toi et ne pas emmener Sadie voir son chéri. Abreuve-moi de chiffres, s'il te plaît. Ça m'évitera de penser à Raylan.

– Les chiffres sont la vie, la lumière et la vérité.

Une heure plus tard, des bilans et des relevés de comptes plein la tête, Adrianne quittait la maison de son amie et se rendait chez le voisin. Une petite visite amicale, comme elle était dans le quartier, pour que Sadie et Jasper puissent se voir cinq minutes. De toute façon, il devait être en train de travailler.

Ceci dit, il y avait de la musique chez lui, et des spots en couleur dans le salon. D'ordinaire, la musique le dérangeait quand il travaillait… Peut-être avait-il besoin de recréer une ambiance dont s'inspirer pour dessiner une scène de BD ?

Au moment où elle s'apprêtait à sonner, Jasper lança un long ululement, et Sadie répondit par un triple jappement.

Raylan vint ouvrir, en veste violette avec des étoiles, casquette à l'envers et lunettes arc-en-ciel. La musique à fond, les enfants dansaient dans le salon, sous les lumières d'un stroboscope.

– Ils ne sont pas à l'école ? s'étonna Adrianne.

Mariah accourut en tutu, ailes de fée et diadème en plastique.

– On fait une boum ! Viens danser !

– Une boum ?

– La boum des vacances, précisa Raylan. Bradley, baisse la musique, s'il te plaît !

– Ce n'est pas la peine, je ne veux pas vous déranger.

En perruque verte, tee-shirt Batman et loup noir sur les yeux, le garçonnet mit la musique en sourdine.

– C'est papa qui a tout organisé pour nous faire une surprise quand on rentrerait de l'école ! C'est le Club Vacances !

Les meubles étaient poussés contre les murs, des serpentins et des ballons accrochés au plafond.

Toutes les préoccupations d'Adrianne se volatilisèrent comme par magie.

– On ne pouvait pas faire une boum sans se déguiser, ajouta Raylan.

– Allez, viens danser ! insista Mariah en prenant la main d'Adrianne.

– Mais je n'ai pas de costume…

– On va te prêter des trucs !

La fillette courut vers une malle d'où elle rapporta un autre diadème et un boa de plumes roses.

– Waouh ! J'adore les diadèmes ! Mais je ne veux pas m'incruster dans votre petite fête de famille…

– Le Club Vacances est ouvert à tous, déclara Raylan.

– Tu sais marcher sur les mains, mais est-ce que tu sais danser sur les mains ? lança Bradley avant qu'elle ne tente à nouveau de se défiler.

– Si je sais danser sur les mains ?

– Est-ce que tu sais faire le grand écart ? demanda Mariah.

Adrianne se coiffa du diadème et jeta le boa autour de son cou.

– OK, je vois… C'est une audition. Bradley, maestro…

Le garçonnet tourna un regard interrogateur vers son père.

– Remets la musique.

Il remonta le volume, et Adrianne enleva ses chaussures, en se félicitant d'être en legging. Elle fit des cercles du bassin, enroula les épaules, prit son élan, posa les mains au sol et ses jambes s'élevèrent à l'aplomb de sa tête. Puis, en équilibre et en rythme, elle se déplaça d'avant en arrière, d'un côté puis de l'autre. Jambes écartées, elle décrivit un cercle, avant de se laisser tomber dans la posture du pont, puis de se redresser d'un bond, pour terminer en grand écart, les bras en croix.

Sous les applaudissements des enfants, elle rejeta le boa par-dessus son épaule.

– J'ai réussi mon audition ?

– Trop la classe ! s'extasia Bradley.

– Vous êtes retenue, mademoiselle, dit Raylan en lui tendant la main. Vous dansez ?

Pendant ce temps-là, Rachel s'installait dans le salon de la coquette maison de ville de Tracie Potter. Selon ses recherches, Tracie était entrée à l'université de Georgetown un an après Lina. Diplômée de journalisme et communication, elle avait été embauchée sur une chaîne régionale, où elle présentait encore aujourd'hui le journal de 6 heures et celui de 11 heures.

Célébrité locale, elle s'était mariée à l'âge de vingt-huit ans, avait eu deux enfants, avait divorcé à trente-cinq et s'était remariée à quarante avec un promoteur immobilier.

Elle avait trois petits-enfants, un de sa fille aînée, deux par le fils de son second époux.

Le couple était membre du country club, jouait au golf et possédait une résidence secondaire à San Simeon.

Même de près, Tracie ne faisait pas plus de la quarantaine. Si la nature l'avait gâtée, elle avait aussi un excellent chirurgien esthétique. Élégamment coiffée, balayage blond éclaircissant d'épais cheveux châtains regard bleu pénétrant, bouche parfaitement dessinée et fardée de rose, elle était vêtue d'un ensemble de jean blanc.

– Je peux vous accorder trente minutes, dit-elle en croisant les jambes, tasse Wedgwood à la main. Je préférais vous rencontrer ici qu'à mon bureau. Tout ça est de l'histoire ancienne, mais autant éviter d'apporter de l'eau au moulin des ragots.

– Je vous remercie de me recevoir.

– Remerciez ma curiosité. Comment se fait-il que cette brève aventure malavisée que j'ai eue il y a si longtemps avec Jon Bennett refasse surface aujourd'hui ?

– Vous devez savoir que le professeur Bennett a été accidentellement tué par Lina Rizzo, il y a une vingtaine d'années…

– Oui, l'affaire a fait grand bruit, à l'époque. J'étais déjà reporter. Elle n'aurait pas pu m'échapper, même si je n'avais pas eu cette liaison avec lui. J'ai su, oui, que Lina Rizzo avait eu une enfant illégitime de lui. Et qu'il a tenté d'agresser cette enfant, de même que Mme Rizzo et une amie à elle. Ai-je précisé que cette aventure était une erreur de ma part ?

– Oui. En étiez-vous consciente avant cet incident ?

– J'en ai pris conscience le jour où j'ai vu Jon brutaliser Lina Rizzo. J'ignorais qui elle était, je venais rejoindre Jon dans son bureau pour une petite gâterie vite fait entre deux cours.

Tracie s'interrompit et but quelques gorgées de café.

– J'ai été choquée. Il la tenait par la gorge, contre le mur. Il avait le regard enragé, furieux. J'ai eu peur de faire tôt ou tard les frais de sa violence, alors j'ai décidé de mettre un terme à notre relation. Qui n'en était pas vraiment une, en réalité.

Un instant, elle garda le silence. Rachel attendit.

– J'avais dix-neuf ans, j'étais inconsciente. Mais pas tant que ça. J'étais suffisamment folle pour coucher avec un homme marié (soi-disant en instance de divorce, mais ce n'était qu'un mensonge), mais pas assez pour risquer de prendre des coups. Comment Lina Rizzo a-t-elle fait pour me retrouver après tant d'années ?

– Ce n'est pas elle. Elle ignorait qui vous étiez, ou elle l'a oublié. Vous êtes sur une liste, madame Potter.

– Quel genre de liste ?

– Celle des femmes qui ont eu une liaison avec Jonathan Bennett. La liste en recense trente-quatre, dont quatre sont mortes. Vraisemblablement assassinées. Au moins quatre. Je poursuis mes investigations.

Tracie baissa sa tasse, impassible, tout en dévisageant Rachel.

– Vous comprendrez que je souhaite vérifier cette info. À titre privé. En somme, vous êtes en train de me dire que mon nom figure sur une liste de personnes à éliminer…

– Je vous communiquerai tous les détails dont je dispose. Avez-vous déjà reçu des menaces ?

– Non. Oh, on me décoche parfois des flèches sur Internet, quand mes reportages dérangent. Mais jamais de menace de mort, non. Quand ces femmes ont-elles été tuées ?

– Au cours des treize dernières années.

– Vous plaisantez, j'espère… Je sais que vous avez travaillé dans la police. J'ai mené ma petite enquête, moi aussi, avant de vous donner rendez-vous. Je veux bien que ces quatre femmes soient mortes dans des circonstances douteuses, mais en treize ans… Il n'y a pas forcément de rapport…

– Elles figuraient sur la même liste. Et je n'ai pas encore localisé tout le monde.

– Lina Rizzo en fait partie, j'imagine. Vous enquêtez pour elle ?

– Elle figure sur la liste, en effet. Avez-vous rencontré ou eu des contacts avec l'épouse ou les enfants de Jonathan Bennett ?

– Non. J'ai couché avec lui pendant quelques semaines, c'est tout. Avec du recul, je me dis que j'aurais dû porter plainte. Lina Rizzo aussi, du reste.

– Pourquoi ne pas l'avoir fait ?

– J'ai eu peur. On était à des années-lumière de Me Too. Qui aurait-on blâmé ? Le prof de fac, ou les jeunes filles qui couchaient avec lui de leur plein gré ?

– Je comprends. Et je conçois vous avoir apporté des nouvelles troublantes. Outre l'enquête pour laquelle je suis mandatée, je me sens en devoir d'essayer de prévenir toutes les femmes qui figurent sur cette liste.

– Bennett est mort depuis longtemps. D'où vient cette liste ? Comment voulez-vous que je sois vigilante si je ne sais pas de quoi me méfier ?

– C'est sa femme qui l'avait établie. Elle était au courant.

– Pas si dupe qu'il le pensait... Pensez-vous qu'elle cherche à se venger, après tout ce temps ?

– Elle est morte. Overdose de somnifères. Il y a treize ans environ.

Tracie posa sa tasse.

– Ah... Elle s'était remariée ? Avait-elle de la famille ? Des frères et sœurs ?

– Non.

– Si tout a démarré il y a treize ans, il y a des chances que ce soit quelqu'un qui était lié à sa femme. Ils avaient des enfants ? Quel âge avaient-ils ? Si je l'ai su, je ne me rappelle plus.

– Ils étaient assez grands pour comprendre. Madame Potter, j'ai conscience que vous avez les moyens d'enquêter compte tenu de votre profession, mais, encore une fois, permettez-moi de vous recommander la plus grande prudence. J'ai l'intention de rencontrer dès que possible le fils et la fille de M. Bennett. Après quoi, je compte faire part de mes découvertes au FBI et aux bureaux de police concernés.

– Êtes-vous sur la liste ?

– Non.

– Alors cette affaire n'est pour vous qu'une mission. Pour moi, c'est autre chose.

– Si vous contactez ces individus, ou les informez de mes recherches, ils risquent de prendre la fuite. Et vous seriez encore plus en danger. J'espère voir la fille d'ici quelques jours. J'ai à cœur de protéger la personne qui me mandate et, de fait, vous et toutes celles qui figurent sur cette liste.

– J'ai confiance en vous. Vous jouissez d'une excellente réputation. Je vous remercie d'être venue me prévenir, je serai vigilante. À présent, je dois me changer et partir aux studios.

Cette femme allait fouiner, rien ni personne ne pourrait l'en empêcher. Ainsi était faite la nature humaine, pensa Rachel en reprenant la route. Elle espérait seulement qu'en fouinant Tracie Potter ne compromettrait pas son enquête.

Pour un papa seul, l'été ouvrait un nouveau monde et exigeait un remaniement drastique de planning. Plus besoin de faire sonner le réveil ni de préparer le petit déjeuner avant le passage du bus scolaire. Mais fini les journées de travail solitaires et silencieuses jusqu'à l'heure du goûter, les devoirs et débats autour de la table de la cuisine.

Chaque matin, Raylan priait pour que Mariah et Bradley s'occupent ensemble sans verser de sang, ce qui arrivait parfois. Ou bien il se levait en se demandant chez qui les envoyer jouer, même s'il était ensuite obligé tôt ou tard de rendre l'invitation.

Il devait préparer le repas de midi, s'assurer que les enfants ne passent pas l'après-midi devant un écran.

Bien sûr, quand elle avait une matinée ou une après-midi de repos, sa mère se faisait un plaisir de les garder. Une fois par semaine, elle y tenait, elle les emmenait quelques heures avec elle au restau.

Pour leur montrer les ficelles, disait-elle.

Maya les prenait aussi chez elle une fois par semaine.

Certains jours, Raylan avait un plein jardin d'enfants. Échange de bons procédés, les siens allaient parfois emplir d'autres jardins.

D'autres jours, il sacrifiait une heure de travail pour jouer au basket. Il avait fixé le panier à hauteur d'enfant.

En espérant ne pas commettre une grosse erreur, il accepta de planter une tente sur la pelouse pour Bradley et ses deux meilleurs copains.

Que pouvait-il arriver à trois gamins de neuf ans qui campaient dans le jardin ?

Des tas de choses.

Mais comme sa mère l'avait fait pour lui, il fournit des lampes torches, des en-cas et boissons pour la nuit.

Mariah avait tordu le nez à la simple mention de dormir sous une tente. Elle ne parlait plus que de sa journée shopping avec Adrianne, qu'elle attendait avec impatience.

Que pouvait-il arriver à une gamine de six ans lâchée dans les magasins ?

Son père préférait ne pas y penser.

– Phin va nous prêter son télescope pour qu'on regarde la lune et les étoiles, déclara Bradley en donnant des coups de marteau sur un piquet, la langue entre les dents.

Raylan se demanda s'il n'aurait pas mieux fait de lui acheter une tente pop-up, au lieu de ressortir la sienne dans un élan de nostalgie.

– Si on avait un brasero, on pourrait faire griller des saucisses et des marshmallows sur le feu.

– Mais vous n'avez pas de brasero, donc vous ne pourrez pas faire de feu.

– Et si le papa d'Ollie nous prêtait son réchaud de camping…

– Non, pas de réchaud. On verra l'an prochain, quand vous aurez dix ans. Si vous avez envie de saucisses, je vous ferai des hot dogs à l'intérieur.

– Ce n'est pas pareil. On mangera des pizzas, comme on a dit.

– Très bien.

– Et on mangera des hot dogs au match, samedi.

Le match de base-ball du samedi soir… encore une activité qui ramenait Raylan dans le passé. Il ébouriffa les cheveux de son fils.

– Ça marche, mon grand. Je vous paierai des hot dogs.

– Et des nachos. Et des frites.

– Tu me donnes faim. Tu m'aides à rentrer le matelas sous la tente ?

– Les cow-boys dorment sur le sol.

– Tu veux dormir par terre ?

Bradley se jeta à plat ventre sur le matelas gonflable.

– Non, je ne suis pas un cow-boy. De toute façon, tu as dit qu'on pourrait veiller toute la nuit, si on veut.

– À condition de ne pas quitter le jardin.

– Je sais… C'est bon, t'inquiète… soupira Bradley.

Raylan avait dit la même chose à sa mère, ce qui ne l'avait pas empêché, avec Spencer, Mick et Nate, d'aller faire une balade nocturne dans les bois. Ils s'étaient fait une frayeur monstre. Spencer était tombé, il s'était écorché le genou, et la plaie ne voulait plus s'arrêter de saigner.

Le bon vieux temps.

– Camping ce soir ? lança Monroe par-dessus la clôture.

– S'ils font du boucan, n'hésite pas à leur jeter des cailloux.

Comme un ami, qu'il était devenu, Monroe enjamba la barrière, puis il souleva Phineas pour le faire passer par-dessus.

– Les chauves-souris sortent la nuit, déclara le bambin. Mais elles ne vous embêteront pas. Elles cherchent des insectes.

– Des chauves-souris… répéta Bradley, soudain inquiet.

– Si t'aimes Batman, c'est que t'aimes les chauves-souris, rétorqua Phineas. Je peux jouer au basket ?

– Bien sûr, acquiesça Raylan.

Il regarda le garçon ramasser le ballon, reculer, viser et marquer un panier.

– Bravo, lui dit-il, admiratif.

– Il est doué. Vous allez vous raconter des histoires de fantômes, cette nuit ? demanda Monroe à Bradley.

– J'en connais une super !

– Les fantômes sont peut-être des gens coincés dans le continu… le continu…

– Le continuum, compléta Monroe.

– Des gens coincés dans le continuum espace-temps, termina Phineas.

Et il mit de nouveau la balle dans le panier.

– Comme dans *Star Trek* ? demanda Bradley.

– J'aime bien *Star Trek*. Ils sont courageux, ils vont là où personne n'est jamais allé. C'est ce que je ferai. Mon préféré, c'est Spock.

– Étonnant, fit Raylan en riant.

Sadie poussa un aboiement. Il consulta l'heure.

– Ah, les filles sont de retour. Je t'offre une bière, Monroe ?

– Pas de refus.

– Phin, une *ginger ale* ?

– Oui, merci. La *ginger ale*, ça ressemble à de la bière mais ce n'est pas de la bière.

Nouveau panier. Raylan hocha la tête, épaté.

– On va commander des pizzas pour ce soir. Si ça vous tente, vous êtes les bienvenus.

– Perso, je suis partant, mais je demanderai à la cheffe. Nous, on a prévu de faire des *sundaes*.

– Avec de la chantilly ? demanda Bradley.

– Sans chantilly, c'est pas des *sundaes*, juste de la glace.

Raylan disparut dans la cuisine pour aller chercher les boissons et accueillir les filles qui revenaient les bras chargés de sacs.

– Waouh ! On dirait que tout s'est bien passé…

Adrianne n'avait pas le regard vitreux, ni le teint blême, ni l'air traumatisé.

– Regarde mes nouveaux nu-pieds, papa !

En équilibre sur une jambe, Mariah agita un pied chaussé d'une sandale violette avec une bride à fleurs blanches et roses.

– Et j'en ai aussi des blanches, et des tongs – des bleues avec des papillons et des mauves avec des fleurs –, et des claquettes, et aussi Adrienne va me donner une paire de baskets.

– Re-waouh ! Mais dis-moi, ça fait six paires de chaussures…

– Et alors ? répliqua Adrianne en posant les sacs qu'elle avait à la main.

– J'ai aussi acheté des shorts, et des robes, et des hauts, et des skorts.

Raylan écoutait en hochant la tête. Par chance, il savait ce qu'étaient des skorts.

– J'ai tout essayé et tout me va très bien ! On a mangé dans un bistrot, et j'ai bu de l'eau pétillante dans un verre à vin. Après, on est allées chez l'esthéticienne et on a fait une mani-pédi. J'ai choisi du vernis parme pour mes pieds, et du rose pour les mains.

– Je vois. C'est très joli.

– Je monte ranger mes nouvelles chaussures. C'était super ! déclara la fillette en embrassant Adrianne. J'ai passé la meilleure journée de ma vie !

– Moi aussi, j'ai passé un très bon moment.

Là-dessus, Mariah fila dans l'escalier, ses sacs à bout de bras.

– Il reste deux sacs dans la voiture. Je vais les chercher.

– Ce qui fait six sacs au total ?

– Estime-toi heureux, tu n'auras pas à l'emmener se faire percer les oreilles. On y est allées ensemble.

– Quoi ? Hein ? Quoi ?!

– Tu devrais m'en être reconnaissant.

Raylan suivit Adrianne jusqu'à sa voiture.

– Elle n'a que six ans !

– Sept dans quelques mois. C'est ce qu'elle a dit à la copine qu'on a rencontrée chez le bijoutier.

De son coffre, elle retira deux sacs qu'elle lui tendit.

– Tout le reste est à toi ? demanda-t-il en regardant les autres.

– À part celui-ci, répondit-elle en lui en donnant un de plus. Maillots de bain, tee-shirts anti-UV et claquettes pour toi et Bradley. Sur l'insistance de ta fille. Geste en partie altruiste et en partie intéressé. On ne voulait pas que vous nous fassiez honte sur la plage, dit Adrianne en refermant son coffre. Il paraît que vous êtes capables, toi et ton fils, de porter un short de bain rouge avec un tee-shirt violet. Du coup, on a eu pitié.

– J'ai l'impression que tu t'es bien amusée.

– Teesha ne veut jamais venir faire les magasins avec moi. Maya m'accompagne parfois. Mais avec Mariah, c'était un bonheur. Ta fille est une déesse du shopping ! Je suis impressionnée.

– Tu veux un verre de vin ?

– Je devrais suivre l'exemple de la déesse et rentrer ranger mes affaires, mais je veux bien d'abord une goutte de vin.

Raylan réunit ses trois sacs dans une main afin de pouvoir saisir celle d'Adrianne.

– Bradley a invité des copains à dormir sous la tente, ce soir.

– Dans le jardin ? s'étonna Adrianne.

– Les filles… vous ne comprenez rien à rien… Teesha, Monroe et les petits viennent dîner. On commandera des pizzas. Le bruit court qu'il y aurait des *sundaes* en dessert. Reste manger avec nous.

– Vin, pizza et crème glacée *versus* la salade de nouilles thaïe que j'allais me préparer… Tu as gagné.

Raylan s'immobilisa sur le seuil de la maison, la main d'Adrianne toujours dans la sienne.

– La pizza gagne toujours. Et si tu restais aussi pour la nuit ?…

Il vit dans son regard qu'elle ne s'attendait pas à cette invitation. Lui non plus, du reste, n'avait pas prévu de l'inviter… Il l'avait fait spontanément, sans réfléchir.

– Avec les enfants ? Tu crois ?

– On part bientôt tous ensemble à la mer. Ils savent que je t'ai embrassée sur la bouche. Phineas nous a balancés. Non seulement il sait tout, mais il voit tout et entend tout. Ils n'ont pas l'air choqués. Alors, reste.

– Avoue que tu ne veux pas être seul avec les campeurs…

En souriant, il l'attira contre lui.

– Il y a un peu de ça… Ce n'est pas le facteur principal, mais c'en est un, je le reconnais.

– OK, alors. Je veux bien te rendre ce petit service, en échange de pizza et de glace.

Conscient qu'ils étaient sur le point de franchir un grand pas, il l'embrassa sur la bouche.

Chapitre 25

Son tapis étalé dans le jardin, les portes du studio grandes ouvertes afin que Sadie puisse aller et venir à sa guise, Adrianne préparait une séance de renforcement musculaire – quinze minutes programmées sur minuteur. Elle avait imaginé un nouveau concept, alliant yoga et poids légers, qui empiéterait peut-être quelque peu sur le territoire de sa mère mais constituerait un bon complément à ses entraînements en streaming.

Elle avait quatre séquences à enregistrer, ciblant quatre parties du corps, et espérait pouvoir les enregistrer toutes en extérieur.

Après des développés épaules dans la posture de l'Arbre, elle passa au sol, en position du pont, et entama une série de développés couchés. Le minuteur sonna avant qu'elle ait terminé.

– Et mince… trop long.

Elle se redressa, posa ses haltères et prit sa tablette afin de procéder à quelques ajustements. Puis elle programma à nouveau l'alarme et recommença la séquence.

Cette fois, lorsque le bip retentit, elle était en tailleur, les mains sur les genoux, paumes tournées vers le ciel. Elle les joignit en prière et inclina le buste.

– Pile poil, murmura-t-elle. Parfait.

Comme elle avait le temps, elle s'allongea sur le dos et s'étira de tout son long, en contemplant un gros nuage blanc traversant doucement le ciel radieux.

Puis elle demeura un instant étendue sur son tapis, à écouter le chant des oiseaux et le murmure de la brise, à savourer le parfum de l'herbe, du romarin, des héliotropes en pot sur la terrasse.

– Le ciel bleu, le soleil, la sérénité… Si seulement la vie pouvait être toujours aussi belle… murmura-t-elle à Sadie qui était venue se coucher près d'elle.

Ou aussi joyeuse que la soirée qu'elle avait passée chez Raylan… Un groupe d'amis bavardant gaiement, Monroe au banjo, pendant que les enfants surexcités couraient dans l'herbe.

Hélas, des ombres planaient sur le tableau.

Rachel avait localisé quatre nouvelles femmes : trois en vie, une assassinée sur le parking de l'hôpital où elle travaillait. Ce qui modifiait les pourcentages, mais Adrianne se refusait à faire le calcul.

La détective comptait se rendre le lendemain au cabinet de consulting où Nikki Bennett était employée, car celle-ci était enfin de retour.

Adrianne croisait les doigts pour que cette entrevue fasse avancer l'enquête. Car elle avait hâte de chasser les ombres qui plombaient sa vie. De pouvoir s'étirer dans l'herbe sans être hantée par l'idée que quelqu'un lui voulait du mal.

Quelqu'un qu'elle n'avait jamais vu et dont les motivations lui échappaient totalement.

– Et maman qui arrive la semaine prochaine… dit-elle à Sadie. Je suis contente, mais il faut juste que je termine ce programme avant qu'elle soit là, sinon elle va me suggérer des changements.

Un gros soupir lui échappa.

– Remarque, elle a souvent de bonnes idées… Je crois que je vois tout en noir parce que Raylan part demain à New York. Pour deux jours seulement, mais j'ai le moral dans les chaussettes. Tu m'as déjà vue avoir le moral dans les chaussettes à cause d'un mec ? Non. Jamais.

Elle roula sur le côté et se blottit contre le chien.

– Bon, allez, j'arrête de me prendre la tête et je prépare ma séance d'abdos !

Elle se leva, poussa les haltères et consulta sa tablette pour se rafraîchir la mémoire. Puis elle régla le minuteur. Sadie poussa un petit aboiement amical, et partit de l'autre côté de la maison. Intriguée, Adrianne la suivit. Teesha et Maya arrivaient en voiture, chacune dans la leur.

– Tiens… C'est une surprise…

Maya écarta les bras d'un geste triomphal.

– On est sans enfants !

– Je vois ça.

– Maman garde Collin et Phineas, c'était prévu. Du coup, je lui ai laissé Quinn, elle était toute contente.

– Et moi, j'ai laissé Thad à Monroe.

– Comme ça, on peut venir t'empêcher de travailler ! déclara Maya tandis qu'elles retournaient toutes les trois dans le jardin.

– Cool ! J'avais presque fini, de toute façon.

– Range vite ce tapis et sers-nous quelque chose à boire ! réclama Teesha.

– Je rêve de margarita, soupira Maya, les yeux fermés. Vivement que je puisse passer l'après-midi à siroter des margaritas glacées, lécher le sel sur le bord du verre, croquer la rondelle de citron vert… Tu te rappelles le goût des margaritas, Teesha ?

– Je me damnerais, moi aussi… L'été prochain, quand nos seins nous appartiendront de nouveau, on s'organisera des grandes journées margarita entre meufs.

– J'ai fait de la citronnade ce matin, intervint Adrianne. Mais vous me donnez presque envie de mettre une goutte de téquila dans mon verre !

– Ne nous tente pas ! Citronnade pour tout le monde. Tu as des cookies ? demanda Teesha.

– Non. J'ai du…

– Pitié, pas du houmous ! s'écria Maya. Ni des légumes crus. Sans vouloir te vexer.

– Je vais trouver autre chose. Galerie ou terrasse ?

– Allons nous installer sur la galerie, décida Maya en glissant un bras sous celui de Teesha. Ça t'évitera de faire le tour de la maison avec un plateau.

Adrianne rangea son matériel, puis elle ouvrit les portes vitrées de la cuisine. Teesha sortit les verres, Maya, le pichet de citronnade, Adrianne, de quoi grignoter : guacamole, chips, crackers aux herbes et un délicieux gouda. Ainsi que du raisin et des fruits rouges.

– Super ! approuva Maya en s'asseyant et en ajustant sa queue-de-cheval blonde. Il y a des lustres que je n'ai pas passé une après-midi entre filles, sans mecs, sans gamins… Il faut qu'on se cale ça au moins une fois par mois.

Teesha goûta le guacamole.

– Plutôt qu'un club lecture, on va créer un club meufs. J'adore mes gosses, mais…

– Je te rejoins complètement ! s'écria Maya en faisant tinter son verre contre celui de son amie. Quelques heures de temps en temps sans personne qui t'appelle pour réclamer la tétée ou se faire essuyer les fesses… Et encore, toi et moi, on n'est pas seules, comme ma mère quand on était petits, ou comme Raylan. Au fait, il paraît que tu as emmené la reine de la mode faire du shopping ? Comment ça s'est passé ? demanda-t-elle à Adrianne.

– À cause d'elle, j'ai acheté plein de fringues dont je n'avais pas besoin. Je n'arrêtais pas de me dire : « Mais je suis en tenue de gym 90 % du temps… Je n'ai pas besoin de ce pantacourt… » Et Mariah : « Mais si, il te va trop bien ! Quand on est bien dans ses habits, on est bien dans sa tête, et quand on est bien dans sa tête, on est plus gentil avec les autres ! » Résultat, un pantacourt acheté pour le bien de l'humanité !

– Sa chère tante est heureuse qu'elle ait trouvé quelqu'un qui la comprenne ! Et sinon… Vous en êtes où, toi et Raylan ?

Adrianne prit le temps de choisir une mûre.

– Ça va.

– Trop vague ! répliqua Maya. Tu n'es pas d'accord, Teesh ?

– Rétention de détails égoïste et déplorable, renchérit celle-ci. Quand tu penses que notre vie sexuelle est conditionnée par des mômes hyperactifs ou qui se baladent partout à quatre pattes, des tétées, le boulot, les couches…

– Les questions incessantes, les jouets à réparer, les larmes à sécher, enchaîna Maya. À quand remonte la dernière fois où tu as eu l'énergie ou l'occasion de faire l'amour tranquillement, préliminaires et deuxième round compris ?

– Deuxième round ?! Ma pauvre… soupira Teesha, les yeux au ciel. Ça devait être le week-end où ma grand-mère a emmené Phin à Hersheypark. Et c'est comme ça qu'on a fait Thad. Au deuxième round. Presque sûre.

– Moi, c'était il y a une quinzaine de jours. Maman a insisté pour que les petits dorment chez elle, bien que Quinn réclame toujours le sein ou le biberon vers 2 heures du mat'. Après le premier round, on s'est endormis comme des masses et on a pioncé dix heures. On est devenus des petits joueurs. Il va falloir qu'on se reprenne. Allez, Adri, à toi, maintenant, les confidences…

Celle-ci secoua la tête.

– T'es pas sympa. À mes débuts avec Joe, je te racontais tout.

– Moi aussi, renchérit Teesha.

– Ni Joe ni Monroe n'étaient mon frère, rétorqua Adrianne en croquant un grain de raisin. Je me vois mal parler à une amie des performances sexuelles de son frangin…

– Raylan n'est pas mon frère, riposta Teesha, son verre dans une main, en se coupant du fromage. Maya n'a qu'à aller faire un tour, tu me racontes, et je lui répéterai tout la prochaine fois que je la verrai.

– Bon… Si ça peut vous donner de l'espoir, je peux vous dire que deux enfants n'ont pas eu raison de la libido de Raylan.

– Ça reste vague… bougonna Maya.

– Mais ça rassure, dit Teesha en étendant les jambes devant elle. Ah, qu'on est bien… Tu as eu une super idée, Maya. J'allais rentrer chez moi et me remettre au boulot.

– Et moi, je serais allée à la boutique mettre le site web à jour. J'adore mon boulot, rencontrer des créateurs, des artisans, conseiller les clients… Mais si on ne se méfie pas, on a vite fait de s'enliser dans la routine et d'oublier qu'on est autre chose qu'une commerçante, une épouse et une mère de famille. À l'amitié ! dit-elle en levant son verre.

– Vous êtes mes deux meilleures amies, déclara Adrianne. Et vous avez toutes les deux marqué des tournants décisifs dans ma vie. La première fois que je suis venue passer l'été à Traveler's Creek, j'avais vraiment besoin d'une amie, et tu m'as fait de la place dans ton groupe, Maya.

– Je vais te dire un truc que je n'ai encore jamais dit à personne. Quand ma mère a su ce qui t'était arrivé, elle m'a prise entre quatre yeux pour m'expliquer que les autres enfants risquaient de te bombarder de questions, que certains seraient peut-être méchants ou se moqueraient de toi. Elle m'a demandé d'imaginer ce que je ressentirais si j'étais à ta place. J'ai répondu que j'aurais honte, que je serais malheureuse. Alors elle m'a dit qu'elle comptait sur moi pour ne jamais me comporter de la sorte, et qu'elle était sûre que tu apprécierais d'avoir une amie.

– J'adore ta mère, murmura Teesha.

– Attends, je n'ai pas fini… Et si Adrianne était une chipie ou une idiote, et que je ne l'aimais pas ? « Alors on avisera », m'a répondu ma mère. Et nous voilà, vingt ans plus tard !

– Tu m'as invitée à venir jouer avec tes Barbie et soudain le monde s'est éclairé, moi qui croyais passer l'été toute seule à m'ennuyer. Et nous voilà, oui ! Quant à toi… continua Adrianne en se tournant vers Teesha, j'étais furieuse que ma mère m'ait envoyée dans ce lycée où je ne connaissais personne. Je voulais prendre ma revanche, lui montrer qui j'étais. Je cherchais des gens pour m'aider à faire une vidéo… J'ai trouvé beaucoup plus que ça…

– Tu nous as choqués… La nouvelle qui venait s'asseoir à notre table au lieu de rechercher l'amitié des plus populaires… C'était courageux. Tu as toujours eu du courage.

– J'avais surtout la rage, et j'étais déterminée. Et nous voilà !

Adrianne posa son verre et prit la main de chacune de ses amies.

– La prochaine fois, je ferai des cookies, promit-elle.

En se présentant au cabinet Ardaro Consultants, dans le quartier Northwest de Washington, Rachel avait un scénario en tête, adaptable selon les circonstances.

L'avant-veille, elle s'était fait passer pour la présidente du comité des anciens du lycée de Nikki Bennett, qui devaient se réunir bientôt.

Très professionnelle, la personne qu'elle avait eue au téléphone l'avait informée que Mme Bennett était absente, sans préciser où elle était, malgré l'insistance joviale et bon enfant de son interlocutrice. Elle avait toutefois suggéré de rappeler le surlendemain ; Nikki serait alors de retour.

Aujourd'hui, Rachel était propriétaire d'une librairie indépendante à Bethesda, dans le Maryland, et elle avait besoin de conseils avisés pour restructurer son affaire. Elle avait adopté le look de l'emploi : pantalon gris, escarpins noirs à talons hauts, col roulé noir, blazer bleu pâle, boucles d'oreilles en diamant empruntées à sa sœur, colliers clinquants, grosse bague cubique en zirconium qui devrait faire illusion.

Une femme aisée. Qui avait les moyens de se payer une consultante de renom pour faire prospérer sa petite entreprise.

Dans le hall d'accueil décoré avec goût, elle s'avança vers la réception d'une démarche assurée, légèrement arrogante.

– Bonjour, madame. Puis-je vous aider ?

– Très certainement. Je viens voir Mme… (De son sac Max Mara, également emprunté, elle retira son téléphone et le consulta.) Mme Nikki Bennett.

– Vous avez rendez-vous ?

– On me l'a chaleureusement recommandée. J'avais un autre rendez-vous dans l'immeuble. Je me suis dit que j'allais faire d'une pierre deux coups. Elle pourra sans doute me recevoir entre deux clients, n'est-ce pas ? Dites-lui que Mme Salina Mathias est là. Vous connaissez peut-être mon frère… Le sénateur Charles Mathias…

– Je suis désolée, madame Mathias, mais Mme Bennett est en consultation à l'extérieur. Si vous le souhaitez, je peux voir si l'un de ses collaborateurs est disponible… Ou demander à l'assistante de Mme Bennett de vous proposer un rendez-vous…

– Quand sera-t-elle de retour ?

– Demain. Elle a prévu de télétravailler après sa consultation, aujourd'hui.

– Télétravailler… répéta Rachel avec un petit rire hautain. Eh bien, tant pis, j'aurais perdu mon temps.

Et là-dessus, elle prit congé. En se demandant pourquoi elle avait pris un certain plaisir à jouer la snob détestable.

Dans sa voiture, elle troqua ses chaussures à talon contre des baskets, puis elle se rendit à Georgetown. Sur le chemin, elle s'arrêta manger un morceau et se vider la vessie, puis elle se gara à une centaine de mètres de la maison bourgeoise des Bennett, dans l'intention de rester là jusqu'au retour de Nikki – ce qui serait sans doute moins amusant que de se faire passer pour une pimbêche.

Joli quartier, pensa-t-elle. Tranquille, huppé.

Il n'était pas exclu que quelqu'un signale la présence d'une voiture étrangère, mais Rachel ne se faisait pas de souci. Ancienne de la police, elle n'aurait pas d'ennuis.

Elle rédigea le compte-rendu de sa matinée, puis mit ses écouteurs pour continuer son audiobook. Et passa l'heure suivante dans les Highlands, en Écosse, tout en grignotant des nachos, son péché mignon.

Quand l'aventure entre le fruste chef de clan et la farouche jeune femme dont il était épris s'acheva, elle passa un coup de fil à son mari, un autre à son bureau. Puis elle compulsa sa liste de titres audio dans l'idée d'en écouter un nouveau, quand la Mercedes noire se gara devant la maison.

Nikki Bennett en descendit, une brune aux cheveux courts, tailleur gris pâle, escarpins gris foncé à petits talons, sacoche de cuir noir à la main, totebag sur l'épaule. Rachel attendit qu'elle soit rentrée chez elle pour quitter sa voiture et traverser la rue.

Elle appuya sur la sonnette.

– Oui ? demanda Nikki Bennett en entrouvrant sa porte, le ton las et l'air suspicieux.

– Rachel McNee, se présenta celle-ci en montrant sa carte professionnelle. Pourriez-vous me recevoir quelques minutes ? J'aimerais m'entretenir avec vous.

– Non. À quel sujet ? J'étais absente, je suis rentrée hier… Il y a eu des problèmes dans le quartier ?

– Pas à ma connaissance. Votre nom est lié à une affaire sur laquelle j'enquête.

– Quel genre d'affaire ?

– Une affaire de poésie.

Nikki toisa Rachel avec dédain.

– Je ne sais pas de quoi vous parlez. J'ai du travail.

Avant qu'elle n'ait pu refermer sa porte, Rachel s'avança sur le seuil, l'en empêchant.

– Madame Bennett, mes investigations concernent…

Elle énuméra plusieurs noms de la liste, en terminant par ceux des cinq victimes de meurtre.

– J'ignore qui sont ces gens. S'il s'agit de clients du cabinet, prenez rendez-vous auprès de ma secrétaire. Vous êtes ici chez moi.

– Adrianne Rizzo.

Une ombre passa furtivement dans le regard fatigué de Nikki.

– Si vous êtes reporter, je ne…

– Je ne suis pas journaliste, déclara Rachel en montrant de nouveau sa carte. J'enquête sur une série de menaces et de décès en lien avec votre père.

– Mon père est mort depuis plus de vingt ans. Si vous ne partez pas, j'appelle la police.

– Si vous refusez de me parler, c'est en effet aux forces de l'ordre que vous aurez affaire. Laissez-moi vous poser quelques questions. Ou je crains fort que vous ne vous retrouviez obligée de répondre à un interrogatoire de police.

Nikki se campa dans l'encadrement de la porte, les bras croisés sur la poitrine.

– Je n'étais qu'une enfant, mon frère aussi, lorsque notre père est décédé. Nous étions tous les deux très jeunes.

– Adrianne Rizzo l'était plus encore.

– Je n'ai rien à voir là-dedans. Nous avons déjà payé cher. Nous avons perdu notre père. Nous avons subi le scandale, la presse, les questions. Ma mère a fini par se suicider. Cette histoire appartient maintenant au passé.

– Quelqu'un n'est pas de cet avis. Toutes les femmes que je vous ai citées ont eu une aventure avec votre père. Cinq d'entre elles ont été assassinées.

Nikki regarda nerveusement autour d'elle.

– Je n'y suis pour rien.

– Vous ne trouvez pas cela curieux ?

– La mort fait partie de la vie. Mon père est mort. Ma mère est morte. Tous deux dans des circonstances tragiques.

– Ces femmes ont été tuées. Leur nom figurait sur une liste établie par votre mère.

– Vous mentez ! s'emporta Nikki. Ma mère n'était au courant de rien. Elle ignorait que son mari la trompait. Elle n'avait sûrement pas de liste.

– Elle a remis cette liste à un journaliste qui a publié un article dans un magazine people. Le lendemain, votre père agressait Lina Rizzo, sa fille, Adrianne, et une amie, Mimi Krentz.

– Ce n'est pas vrai, rétorqua Nikki avec un léger tressaillement de la paupière.

– Je n'ai aucune raison de vous mentir. Vous êtes souvent en déplacement…

– Et alors ? aboya Nikki, sa voix grimpant dans les aigus. Je voyage pour mon métier. J'ai une carrière, une vie. Ne venez pas me la gâcher à cause des cochonneries que faisait mon père quand je n'étais qu'une gamine.

– Écrivez-vous de la poésie ?

– Ça suffit. Allez-vous-en.

– Depuis treize ans, et votre mère est décédée il y a treize ans si je ne m'abuse, Arianne Rizzo reçoit des poèmes menaçants, anonymes, postés des quatre coins du pays… Par quelqu'un qui voyage, vraisemblablement… Votre père enseignait la poésie, n'est-ce pas ?

– Je n'écris pas de poésie et je n'envoie pas de menaces anonymes, déclara Nikki, dont la respiration s'accélérait. Mon père est mort parce qu'il croyait pouvoir tromper ma mère en toute impunité. Il est mort parce qu'il était alcoolique et violent. Il est mort parce qu'il a engrossé l'une de ses putes et engendré une bâtarde qu'il refusait d'assumer.

– Vous en avez souffert, et lorsque votre mère s'est tuée, la blessure s'est rouverte, plus douloureuse encore. Toutes ces femmes ont profondément meurtri votre mère. Cette enfant illégitime remuait le couteau dans la plaie. Vous dites avoir payé… Et elle, vous voudriez qu'elle paie aussi, n'est-ce pas ?

– Je m'en moque. Qu'elle pourrisse en enfer. Elle n'est rien pour moi.

– Le dernier poème provenait d'Omaha. Étiez-vous à Omaha, lors de votre dernier déplacement ?

– Non. Mes déplacements ne vous regardent pas. Partez immédiatement ou je porte plainte pour harcèlement.

– Où est votre frère ?

– Je n'en sais rien. Je m'en fiche. Foutez le camp d'ici !

Sur ces mots, elle rentra chez elle et claqua la porte. Rachel sortit une carte de visite de son sac et la glissa sous le battant. On ne savait jamais.

Une chose était sûre, pensa-t-elle en remontant dans sa voiture, Nikki Bennett mentait, et elle ne mentait pas très bien.

Sitôt la porte refermée, Nikki se mit à trembler. De colère. Plus jamais elle ne se laisserait empoisonner la vie par des gens dont elle n'avait que faire. À cause des infidélités commises par son ivrogne de père alors qu'elle n'était qu'une adolescente.

Une liste… N'importe quoi ! Comme si sa pauvre mère connaissait les noms des salopes avec qui son mari forniquait…

Nikki se couvrit le visage de ses mains.

Tant de mensonges, depuis toutes ces années. Sa vie tout entière reposait sur un tissu de mensonges. Non, pas toute sa vie à elle, non. Elle avait réussi à s'en construire une. Au diable tout le reste.

En redressant la tête, elle fut soudain saisie d'horreur… à la vue de son frère descendant le gracieux escalier incurvé.

– Salut, frangine. Tu as l'air contrariée…

– JJ…

Elle le reconnaissait à peine, avec sa barbe hirsute et ses cheveux longs. En bottes de cow-boy éculées et ceinturon de chasseur, il avait une dégaine de paysan, ou de hippie, avec un vague air de leur père.

– Qu'est-ce que tu fais là ? Comment es-tu entré ?

– Ne bouge pas, je vais t'expliquer, répondit-il, et il lui écrasa son poing dans la figure.

Rachel s'arrêta dans une station-service afin de prendre de l'essence et d'aller aux toilettes. Puis, en remontant dans sa voiture, elle appela Adrianne.

– Adrianne ? C'est Rachel. Je viens de parler à Nikki Bennett.

– Alors ?

– Elle prétend ne connaître aucune des femmes que je lui ai citées. Elle est en plein déni, c'est évident, et en colère. Elle ment. Je ne sais pas si elle est directement à l'origine des poèmes et des meurtres, mais en tout cas elle sait des choses, j'en suis sûre.

– Qu'allez-vous faire ?

– J'aimerais savoir où elle s'est rendue en déplacement ces dernières années. Si par hasard elle était de passage sur les lieux des crimes, ma théorie aurait beaucoup plus de poids.

– Vous avez moyen d'accéder à ce genre d'infos ?

– Dans l'absolu, il me faut un mandat. Ça risque d'être coton… Il faut que je rentre, maintenant, dit-elle en regardant l'heure. J'ai un repas de famille ce soir. Mais avec votre permission, j'aimerais parler de cette affaire à mon oncle, qui travaille dans la police.

– Faites ce que vous estimez nécessaire. Je vous fais confiance.

– J'ai gardé pas mal d'amis et de relations dans la police, mais mon oncle connaît encore plus de monde. Je lui toucherai deux mots de notre affaire. Nikki Bennett n'est pas innocente, j'en suis presque sûre. Elle était très mal à l'aise. Je vous enverrai un rapport écrit, avec mes observations et mes impressions.

– Je suis allée jeter un coup d'œil sur le site de son cabinet. Je ne voulais pas le faire, mais je n'ai pas pu résister, j'étais trop curieuse de savoir à quoi elle ressemble. Elle paraît si…

– Ordinaire ?

– C'est le mot. Une femme active, passe-partout, ni belle ni moche. Par contre, je n'ai trouvé aucune photo de son frère, à part celle qui est parue à l'époque dans les articles de presse. Un gamin endimanché.

– Ce ne sont plus des enfants, ni l'un ni l'autre. S'ils ont quelque chose sur la conscience, je découvrirai quoi.

– Je suis contente que ma mère ait fait appel à vous.

– Vous pouvez compter sur moi. Laissez-moi juste toucher un mot de cette affaire à mon oncle. Je vous tiens au courant.

Quelque chose allait se briser, Rachel en avait l'intime conviction. Nikki luttait contre des vagues de colère, de peur et de culpabilité. Et ces vagues allaient se briser.

Chapitre 26

Mal partout. Tellement mal qu'elle ne pouvait penser à rien d'autre. Un mauvais rêve, sans doute, un cauchemar horrible, dont elle allait se réveiller. Dont elle devait se réveiller.

Parcourue de tremblements, Nikki s'efforça à grand-peine d'émerger.

Le goût du sang dans la bouche. Les rêves avaient-ils un goût ?

Une quinte de toux lui provoqua une explosion de douleur dans la tête. Tout son visage pulsait de douleur. Laborieusement, elle souleva les paupières. Elle était étendue sur un carrelage glacé. Sous une lumière trop vive, qui l'aveugla et la fit larmoyer.

Elle tenta de se redresser en position assise, mais son bras refusait de bouger. À travers le voile qui lui brouillait la vue, elle s'aperçut qu'elle avait le poignet menotté, attaché par une chaîne à un solide piton vissé dans le mur.

Puis elle reconnut le carrelage des toilettes sous l'escalier. Les jolis cabinets où elle mettait toujours de jolies serviettes pour les invités, alors qu'elle n'en recevait jamais.

Paniquée, elle tenta de se libérer, mais ne parvint qu'à se meurtrir le poignet.

Alors elle hurla, malgré la douleur lancinante que lui causaient les cris, elle hurla à s'en écorcher les cordes vocales.

En entendant des pas qui se rapprochaient, elle se recroquevilla sur elle-même, en se remémorant soudain… Oh, mon Dieu, non…

JJ poussa la porte et déposa un carton d'archivage sur le sol. Puis il s'accroupit auprès de sa sœur.

– Merde, je crois que je t'ai pété le nez, Nik. En tout cas, t'as de sacrés cocards.

– Tu m’as frappée, salaud.

– J’aurais pu te faire plus mal. Tu peux me remercier.

– Pourquoi tu as fait ça ?

Il avait le même sourire que dans son souvenir. Un sourire qui révélait ses gencives roses, et un regard glacial.

– Ne t’en fais pas, je ne vais pas te tuer. Tu me remercieras plus tard. Par contre, si tu avais fait entrer cette connasse, je vous aurais butées toutes les deux. Lève-toi, Nik.

– Qu’as-tu fait, JJ ?

– Tu le sais, répondit-il en agitant un doigt. Ou si tu ne le savais pas, tu as compris, maintenant. Tu sais aussi que ce n’est pas la peine de t’époumoner à crier, personne ne t’entendra à travers ces gros murs sans fenêtre.

Du carton de classement qu’il avait apporté, il sortit un flacon d’Advil et une bouteille d’eau, qu’il posa devant elle.

– À ta place, j’en prendrais quatre d’un coup, recommanda-t-il.

– Tu as tué ces femmes… sur qui la détective enquête ?

– Elles le méritaient. Elles le méritent toutes et je les tuerai toutes. Je prenais mon temps, mais il faut que je me dépêche, maintenant. Une chance que cette connasse soit venue te cuisiner pile-poil quand j’étais là. Je passais juste te taxer un peu de thunes, prendre une douche et me faire payer à bouffer. Le hasard fait parfois bien les choses.

– Pourquoi ? demanda Nikki, des larmes s’échappant de ses yeux tuméfiés. Il trompait maman, il…

JJ frappa du poing sur le lavabo.

– Ne parle pas comme ça de lui ! Elles ne demandaient que ça, ces salopes. Combien de fois devrais-je te répéter que c’est leur faute ? Un homme prend ce qu’on lui offre, normal. C’est à cause d’elles qu’il est mort et qu’on a grandi dans la honte. Elles n’ont pas leur place sur cette Terre, sache-le ! Surtout cette petite garce dont la mère aurait dû se faire avorter. C’est elle qui a assassiné notre père. Tout est sa faute.

Pour avoir entendu ce discours d’innombrables fois, Nikki savait qu’il était vain de tenter de raisonner son frère. D’autant qu’au fond, et elle en avait terriblement honte, elle partageait un peu son sentiment.

Les mains tremblantes, elle déboucha la bouteille d’eau, puis le flacon de comprimés. Calmer la douleur. Et réfléchir.

– C’est toi qui envoies des poèmes à la fille Rizzo ?

– Papa disait que j’étais un poète dans l’âme, tu te rappelles ? Maman aussi le disait mais lui, il savait de quoi il parlait. Il était fier de moi. Plus que de toi.

JJ s’assit par terre, devant la porte, avant de poursuivre :

– Il m'aimait. Maman était toujours en train de me disputer. Papa était gentil. « Laisse-le tranquille, il lui disait. C'est un garçon, que veux-tu ? »

En effet, Nikki s'en souvenait. Leur père défendait systématiquement JJ, même quand il chapardait dans les magasins, qu'il se battait ou qu'il faisait le mur.

– Elle ne voulait pas que tu t'attires des ennuis.

– Elle était faible. « Prends tes cachets, Catherine », qu'il lui disait quand elle commençait à être chiante. Et elle manquait au devoir conjugal. Pourquoi tu crois qu'il allait voir ailleurs ?

– Elle était faible, oui, acquiesça Nikki prudemment. Elle avait besoin de son traitement pour les nerfs. Heureusement que j'étais là pour m'occuper de toi. C'est grâce à moi que tu mangeais à ta faim quand on est devenus orphelins de père et de mère. Je t'aidais à faire tes devoirs. Je faisais tes lessives.

– Tu voulais que je rentre dans le moule. Tu me faisais passer la serpillière, laver la vaisselle.

– Je ne pouvais pas tout faire toute seule, dit-elle en s'efforçant de sourire, malgré la douleur. J'avais besoin de ton aide.

– Tu es partie à l'université, tu m'as laissé.

– Je n'ai jamais quitté la maison. Il me fallait des diplômes pour avoir un bon job.

– Menteuse. On était bourrés de pognon.

Toujours répéter la même chose, une fois de plus, pensa Nikki. Mais ne pas s'énerver, garder son calme.

– Maman avait hérité, mais elle n'était pas stable, tu le sais bien, et c'était elle qui tenait les cordons de la bourse.

« Toi non plus, tu n'étais pas stable, s'abstint-elle d'ajouter. Je l'ai toujours su. Et je me suis toujours sacrifiée ! Rien de tout ça n'est ma faute ! »

Elle respira calmement, pour contenir le flot de paroles qui menaçait de lui échapper.

– Je suis toujours restée à la maison pendant mes études, et même après, quand j'ai trouvé du travail. Je voulais que tu ailles à la fac, toi aussi, que tu mènes ta vie…

– L'école, c'est pour les nazes. Tu partais sans arrêt en déplacement, avec des tailleurs de femme d'affaires et tes godasses à talon.

– Je t'emmenais chaque fois que je le pouvais.

– Avant que maman crève, tu me laissais avec elle pour que je nettoie sa merde, que je lui donne ses médocs et que je me tape ses jérémiades. Tu n'étais pas là, toi, pour l'écouter chialer et traiter papa de tous les noms. Tu n'étais pas là quand elle éclatait de rire en disant qu'elle était contente qu'il soit mort. Qu'elle se félicitait d'avoir révélé à tout le monde quel salaud il était. Ça la faisait rire et, deux minutes après, elle se mettait à pleurer.

Jamais de petit copain, pensa Nikki. Elle ne sortait jamais, n'allait jamais au cinéma, elle avait sacrifié ses plus belles années. Sa vie se résumait à la fac et à la maison, puis au travail et à la maison. Heureusement, les déplacements l'avaient aidée à conserver un fragile équilibre mental.

Pour l'heure, elle devait se montrer diplomate, convaincre son frère de la libérer.

– Pardon, JJ, si je n'étais pas là tout le temps. Je…

– Tu n'étais pas là quand elle m'a dit qu'elle était au courant de tout, qu'elle avait la liste des pouffiasses qu'il avait sautées. Que je devais cesser de l'aduler si je voulais devenir un homme. Elle l'a sortie, sa foutue liste, et elle me l'a montrée. En me disant que si mon papa m'avait vraiment aimé, il aurait été un mari fidèle et un bon père. Elle m'a dit des choses horribles. J'avais envie de l'étrangler. Je me suis retenu…

Un frisson glacial s'empara de Nikki et lui noua le ventre.

– Et puis elle m'a réclamé ses médocs, poursuivit JJ. « Mes cachets, mes cachets… » C'était tout ce qu'elle savait dire… Je l'ai aidée à monter dans sa chambre et je les lui ai donnés, ses cachetons… Je l'ai regardée crever. Et je suis parti boire des bières.

– C'était notre mère.

– Une connasse, accro à sa drogue, qui a tué notre père. C'est sa faute, autant qu'aux autres. Quand tu es rentrée et que tu l'as trouvée, tu m'as téléphoné, après avoir appelé les pompiers. J'étais au bar et toi, tu chialais. Alors qu'on était débarrassés de ce boulet, de cette chaîne autour de nos cous… Et qu'on était riches, tout d'un coup… ajouta-t-il avec un sourire sardonique.

Du carton, il sortit un paquet de corn flakes.

– J'avais envie de voir du pays, reprit-il tout en grignotant une poignée de céréales. C'était pour ça que je partais avec toi en déplacement. Je me disais que je trouverais peut-être un coin peinard où m'installer. Et toi qui me soûlais, qui n'arrêtais pas de me répéter que je devais faire des études ou trouver un emploi. Tu disais que j'étais habile de mes mains. Et tu avais raison : l'habileté est une qualité primordiale pour un cambrioleur. Mais je n'arrêtais pas de penser à cette liste.

Il piocha de nouveau une poignée de corn flakes.

– Ouais, c'était cool de chourer, mais ça n'avait pas vraiment de sens. Un homme doit avoir un but dans la vie. Alors je me suis dit que j'allais tuer celles qui avaient tué mon père. Et un jour, alors que je m'emmerdais comme un rat mort, pendant que tu étais chez un client, qui je vois à la télé ? Cette petite pute qui parlait d'elle dans un talk-show, de ses cours de gym et de yoga. J'ai pris un stylo et je lui ai écrit un poème. « Tu ne mérites pas de vivre, saleté, un jour je te buterai ». En plus poétique.

JJ se mit à rire, et Nikki pensa qu'il ne ressemblait que trop à leur mère.

– Si je m'étais écouté, je l'aurais tuée tout de suite, mais les bonnes choses, c'est bien de les désirer. La vengeance est un plat qui se mange froid, mais réchauffé, il est encore meilleur. Alors j'en ai tué une autre. Ça m'a fait du bien. Ça m'a aidé à tenir un moment. Et puis j'aimais bien écrire des poèmes. Un par an, au début. Je l'imaginais qui les attendait, et qui flippait.

– JJ, s'il te plaît, écoute-moi, l'interrompit Nikki.

Or il n'écoutait pas, il ne l'entendait même pas, absorbé dans ses élucubrations.

– Elle faisait des vidéos, des DVD, sans cesse des nouvelles vidéos. Elle s'éclatait, sans se douter que ses jours étaient comptés, dit-il en refermant le paquet de corn flakes.

– JJ, détache-moi, s'il te plaît, insista-t-elle.

Il la regarda avec un sourire qui lui glaça le sang.

– Avec tout le mal que je me suis donné pour fixer ce machin au mur ? C'était pour elle, normalement, pour qu'elle écoute ce que j'ai à lui dire, avant de la buter. Tu veux savoir comment je m'y prendrai ? Je lui défoncerai la gueule, jusqu'à ce qu'elle crève.

– JJ, je ne dirai rien à personne, je te le promets. Tu sais que je t'ai toujours protégé.

– Quand ça t'arrangeait.

– Ce n'est pas vrai, tu es de mauvaise foi. Écoute, j'ai peur pour toi. Il faut que tu arrêtes ou tu vas te faire prendre. Ce n'est pas ta faute, mais il faut arrêter, maintenant. Personne ne sait où te trouver et je ne dirai rien à personne. Tu es la seule famille qu'il me reste.

– Famille mon cul, répliqua-t-il, le regard plein de mépris. Cela dit, si tu n'étais pas ma frangine, je t'aurais butée. Estime-toi heureuse d'être là. Tu as des chiottes, de la flotte au lavabo et de quoi bouffer là-dedans…

Il tapota le carton et le poussa vers elle.

– Ne t'inquiète pas pour ton boulot, j'ai envoyé un texto depuis ton téléphone. Problème de famille, tu as dû partir de toute urgence. Tu rappelleras pour poser des congés. J'ai aussi envoyé un message à ta femme de ménage. Qu'elle ne vienne pas pendant quinze jours.

– S'il te plaît, bredouilla Nikki, qui commençait à avoir du mal à respirer. Ne me laisse pas attachée là. Je vois trouble, j'ai envie de vomir. J'ai peut-être un traumatisme crânien.

– Ne t'en fais pas, tu t'en remettras, répliqua-t-il en se redressant. Je vais prendre une douche, une douche bien chaude. Ça fait un moment que je suis sur la route. Et puis j'embarquerai ce qui me fait envie. Après tout, cette baraque est aussi la mienne. Je prendrai aussi ta bagnole. Je suis venu en camion, chouré dans le Kansas ; je l'ai garé dans un quartier craignos. À l'heure qu'il est, il doit être complètement désossé.

– Ne fais pas ça, s'il te plaît ! Je suis ta sœur.

– Tu peux boire au lavabo et t'asseoir sur les chiottes. Je reviens dès que j'aurai fait ce que j'ai à faire dans le coin.

– JJ, je t'en supplie !

Quand il partit en refermant la porte à clé, elle se couvrit la bouche afin de ne pas hurler. S'il revenait, il la frapperait. Ou pire.

Car il était capable du pire. Elle le savait depuis longtemps, et maintenant elle ne pouvait plus se voiler la face.

Ni l'un ni l'autre de leurs parents n'était stable.

JJ était carrément fou.

Nikki avait fait l'autruche, mais elle s'était toujours demandé, sans en avoir la certitude, si ce n'était pas lui qui avait tué leur mère. Il avait une voix si bizarre quand elle l'avait appelé pour lui annoncer la terrible nouvelle. Et lorsqu'il était rentré, il avait fait semblant d'être dévasté, mais son regard était si vide, si froid… Seulement, à l'époque, elle n'avait aucune preuve contre lui. Elle n'y pouvait rien.

Elle n'avait pas à payer, elle n'avait pas à souffrir. Elle n'avait pas à avoir peur.

Elle s'était toujours sacrifiée, elle avait toujours fait de son mieux pour arrondir les angles, pallier les faiblesses des uns et des autres.

Combien de fois avait-elle couvert son petit frère ? Pour en arriver là…

Elle pleura tellement, à gros sanglots amers, qu'elle finit par vomir. Puis épuisée, les oreilles bourdonnantes, elle s'assoupit.

Ce fut le claquement de la porte d'entrée qui la réveilla. JJ était parti.

Paniquée, elle secoua sa chaîne hystériquement, à s'en faire saigner le poignet, aphone à force de crier.

Personne ne l'entendit, personne ne vint.

Avant de tuer, JJ passait d'abord des semaines, voire des mois, à observer sa proie, se familiariser avec ses habitudes, analyser ses points faibles.

Cette phase d'approche était la plus intéressante.

Il se considérait comme un intellectuel. Après tout, son père enseignait dans l'une des universités les plus prestigieuses du pays. Lui, en revanche, n'avait pas eu envie de perdre des années sur les bancs de l'école. Il s'y serait ennuyé. Cette structure trop rigide aurait étouffé ses capacités naturelles, au lieu de les développer.

JJ était un autodidacte. Il avait appris seul à forcer les serrures, désactiver les alarmes, voler les voitures. Et surtout, se fondre dans la masse. Passer inaperçu. Disparaître dans le paysage.

À ce propos... il faudrait qu'il se rase et se fasse couper les cheveux, pensa-t-il tout en roulant – à précisément dix kilomètres à l'heure au-dessus de la limitation de vitesse.

Depuis deux ans, il vivait dans le Wyoming, au fond des bois. Un survivaliste sur son lopin de terre, un gars tranquille, marginal mais sans histoire, que l'on remarquait à peine quand il descendait faire ses courses en ville.

Pas d'amis, pas d'ennemis.

Lorsqu'il prenait la route pour mener à bien sa mission, personne ne s'apercevait de son absence. Partout où il allait, personne ne faisait attention à lui – le hipster en vacances, l'homme d'affaires en déplacement, le commercial en tournée.

On lui aurait donné le bon Dieu sans confession. Un homme blanc de taille et de poids moyens, physique banal, aucun signe particulier.

Il avait toujours deux jeux de papiers : carte d'identité, carte de crédit, carte d'électeur et permis de port d'arme. Après avoir déboursé une somme exorbitante la première fois, il savait maintenant les fabriquer lui-même. Il les rangeait, avec son argent, dans une malle en métal sous le plancher de sa cabane.

Il y conservait également les photos de ses victimes, prises au téléobjectif pendant la phase d'approche, téléchargées sur les réseaux sociaux ou découpées dans les journaux. Depuis le coup où il s'était trompé de bonne femme à Foggy Bottom, il photographiait le cadavre pour ne plus jamais refaire la même connerie.

C'était en se trompant qu'on apprenait.

Il avait longtemps envisagé de remédier à son erreur, mais il s'en voulait trop de l'avoir commise.

Comme il conduisait la voiture de sa sœur cette fois, il avait pris la peine de se faire une carte grise à son nom. Il ne pensait pas se faire arrêter, mais on ne savait jamais, personne n'était à l'abri d'un accident, avec le nombre de chauffards qu'on croisait sur les routes.

La phase d'approche ne lui prendrait pas plus d'une semaine, pour Adrianne Rizzo, vu qu'il s'intéressait à elle depuis des années. Il trouverait un endroit où camper près de Traveler's Creek.

Elle l'avait provoqué, la garce, avec cette vidéo arrogante, débile. Elle s'était moquée de lui, et ça, il ne le tolérait pas. Il avait donc avancé l'échéance, au lieu d'attendre le mois d'août, comme il l'avait prévu initialement.

La chance semblait de son côté. Sans ce changement de programme, il n'aurait jamais su qu'une détective était à ses trousses.

Comment avait-elle retrouvé sa trace ? Il ne comprenait pas. Il avait toujours pris ses précautions, toujours usé de stratagèmes.

Il n'y avait que Dennis Browne, le journaliste, qui avait pu le trahir, mais dans quel intérêt, après tout ce temps ? Il lui trouerait la peau, à ce salaud, après lui avoir réclamé des explications. Mais d'abord, il avait besoin de se faire plaisir.

La détective avait énuméré les noms de la liste, dont celui d'une reporter qui n'habitait pas loin de Washington. Elle ferait l'affaire, en attendant que JJ aille régler son compte à l'autre salopard de Pittsburgh.

Il n'avait fait que quelques recherches sur Tracie Potter, mais il s'en contenterait. À Richmond, il prendrait une chambre dans un motel bon marché pour une ou deux nuits, trois maximum, mais ce ne serait sûrement pas nécessaire, si la chance continuait de lui sourire. Trois jours, en tout cas, devraient être amplement suffisants pour la tuer.

Et puisque la détective avait laissé sa carte, il lui rendrait une petite visite, à elle aussi, sur le chemin de Traveler's Creek.

Avec Adrianne, il prendrait son temps. Oh, oui, il savourerait ce moment qu'il attendait depuis tant d'années. Il la rouerait de coups et la regarderait crever, seule méthode digne de cette garce qui avait tué son père et détruit sa vie. Ensuite, il retournerait à Washington. D'ici là, il avait le temps de décider du sort de Nikki.

La libérer ou lui tirer une balle dans la cervelle.

Pour l'instant, il penchait plutôt pour la seconde option. Faire confiance à une femme n'était pas judicieux.

En pensant que d'ici quelques semaines il aurait mis fin à la vie de quatre femmes, dont celle par qui tout avait commencé, JJ se sentit plus gai que cela ne lui était arrivé depuis des mois. Cinq vies, même, s'il parvenait à retrouver Browne. Un record ! Excellent !

Ensuite, il rentrerait chez lui dans le Wyoming.

Et cocherait au hasard le nom de la suivante.

Par une belle soirée d'été, assise sur la galerie, Adrianne regardait des sites internet de mobilier et de déco suggérés par Kayla. Elle s'était préparé une assiette de raisin blanc, vert et acide, comme elle en raffolait, et sirotait un verre de vin, consciente de jouir d'un moment de bien-être proche de la perfection.

À ses pieds, Sadie poussa un aboiement en entendant une voiture arriver. Raylan. Perfection absolue, pensa Adrianne. Et la chienne approuva en donnant des grands coups de queue sur le sol de la galerie.

– Vous n'êtes que tous les deux ? demanda Adrianne en regardant Raylan et Jasper qui descendaient de la voiture.

– Bradley prend son cours de guitare avec Monroe. Mariah dort chez sa deuxième meilleure amie, dont c'est l'anniversaire. Elles sont six, je plains les parents…

Tandis que les chiens se léchaient le museau, il monta rejoindre Adrianne.

– Jasper avait envie de voir sa chérie. Et moi, la mienne. Tiens, c'est pour toi… Tout frais sorti de l'imprimerie, dit-il en posant un roman graphique sur la table.

Sur la couverture, Cobalt Flame chevauchait son dragon en brandissant sa lance.

– La version définitive… Superbe ! commenta Adrianne en feuilletant l'album. J'adore. Je sens que je vais encore le dévorer de la première à la dernière page. Merci, dit-elle en encadrant de ses mains le visage de Raylan afin de l'embrasser.

– On est fiers de nous ; on a déjà pas mal de précommandes.

– Laisse-moi te servir un verre de vin, qu'on trinque.

– Plutôt un Coca, mais ne bouge pas, je vais le chercher. Je ne reste pas plus d'une demi-heure. On se fait une soirée entre mecs, avec Bradley. Je dois passer acheter des pizzas. Ensuite, marathon *X-Men* et pop-corn.

– Je suis contente que tu m'aies apporté *Cobalt Flame*. On passera une soirée entre filles, elle et moi.

– Tu veux un peu plus de vin ? demanda Raylan avant de rentrer dans la cuisine.

– Non, je te remercie, c'est gentil.

Tandis qu'il disparaissait à l'intérieur, elle parcourut les remerciements, en première page de l'album.

– « Et toute ma gratitude à Adrianne Rizzo, ma source d'inspiration », lut-elle à voix haute quand il revint. Je suis… honorée… vraiment.

– Ce personnage n'existerait pas sans toi, déclara-t-il en s'installant sur une chaise, jambes étendues devant lui. C'est l'une de nos meilleures publications, je crois. Sincèrement. Du coup, *L'Avant-Garde* se vend comme des petits pains. À part ça, comment vas-tu ?

– Impec'. Je regardais des meubles pour le centre de loisirs. Les ouvriers sont en train de bitumer les sols extérieurs. On tient le bon bout. Et j'ai pas mal avancé mon programme de streaming pour l'automne.

Il posa une main sur la sienne.

– Des nouvelles de Rachel ?

Adrianne soupira.

– Elle a enfin rencontré Nikki Bennett. Elle la soupçonne de cacher quelque chose. Elle a un oncle dans la police, elle va lui demander conseil pour la suite. Elle n'est pas sûre d'avoir assez d'éléments pour demander une audition ou une perquisition.

Un instant, elle garda le silence, pensive.

– En fait, dit-elle enfin, je me sens complètement déconnectée de cette enquête. Je ne connais pas cette femme ni son frère.

– Effectivement, tu n'as jamais eu aucun rapport avec eux.

– Et pourtant, je suis directement concernée.

– Mais ça ne t'empêche pas de rester dehors… alors que n'importe qui pourrait se pointer…

– Je ne peux pas rester enfermée à l'intérieur. Ma mère m'a déjà dit la même chose. Elle m'a même invitée chez elle, à New York. Comme j'ai refusé, c'est elle qui vient. Et entre Teesha, Maya, Jan, Monroe et toi, il y a quelqu'un qui passe quasiment tous les jours.

– Parce qu'on t'aime. Je t'aime.

– Raylan…

Il exerça une pression sur sa main.

– Je ne pensais pas que je tomberais de nouveau amoureux…

– Tu as enlevé ton alliance…

– Oui. Si ce n'était que sexuel entre nous, je l'aurais gardée. Mais il y a autre chose, tu le sais.

– Je… Je n'ai pas… bredouilla-t-elle, à court de mots pour exprimer ce qu'elle ressentait. Jusqu'à présent, j'ai délibérément et soigneusement évité toute relation sérieuse. Du coup, je n'en ai jamais eu.

– Tu en as une, maintenant, tu ne peux pas le nier.

– Je ne suis pas sûre d'en être capable.

– Jusque-là, tu te débrouilles très bien.

– Ce n'est que le début. Tu ne connais pas mes défauts.

– Oh si.

– Ah oui ? rétorqua-t-elle en le regardant dans les yeux.

– Tu es impulsive, surtout quand tu es en colère ou contrariée. Tu ne peux pas dire le contraire, après cette vidéo dédicacée au Poète. Ensuite, quand tu as quelque chose en tête, tu ne l'as pas ailleurs, et tu parviens toujours à tes fins. « Tiens, je t'ai fait un programme de fitness, et je t'ai apporté du matériel… » Tu veux aussi toujours tout faire toute seule. Parce que ta mère était trop directive, je suppose. Du coup, tu éprouves en permanence le besoin de prouver que tu es autonome. Ce que je comprends parfaitement.

Posément, Adrianne but un peu de vin.

– Ces défauts sont des qualités, pour certains.

– Tout à fait. Comme ma rigueur peut passer pour de la maniaquerie. Or j'ai beau être rigoureux, j'ai tendance à toujours être en retard. Du coup, certains me trouvent irrespectueux. Et d'autres diraient que je suis complètement cinglé, s'ils savaient que j'ai raconté à feue ma femme que j'avais l'intention d'enlever mon alliance.

Adrianne poussa un soupir.

– Moi aussi, je suis rigoureuse. La rigueur n'est pas un défaut. Personnellement, je ne t'ai jamais vu manquer de respect à personne, et ce n'est pas être cinglé que de parler à Lorilee. Toujours est-il que je ne suis pas certaine d'être faite pour une relation de couple. Le couple exige des efforts et des compromis. Je ne sais pas si je suis prête à ça.

– Tout est question de travail d'équipe. Bien sûr qu'il faut faire des efforts, mais on les fait à deux.

Ces beaux yeux verts… pensa-t-elle. Et tant de générosité…

– En tout cas, je sais que je n'avais encore jamais ressenti les sentiments que j'éprouve pour toi. Et je sais que lorsque je décide de faire quelque chose je le fais à fond, ce que je refuse de voir comme un défaut. Je sais aussi que tu as vécu avec quelqu'un de formidable. J'ai peur de ne pas être à la hauteur.

– Lorilee était formidable, c'est vrai, mais personne n'est parfait.

Raylan se tut un instant et but quelques gorgées de Coca.

– Je vais te dire quelque chose, reprit-il. C'est dur, pour moi, de dire ça d'elle mais…

– Alors ne dis rien ! le coupa Adrianne avec véhémence. Je ne te demande pas de me comparer à elle.

– Il y a des choses que tu dois entendre, je crois. Tu comprendras mieux ce qu'est une relation de couple. Quand on aime, il faut apprendre à tolérer. Lorilee était…

Raylan s'interrompit un instant, songeur.

– Il faut que je te le dise, ce sera fait. On a vécu ensemble un certain nombre d'années, elle et moi, et on a eu beau en discuter maintes et maintes fois… elle confondait toujours *Star Trek* et *Star Wars*.

Une fraction de seconde, Adrianne le regarda avec des yeux ronds, puis elle sentit le rire monter. Mais se retint de pouffer.

– Oh bon sang… Mon pauvre Raylan… Comment as-tu fait pour supporter ça ?

– Je l'aimais. Elle essayait de se racheter mais… elle appelait Spock « Docteur Spock ». Chaque fois. Elle le faisait exprès, je crois, pour me torturer.

Adrianne leva une main et détourna la tête.

– Arrête, n'en dis pas plus, je ne veux pas savoir !

– Un jour, j'ai acheté un sabre laser à Bradley. Elle a trouvé ça trop mignon que je lui offre un jouet Star Trek... Une autre fois, on parlait du *Faucon Millenium*, chez des amis, et elle a demandé si c'était le vaisseau du capitaine Kirk. La honte de ma vie.

– Tais-toi. Ça ne me regarde pas.

– Je pourrais te donner d'autres exemples, mais j'en resterai là. Ce que je voulais te faire comprendre, c'est que l'amour l'emporte sur les défauts. Je l'aimais. Je t'aime. J'ai de la chance.

– Je ne m'attendais pas à avoir ce genre de conversation ce soir.

– Je passerai plus souvent, entre le cours de guitare et la pizza, dit Raylan en se levant et en regardant sa montre. Oh punaise, je vais être en retard ! Tu vois, je savais exactement combien de temps je pouvais rester là et je vais quand même arriver en retard chez Monroe…

Quand il l'embrassa, elle lui saisit la main.

– Si je te dis que moi aussi, je t'aime, tu seras encore plus en retard ?

Il lui encadra le visage de ses mains.

– Il faut que je me dépêche, mais dis-le-moi quand même.

– Je t'aime.

Le regard au fond de ses yeux, il l'embrassa de nouveau.

– Je le savais, mais je suis heureux de l'entendre.

– Prétentieux. Ça, c'est un vilain défaut !

– Allez, je file ! Jasper, on s'en va ! Et mince, j'aurais dû commander ma pizza par téléphone. Jasper, allez !

– Qu'est-ce que tu veux comme pizza ? cria-t-elle tandis qu'il courait vers sa voiture. Je la commanderai, ça te fera gagner un peu de temps.

– Une grande, pepperoni et saucisse italienne. Pas de commentaire, s'il te plaît, c'est une soirée entre mecs. Jasper, monte !

Il dut pousser le chien pour le faire grimper sur la banquette arrière.

– J'ai promis aux enfants qu'on irait à la fête foraine après-demain, dit-il en s'installant derrière le volant. Viens avec nous.

– J'adore la fête foraine.

– Par contre, je te préviens, on y va pour se gaver de churros, de frites et de burgers.

Elle regarda la voiture s'éloigner, en se disant qu'avec la pizza elle commanderait également une salade. Et qu'elle tolérerait les churros, les frites et les burgers, car l'amour exigeait de la tolérance et de l'indulgence.

Chapitre 27

Après en avoir discuté avec son oncle, Rachel décida de contacter la police de Washington. Certes, elle n'avait pas suffisamment d'éléments pour que l'on convoque Nikki ou que l'on perquisitionne son domicile, mais elle obtint d'un inspecteur qu'elle connaissait qu'il aille sonner chez elle pour lui poser quelques questions.

Un insigne de police avait davantage de poids qu'une carte de détective privé.

Après examen du dossier, son ancien collègue convint qu'il y avait matière à creuser. Bien que débordé, il essaierait de se pencher sur l'affaire. Dès que possible, promit-il quand Rachel précisa qu'elle avait prochainement rendez-vous avec l'agent du FBI en charge du suivi des menaces dont Adrianne Rizzo faisait l'objet.

Il n'était jamais vain d'évoquer la compétition avec les agents fédéraux.

Nikki pouvait donc s'attendre, dans les jours à venir, à recevoir la visite non seulement de la police locale mais également des fédéraux.

À force de secouer l'arbre, on finissait toujours par récolter quelques fruits… Telle était la devise de Rachel.

Après ces entrevues, elle regagna son bureau, dans des embouteillages monstres et sous une pluie battante. Son agence se trouvait dans un petit immeuble qu'elle partageait avec un studio de photographie et un cabinet d'avocats, lequel faisait régulièrement appel à ses services.

Elle emprunta l'escalier et traversa le hall d'accueil : deux rangs de trois chaises en cuir se faisant face, une étroite alcôve où accrocher les manteaux, un grand sansevière dans un pot bleu, près de la fenêtre, que la secrétaire arrosait et entretenait avec amour ; sur une table basse, une pile de magazines, dont *Forbes* et *Vanity Fair* auxquels l'agence était abonnée.

Aux murs couleur café au lait, trois dessins au crayon que Rachel avait personnellement choisis et fait encadrer.

Des locaux classieux attiraient des clients classieux, avait affirmé son mari, génie du marketing. En effet, constatait-elle depuis plusieurs années que l'agence McNee Investigations avait ouvert ses portes.

– Il y a une circulation infernale, dit-elle à la secrétaire en posant son parapluie dans l'alcôve. Et il tombe des cordes.

– La perturbation se déplace vers le sud, paraît-il. À l'heure de pointe, ça risque d'être l'enfer.

En bavardant avec ses deux collègues, elle se prépara un café. Puis elle l'emporta dans son bureau et le savoura les yeux fermés, évacuant le stress d'une pluie diluvienne sur le périphérique de Washington.

Avec ce temps, le match de softball de son mari serait annulé. Par conséquent, il faudrait préparer le dîner. Non, elle commanderait quelque chose. Il serait d'accord. Lui aussi devrait affronter l'autoroute encombrée.

Si ni l'un ni l'autre ne rapportait de travail à la maison, ils ouvriraient une bonne bouteille de vin. Peut-être même feraient-ils l'amour, avant de tomber dans les bras de Morphée.

Rachel devait donc boucler un maximum de choses avant la fin de la journée. Elle rédigea son rapport et l'envoya par e-mail à Lina, qui avait stipulé qu'elle préférait ce mode de communication. Elle transmit ensuite son décompte horaire à la secrétaire, afin que celle-ci établisse la facture. Et alors qu'elle s'apprêtait à appeler Adrianne, qui, elle, préférait communiquer ainsi, le téléphone sonna.

– McNee Investigations, Rachel McNee.

– Madame McNee, c'est Tracie Potter.

– Oui…

– J'ai mené mes petites recherches. Vous n'y teniez pas, je sais, mais c'est mon métier. Et du coup, je me suis rappelé certaines choses, notamment une conversation téléphonique entre Jon et sa femme. Que je n'aurais pas dû entendre, mais j'étais là, dans le petit appartement où il emmenait ses conquêtes, alors j'ai écouté.

– Dans ces circonstances, j'aurais fait la même chose.

Dans n'importe quelles circonstances, du reste, pensa Rachel. La curiosité était inscrite dans l'ADN des privés.

– Il lui parlait sur un ton très méprisant. Elle semblait avoir un problème avec l'un des enfants. Il l'a envoyée promener : il avait du travail, il ne pouvait pas tout laisser en plan, elle n'avait qu'à se débrouiller. Je me souviens qu'il lui a dit méchamment : « Si tu n'es pas capable de gérer, tu n'as qu'à prendre un cachet. Je rentrerai quand je rentrerai. » Ou quelque chose dans ce goût-là.

– OK.

– Ça m'a amusée, je l'avoue. « Des soucis à la maison ? » je lui ai demandé. Il m'a répondu : « Ne te marie jamais. En tout cas, ne fais jamais de môme. » Et il a commencé à me parler de sa famille, ce qu'il ne faisait jamais – et moi, je me gardais d'aborder le sujet. Mais ce jour-là, on avait bu quelques verres.

– Vous vous souvenez de ce qu'il vous a dit ?

– En gros. Que c'était sa femme qui désirait des enfants, lui n'en voulait pas. Qu'il regrettait de ne pas l'avoir obligée à avorter. Qu'elle était incapable de s'en occuper, malgré une employée de maison qui faisait le ménage et la cuisine.

Tracie s'interrompit un instant, pensive.

– Ses histoires de famille ne m'intéressaient pas, mais je me rappelle m'être demandé comment il faisait pour payer une employée de maison avec son salaire de prof. Je ne savais pas, à l'époque, qu'elle avait de l'argent. Mais bref, je n'avais pas envie d'entendre ce genre de choses alors j'ai suggéré qu'on se mette au lit, et on en est restés là.

– Intéressant.

– Il me semble, oui. Je voulais aussi vous dire que Lina Rizzo n'est peut-être pas la seule qu'il ait mise enceinte accidentellement, vu qu'il refusait de se protéger.

Rachel y avait pensé, et elle orientait ses interrogatoires en ce sens.

– Mais pas vous ? demanda-t-elle.

– Non, je prenais la pilule et je l'obligeais à mettre des préservatifs. Là-dessus, j'étais intransigeante, et c'est pour cette raison, entre autres, que notre aventure a tourné court. Sans parler du dédain avec lequel il traitait sa femme et ses enfants. Et autre chose m'est revenu en mémoire…

– Je vous écoute.

– Je n'ai honnêtement reconnu aucun des noms de la liste que vous m'avez montrée, mais mes années de fac remontent à loin… Par contre, en fouillant dans mes souvenirs, j'ai repensé à une fille du Shakespeare Club, que Jon avait créé. J'ai continué d'y aller après la rupture, car Jon était ce qu'il était, mais c'était aussi un prof exceptionnel qui avait une lecture de Shakespeare très pertinente. Il me semble que cette fille, elle s'appelait Jessica, était en première année quand j'étais en dernière année de licence.

– Une fille avec qui il entretenait une liaison ?

– Il avait un type : il les aimait brillantes, séduisantes, bien roulées. Elle répondait aux critères. Un peu timide, mais au club elle participait beaucoup. Pour être sortie avec Jon, je voyais bien qu'il y avait quelque chose entre eux.

– Pourquoi avoir soudain repensé à elle ?

– Du jour au lendemain, elle a cessé de venir au club, alors qu'elle était très à l'aise, je vous l'ai dit. J'en ai conclu que c'était fini entre eux, qu'elle en avait gros sur le cœur, ou qu'elle était gênée. Incidemment, j'en ai parlé avec une amie, Catty, qui logeait dans le même bâtiment qu'elle à la cité universitaire, et elle m'a raconté que Jessica s'était fait tabasser. Catty ne l'a pas su directement, c'est une de ses copines qui lui a raconté qu'un soir Jessica est rentrée couverte de bleus, un œil au beurre noir et le pantalon taché de sang. Une fausse couche.

Sur son calepin, Rachel entoura le prénom de Jessica et souligna les mots « fausse couche ».

– Elle a porté plainte ? Consulté un médecin ?

– Elle a raconté qu'elle s'était fait agresser dans la rue, et qu'elle n'avait pas eu le temps de voir son agresseur. Elle n'a pas voulu que ses camarades appellent une ambulance ou la police. Ce qu'elles auraient dû faire quand même, mais bon… D'après Catty, elle a abandonné ses études peu après.

– Pourriez-vous me donner le numéro de téléphone de votre amie ?

– Elle n'y tient pas. Je lui ai posé la question.

– Il s'agit d'une affaire de meurtres, madame Potter.

– Bien sûr, mais une source est une source. En revanche, je peux vous indiquer le nom de famille de Jessica et l'endroit où elle habitait à l'époque. Je peux aussi vous dire qu'un matin Jon est arrivé en cours avec un bandage à la main, en disant que les profs de littérature n'étaient pas faits pour le bricolage. Tout le monde a rigolé. Je n'en mettrais pas ma tête à couper, mais je suis presque sûre, disons à 70 %, de la concomitance des deux incidents.

– Merci beaucoup pour ces précieuses informations.

– Y a-t-il une Jessica sur la liste ?

– Deux, mais c'est un prénom courant. Pourriez-vous me décrire la vôtre ?

– Hum… Une jolie brune, mince mais pulpeuse… Je ne revois pas vraiment son visage, désolée. Je ne la reconnaîtrais pas si je la croisais. Je ne l'ai côtoyée qu'une fois par semaine pendant quelques mois.

– C'était en quelle année ?

– Je suis presque sûre que j'étais en troisième année de licence. L'incident a eu lieu après les vacances d'hiver. Je me rappelle qu'il faisait froid ; je venais de m'installer dans une coloc' un peu loin du campus. Attendez… Oui, maintenant que j'y repense, ça me revient, ça devait être en janvier. La première ou la deuxième réunion du club après les vacances de Noël. La première, plutôt, je dirais.

Après un bref calcul, Rachel nota une date probable.

– Vous me tiendrez au courant ? demanda Tracie. J'aurais dû la mettre en garde, je ne l'ai pas fait. Elle ne m'aurait peut-être pas écoutée, mais j'aurais pu lui dire quel genre d'homme il était. À présent, je dois vous laisser, je suis désolée. J'ai des spots à enregistrer avant le journal de 17 heures ; les maquilleuses m'attendent.

– Si jamais d'autres souvenirs vous reviennent, n'hésitez pas à m'appeler. Encore merci pour ces infos.

Pensive, Rachel se renversa contre le dossier de son fauteuil de bureau. Elle avait localisé les deux Jessica de la liste. La première vivait à Londres, elle avait fréquenté Bennett avant Lina. Elle était née et avait grandi en Angleterre ; Tracie s'en serait souvenue si elle avait eu un accent britannique.

En revanche, l'âge de la seconde Jessica concordait. Elle avait farouchement nié toute intimité avec Jon Bennett, mais, même au téléphone, il semblait flagrant que sa véhémence cachait un mensonge.

Rachel compulsa ses notes : Jessica Kingsley, née Peters, mariée depuis vingt-quatre ans à Robert Kingsley, pasteur de l'Église du Sauveur, mère de quatre enfants. Elle vivait toujours dans la petite ville où elle avait grandi, Eldora, dans l'Iowa.

Une jeune fille timide, quittant pour la première fois le cocon familial et s'amourachant d'un prof séducteur… En rentrant chez ses parents pour Noël, elle s'aperçoit qu'elle est enceinte. Elle en fait part à Bennett, qui réagit exactement de la même manière qu'avec Lina Rizzo, mais Jessica ne sait pas se défendre. En état de choc, honteuse, elle parvient à regagner sa cité U où elle fait une fausse couche. Elle invente une histoire d'agression et elle arrête la fac.

Se sentant coupable, elle dissimule l'incident, puis l'occulte.

Se confesse-t-elle à son époux ? Peu probable. Sans doute redoute-t-elle d'être blâmée. Alors elle fait sa petite vie dans sa petite ville et enfouit son secret.

« J'aurais dû la mettre en garde », avait dit Tracie. Rachel avait tenté de le faire. Sa conscience lui dictait de réessayer, car s'il arrivait quelque chose à Jessica Kingsley, elle se le reprocherait toute sa vie.

Elle prit une bouteille d'eau dans son minifrigo et, en arpentant son bureau, elle réfléchit à la meilleure façon de lui parler. Puis elle ferma sa porte, y accrocha le panonceau NE PAS DÉRANGER et chercha le numéro de téléphone dans son dossier.

– Deux secondes, répondit gaiement Jessica, je sors mon gâteau du four.

Rachel entendit des bruits de cuisine, des voix, des pas.

– Excusez-moi, bonjour, je suis à vous.

– Madame Kingsley, c'est Rachel McNee. Je vous ai contactée il y a quelques semaines.

– Je n'ai rien à voir dans cette histoire, je vous l'ai dit. Inutile d'insister.

– Ne raccrochez pas, s'il vous plaît. Vous pouvez garder le silence, je vous demande seulement de m'écouter une minute. Quoi qu'il vous soit arrivé à Georgetown, votre nom figure sur une liste. Ce que je ne savais pas lors de mon premier appel, c'est que cinq des femmes de cette liste ont été tuées. Assassinées. Je voulais vous en informer, et vous prévenir que je crains d'en découvrir d'autres. La police et le FBI sont sur l'affaire, il est probable qu'ils prennent contact avec vous. En mon âme et conscience, je ne pouvais pas vous laisser dans l'ignorance. Je vous recommande d'être prudente.

– Pourquoi vous croirais-je ?

– Pourquoi vous mentirais-je ?

– Les journalistes n'ont pas de scrupules à répandre des rumeurs mensongères.

Rachel ferma les yeux.

– Google vous le dira, je suis détective. Je veux simplement vous prévenir qu'on assassine d'anciennes étudiantes de Georgetown recensées sur une liste. Je vous le répète, votre nom apparaît sur cette liste.

– Très bien, je suis prévenue. Au revoir.

Là-dessus, Jessica coupa la communication et Rachel secoua la tête d'un air las. Cette femme n'avait pas seulement occulté l'incident, elle l'avait enfermé dans un bunker de béton armé et jeté dans les profondeurs de l'océan du déni.

– J'aurai fait de mon mieux… murmura-t-elle.

Pour l'instant, il pleuvait toujours à verse. En attendant que la perturbation se déplace, elle allait poursuivre ses recherches. Une petite heure. Ensuite, elle rentrerait. Elle y passa deux heures, et localisa deux nouvelles personnes. Mais on était désormais en pleine heure de pointe… tant pis, elle attendrait encore un peu avant de prendre la route.

La première enseignait au Boston College. Elle reconnut son aventure avec Bennett et prit Rachel très au sérieux. La seconde avait été avocate. Tuée de plusieurs coups de couteau sur le parking d'un supermarché à quelques kilomètres de chez elle, dans l'Oregon. On lui avait volé son portefeuille, sa montre et sa voiture, qui avait été retrouvée une semaine plus tard en Californie du Nord. La police en avait conclu à un car-jacking.

– S'il est reparti avec la voiture de sa victime, comment est-il arrivé ? s'interrogea Rachel à voix haute. Il a dû la suivre dans un autre véhicule. Volé, à tous les coups… Voyons voir…

En regardant l'heure, elle étouffa un juron.

– Demain, marmonna-t-elle en rassemblant ses affaires et en éteignant son ordinateur.

Une fois de plus, elle était la dernière à quitter l'agence. Il fallait vraiment qu'elle cesse de travailler aussi tard.

Elle prit son parapluie, ferma le bureau et appela son mari pour lui dire qu'elle allait rentrer. Qu'il commande une pizza. Et débouche une bouteille de vin.

Ils dînèrent en famille, dégustèrent un excellent bordeaux et parvinrent même à faire l'amour – en silence.

Mais sachant qu'elle ne trouverait pas le sommeil, Rachel quitta le lit, enfila un jogging et se rendit dans son bureau, dont elle ferma la porte pour ne pas entendre le son de la télé dans le salon.

S'il était près de 23 heures à Washington, il n'était que 20 heures dans l'Oregon. Avec un peu de chance, quelqu'un prendrait la peine de regarder dans les registres si une voiture volée avait été retrouvée sur le parking du supermarché où Alice McGuire, née Wendell, avait été assassinée cinq ans plus tôt.

Tandis que Rachel testait son pouvoir de persuasion sur un inspecteur de police de Portland, Tracie Potter était dans sa loge et se démaquillait. Après le journal de 23 heures, elle avait l'impression que sa couche de fond de teint pesait des tonnes, et elle aurait juré entendre le bruit de sa peau absorbant la crème hydratante.

Comme il tombait des cordes, elle troqua son tailleur contre un jean et ses escarpins à talon contre des bottes de pluie – elle en avait toujours une paire dans sa loge.

Bêtement, elle s'était garée à l'autre bout du parking, comme chaque fois qu'elle n'avait pas parcouru ses dix mille pas dans la journée. C'est-à-dire presque tous les jours.

Son mari dormirait sûrement quand elle rentrerait – elle ne lui en voulait pas, mais elle se servirait peut-être un doigt de brandy, pour se détendre, avant de le rejoindre.

Après avoir salué les techniciens encore présents dans le studio, elle sortit par la porte arrière et s'assura que celle-ci avait bien claqué après son passage, tout en ouvrant son parapluie. Malgré les lampadaires, elle ne voyait pas à un mètre tant l'averse était dense. Une bourrasque lui fouetta les jambes et elle se félicita d'être en bottes. À l'aide de sa télécommande, elle déverrouilla ses portières. Les phares clignotèrent, mais avec le bruit de la pluie, elle n'entendit pas le déclic des serrures. En fermant son parapluie, elle s'engouffra dans sa voiture.

– Oh bon sang… grommela-t-elle en appuyant sur le starter.

Elle n'eut pas le temps de crier. Une main lui empoigna les cheveux, lui renversa la tête en arrière et lui trancha la gorge. Dans un horrible gargouillis, elle battit des bras, les yeux révulsés.

– Comme un poisson à l'hameçon, ricana JJ, en la déplaçant sur le siège passager.

Puis, dans sa tenue de peintre jetable – combinaison, charlotte, gants et surchaussures –, il enjamba le dossier et s'installa au volant en la poussant contre la portière.

– T'as vraiment tout salopé, maugréa-t-il en démarrant. Mais c'est pas grave, on ne va pas loin.

Il exultait de savoir que ce soir était le grand soir. La pluie lui offrait une parfaite couverture, encore un signe de chance. Il abandonnerait la voiture sur le parking de la galerie marchande à quelques centaines de mètres de l'endroit où il avait laissé celle de sa sœur. Puis il s'arrêterait sur une aire d'autoroute pour se changer et balancer sa tenue de peintre.

Et une salope de moins ! se félicita-t-il en jetant un coup d'œil à Tracie.

Adrianne répétait une séance de danse cardio avec Teesha, qui voulait bien, comme Maya, se prêter de temps en temps à l'exercice.

– Allez, Teesh, du nerf ! Le programme est censé être fun !

– On voit que tu ne sais pas ce que c'est qu'allaiter un bébé qui fait ses dents…

– Justement ! Le cardio booste l'énergie ! Allez, triple *step*. Droite, gauche, droite ! Les hanches suivent le mouvement ! Ça fait travailler les abdos. Où est ton sens du rythme ? Pour une Black…

– Bonjour les clichés, rétorqua Teesha en riant. Mon sens du rythme ne rêve que d'une sieste.

– Chassé, *back step*, droite, gauche, et droite… Et on tourne ! N'oublie pas : les hanches !

– Mes fesses, oui !

– Parfaitement, tes fessiers te remercieront !

Adrianne dut motiver, provoquer et flatter son amie, mais Teesha tint jusqu'à la fin de la séance.

– Impeccable, commenta Adrianne.

– Je préfère ne pas voir l'enregistrement.

– Ne t'en fais pas, il n'y a que moi qui le verrai. Je pense que j'accélérerai le tempo. C'était un peu trop facile.

– T'es dingue ?!

Teesha se laissa tomber dans un fauteuil. Adrianne lui servit une boisson énergétique.

– Récupère cinq minutes et on attaque le renforcement par le yoga.

– Ah non ! Sans moi !

– OK, comme tu veux. Il me reste encore une semaine. Une petite semaine. Ma mère n'arrive que la semaine prochaine. Je t'ai dit que j'allais à la fête foraine, ce soir, avec Raylan et ses enfants ?

– À la fête foraine avec des gamins ? Ouh… Tu es mordue, toi !

– J'en ai bien peur… Il est passé chez moi avant-hier soir, et de fil en aiguille…

– Raconte-moi tout ! réclama Teesha en se redressant.

– Mais tu ne penses qu'au sexe !

– Tu m'étonnes… On a un virgule six rapports par semaine, avec Monroe.

– Un virgule six ?

– *Coitus interruptus*. On vise une moyenne de deux, qu'on espère améliorer quand Phin rentrera à l'école, fin août. On pourra peut-être faire une sieste coquine une fois par semaine.

– Cool.

– Le sexe spontané est surfait… autant que je me souvienne. Tu disais, donc, de fil en aiguille…

– Il m'a fait une déclaration d'amour. Je le voyais venir, je ne suis pas aveugle, mais ça m'a fichu une trouille bleue.

Teesha poussa un soupir, et Adrianne leva les mains au ciel.

– Je n'arrête pas d'esquiver, et il est si patient, si déterminé, poursuivit-elle. Si sûr de lui. De moi. De nous. Il m'a pointé tous mes défauts.

– Romantique.

– Ça l'était, bizarrement. Parce qu'il les voit, il les connaît et les accepte. Il est aussi conscient des siens, et je me sens capable de les accepter. Du coup, je lui ai dit… que je l'aimais. Et c'était sincère.

– Hourra ! Enfin !

– Pourquoi « enfin » ? On n'est ensemble que depuis quelques mois. À peine.

Teesha balaya cette remarque d'un geste de la main.

– Vous vous connaissez depuis l'enfance. Et tu as toujours eu un faible pour lui.

– Non.

– Mais si. Je voyais bien cette lueur dans ton regard quand tu me parlais du grand frère de Maya.

– N'importe quoi !

– Chaque fois que tu revenais de chez tes grands-parents, tu avais des milliards de choses à me raconter sur lui.

– C'est vrai ?

– Le vert incroyable de ses yeux, son don pour le dessin.

Adrianne s'assit près de son amie.

– Tu as raison, concéda-t-elle en riant. En fait, en y repensant, je crois que je suis tombée amoureuse le jour où j'ai vu les dessins aux murs de sa chambre. Quand je lui ai dit que je les trouvais super, il m'a regardée d'une façon… avec ses beaux yeux verts. Je devais avoir… sept ans… Oh, purée…

Aussi surprise qu'amusée, elle se donna une claque sur chaque joue et secoua la tête.

– Deux secondes plus tard, il me fermait sa porte au nez, en digne garçon de dix ans. Je crois que j'avais enfoui ça au fond de mon subconscient, surtout après le décès de Lorilee.

– Parce que dans la dimension infinie du continuum espace-temps, c'était le lieu et le moment.

– Bien sûr, ceci explique cela.

– Parfaitement. En tout cas, vous vous êtes bien trouvés, tous les deux, et c'est une chance, car tomber amoureux n'est pas nécessairement synonyme de bien s'entendre. Sur ce, je te laisse, déclara Teesha en se levant. Les gamins de Raylan vont parler de la fête foraine à Phin et je vais être obligée d'y aller.

– Oh, cool ! On se verra là-bas, alors. Je sens qu'on va bien s'amuser. J'enverrai un texto à Maya pour lui proposer de venir aussi, avec Joe et les enfants.

– Tu as besoin de tout ce monde pour cacher ton amour ?

– Non. On mérite tous de s'amuser. Hey, c'est la fête foraine !

L'après-midi touchait à sa fin quand ils se garèrent dans le pré qui tenait lieu de parking. Des hurlements d'enfants et d'adultes se mêlaient à une musique tonitruante ; des relents de sucre, de friture et de viande grillée flottaient dans l'air chaud et humide. Les manèges tourbillonnaient dans un tintamarre de tous les diables. Aux stands de jeu, on se bousculait pour débourser vingt dollars dans l'espoir de gagner un gadget qui en valait à peine deux. Des gongs retentissaient, des roues tournaient, des coups de pistolet claquaient.

– Papa, papa, j'ai super faim ! s'écria Bradley en se cramponnant à la main de son père. Je veux deux hot dogs, des frites, des churros, une glace et…

– Si tu manges seulement la moitié de tout ça, tu vas vomir dans les manèges.

– Mais non !

– Mais si. On fait d'abord deux ou trois tours de manège, ensuite on mange, ensuite on joue et, après, on refera éventuellement quelques tours de manège.

– Alors on commence par les chaises volantes, après on fait des montagnes russes, et après la grande roue !

Dans l'enthousiasme, Mariah exécuta une roue très réussie.

– Prête ? demanda Raylan à Adrianne.

– Oh que oui !

À l'entrée, il acheta quatre passes leur donnant libre accès à toutes les attractions. Puis il parcourut la foire du regard.

– Je crois qu'on va commencer par les chaises volantes.

– Je peux en faire, cette année, déclara Mariah en saisissant la main d'Adrianne. L'année dernière, j'étais trop petite mais maintenant, j'ai grandi. Papa m'a mesurée. Je ferai des manèges de bébé que si j'ai envie.

– Tu montes avec moi, Mariah ?

– Non, je monte avec Adrianne, entre filles.

– Pas de problème, acquiesça Adrianne.

Ils poussèrent tous les quatre des cris de frayeur suraigus et rirent à perdre haleine, dans les nacelles qui tournoyaient de plus en plus vite, et lorsqu'elles ralentirent, la fillette leva vers Adrianne un regard ivre de bonheur.

– C'était le manège le plus cool de ma vie !

– Attends, ce n'est que le premier !

À l'instant où elle posa le pied au sol, elle sauta dans les bras de son père.

– On peut refaire un tour, papa ? Papa, s'il te plaît, on peut refaire un tour ?

– Tout à l'heure, ma chevalière sans peur et sans reproche ! On en teste d'abord un autre ?

– J'ai un message de Teesha. Ils sont en train de se garer. Joe et Maya sont arrivés aussi.

– Dis-leur qu'on se retrouve aux montagnes russes.

– Papa, quand on mangera, je pourrai avoir une barbapapa ?

Par-dessus la tête de sa fille, Raylan adressa un clin d'œil à Adriannc.

– Tu fermeras les yeux, lui dit-il.

– Papa, papa, tu peux jouer aux anneaux et me gagner un canif, s'il te plaît ? demanda Bradley.

– Pas de couteau avant treize ans.

– Treize ans ? Mais c'est dans trois ans ! C'est trop long !

– Tu ne m'as pas dit, l'autre jour, que tu étais *presque* ado ?

– Si. Justement. Donc je peux avoir un canif.

– Non, répliqua Raylan en s'arrêtant néanmoins devant le stand.

Quand le forain lui eut remis un jeu d'anneaux, il visa un flacon contenant un petit canif rose. Et gagna.

– Comment tu as fait ? s'étonna Adrianne.

– Coordination œil-main, plus quelques rudiments de physique, répondit-il en lui tendant le prix. Tu es assez grande, je compte sur toi pour en faire un usage responsable.

Il remporta un collier pour Mariah et un stylo quatre couleurs pour Bradley.

– Je suis épatée, commenta Adrianne tandis qu'ils poursuivaient leur chemin.

– C'est ce que me dit tout le temps le gars qui tient le stand.

Les autres les attendaient devant les montagnes russes.

– Je n'ai pas le droit de monter… bougonna Phineas, déçu. Je ne suis pas assez grand.

– L'an prochain, lui dit Mariah. Moi aussi, j'étais trop petite l'année dernière, mais maintenant, j'ai grandi.

– Ce n'est pas grave, mon bonhomme. Moi, je suis assez grand mais je ne monte pas dans ces machins qui foutent la gerbe, déclara Monroe. Toi et moi, avec Thad, on va faire autre chose. Tu veux qu'on emmène Quinn, Maya ?

Dans sa poussette, Thaddeus se mit à donner des coups de pied impatients. Maya tapota les fesses de sa fille qu'elle portait en écharpe.

– Trois gamins pour un seul homme ? Non, je viens avec toi.

– On se relaiera, dit Joe en l'embrassant, puis il se frotta les mains. J'adore les machins qui donnent le tournis, moi ! Prêt pour le grand frisson, Collin ? Tu es assez grand, maintenant.

Son fils se mordit la lèvre.

– Oui, répondit-il timidement.

– Tu n'es pas obligé. Tu peux venir avec nous si tu préfères, suggéra Monroe.

– Non, je veux aller dans les montagnes russes.

Après le premier tour, le garçonnet était tout pâle, le regard vitreux, mais il en fit quand même deux autres, sur l'insistance de Mariah. Après quoi, Joe proposa de rejoindre les autres.

– Maman aussi a envie de faire du manège, dit-il. Allons nous occuper des petits avec Monroe.

– Oui, c'est normal, acquiesça Collin, légèrement titubant, agrippé à la main de son père. Tu as vu, je n'ai pas vomi.

– Tu as un estomac d'acier !

Après le premier round, ils engloutirent une quantité de viande, de sucre et de gras qu'Adrianne jugea délirante, puis tandis que la nuit tombait et que les lumières s'allumaient, ils tentèrent leur chance à différents jeux.

Une soirée magique, pensa-t-elle.

Aux fléchettes, Raylan gagna une immense licorne pour Mariah. Au tir à la carabine, il abattit tour à tour loups, coqs, ours et coyotes, ce qui lui valut un robot qu'il offrit à Bradley.

– Non mais sérieux, comment tu fais ? demanda Adrianne.

– J'ai des superpouvoirs, dit-il en haussant les épaules. Quelque chose te fait envie ?

– Non, ça va aller, répondit-elle en riant.

– Moi, je voudrais bien la pieuvre, dit Phineas. Les pieuvres, elles ont toujours huit tentacules.

– Je vais voir ce que je peux faire…

Phineas repartit avec la pieuvre sous le bras, Collin, avec un serpent en peluche.

– Regardez, les amis, j'ai gagné un sabre lumineux ! se vanta Joe lorsqu'ils le retrouvèrent, et il tendit le jouet à sa femme. Qui vient avec moi au marteau ?

Tous le suivirent.

Au premier coup, il ne frappa pas assez fort et déclara qu'il s'agissait d'un essai, pour s'échauffer. Au deuxième coup, l'ascenseur monta jusqu'en haut et fit sonner la cloche. Il remporta une vache en peluche qu'il offrit à Maya.

– Que tu es fort, mon homme… minauda-t-elle en battant des cils.

– Non, je ne joue pas, déclara Monroe quand Joe se tourna vers lui. Je ne m'appelle pas Thor, moi, je suis musicien. J'ai quand même gagné des cristaux magiques, par pure chance, dit-il en les brandissant.

Alors que Raylan s'apprêtait à prendre son tour, Adrianne le devança.

– Je peux essayer ?

– Bonne chance, ma petite dame, lui dit le forain d'un air narquois.

Le marteau pesait plus lourd qu'elle ne pensait, mais elle se campa solidement au sol, l'éleva au-dessus de sa tête et l'abattit sur le clou. L'ascenseur s'arrêta à une dizaine de centimètres sous le gong.

– Pas mal ! la félicita le forain en lui remettant un serre-tête avec des fleurs lumineuses.

Elle s'en coiffa, enroula les épaules vers l'arrière puis vers l'avant et, en reprenant le marteau, elle déclara :

– J'ai droit à un deuxième essai, moi aussi.

Elle se positionna, inclina la tête d'un côté, de l'autre. Inspira. Expira. Inspira. Et propulsa le marteau direct au but.

– Vous avez vu, il y a des petites dames qui en ont ! dit-elle en faisant saillir ses biceps.

– Eh… Petite mais costaude ! acquiesça le forain en riant.

Chapitre 28

Pendant qu'Adrianne s'amusait à la fête foraine, Rachel avait découvert deux nouveaux meurtres, ce qui portait le compte à huit. Soit plus de 20 %. Plus personne ne pouvait soutenir la thèse de la coïncidence.

Elle rédigea un rapport et le transmit à la police de Washington ainsi qu'au FBI. Elle laissa également des messages vocaux à l'inspecteur et à l'agent fédéral en charge de l'affaire, les exhortant tous deux à auditionner Nikki Bennett au plus vite.

Et au diable les principes, pensa-t-elle, elle allait elle aussi tenter une nouvelle fois de lui tirer les vers du nez.

Elle envoya un texto à son mari : « Désolée, désolée, mille fois désolée… Je sais que je suis déjà très en retard mais il me reste un truc à régler. J'en ai encore pour au moins une heure, voire une heure et demie. »

Elle était en train de fermer l'agence, déserte, quand il lui répondit : « Tu travailles trop, Rach. Mais ne t'en fais pas, je gère, ici. Maggie est chez Kikki, ce soir. Sam m'a déjà battu deux fois à Fortnight. Je me console en bouquinant. Si tu as le temps, achète de la glace caramel beurre salé. J'aurai peut-être besoin de plus de réconfort. » En souriant, elle ferma tous les verrous. « Je prendrai le temps de te réconforter. Bisous. »

Son téléphone sonna alors qu'elle terminait de taper le message. Numéro masqué. Dans son métier, elle ne pouvait pas se permettre d'ignorer.

– Rachel McNee, bonjour.

– Madame McNee, inspecteur Robert Morestead, de la brigade criminelle de Richmond.

– Richmond… répéta-t-elle, saisie d'un sinistre frisson.

– Nous avons trouvé votre nom et votre numéro dans le répertoire de Tracie Potter.

Rachel s'adossa contre la porte de l'agence.

– Pouvez-vous me donner votre matricule, s'il vous plaît ? Que je vérifie votre identité.

Il le lui indiqua, ainsi que le nom de son lieutenant, pendant qu'elle rallumait son bureau.

– Juste une minute, s'il vous plaît.

De la ligne fixe, elle appela la police de Richmond, puis elle s'assit et ferma les yeux un instant.

– Inspecteur Morestead, dit-elle en reprenant l'appel, j'ai eu affaire à Mme Tracie Potter à deux reprises, dans le cadre d'une enquête qui m'a été confiée. Il lui est arrivé quelque chose ? J'ai travaillé dix ans dans la police, à Washington, vous pouvez vérifier. Je collabore sur ce dossier avec les inspecteurs Bower et Wochosky, ainsi qu'avec l'agent spécial Marlen Krebs, au FBI. (Sans s'interrompre, elle se leva pour aller chercher une bouteille d'eau fraîche.) Si vous êtes de la Criminelle, je suppose que Mme Potter a été tuée… Ou qu'elle est grièvement blessée.

– Elle a été assassinée. Les médias ne parlent que de ça.

– À Richmond, peut-être, pas à Washington. Inspecteur, je suis en possession d'une liste de trente-quatre femmes dont huit ont été victimes d'homicide. Mme Potter est la neuvième. Prévenez les confrères que je viens de vous citer et dites-leur de se bouger. Je les ai aiguillés sur la piste de mon principal suspect. Ils sont censés l'auditionner. Donnez-moi un numéro ou une adresse mail où je puisse vous envoyer tous les éléments que j'ai rassemblés.

– D'où tenez-vous cette liste ?

– Je vous transmettrai mes comptes-rendus ; vous y trouverez tous les détails, répondit Rachel en rallumant son ordinateur, puis elle attendit qu'il se mette en route. Ces meurtres s'étalent sur plusieurs années, ils ont été commis aux quatre coins du pays et le mode opératoire n'est pas toujours le même.

– Mobile ?

– Représailles. Je répondrai à vos questions quand vous aurez lu mon dossier et appelé vos collègues.

– Je vais les appeler tout de suite. Quant aux questions, j'en aurai, c'est certain. Nous sommes actuellement sur le lieu du crime. On peut se rencontrer d'ici deux heures.

Déjà presque 21 h 30, pensa Rachel. Tant pis. Et merde.

– OK, je suis à mon bureau, mais je ne vais pas tarder à rentrer chez moi. On peut se voir à mon domicile. (Elle indiqua l'adresse.) Juste une question, inspecteur… J'aimerais savoir comment elle a été tuée. Ce que vous avez communiqué aux médias me suffira.

– Le meurtre a été commis hier soir entre 23 heures et minuit. Le corps a été retrouvé ce matin à 8 heures, sur le parking d'une petite galerie marchande à quelques rues des studios de télévision où Mme Potter travaillait. Manifestement, un car-jacking qui aurait mal tourné.

– Ce n'est pas ça. Donnez-moi votre adresse mail.

Il l'épela, et elle entreprit aussitôt de lui transférer les fichiers.

– En venant chez moi, vérifiez les casiers de ces deux individus : Jonathan Bennett Junior et Nikki Bennett. Frère et sœur. On se voit dans deux heures. À plus tard.

Elle raccrocha, furieuse et atterrée. La glace au caramel aurait un goût amer. Et la visite à Nikki Bennett était compromise. Rachel devait rentrer chez elle, se calmer et se préparer à recevoir la police de Richmond.

Avant de partir, elle nota le nom de l'inspecteur qui l'avait contactée, la date et l'heure, ainsi la teneur de leur conversation téléphonique. Puis elle glana quelques renseignements sur Morestead.

Vingt-deux ans de service, dont neuf à la Crim'.

Un gars sérieux et compétent.

En consultant ensuite les journaux de Richmond, elle lut les articles sur le meurtre, en essayant de s'absoudre de toute culpabilité personnelle.

– Car-jacking, tu parles…

Morestead n'y croyait sûrement pas, mais à sa place elle aurait fait preuve de la même réserve avec un privé inconnu.

Comme Jayne Arlo à Érié, Tracie Potter avait été tuée par quelqu'un qui l'attendait dans sa voiture, probablement sur le parking des studios de sa chaîne. L'assassin avait ensuite déplacé la voiture, afin d'avoir le temps de prendre le large avant qu'on ne découvre le corps.

Rachel imprima son dernier rapport, puis elle quitta l'agence.

Neuf, maintenant. Au moins neuf femmes étaient mortes. Il était grand temps de mettre fin à cette funeste série de vengeances meurtrières.

Elle faillit appeler son oncle, puis décida d'attendre d'être rentrée chez elle. Il serait plus de 22 heures mais il ne serait pas couché.

Ne pas oublier la glace au caramel, se remémora-t-elle. La moindre des choses, pour se faire pardonner d'avoir convié les flics à la maison.

Tiraillée entre la colère et la culpabilité, elle se dirigeait vers sa voiture d'un pas rageur, quand elle vit un flash de lumière, et reçut comme une violente piqûre dans le bras. Paniquée, elle déclencha l'alarme de sa voiture. Une nouvelle douleur lui transperça l'épaule, la poitrine. Elle s'écroula en se cognant la tête contre sa portière, et se sentit perdre connaissance.

La 22 semi-automatique présentait l'avantage de pouvoir être utilisée avec des munitions silencieuses. En revanche, il ne fallait pas être trop éloigné de la cible. L'expérience lui avait pourtant appris qu'on perdait en précision avec ce type de cartouche, bordel de merde !

Une conclusion s'imposait : les armes blanches lui réussissaient mieux que les armes à feu. Mais c'était tellement bon de presser la détente et de voir les balles perforer la chair…

Elle se vidait de son sang mais, pour faire bonne mesure, lui en coller une dans l'oreille.

– Et deux salopes de moins…

Mince… des éclats de voix et des rires approchaient…

De toute manière, elle était déjà morte.

S'éloigner à la hâte. Par une ruelle mal éclairée.

Rester consciente, s'ordonna-t-elle. Ne pas perdre connaissance.

Pour Ethan… les enfants… Non, elle ne pouvait pas leur faire ça. Elle n'avait pas le droit de les abandonner.

Elle essaya d'appeler à l'aide mais seul un faible râle franchit ses lèvres. En tremblant de tous ses membres, au prix d'une douleur insoutenable, elle parvint à sortir son téléphone de l'une de ses poches, les doigts poissés de sang et de sueur. Puis il lui échappa. Bien que secouée de frissons, elle réussit à le rattraper et à composer le 911.

– Urgences, j'écoute.

– Coups de feu… Officier à terre… Non… suis plus officier. On m'a tiré… dessus… parking…

En claquant des dents, elle indiqua l'adresse.

– Je vous envoie la police et une ambulance. Restez avec moi, madame. Comment vous appelez-vous ?

– Rachel McNee. Reçu trois balles. Au moins… Peut-être quatre… À la tête. À la tête ? Je… sais pas. Thorax… Perds beaucoup de sang. Le suspect…

– Restez avec moi, Rachel, les secours arrivent.

– Homme de race blanche. Blond, la barbe… Petite barbe et… me rappelle plus… Je m'affaiblis…

– Restez avec moi, Rachel. J'entends les sirènes qui approchent. Parlez-moi.

– Peux plus…

Et elle perdit connaissance.

Un bref instant, elle revint à elle dans un brouillard de lumières aveuglantes et de voix discordantes rendant toute réflexion impossible.

Silence ! avait-elle envie de hurler. Taisez-vous, je n'arrive pas à penser !

Elle agita une main. Quelqu'un se pencha au-dessus d'elle.

– Ne vous inquiétez pas, on s'occupe de vous.

– Bennett, parvint-elle à articuler. Junior. Tiré.

Elle avait l'impression que sa langue était paralysée.

– OK. Ça va aller. Ne vous en faites pas.

Elle perdit de nouveau connaissance.

Dans les toilettes sous l'escalier, Nikki se recroquevilla en position fœtale. Parfois, elle avait si froid qu'elle tremblait comme une feuille. Parfois, elle avait tellement chaud qu'elle transpirait à grosses gouttes.

Elle sentait mauvais. Elle avait tenté de se laver, mais l'odeur du vomi persistait.

Impossible d'appuyer sur l'interrupteur pour éteindre la lumière. Parfois, elle priait que les ampoules grillent, qu'elles cessent de l'aveugler. Puis elle frissonnait à l'idée de se retrouver dans le noir.

La menotte lui avait entaillé le poignet. La plaie sanguinolente la faisait souffrir. Les douleurs au visage s'étaient un peu atténuées. Les antalgiques semblaient efficaces. L'image d'un animal se rongeant la patte pour se libérer d'un piège lui traversa l'esprit.

Essayer ?

Rien que d'y penser, elle vomit de nouveau.

Elle ignorait depuis combien de temps elle était là. Un jour ? Une semaine ?

Elle mangeait des céréales à même le paquet. Des crackers. Une pomme. Une banane. Puis elle commença à redouter que ces maigres provisions s'épuisent et qu'elle meure peu à peu de faim.

Elle avait peur qu'il ne revienne pas.

Et elle appréhendait son retour.

Elle savait. Elle avait toujours su. Qu'il n'était pas normal. Pas tout à fait. Enclin à la méchanceté et à la violence. Sous ses dehors tout sucre tout miel avec leur père.

Sa sœur, il l'avait toujours détestée. Cela aussi, elle le savait. Il le lui avait dit clairement : il ne l'aimait pas parce qu'elle était l'aînée et lui volait une partie de l'affection paternelle.

Pourtant, elle l'avait toujours protégé. Elle le couvrait quand il sortait la nuit en cachette. Lavait ses vêtements tachés de sang avant que quelqu'un ne les découvre. Détournait la conversation quand sa mère s'emportait contre lui.

C'était lui qui l'avait tuée.

Le savait-elle aussi ? Non ! Le doute l'avait peut-être effleurée, mais elle n'avait jamais eu de preuve, jamais de certitude.

Elle lui envoyait de l'argent chaque fois qu'il lui en réclamait. Sans poser de questions. Préférant ignorer les réponses. Soulagée de le savoir loin. Elle avait sa vie. Elle ne voulait rien savoir de celle de son frère.

Roulée en boule, elle s'entendait rire, sangloter, gémir de douleur et soliloquer.

Elle allait finir par perdre la tête.

Elle ne savait rien des poèmes, encore moins de ces femmes assassinées.

En revanche, elle avait tout de suite compris que la détective privée avait vu juste. Néanmoins, elle avait continué de couvrir son frère. Car c'était le rôle d'une grande sœur, son père le lui avait répété maintes et maintes fois. Et Nikki s'était toujours appliquée à honorer son rôle.

Or elle n'était pas prête à mourir pour son frère.

L'inspecteur Morestead parcourait les fichiers de Rachel pendant que sa coéquipière conduisait. Toujours tiré à quatre épingles, bien coiffé, rasé de frais, la cravate nouée avec soin, les chaussures impeccablement cirées, vingt-deux ans de bons et loyaux services dans les forces de l'ordre, dont dix à la brigade criminelle, Morestead était un homme de détail.

La rigueur de Rachel lui plaisait.

Sa partenaire, Lola Deeks, n'avait que cinq ans d'ancienneté et un look plus décontracté. Si elle portait les cheveux très courts, c'était pour gagner du temps le matin, lui avait-elle expliqué. Elle aimait les vestes de costume et les blazers flashy, préférait les tee-shirts aux chemisiers et ne se chaussait que de baskets, sauf quand il y avait de la neige.

Morestead ne les comptait plus, elle en avait toujours une nouvelle paire.

S'il était obnubilé par le petit détail, elle avait un fabuleux esprit de synthèse.

Tandis qu'elle filait sur l'autoroute, il lui lisait des extraits des rapports de Rachel. Ils discutaient et débattaient.

– Tiens… En voilà une autre qui a été tuée dans sa voiture… L'arme n'était pas la même. Une balle de 22 dans la nuque.

– On devait l'attendre dans sa bagnole, comme Potter, ouais… Tu dis que Potter est la neuvième sur trente-quatre ? Ça ne peut pas être un malheureux hasard. Si cette Nikki Bennett est souvent en déplacement professionnel, il se peut que la détective ait vu juste…

– Statistiquement…

– Ouais, ouais, les armes et les méthodes ne sont pas typiquement féminines. Les tueuses en série sont rares. Mais on attrape parfois des oiseaux rares.

– La détective a demandé à la police de vérifier si les déplacements de Bennett concordent avec les meurtres. Le mobile est mince, en tout cas.

– Pas tant que ça. Elle veut se venger des Rizzo : la mère, la fille, la nounou. Dans sa logique tordue, elle considère toutes les conquêtes de papa comme complices, et elle s'est mis en tête de les punir.

– Depuis tout ce temps… Il faut avoir une sacrée patience. Et il n'y a que la fille Rizzo qui a reçu des poèmes et des menaces.

– C'est elle qui compte le plus.

– La demi-sœur, oui…

– Les menaces forment une sorte de lien, un moyen de la tourmenter. Débile, certes, mais l'ego est parfois débile. On ne va pas tarder à sortir de cette maudite autoroute.

– Je vais appeler l'inspecteur en charge de l'affaire. Si on a le temps, on passera le voir.

Morestead chercha le numéro de Bower dans le dossier, le composa, et fut surpris qu'on lui réponde à la première sonnerie.

– Bonjour, inspecteur Morestead, de la Criminelle de Richmond. Dans le cadre d'une enquête sur homicide, nous pensons avoir établi un parallèle avec une affaire relevant de votre juridiction, grâce au travail d'une détective privée du nom de Rachel McNee, avec qui nous avons rendez-vous tout à l'heure.

En voyant son collègue se voûter, Lola lui jeta un coup d'œil interrogateur. Elle connaissait son langage corporel. Ce silence et cette tension n'auguraient rien de bon.

– Quand ? demanda-t-il en prenant des notes dans le calepin posé sur ses genoux. Elle est où, maintenant ? OK, on se retrouve là-bas. D'ici une quinzaine de minutes, ajouta-t-il après avoir consulté le GPS.

– Une de plus ? devina Lola quand il eut raccroché.

– La détective privée a pris quatre balles en sortant de son bureau. Environ une demi-heure après notre conversation téléphonique.

– Elle est morte ?

– Non. À l'hôpital.

JJ fit un petit détour par le Reagan National Airport, où il laissa la voiture de sa sœur sur le parking longue durée, et jeta sa combinaison tachée de sang à la poubelle, enfermée dans un sac plastique.

Il n'eut pas trop de mal à crocheter un minivan d'un autre temps, sans alarme. Y transféra ses bagages, ses armes, ses outils. Démarrer ce vieux tacot fut un jeu d'enfant, si bien que dix minutes plus tard il reprenait déjà la route.

Le réservoir était presque vide. Il s'arrêterait prendre de l'essence, et il trouverait un coin tranquille où changer les plaques d'immatriculation. Mieux valait prévenir que guérir.

Il ferait peut-être une halte à un relais routier, histoire de manger un morceau et dormir un moment. Il lui restait quelques-uns de ces cachetons qui lui filaient un bon coup de fouet mais il avait le temps : un peu de repos ne lui ferait pas de mal.

Il n'était pas si pressé que ça, et il voulait savourer. Les flics étaient trop cons pour faire le rapprochement entre une journaliste tuée en Virginie – même pas une journaliste, une présentatrice de journal télévisé ! – et une détective privée butée à Washington.

Ces ânes tourneraient un moment après leur queue et, pendant ce temps, il aurait réglé son compte à la bâtarde de son père. Celle à cause de qui il était orphelin.

Sur son smartphone, il repéra un relais routier. Il aimait bien les camionneurs. Plus d'une fois, il leur avait confié des lettres à poster de tel ou tel endroit. Un petit jeu entre lui et sa douce, leur disait-il, et il leur offrait un café.

Cette fois, il n'avait pas de poème à faire expédier. Il en écrirait un, peut-être, un dernier, qu'il laisserait sur son corps ensanglanté, son corps brisé.

Ouais, bonne idée ! On le publierait dans la presse, sur Internet. Des salopes comme celle qu'il venait de zigouiller déclameraient solennellement son œuvre à la télé. Excellent ! Il deviendrait célèbre. Papa aurait été fier de son fils…

Signer, donc, cette fois. Pas de son nom, bien sûr. Un pseudo. Le Barde. Son père aimait Shakespeare. Le Barde, oui, bel hommage.

Il allait se commander un steak, des œufs sur le plat, des *hash brown*, un bon café bien corsé, et il composerait les plus beaux vers qu'il ait encore jamais écrits.

Il les lui lirait avant de l'achever.

Puis il prendrait des photos du cadavre et il irait s'occuper de sa frangine, la vraie. Pas de poésie, pour elle, juste une balle dans la tête. Vite fait bien fait.

Dommage, il ne pourrait plus lui taxer de fric, mais elle en savait trop et les bonnes femmes étaient incapables de tenir leur langue.

Il y avait des objets de valeur dans la baraque. Il se servirait.

Ensuite, il rentrerait dans le Wyoming. Savourer le repos du guerrier avant de poursuivre sa mission. Tranquillement. Car on ne bâclait pas l'œuvre de sa vie.

Tandis que JJ attaquait son steak et ses œufs, Morestead et Deeks sortaient de l'ascenseur, au niveau des blocs opératoires de l'hôpital, et tous deux reconnurent instantanément un collègue dans l'homme qui arpentait le couloir, en tee-shirt et jean large, le regard noir.

– Inspecteur Bower ? l'interpella Morestead en lui montrant son insigne.

– Non, sergent Mooney. C'est ma nièce qui est sur le billard, la fille de ma sœur. Bower et Wochowski viennent de descendre.

– Nous sommes désolés pour votre nièce, sergent, compatit Deeks, puis elle fit les présentations. Vous savez où en est l'intervention chirurgicale ?

– Non, on ne veut rien me dire. Je sais juste qu'elle a reçu quatre balles. Qui sont déjà parties à la Scientifique. Deux dans la poitrine, ajouta-t-il en se frappant le torse, mais elle a réussi à appeler les secours. Pour vous dire de quoi elle est faite.

– On a un suspect ? demanda Morestead.

Mooney le fusilla du regard.

– Épargnez-moi les questions ridicules. Vous êtes là pour lui parler, vous avez relié les pointillés. Ou plutôt, elle les avait reliés pour vous. Si vous autres de la Crim' n'allez pas cueillir cette Nikki Bennett, c'est moi qui vais réveiller le juge et lui faire établir un mandat !

– Sergent, nous sommes sur l'affaire depuis moins de dix-huit heures, plaida Lola avec douceur, l'une de ses qualités. Apparemment, mon coéquipier est la dernière personne à avoir parlé avec votre nièce. En effet, elle avait relié les pointillés. Elle nous avait envoyé ses rapports. Si Bower et Wochowski n'obtiennent pas de mandat, nous avons suffisamment d'éléments, nous, pour que Nikki Bennett soit auditionnée, son domicile et son lieu de travail, perquisitionnés.

– Excusez-moi, je me suis emporté, désolé. Je me suis échappé cinq minutes de la salle d'attente. Besoin de respirer… Toute la famille est là : le mari de Rachel, ses deux enfants, ma sœur, mon beau-frère, ma femme, le frère et la sœur de Rachel.

– Je comprends. Mon frère faisait partie des victimes de la fusillade de Virginia Tech, en 2007. J'étais gamine. Je n'ai jamais eu aussi peur de ma vie que dans cette salle d'attente d'hôpital. C'est pour ça que je me suis engagée dans la police.

– Il s'en est sorti ?

– Oui. C'est le premier de la famille qui a décroché un diplôme universitaire.

– Ça fait plaisir, murmura Mooney en se passant les mains dans ses cheveux grisonnants. Je vous offre un café ?

Ils se dirigeaient vers le distributeur quand les portes de l'ascenseur s'ouvrirent de nouveau.

– Inspecteurs Bower et Wochowski… Morestead et Deeks.

Mooney attendit que tout le monde se serre la main pour s'enquérir :

– C'est bon, alors ?

– Le juge d'astreinte fait établir un mandat, répondit Bower. Wochowski a appelé le lieutenant, et j'ai eu la procureure… je l'ai tirée du lit.

– Une équipe va se rendre sur les lieux, perquisitionner le domicile de Bennett, que nous entendrons immédiatement, mon collègue et moi-même, déclara Wochowski. Si vous souhaitez assister à l'audition, vous êtes les bienvenus. Elle a de l'argent, ajouta-t-il, elle peut se payer un bon avocat. J'espère qu'on a un dossier en béton.

– Si c'est elle qui a tiré sur Rachel, enchaîna Bower, elle le paiera, sergent, vous pouvez me faire confiance.

– Votre nièce est toujours au bloc ? demanda Wochowski.

Mooney hocha la tête.

– Nous nous entretiendrons avec elle dès qu'elle sera en mesure de parler.

– On devait rendre visite à Bennett aujourd'hui, soupira Bower en se frappant la cuisse. Mais on a été appelés pour un double homicide…

– Moi non plus, je n'avais pas conscience de l'urgence… admit Mooney. J'aurais dû écouter…

En voyant apparaître une femme en sarrau vert, il s'interrompit et s'avança à sa rencontre.

– C'est vous qui avez opéré Rachel McNee ? Je suis son oncle.

– Oui, je me souviens. Docteur Stringer, se présenta la chirurgienne. Votre nièce est dans un état stable, mais nous la gardons en salle de réveil au moins douze heures. L'opération s'est bien passée.

– Pouvez-vous prévenir le reste de la famille ? Ils voudront la voir. Je comprends que ce ne sera pas possible pour tout le monde mais au moins son mari, ses enfants, sa maman, j'espère…

– Demain, promis. De toute façon, elle sera sédatée toute la nuit.

– Ils ne bougeront pas d'ici tant qu'elle ne sera pas réveillée.

– La cafétéria est ouverte vingt-quatre heures sur vingt-quatre. Son mari pourra demander un lit de camp, dès qu'on installera Mme McNee dans une chambre. Les blessures à l'épaule et au bras n'étaient pas trop méchantes. Les balles qu'elle a reçues au thorax ont par contre causé davantage de dégâts, comme on vous l'a expliqué. Elle s'est également ouvert le crâne, en tombant, je suppose. C'est un miracle qu'elle ait pu appeler les urgences.

– Vous ne connaissez pas Rachel.

La chirurgienne esquissa un sourire.

– Maintenant, je la connais un peu. J'espère qu'on mettra la main sur celui qui a fait ça.

– Comptez là-dessus. Je vous remercie, docteur. Vous permettez que j'aille voir la famille cinq minutes ? demanda Mooney aux policiers. Je tiens à entendre cette Bennett, moi aussi.

– Sergent…

– J'y tiens. Vous n'étiez pas née, mademoiselle, que j'étais déjà flic ; ne vous inquiétez pas, je ne ferai rien qui puisse compromettre l'audition, mais je veux être là quand vous passerez les menottes à celle qui a failli tuer ma nièce.

– Alors, nous vous attendons cinq minutes, pas plus. Nous devons repasser au poste, nous mettre en uniforme, briefer l'équipe.

– Nous venons aussi, déclara Morestead. En observateurs, ou en renfort si besoin. L'interpellation vous revient, chers collègues, mais nous devrons interroger la suspecte au sujet de notre victime.

– OK. Allez voir votre famille, sergent. Je suis heureux que votre nièce s'en soit sortie.

Mooney s'éloigna et disparut dans la salle d'attente, d'où l'on entendit bientôt des sanglots.

– Larmes de soulagement, murmura Deeks. Celles-là font plaisir à entendre.

Chapitre 29

Comme la douleur persistait, Nikki reprit des antalgiques. Elle avait les oreilles qui bourdonnaient et de plus en plus mal à la tête, alors qu'elle était sûre d'avoir atteint le summum du supportable. Des marteaux piqueurs lui burinaient le cerveau. La chaîne était trop courte pour qu'elle se mette debout. Elle pouvait seulement s'accroupir. Chaque fois qu'elle essayait, elle avait le vertige et devait se rasseoir.

Lorsqu'elle ne vomissait pas.

Alors, elle avalait des comprimés.

Parfois, elle entendait des voix. Elle retenait sa respiration, prête à appeler au secours, puis elle se rendait compte que ce n'était qu'une illusion. À part JJ, personne ne pouvait pénétrer dans la maison.

Elle somnola, refit surface, le cœur au bord des lèvres, parcourue de tremblements, les yeux en feu et les oreilles sifflantes. Des coups lancinants dans le crâne. Cette migraine atroce.

Quoique…

Non, cette fois, les coups ne résonnaient pas seulement dans sa tête.

On frappait à la porte ? Personne ne pouvait entrer, non, mais si elle criait assez fort, on l'entendrait peut-être. Se redresser, s'emplir les poumons d'air et crier le plus fort possible.

Tant bien que mal, en sanglotant, elle tenta de se stabiliser sur ses jambes flageolantes, puis elle inspira un grand coup et poussa une sorte de croassement éraillé. Prise de vertige, elle s'effondra face contre la faïence des toilettes.

Du sang jaillit de son nez cassé, ses deux incisives du haut se plantèrent dans sa lèvre inférieure avant de se déloger de sa mâchoire. Une douleur intenable la submergea, et elle retomba inerte sur le carrelage.

Dehors, Bower tambourinait contre la porte.

– Aucune lumière nulle part, déclara Deeks après avoir fait le tour de la maison. Pas de voiture. En principe, elle a une Mercedes toute neuve, qu'elle a fait immatriculer récemment.

– Elle a dû prendre la fuite. Enfoncez la porte, ordonna Bower à un agent en uniforme.

L'opulent battant d'acajou céda au troisième coup de bélier.

– Police ! annonça l'inspecteur tandis que ses hommes pénétraient dans la maison. Nous avons un mandat de perquisition. Sortez ! Les mains en l'air !

Deeks alluma la lumière.

– Merde… dit-elle en se baissant pour examiner des taches de sang séché sur le carrelage. Elle n'est peut-être pas en cavale…

– Inspectez toutes les pièces.

– Ces vieilles maisons coloniales sont souvent des labyrinthes, souligna Mooney tandis que les officiers se dispersaient entre le rez-de-chaussée et l'étage.

Revolver au poing, Lola ouvrit une penderie. Morestead se dirigea vers le fond du couloir. Wochowski fit le tour de la salle à manger, du salon. Mooney s'avança vers une porte à demi dissimulée sous l'escalier. Sans doute un débarras, ou des toilettes. En tournant la poignée, il perçut des relents de vomi mêlés à l'odeur du sang.

– Par là ! cria-t-il avant d'enfoncer la porte. Oh merde… Appelez une ambulance ! lança-t-il en dégainant son arme et en s'accroupissant auprès de Nikki pour lui tâter le pouls.

Deeks accourut et se pencha par-dessus son épaule.

– Elle est vivante, constata Mooney. Bon sang… Elle doit être là depuis un bout de temps.

– Certaines traces de sang sont fraîches. Un coupe-boulon, s'il vous plaît ! cria Deeks.

Mooney étendit Nikki sur le côté, afin qu'elle ne s'étouffe pas dans son sang.

– Elle s'est cassé les dents récemment. En tombant contre la cuvette, sûrement. Regardez les éclaboussures… Les hématomes sont plus anciens, la fracture du nez aussi…

Deeks poussa le carton d'archivage du pied.

– Il y avait de quoi manger, là-dedans. Céréales, crackers, trognons de pommes, peaux de bananes. Un flacon d'Advil. Presque vide. Celui qui l'a enfermée là ne voulait pas qu'elle meure tout de suite.

Bower s'avança sur le seuil des toilettes.

– Oh bon sang… marmonna-t-il. Elle est dans un sale état. L'ambulance arrive. On a lancé un avis de recherche pour la bagnole.

– Lancez-en un aussi pour le frère, suggéra Mooney.

Bower acquiesça de la tête, en regardant tristement la jeune femme enchaînée.

Nikki revint à elle dans l'ambulance, le regard vitreux et révulsé.

– Ça va aller, lui dit Bower, tandis qu'un infirmier contrôlait ses signes vitaux. Vous êtes en sécurité, maintenant. Je suis inspecteur de police. Nous sommes en route pour l'hôpital.

– Pourquoi ? demanda-t-elle d'une voix faible, avec un gémissement. Oh ma tête… Je ne sens plus mon visage…

– Nous vous avons donné quelque chose pour calmer la douleur, lui dit l'infirmier. Elle est en état de choc.

– Je vois ça. On arrive bientôt, madame. On va s'occuper de vous. Pouvez-vous me raconter ce qui s'est passé ? Qui vous a fait ça ?

Nikki se sentait cotonneuse, nauséeuse, engourdie, glacée. Mais elle devait continuer de remplir son devoir. Une force supérieure le lui dictait.

– Sais pas… Sonné à la porte… Il m'a poussée. Un coup de poing… Suis retrouvée dans les toilettes. Attachée.

Un sanglot la secoua.

– Connaissiez-vous cet homme ? L'avez-vous reconnu ?

– Non… m'a frappée. Pourquoi… murmura-t-elle, les yeux fermés, feignant de fouiller dans sa mémoire. Exp… Expérience, articula-t-elle. C'est ce qu'il a dit, je crois. Sais plus. Il riait… Aïe… J'ai mal…

– À quoi ressemblait-il ? Pourriez-vous le décrire ?

Elle se remémora celui pour qui elle en pinçait, à l'université, ce garçon qui l'avait snobée, ridiculisée, rabaissée.

– Grand… Jeune. Brun, frisé… Les yeux bleus. Très bleus. Oui, je revois ses yeux… Un beau visage. Des fossettes quand il souriait. Un accent… du Sud. Léger. J'ai tellement mal… Je suis si fatiguée…

De nouveau, elle ferma les yeux et laissa son esprit dériver.

JJ ne pouvait plus lui faire de mal, ici. Elle reprendrait bientôt le cours de sa vie. Peu lui importait qu'il s'en prenne à d'autres. Elle avait assez payé. Elle n'était pas responsable.

À l'hôpital, Bower rejoignit son coéquipier, Mooney, ainsi que ses deux confrères de Richmond.

– Elle dit ne pas connaître le type qui l'a séquestrée, leur rapporta-t-il. Mais ce qui m'étonne, c'est qu'elle m'en a dressé un portrait assez précis, dans l'état où elle est, avec les drogues qu'on lui a données… Brun, frisé, les yeux bleus, des fossettes et l'accent du Sud. Rien à voir avec son frère, tout du moins avec la photo de lui dont on dispose.

– Un inconnu l'aurait enfermée dans les chiottes avec de quoi manger et des antalgiques, pour se barrer avec sa voiture ? Deux jours avant qu'on essaie de tuer ma nièce ? Je n'y crois pas une seule seconde ! tonna Mooney.

– Elle a de nouveau perdu connaissance. On la réinterrogera plus tard. Elle a aussi parlé d'expérience… Mais elle ne semblait pas très sûre de ce souvenir.

– On a lancé un avis de recherche pour le frère et la voiture, déclara Wochowski. J'aurais tendance à penser comme vous, Mooney, tout ça ne me paraît pas crédible. Mais quel intérêt aurait-elle à mentir ? Si son frère l'a enchaînée et tabassée, pourquoi le couvrir ?

Morestead haussa les épaules.

– Ils sont peut-être tous aussi cinglés les uns que les autres, dans la famille. Elle a un casier vierge, en tout cas. Vous pensez que le frère et la sœur pourraient être complices ? Qu'ils auraient eu un différend ?

– Possible, répondit Deeks. Mais même avec cette hypothèse, pourquoi le protéger ? Elle pourrait la jouer : « Oh, mon Dieu… mon frère… Qu'a-t-il fait ? Il m'a tout raconté… Il a perdu la tête. Jamais je ne l'aurais cru capable de faire ça. » Qui ne prendrait pas pitié d'une pauvre femme que son frère a défigurée, enchaînée et enfermée avec juste de quoi manger pour deux ou trois jours ?

– On l'interrogera à nouveau quand ils l'auront un peu requinquée, déclara Bower en regardant l'heure. À mon avis, on peut aller dormir un moment. Vous restez là, Richmond ?

– On veut lui parler nous aussi, répondit Morestead.

Sa collègue approuva d'un hochement de tête.

– On a des lits de camp au poste, mais je ne vous les conseille pas. Si vous pouvez vous faire rembourser une nuit de motel, vous dormirez mieux.

– Je vais prendre des nouvelles de Rachel, dit Mooney, mais je tiens à être là quand vous interrogerez Bennett. Toutes les deux dans le même hôpital… Si ce n'est pas un sale coup du sort… En tout cas, une chose est sûre, ce n'est pas elle qui a tiré sur ma nièce. Mais ça ne veut pas dire qu'elle n'y est pour rien.

– Une équipe est en train de perquisitionner son domicile. S'il y a quelque chose à trouver, ils le trouveront.

Là-dessus, Bower alla s'entretenir avec le médecin qui s'était occupé de Nikki Bennett.

La patiente avait besoin de calme et de repos, lui dit-on. Les coups qu'elle avait reçus au visage remontaient à plus de quarante-huit heures, de même que les lacérations au poignet.

Elle ne pouvait donc pas être l'auteure du meurtre de Richmond.

Outre la fracture du nez, une pommette fêlée, des blessures sévères à la bouche et au poignet, elle souffrait d'une commotion cérébrale. Susceptible d'entraîner confusion mentale et trous de mémoire.

En insistant, Bower fut autorisé à lui parler cinq minutes – durée qu'il comptait allonger un minimum. Après quoi, le médecin tenait à ce que la patiente ait huit heures de repos complet.

Parce qu'il était honnête, Bower appela Mooney. Et il convia l'inspectrice Lola Deeks – une perspective féminine pouvant se révéler utile.

– Comment vous sentez-vous, madame ? s'enquit-il du ton le plus aimable possible, au chevet de Nikki Bennett.

– Je ne sais pas trop… Fatiguée. Je suis à l'hôpital ?

– Oui, en sécurité. Personne ne vous fera de mal. C'est moi qui étais avec vous dans l'ambulance, tout à l'heure. Inspecteur Bower. Nous avons un peu bavardé. Vous vous souvenez ?

– Dans l'ambulance ? Non, je ne me rappelle pas.

– Ce n'est pas grave. Vous m'avez parlé de celui qui vous a séquestrée. J'aurais quelques questions à vous poser. Ensuite, je vous laisserai tranquille. Il était jeune, m'avez-vous dit. Pouvez-vous me préciser quel âge, à peu près ?

Nikki tourna son regard tuméfié en direction de Mooney et de Deeks.

– Qui sont ces gens ? Je ne les connais pas.

– Des collègues policiers. Nous sommes là pour vous aider et vous protéger. Quel âge avait selon vous l'homme qui vous a agressée ?

Nikki ferma les yeux. Vingt ans, avait-elle envie de répondre. Mais n'était-ce pas trop jeune ?

– Je ne sais pas… Entre vingt-cinq et trente ans… Désolée.

– Pas de problème. Il était blanc ?

– Oui.

– Comment était-il habillé ?

– Je ne me… en uniforme… Non… Si, peut-être… Je ne sais plus, je suis navrée.

– Pourriez-vous à nouveau me le décrire, le plus précisément possible ?

– Je… Grand…

– Quelle taille ?

– Plus grand que vous, je dirais. Un peu plus grand. Costaud. Brun, les cheveux bouclés… De beaux yeux bleus. Un beau garçon. Charmant, des fossettes, un léger accent. Un physique de jeune premier.

– Lorsque vous vous sentirez mieux, accepterez-vous de collaborer avec un dessinateur ?

– Je pourrais essayer. Mais là, je suis trop fatiguée…

– Vous m'avez parlé d'expérience… A-t-il prononcé ce mot ?

– Expérience ? Il a dit ça ? Je pleurais… Ça le faisait rire. Il m'a dit que j'avais des toilettes, de l'eau. De la nourriture. Des médicaments contre la douleur. Il m'a dit qu'il reviendrait.

– Ah oui ?

– Je… Je crois, oui. J'avais peur qu'il ne revienne pas. Mais j'avais peur aussi qu'il revienne. J'avais tellement peur…

– Est-il revenu ?

– Je ne crois pas… Je ne sais pas… Des fois, j'avais l'impression d'entendre des voix. Mais je ne suis pas sûre…

– Où rangez-vous habituellement les clés de chez vous et de votre voiture ?

– Dans une coupelle sur la console près de la porte. J'ai sommeil… J'ai besoin de dormir.

Mooney s'approcha du lit.

– Cet homme était-il là quand Rachel McNee est venue vous voir ?

Un frisson de frayeur parcourut l'échine de Nikki.

– Qui ?

– Rachel McNee, la détective privée.

– Ah oui. Non. Oui, je me rappelle la détective… Je venais juste de rentrer, il me semble. J'arrivais du supermarché. Pourquoi était-elle là ? Que voulait-elle ?

Nikki ferma les yeux.

– Ah oui… mon père… Je n'aime pas en parler. J'étais enfant. Je l'ai chassée, j'étais contrariée. J'ai refusé de la faire entrer… je crois… Alors elle est partie. Il était avec elle ? Il me semble qu'il a sonné juste après. Un peu après. J'ai cru que c'était elle qui revenait. J'étais furieuse. Quand j'ai ouvert, il a souri, et puis il m'a frappée.

– Sur le pas de la porte ? demanda Deeks. Dès que vous lui avez ouvert ?

– Jje… bredouilla Nikki.

Qu'avait-elle déjà dit ? Comment diable se souvenir de tout ce qu'elle avait dit, dans son état ?

– Je… je ne sais plus trop… Tout me paraît si flou. Il était tellement charmant… Je ne m'attendais vraiment pas… Je ne comprends pas pourquoi il a été aussi méchant avec moi. Excusez-moi, je n'en peux plus. Il faut que je dorme.

– OK, Nikki, reposez-vous, lui dit Bower en lui tapotant la main.

Puis ils quittèrent la chambre tous les trois.

– Pratique, maugréa Mooney, comme elle se souvient parfaitement de certaines choses et d'autres pas du tout.

– Vous n'avez pas tort… mais c'est peut-être dû au traumatisme. Quoi qu'il en soit, le trauma est bien réel.

– Certes, mais il ne l'empêche pas forcément de mentir, répliqua Deeks. À mon avis, elle ment.

– Je crois aussi. Qu'est-ce qui vous fait dire ça ?

– Elle avait un regard rêveur quand elle décrivait son agresseur. Comme si elle évoquait un amoureux… Si elle n'avait jamais vu cet homme, comme elle le prétend, comment se fait-il qu'il connaissait ces toilettes sans fenêtre cachées sous l'escalier ? Comment se fait-il que la chaîne avait juste la bonne longueur pour qu'elle accède au lavabo mais pas à la porte ? Je suis d'accord avec Mooney, je pense qu'elle nous mène en bateau. Emploieriez-vous le mot « méchant » pour quelqu'un qui vous a cassé la figure et enchaîné à un mur ? Non… Il y a quelque chose qui ne colle pas.

– Ce n'est pas faux… Un amant, peut-être ? En tout cas, nous n'en tirerons rien de plus ce soir. Demain à la première heure, nous irons faire un tour dans son quartier, interroger les voisins. Quelqu'un a peut-être vu ce type. Elle s'apprêtait à dire qu'il était en uniforme, mais elle s'est ravisée. C'était peut-être un livreur, ou un réparateur… Enfin bref, on verra demain. D'ici là, avec un peu de chance, on aura peut-être retrouvé sa voiture. Ceci dit, je suis debout depuis bientôt vingt-quatre heures, j'ai besoin de m'allonger un moment. Comme vous, j'imagine. Donnons-nous rendez-vous demain à 8 heures au poste et nous reviendrons la cuisiner. Si jamais l'un d'entre nous a du nouveau, il prévient les autres. Un agent restera en faction devant sa chambre, pour s'assurer que personne n'y entre, et qu'elle n'en sorte pas.

– Ça marche. Je vais prendre des nouvelles de Rachel.

– Si votre nièce se réveille avant 8 heures demain matin, et qu'elle se rappelle quelque chose, passez-moi un coup de fil. On finira par coffrer le coupable, sergent.

JJ gara le van sur une vieille piste forestière, à moins d'un kilomètre de Traveler's Creek. Le vieux minibus n'apprécia guère, mais il n'en aurait plus besoin longtemps. En revanche, il devait à tout prix dormir un moment et il ne tenait pas à ce qu'un crétin de flic ou un bon samaritain vienne zieuter par les vitres d'un véhicule garé sur le bas-côté.

Il avait envisagé de s'introduire chez Adrianne pendant son sommeil, mais comme il suivait son blog, il savait qu'elle avait un gros chien. Du reste, la maison était sûrement équipée d'une alarme.

En général, les alarmes ne lui posaient pas de problèmes, mais les chiens aboyaient. Et mordaient.

Mieux valait attendre que le clébard soit hors de la baraque.

Puisqu'il avait son plan en tête, JJ pouvait se reposer quelques heures, programmer le réveil sur son téléphone… disons… trente minutes avant le lever du soleil. Il partirait à pied, par la forêt, ses outils dans son sac à dos. Il avait étudié la configuration du terrain et repéré un coin d'où épier la maison.

Une fois qu'il se serait occupé du clebs, il fêterait ses retrouvailles avec sa petite sœur.

Des années qu'il attendait ce moment, songea-t-il en s'installant confortablement pour dormir.

Il lui délivrerait son dernier poème en personne.

Après une nuit agitée, renonçant à trouver le sommeil, Adrianne se leva à l'aube. Elle avait trop de choses en tête.

Elle était amoureuse, et elle ne savait pas par quel bout attraper ce sentiment. Alors elle le tournait et le retournait en tous sens, dans l'espoir de trouver une solution, comme chaque fois qu'elle était confrontée à un dilemme.

Or là, il ne s'agissait pas d'un programme de fitness ni d'une recette de cuisine ou d'une coiffure.

L'amour était quelque chose d'inclassable.

Et par-dessus le marché, sa mère qui allait débarquer… Il faudrait gérer la nouvelle donne de leur relation, complexe, qui prenait forme peu à peu, à petits pas circonspects.

Sans doute auraient-elles une discussion sur cette chose inclassable. Adrianne n'avait jamais abordé ce genre de sujet avec sa mère. Ni même simplement envisagé de l'aborder. Comment l'aborderait-elle ?

Au moyen de son téléphone, elle désactiva l'alarme et ouvrit les portes du balcon de sa chambre, puis elle contempla le soleil, flamboyant, qui se levait au-dessus de la forêt.

– Une belle journée qui s'annonce… dit-elle à Sadie qui la rejoignit, en lui posant une main sur la tête.

Elle avait aussi un tas de décisions, grandes et petites, à prendre pour le centre de loisirs. Elle ne devait pas se tromper, devait faire les bons choix, ceux que ses grands-parents auraient approuvés.

Auraient-ils préféré un sol en damier ou un sol uni pour l'aire de jeux extérieure ? Les deux leur auraient plu, sans doute. Leur petite-fille avait longuement soupesé la question, à 4 heures du matin.

Elle avait réfléchi aux variétés à planter dans les massifs, à la déco du bar à jus de fruits. Car mieux valait penser à ce genre de choses qu'à un demi-frère et une demi-sœur qui voulaient sa mort.

De toute façon, elle ne pouvait rien faire. Et elle avait horreur des situations qui échappaient à son contrôle. Elle ne pouvait que se fier à Rachel, dont elle espérait avoir des nouvelles dans la journée.

– Elle nous appellera si elle a du nouveau, hein ?

Adrianne se baissa pour caresser Sadie.

– Alors on attend qu'elle appelle. Viens, allons saluer le soleil, ça nous videra l'esprit.

Elle enfila un pantalon et un tee-shirt de yoga, se coiffa d'un bandeau dans les cheveux. Puis, pieds nus, elle descendit avec son tapis. Nuit agitée ou non, elle aimait se lever tôt, savourer la tranquillité du petit matin, l'idée que tout le monde dormait encore, à part elle, les oiseaux et Sadie.

Dans la cuisine, elle changea l'eau de la gamelle de la chienne, se remplit une bouteille et ouvrit les portes de la galerie, puis elle installa son tapis sur la terrasse à l'arrière de la maison. La chienne partit vaquer à ses occupations.

Quelque part, un pic-vert s'activait bruyamment, un faucon tournoyait dans le ciel. Les tomates du potager commençaient à rougir. Les hortensias plantés par ses grands-parents se paraient de grosses fleurs qui bientôt se teinteraient d'un bleu éclatant.

Une belle journée, pensa-t-elle de nouveau.

Pieds joints, les mains en prière, elle inspira profondément, puis leva les bras vers le ciel.

Caché entre les arbres, il l'observait.

Enfin ! Enfin, il la voyait, en chair et en os, pas sur un écran, pas au milieu de la foule, comme lorsqu'il était allé à New York quand elle avait été invitée au « Today Show ».

Elle était là, tout près. Seule.

Surpris qu'elle se lève si tôt, il avait failli pousser un cri de joie en la voyant apparaître sur le balcon de l'étage.

Le chien était plus gros qu'il ne pensait, mais en principe ça ne changerait pas grand-chose. Sadie. Il avait vu son nom sur le blog. Une femelle. Une chienne, comme sa maîtresse.

JJ aimait les chiens. Il détestait les chats – enfant, il en avait tué plus d'un –, mais il aimait les chiens. Il en prendrait peut-être un bientôt, se dit-il en chargeant son fusil.

Mais surtout pas une chienne, jamais de la vie ! Et hors de question de faire castrer un mâle. Un mâle avait besoin de ses couilles, non ?

Sadie s'approchait de la forêt en reniflant l'herbe, JJ épaula son fusil.

Viens là, ma grosse, plus près…

La chienne leva la tête et huma l'air – peut-être avait-elle senti sa présence. Il tira.

Le bruit, discret, ne parvint pas aux oreilles d'Adrianne, concentrée, dans la posture de Chaturanga.

Le chien fit deux ou trois pas titubants, puis il s'effondra.

– Fais de beaux rêves, lui chuchota JJ.

L'esprit serein, après quelques minutes d'échauffement, Adrianne maintint quelques secondes la position du Guerrier I, savourant les bienfaits de l'étirement, puis elle passa gracieusement dans celle du Guerrier II.

Son corps soupira de bien-être. Elle descendit plus bas sur ses jambes, le regard sur sa main avant. Lorsqu'elle le vit sortir des bois.

Soudain, tout se figea, et elle eut l'impression d'être transportée des années en arrière, à Georgetown. Non. Impossible. Elle l'avait vu basculer par-dessus la balustrade, et tomber. Se tuer.

Il était pourtant là, s'avançant vers elle avec un sourire maléfique.

Cours ! lui intima une voie intérieure. Mais avant qu'elle n'ait pu esquisser le moindre mouvement, il leva son arme.

– Ne bouge pas ou je tire. Je ne te tuerai pas, mais tu ne risqueras pas de m'échapper.

– Sadie ! hurla Adrianne en voyant celle-ci étendue sur le flanc.

Elle s'élança vers sa chienne, mais il lui bloqua le passage.

– Un pas de plus et je te colle une balle dans le genou. Ton clebs est juste endormi, dit-il avec ce sourire hideux.

Et Adrianne se revit à l'âge de sept ans, impuissante, sans défense.

– Je ne tue pas les clébards. Pour qui me prends-tu ? ricana-t-il. Ce n'est qu'une fléchette hypodermique. Du matos acheté dans le Wyoming rien que pour elle. Maintenant, on va rentrer dans ta baraque, on sera plus tranquilles. On a des tas de choses à se raconter, tous les deux, hein, petite sœur…

OK, elle comprenait, à présent. Le portrait craché de son père. En moins costaud, la coupe de cheveux moins soignée, trop jeune encore pour avoir les tempes grisonnantes. Mais exactement les mêmes yeux, le même regard plein de hargne.

Seulement, Adrianne n'était plus une enfant sans défense.

– Vous êtes Jonathan Bennett.

– Tu peux m'appeler « JJ », et me tutoyer.

– C'est donc toi qui m'envoies ces poèmes…

– J'en ai un nouveau, mais on verra ça plus tard. Allons discuter à l'intérieur.

S'ils restaient dehors, elle parviendrait peut-être à s'enfuir… Ou bien Sadie se réveillerait – s'il n'avait pas menti.

– On n'était que des enfants… toi, moi, ta sœur. On n'y était pour rien.

– Les enfants deviennent des hommes. Ou des salopes, ça dépend.

– Ta sœur aussi est là ? Elle est venue avec toi pour me parler ?

– Non. Nikki préfère ériger des murs, occulter. Elle est comme notre mère, excepté les cachetons et la picole. Elle est entre quatre murs en ce moment, et elle n'est pas près d'en sortir.

Du plaisir perçait dans sa voix. Pas de colère, pas de haine, mais un plaisir presque rêveur. Peut-être y avait-il moyen de le raisonner.

– Je ne sais rien de vous deux. Je…

– Bientôt, tu sauras tout. Allez, avance, et n'essaie pas de te barrer ou je t'explose le genou. Avance !

De nouveau, une lueur enragée s'alluma dans ses yeux.

– Rentre dans la baraque ! aboya-t-il. Ou je t'y traîne de force, la guibolle en sang.

Il n'hésiterait pas à tirer, elle le savait. Alors elle gravit les marches de la galerie, en s'efforçant de réfléchir malgré la peur.

Elle connaissait la maison, elle en connaissait chaque recoin. Pas lui. Faire diversion. Un instant de diversion, c'était tout ce dont elle avait besoin.

Des dizaines d'endroits où se cacher. Des dizaines de moyens de le mettre hors d'état de nuire. Mais il fallait faire diversion. Toutefois, avec un revolver dans le dos, ce n'était pas le moment de prendre des risques.

Mettre la main sur son téléphone. Dans la chambre. Branché sur le chargeur. Mettre la main sur son téléphone et appeler à l'aide.

Elle entra dans la cuisine, jeta un coup d'œil à sa série de couteaux. Éventuellement. Si l'occasion se présentait.

– Ferme les portes. À clé.

Elle s'exécuta, sans cesser de réfléchir.

S'il avait voulu la tuer, il l'aurait déjà fait. Il désirait lui parler, lui raconter son histoire, extérioriser sa rancœur. Se venger.

La faire souffrir avant de la tuer.

Dans ce cas, elle avait un peu de temps. Le temps de trouver des opportunités, de faire diversion.

– Grande maison, commenta-t-il en regardant autour de lui. J'ai grandi dans une belle baraque, mais je dois me contenter d'une pauvre bicoque, maintenant. Monte.

– En haut ?

– Tu as laissé les portes ouvertes. Tu te croyais en sécurité, hein, dans ta grande baraque ?

Pas de problème, elle ne demandait qu'à monter – son téléphone se trouvait à l'étage ! Dans l'escalier, elle réfléchit à d'éventuelles cachettes, de possibles armes : une lampe, un vase, un presse-papier, un ouvre-lettres.

– Pourquoi des poèmes ? Pourquoi m'envoyais-tu des poèmes ?

– J'étais bon en poésie. Gamin, déjà. Mon père était fier de mes poèmes.

– Ç'a dû être dur de le perdre.

– Je ne l'ai pas perdu, tu l'as tuée ! rétorqua JJ en la poussant du canon de son arme. Si tu n'étais pas née, il serait toujours en vie.

Habituée à contrôler sa respiration, Adrianne parvenait tant bien que mal à garder son sang-froid.

– Je ne savais même pas qui il était avant ce jour… Ma mère ne m'en avait jamais parlé. Elle ne parlait jamais de lui, à personne.

– Rien à branler. Il est mort parce que tu es en vie.

Elle jeta un coup d'œil à la statue de bronze qui trônait sur un guéridon, dans le couloir de l'étage.

– Ferme la porte à clé, ordonna-t-il en la suivant dans sa chambre.

Le téléphone sur le chargeur, à quelques pas. Faire diversion.

– Je ne sais pas pourquoi tu fais ça… Je ne comprends pas… bredouilla-t-elle, la voix tremblante.

Il la gifla du revers de la main, si violemment qu'elle tituba et s'écroula.

– Ferme la porte ! Fais ce que je te dis quand je te le dis ou je te casse les dents !

Elle se releva, ferma la porte du balcon. Et tous ses espoirs s'évanouirent quand il s'empara de son téléphone, le jeta sur le plancher et l'écrasa d'un coup de talon.

– Oh mince… dit-il, sourire en coin.

De son revolver, il lui montra le coin salon.

– Assieds-toi, je t'en prie. Dépêche-toi ! Si tu ne veux pas prendre encore un coup dans la gueule.

Elle saurait le contrer, la fois suivante. Il ne bénéficierait plus de l'effet de surprise. Il n'était pas beaucoup plus grand qu'elle, et elle était plus musclée, plus agile.

Mais il était armé.

Elle s'installa au bout de la banquette, du côté de la porte. Il se débarrassa de son sac à dos, le posa sur le plancher et s'assit dans le fauteuil.

– Voilà… On sera bien, ici, pour causer.

Chapitre 30

Dans le jardin, sous le soleil revigorant, les pattes de Sadie tressaillirent et ses paupières se soulevèrent. Elle tenta de se redresser, mais comprit qu'elle ne tiendrait pas debout, alors elle resta étendue dans l'herbe, haletante, désemparée.

Elle rendit le contenu amer de son estomac, puis reposa la tête au sol, en gémissant. Elle avait besoin d'Adrianne, et d'eau fraîche.

Quand elle parvint enfin à se relever, chancelante, au prix de nouveaux vomissements, elle se dirigea doucement en direction de la maison. Elle aurait voulu se rendormir, mais elle devait impérativement retrouver sa maîtresse et, surtout, étancher sa soif.

Elle s'arrêta près du tapis de yoga, le renifla. L'odeur d'Adrianne la réconforta quelque peu, mais elle en percevait aussi une autre, la même que tout à l'heure, juste avant qu'elle tombe. Une odeur humaine étrangère. Qui ne lui plaisait pas. Un grondement se forma dans sa gorge.

Les portes donnant sur la terrasse étaient fermées. Personne dans le studio de gym. Gravir les marches de la galerie fut long et laborieux, mais au sommet il y avait de l'eau, si bien que la chienne put se désaltérer tout son soûl.

Sa gamelle était vide mais elle n'avait pas faim.

Comme personne ne venait lui ouvrir, elle attendit patiemment, ainsi que sa maîtresse le lui avait appris. Avec un gémissement plaintif, elle leva les yeux vers l'escalier du balcon.

Elle n'avait pas la force de monter… Néanmoins, avec un soupir canin résigné, elle rassembla son courage et posa la patte sur la première marche.

Dans la chambre, JJ gardait son revolver braqué sur Adrianne.

– Cette baraque est beaucoup trop grande pour une petite nana toute seule.

– C'était la maison de mes grands-parents.

– Je sais. La vieille a clamsé dans un accident de bagnole, le pépé, de vieillesse. Ils tenaient une pizzeria. J'irai peut-être me payer une pizza, quand on en aura fini tous les deux. Tu te crois supérieure, tu te crois importante avec tes DVD, tes vidéos, ton blog, à dire aux gens comment ils doivent vivre, ce qu'il faut bouffer, avec tes exercices de gym à la con et les merdes que tu vends à prix d'or. Mon père était important, lui. Le Dr Jonathan Bennett. *Mon* père. Tu m'entends ?

– Oui. Il était professeur, un éminent professeur.

– C'était un intellectuel, plus intelligent que toi, plus intelligent que beaucoup de monde. Il n'est resté avec ma dépressive de mère qu'à cause de moi. Il m'aimait.

– Bien sûr, je sais.

– Il me protégeait.

– Tu étais son fils.

– Il est mort à cause de toi. À cause de ta mère, cette pute qui s'est fait engrosser et qui a essayé de l'embobiner. Je ne reconnais rien de lui en toi. Tu ne lui ressembles pas du tout. Elle a menti. Mais ça ne change rien à rien. Elle l'a allumé, comme toutes les autres. Un homme qui ne prend pas ce qu'on lui offre est un crétin et mon père n'en était pas un.

Le laisser raconter son histoire, pensa Adrianne, tranquillement assise sur la banquette, les mains sur les genoux, en parcourant la pièce du regard, en quête d'une arme potentielle.

Les chandeliers de sa grand-mère, massifs mais aisément maniables. La coupelle de cuivre achetée chez Maya – d'un bon poids qu'elle pourrait facilement jeter à la figure de JJ. Le coupe-papier sur le bureau, les ciseaux dans le tiroir du milieu.

Continuer à le faire parler.

– Les autres n'ont pas eu d'enfant. Tout du moins, elles n'ont rien dit. Pourquoi les avoir tuées ?

– La détective privée a retrouvé ce connard de journaliste, et il a encore bavé. Il le regrettera. Elle a déjà payé.

Un frisson glacial s'empara d'Adrianne et son ventre se noua.

– Comment ça ?

– Elle se croyait maligne, elle aussi, mais je suis d'une intelligence supérieure. Je tiens de mon père. Je l'ai butée. Elle s'est vidée de son sang sur le trottoir.

– Oh, mon Dieu…

Adrianne referma les bras autour de sa poitrine et se balança d'avant en arrière.

– Elle l'avait cherché. Elle n'aurait pas dû essayer de cuisiner ma frangine. Ha, ha… Au moins, Nikki ne dira plus rien.

– Tu… Tu as tué ta sœur ?

– Pas encore, répondit-il avec un rictus. Bientôt, et ce sera encore ta faute. Tu n'avais qu'à pas engager cette fouille-merde. Tu les auras tuées toutes les deux, comme tu as tué mon père. Tu as ruiné ma vie, tu m'as pris la seule personne qui m'aimait. Tu n'aurais pas dû avoir le droit de respirer.

– Rien de tout ça ne te rendra ton père.

– Je sais ! rétorqua JJ en frappant l'accoudoir du poing. Tu crois que je ne le sais pas ? Tu me prends pour un débile ?

Une lueur malsaine brillait dans son regard, et le cœur d'Adrianne cognait à tout rompre.

– Oh non, pas du tout ! Mais je ne vois pas ce que ces meurtres t'apportent. J'essaie de comprendre.

– Je le venge ! Un fils digne de ce nom se doit de venger son père assassiné.

Non, il était vain de chercher à le raisonner… En revanche, il était toujours possible de gagner du temps.

– Crois-tu qu'il souhaiterait cela ? Te voir ainsi gâcher ta vie ? Tu as dit qu'il te protégeait. Qu'il nourrissait pour toi de grandes ambitions. Tu aurais pu devenir professeur, comme lui. Ou poète. Tu écris si bien.

– Il m'a appris à m'affirmer, déclara JJ en se frappant le torse. Mes poèmes lui rendent hommage. Je t'ai réservé le meilleur pour la fin.

De la main gauche, il ouvrit le compartiment supérieur de son sac à dos et en retira une feuille de papier soigneusement pliée.

– Je te le lis ?

Elle ne répondit pas. Et se prépara mentalement. S'il voulait la tuer, hors de question qu'elle reste sagement assise là comme une enfant docile.

Il s'éclaircit la gorge.

– « Quand enfin nous serons réunis, justice sera accomplie. /Quand tu rendras ton dernier soupir, enfin je retrouverai le sourire. /Quand de mes mains ton sang coulera, mon chant de gloire retentira et de grande joie mon cœur battra. »

Avec un petit rire, il posa la feuille près de lui.

– Un peu plus long que d'habitude, parce que je voulais finir sur une note légère. Aujourd'hui est pour moi un jour heureux, un jour à marquer d'une pierre blanche. Le verbe « battre » est un clin d'œil ironique. Je vais te battre jusqu'à ce que tu en crèves.

Sur ces mots, il se leva. Adrianne prit une grande inspiration, prête à l'attaque.

C'est alors que Sadie bondit contre les portes vitrées, dans un tonnerre d'aboiements et de féroces grondements.

La diversion tant attendue ! Terrifiée, autant pour elle que pour sa chienne, Adrianne se détendit comme un ressort et décocha un kick circulaire dans la main droite de JJ, celle qui tenait le revolver. Elle enchaîna par un direct, mais ne le toucha qu'à l'épaule, alors qu'elle visait le visage. Néanmoins, son arme lui échappa.

– Cours ! cria-t-elle à Sadie. Va-t'en ! Vite !

Adrianne s'élança en direction de l'escalier, mais déjà il la rattrapait. Alors elle s'enferma dans une autre chambre.

Des endroits où se cacher. Des moyens de le mettre hors d'état de nuire.

– Tu vas le regretter ! proféra-t-il. Tu aggraves ton cas, je te préviens. Ta mort sera encore plus lente et plus douloureuse.

Elle s'empara du coupe-papier ancien sur le bureau de la chambre d'amis puis, sur la pointe des pieds, elle traversa la salle de bains communiquant avec la chambre adjacente.

Puisqu'il était réveillé de bonne heure, Raylan allait en profiter pour travailler un peu avant que ses enfants se lèvent et que la journée s'envole comme des aigrettes de pissenlit dispersées par le vent.

Mariah voulait qu'il enlève les roulettes de sa bicyclette. Il redoutait le pire, mais Bradley avait un vélo de grand, sa petite sœur était déterminée à pédaler sur deux roues, elle aussi.

Il avait promis de le lui apprendre.

Avant de descendre à la cuisine, il enfila un jean et un tee-shirt en hésitant : café ou Coca ?

Généralement, le Coca l'emportait et aujourd'hui ne fit pas exception à la règle.

Il fit sortir Jasper et savoura la première gorgée de caféine autant que le silence régnant sur la maison. Puis selon sa routine, immuable, il remplit la gamelle du chien, réchauffa un bagel et appela le chien afin de pouvoir ensuite prendre son petit déjeuner sans être dérangé.

Il avait à peine mangé une bouchée quand Jasper délaissa ses croquettes et poussa un jappement sonore.

– Chuut, tu vas réveiller les enfants ! Je voulais bosser au moins une heure, grommela-t-il en se levant pour jeter un coup d'œil par la fenêtre. Tiens… Elles sont matinales, aujourd'hui.

Dehors, Sadie aboyait à en perdre haleine. Sitôt la porte ouverte, Jasper fila comme une flèche.

– OK, c'est cool de voir sa chérie de bon matin… Mais taisez-vous, tous les deux, bon sang !

Alors qu'elle se contentait d'ordinaire de quelques « ouaf ! » joyeux, Sadie aboyait sans discontinuer, avec fureur, les pattes avant sur le portail.

– Qu'est-ce qu'il y a, ma belle ? lui demanda Raylan en lui ouvrant et en lui caressant la tête. Mais tu trembles… Où est Adrianne ?

Les chiens se mirent tous les deux à gronder, et Raylan s'aperçut que Sadie n'avait pas son collier. Adrianne ne l'emmenait jamais courir sans laisse… Paniqué, il rentra instantanément chercher son téléphone et ses clés. Et appela le fixe de Monroe et Teesha.

– Yo ! le salua celle-ci gaiement. Oui, Phineas, j'entends les chiens.

– Il s'en est pris à elle ! Je suis sûr qu'il s'en est pris à Adrianne ! J'y vais ! Appelle la police et occupe-toi de mes gamins.

– Hein ? Quoi ? Monroe ! Raylan pense qu'Adrianne a des ennuis ! Il y va. OK, Raylan, ne t'en fais pas, j'appelle le 911 et je viens chercher les petits. Monroe va venir avec toi…

Les deux chiens sautèrent dans la voiture avant Raylan. Monroe sortit de chez lui en short et tee-shirt de sport, une batte de base-ball à la main.

– Qu'est-ce qui se passe ? demanda-t-il en s'installant sur le siège passager.

– Sadie… Elle tremble… Elle est venue là sans Adrianne, sans collier. J'ai un mauvais pressentiment.

Raylan quitta l'allée en marche arrière, puis démarra sur les chapeaux de roues.

– Sadie ne se serait pas enfuie sans raison, dit Monroe en composant le numéro d'Adrianne. Elle ne répond pas… Vite !

Dans son lit d'hôpital, Rachel émit un son entre le grognement et le soupir. Ses paupières frémirent, puis elle entrouvrit les yeux. Assis à son chevet, son mari lui tenait la main.

– Reviens, chérie, reviens-moi…

Un long moment, son regard demeura absent.

– Ethan ?

– Oui, bredouilla-t-il en lui embrassant le bout des doigts, au bord des larmes. Enfin, tu es là, tu es réveillée. Tout va bien, mon amour. Ça va aller, maintenant.

De l'autre côté du lit, Mooney déposa un baiser sur le front de sa nièce.

– On ne se débarrasse pas comme ça d'une Mooney… Je vais chercher l'infirmière.

– Attends… murmura Rachel en lui saisissant la main. C'était Jonathan Bennett, je l'ai vu, juste avant qu'il tire. Il ressemble à son père.

– On est à sa recherche, ne t'inquiète pas.

– J'ai reçu un appel de Richmond… Je devais acheter de la glace, mais un inspecteur de Richmond m'a appelée… Son nom ne me revient pas… Tracie Potter a été tuée. C'est pour ça qu'il m'appelait, il voulait qu'on se voie.

– Il est là, à l'hôtel, avec sa collègue. Je vais les prévenir que tu es réveillée.

– Il m'a dit quelque chose…

Rachel s'interrompit, creusa dans sa mémoire. Tout en elle se réveillait et tout était affreusement douloureux.

– Bennett… Il s'est approché en me disant qu'il allait m'achever. Je ne sais pas pourquoi il ne l'a pas fait… Il me croyait morte ? Et il a dit : « Deux de moins, deux salopes de moins. » Potter et moi. Il va s'en prendre à Adrianne Rizzo, à Traveler's Creek. Alertez…

– Je m'en occupe, déclara son oncle en quittant aussitôt la chambre.

Quand la porte se fut refermée, Rachel tourna la tête vers son mari.

– Les enfants ?

– Ils étaient là. Tout le monde était là. Ils vont bien, et ils iront beaucoup mieux quand je leur annoncerai que tu es réveillée.

– Je ne refuserais pas une petite injection de calmants… dit-elle avec un faible sourire. Pas pu acheter la glace. Désolée, amour.

La main de sa femme contre sa joue, Ethan laissa libre cours à ses larmes.

À l'oreille, Adrianne suivait chacun des mouvements de JJ, car il l'insultait et jurait sans arrêt, tandis qu'elle, pieds nus, se déplaçait en silence, la respiration parfaitement maîtrisée. Il était retourné dans sa chambre, où il avait oublié son revolver. Elle y avait pensé elle aussi, mais il l'avait devancée.

Elle n'osait pas emprunter l'escalier, de crainte de lui offrir une cible trop facile. Sortir par le balcon de sa chambre, peut-être… Mais elle ferait forcément du bruit en ouvrant la porte… Et elle avait beau courir vite, elle était moins rapide qu'une balle.

À cette pensée, sa gorge se serra.

Si elle n'avait pas le choix, elle tenterait de s'enfuir, mais elle avait une autre idée.

Toujours armée du coupe-papier, elle s'empara d'une coupe décorative et la jeta dans la chambre de l'autre côté du couloir.

Ça ne loupa pas, il accourut ; elle se faufila dans une autre pièce. Puis sur la pointe des pieds, elle revint sur ses pas et, cette fois, elle parvint à garder de l'avance. Des sueurs froides lui ruisselant dans le dos, elle dut attendre qu'il fasse le tour de chacune des chambres. L'oreille tendue, elle s'efforçait de contrôler son souffle.

Quand elle jugea le moment opportun, elle prit le risque de s'aventurer dans le couloir et se précipita dans sa chambre. Comme elle l'avait anticipé, la porte vitrée produisit un grincement. Elle se glissa sur le balcon et se plaqua contre le mur.

Presque aussitôt, il fit irruption dans la pièce, le regard furieux, revolver à bout de bras, et se rua vers le balcon.

Sans hésiter, de toutes ses forces, elle lui planta le coupe-papier entre les omoplates. Avec un hurlement de douleur, il pivota et la frappa de son revolver. Elle parvint presque à esquiver, mais le canon lui heurta la pommette.

Exploitant la douleur pour riposter, elle lui saisit le poignet, y enfonça ses ongles et lui tordit le bras. Il l'agrippa, lutta, elle résista. Il avait plus de force qu'elle n'aurait cru ; elle réussit presque à le déséquilibrer, d'une habile balayette, mais un direct du gauche la toucha à l'épaule. Elle répliqua par un violent coup de genou, percuta davantage la cuisse que l'entrejambe, mais elle vit la douleur lui déformer les traits.

Son visage tout près du sien, elle empoigna la crosse du revolver. Deux coups partirent.

Raylan bondit hors de la voiture avant qu'elle ne soit complètement à l'arrêt et se rua vers la porte d'entrée, fermée. Il courut jusqu'à une fenêtre, brisa la vitre d'un coup de coude et, sans se soucier des éclats de verre, passa le bras à l'intérieur et tourna la poignée.

Des bruits de bagarre résonnaient à l'étage. Il s'élança dans l'escalier. Deux coups de feu claquèrent.

Il n'éprouva aucune peur, seulement une rage aveugle.

Adrianne prit le risque de lâcher d'une main le revolver pour frapper JJ à la gorge. Il s'étouffa, toussa, cracha, mais avant qu'elle ne puisse récidiver, il lui allongea un coup de coude qui l'atteignit au menton et lui renversa la tête en arrière.

Elle vit des étoiles, des milliers d'étoiles. Il l'empoigna et la jeta au sol, comme son père l'avait fait des années plus tôt.

Elle eut le réflexe de se réceptionner sur les mains, mais il en profita pour lui arracher le revolver.

Et Raylan bondit sur lui.

Adrianne entendit le bruit horrible des coups de poing rencontrant des os, elle les vit s'étreindre et se disputer le revolver. En voyant que Raylan perdait du sang, elle se redressa d'un bond, en position de garde, prête à se jeter dans la mêlée.

– Cours !

Les dents serrées, elle ramassa le coupe-papier qui s'était délogé du dos de JJ. De nouveau, une détonation éclata et la balle érafla la rambarde en bois du balcon. Les chiens accoururent en grondant et en montrant les dents.

JJ poussa un hurlement de douleur quand des crocs se plantèrent dans son mollet, sa cuisse, son bras. Raylan s'empara du revolver. JJ s'écrasa contre la balustrade, qui se cassa dans un craquement pareil à un coup de feu et, comme son père, il tomba un étage plus bas.

Monroe lâcha sa batte de base-ball pour prendre Adrianne dans ses bras et la serrer contre lui.

– Ne regarde pas… La police arrive. J'entends les sirènes. On va appeler une ambulance.

Puis il la confia à Raylan en marmonnant :

– T'aurais pu m'ouvrir la porte…

– Désolé, murmura Raylan, le visage enfoui dans les cheveux d'Adrianne.

– Bah… Je me suis débrouillé… Je descends voir l'autre, et appeler Teesha. Elle doit se faire un sang d'encre.

Sur le bord du balcon, Sadie et Jasper aboyaient farouchement.

– Tout va bien, leur dit Adrianne. Taisez-vous. Bons chiens. Assis. Tranquilles.

En bas, Monroe annonça :

– Il respire ! Il est dans un sale état, mais son cœur bat toujours.

– Dieu merci, soupira Adrianne en posant la tête sur l'épaule de Raylan. Je ne voulais pas le tuer. Pas ici. Pas dans cette maison. Comment se fait-il que vous soyez là ?

– Sadie est venue me prévenir.

– Sadie… murmura-t-elle, et elle fondit en larmes.

Raylan lui embrassa les cheveux, puis il la prit dans ses bras et la souleva pour la porter jusqu'au bas de l'escalier.

Moins de vingt-quatre heures plus tard, Adrianne avait de nouveau une maison pleine de monde. Mimi, Harry, Hector et Loren étaient venus rejoindre ce qu'elle appelait « la brigade de Traveler's Creek ».

Les ouvriers et artisans du centre de loisirs s'étaient collectés pour lui offrir des fleurs, de même que les employés du restaurant. Les chiens croulaient sous les cadeaux : os à mâcher, balles, boîtes de biscuits.

Les amis formaient parfois comme une deuxième famille, et Adrianne était consciente de sa chance : elle avait des amis en or. Du reste, elle se sentait enfin complètement en sécurité.

Elle eut une longue conversation téléphonique avec Rachel, et pleura beaucoup.

Jonathan Bennett souffrait de multiples blessures : plaie par arme contondante entre les omoplates, œil tuméfié, traumatisme externe du larynx – infligés par Adrianne – ; fracture du nez, de la part de Raylan ; plusieurs morsures canines ; fractures du tibia, du coude, lésions internes et traumatisme crânien causés par la chute.

Ses jours n'étaient pas en danger, mais il passerait le reste de sa vie en prison, avait-on assuré à Adrianne.

Sa sœur Nikki avait fini par craquer. De son lit d'hôpital, elle avait fourni une longue déposition et déclaré que son frère lui avait confié avoir tué leur mère.

Dans les circonstances, aucune charge ne serait retenue contre elle.

Et dans les circonstances, Adrianne s'estimait heureuse de s'en sortir avec seulement quelques égratignures.

Elle avait répondu aux innombrables questions de la police, aux innombrables questions du FBI. Pour l'instant, elle refusait de répondre à celles des journalistes.

Elle n'aspirait qu'à une chose : reléguer cet épisode au rang des mauvais souvenirs.

À l'avant de la maison, les ouvriers réparaient la rambarde du balcon et remplaçaient les lattes tachées de sang de la galerie. Ils avaient entrepris les travaux sans qu'elle ne leur demande rien, dès que la police leur en avait donné l'autorisation. Elle leur en était infiniment reconnaissante.

Assise dans le jardin, à l'arrière de la maison, elle sirotait de la citronnade avec ses deux plus vieilles amies, tandis que dans la cuisine Jan et Mimi supervisaient les préparatifs du « barbecue le plus féroce du monde », selon les dires de Monroe.

Monroe, pensa Adrianne, précieux ami qui ne haussait jamais la voix, sauf en chanson, mais qui avait littéralement couru pieds nus sur du verre brisé pour venir à sa rescousse.

Elle contempla la pelouse, les montagnes à l'horizon, les toits de Traveler's Creek, les ponts couverts enjambant la rivière.

– Je crois que cet endroit est le plus beau de la Terre, murmura-t-elle.

– Parmi les plus beaux, convint Teesha. Je te l'ai déjà dit, je sais, mais Hector et Loren peuvent dormir chez moi ce soir, si tu as besoin de repos et de tranquillité.

– Ça me fait plaisir de les avoir à la maison. Je suis vraiment touchée qu'ils soient venus comme ça spontanément. Quand je pense que Joe a réussi à les emmener à la pêche… ajouta-t-elle en se tournant vers Maya.

– Il a été choqué d'apprendre que ni l'un ni l'autre ne savait monter un hameçon… Il jure qu'on fera griller des truites fraîches ce soir.

– Que Dieu le bénisse d'avoir aussi emmené Phin, Collin et Bradley, soupira Teesha.

– Si vous aviez vu la tête de Mariah quand il lui a proposé d'être de la partie… (Maya imita la moue de sa nièce.) « Toucher des vers de terre ? Mais quelle horreur ! » Elle est trop mimi, je l'adore.

– Moi aussi, renchérit Adrianne. Et j'adore notre univers, ajouta-t-elle en regardant Sadie et Jasper couchés l'un contre l'autre.

Lina les rejoignit, avec un verre rempli de glaçons.

– On m'a chassée de la cuisine, dit-elle en s'asseyant et en prenant le pichet de citronnade. Paraît que je gêne plus qu'autre chose… Mariah fait des biscuits en forme de cœur, mais moi, je suis *persona non grata*…

– Ça tombe bien, tu détestes cuisiner.

– Certes… Monroe a réussi à se faire admettre, lui. Il prépare des œufs à la diable.

– Une de ses spécialités. Ses œufs à la diable sont divins. Si je puis dire.

– Il a eu un débat enflammé avec Mimi et Jan sur la façon de les faire cuire pour les écaler facilement. En fait, je ne suis pas mécontente d'avoir été chassée, dit Lina en riant.

Maya et Teesha échangèrent un regard, puis toutes deux se levèrent. Teesha prit le babyphone.

– On va réveiller les petits, dit Maya.

Lina les suivit du regard, tandis qu'elles s'éloignaient.

– Tu as de bonnes amies, dit-elle. Moi, j'ai toujours eu Mimi. Harry et Marshal, aussi, mais je suis plus proche de Mimi. C'est important, d'avoir des amis sur qui compter.

Elle observa un instant Adrianne, puis caressa sa joue meurtrie.

– Je ne veux pas remuer le couteau dans la plaie, je me doute que tu as dû répéter dix mille fois les mêmes choses. Comme moi, à Georgetown. Heureusement que tu es forte, courageuse, intelligente.

– J'ai hérité tout ça de toi.

– En partie, mais tu t'es aussi construite par toi-même. Ce jour-là, à Georgetown, je me suis dit : cet incident ne la définira pas. Moi non plus. Mais surtout pas elle, je ferai tout pour ça. Ce drame ne t'a pas définie, mais il planait toujours au-dessus de ta tête. À présent, j'espère que tu pourras tourner la page.

– Y a intérêt !

– Toutes ces femmes qui ont perdu la vie pour rien… Et quand je pense qu'il aurait pu te tuer… Je ne peux pas m'empêcher de me demander ce que j'aurais pu faire différemment pour éviter ça…

– Rien, affirma Adrianne en posant une main sur celle de sa mère. Rien. Il ne ressemble pas seulement à son père physiquement, c'est un psychopathe, lui aussi. Il souffre des mêmes manques, des mêmes troubles de la personnalité. Je l'ai vu, chez l'un comme chez l'autre. Ma simple existence les rendait fous de rage. JJ m'a dit qu'il ne voyait rien en moi de son père. Moi non plus, je ne vois rien en moi de mon géniteur. Je suis une Rizzo, une pure Rizzo.

– Oui.

Sadie leva la tête, et Jasper l'imita.

– La voiture de Raylan. Il m'a dit qu'il avait deux ou trois trucs à faire. Il doit avoir fini, j'imagine.

Quand la voiture parvint au sommet de la colline, Lina se leva et traversa la pelouse. Puis elle prit Raylan dans ses bras et l'embrassa chaleureusement sur les deux joues, avant de s'éloigner. Il demeura un instant immobile, touché, amusé, puis il rejoignit Adrianne.

– Les effusions ne sont pas son genre… Tu viens de vivre un moment exceptionnel.

– J'en suis conscient.

Délicatement, il lui souleva le menton et examina son visage.

– Cobalt Flame a pris des gnons…

– Toi aussi, valeureux combattant.

– Mais on a vaincu le méchant. Avec l'aide de nos fidèles compagnons.

Raylan s'assit et sortit deux colliers pour chien du sac qu'il avait à la main, un rouge et un bleu, qu'il tendit à Adrianne. Elle lut ce qui était gravé sur les plaques.

– « Mme Sadie Wells. » « M. Jasper Rizzo. »

– Échange de noms, pour officialiser les choses.

– Trop mignon ! Viens, Sadie, que je te mette ton nouveau collier.

– Nous aussi, on devrait officialiser…

– Hein ? fit distraitement Adrianne en attachant le collier autour du cou de la chienne.

– Je comptais t'accorder un peu de temps. Beaucoup de temps, même. Mais ce n'est plus possible. Certains moments modifient le cours des choses. Je ne veux plus gaspiller aucun instant. Je t'aime. J'aime tout de toi. Je veux tout de toi. J'ai besoin de toi tout entière. Alors, épouse-moi. Accorde-moi ta main. Fondons une famille.

– Oh, Raylan, on commençait juste à s'habituer…

– On ne s'habitue jamais à être amoureux. Pas vraiment. Je suis fait pour vivre en famille, je suis fait pour être marié.

– Oui… Tu l'as été. Mais moi, je ne sais pas…

– Tu apprends vite. J'ai des bagages, je sais, mais mes bagages sont fous de toi. On pourra en faire d'autres, si tu veux.

– Des enfants ?

– Si tu en as envie. On aime tous les deux les enfants, mais le choix t'appartient.

– Je… bredouilla Adrianne.

Elle se leva, regarda au loin.

Une maison pleine de vie, pensa-t-elle. La maison de ses grands-parents. Son héritage.

– J'ai toujours voulu des enfants, murmura-t-elle.

– Tu as les miens. Et nous en aurons d'autres. Accepte de devenir Mme Adrianne Wells, et je serai M. Raylan Rizzo.

– Il n'y a que toi pour me faire rire dans un moment pareil, dit-elle en fermant les yeux. Sadie a su à qui s'adresser. Toi et Jasper. Je saurai aussi sur qui compter, en cas de besoin.

Raylan se leva, s'avança vers elle et lui saisit les mains.

– On peut se marier demain, ou l'an prochain. Et tu pourras organiser le mariage qui te plaira.

De sa poche, il retira un petit écrin, dont il souleva le couvercle, révélant un anneau d'or blanc incrusté d'un petit diamant.

Très sobre, pensa Adrianne. Il savait qu'un bijou flashy ne lui aurait pas plu.

– Mais j'espère de tout cœur un « oui » maintenant, dit-il. Tout le reste n'est que détails.

– Tu as choisi la bague parfaite. Je pourrais même la garder pour faire du sport. Elle correspond exactement à ce que je suis.

– Je sais ce que tu es. J'aime celle que tu es. Dis-moi oui.

Le regard au fond de ses yeux verts, elle caressa sa joue tuméfiée.

– Moi aussi, j'aime celui que tu es. Tu m'as dit un jour que tu pensais ne jamais tomber de nouveau amoureux. Je ne pensais pas connaître un jour les sentiments que j'éprouve pour toi.

– Est-ce un oui ?

– J'ai d'abord une question.

– Je t'écoute.

– Quand peux-tu venir t'installer ici ? Avec les enfants et Jasper, naturellement.

En souriant, il lui encadra le visage de ses mains.

– Demain ?

– Il faut qu'ils soient d'accord.

– Je leur ai déjà posé la question ce matin, pendant que tu faisais ta gym. Ils t'adorent. Je t'aime. Dis-moi oui, Adrianne. Dis-moi simplement oui.

Il l'embrassa sur le front, puis lui saisit les mains et les porta à ses lèvres.

– Moi aussi, je les adore. Et je t'aime. Oui, Raylan. Simplement oui.

Tellement simple, oui, pensa-t-elle. Peut-être parce qu'elle avait toujours su qu'il était l'homme de sa vie.

Quand il lui passa la bague au doigt, elle eut l'impression d'entendre un déclic. Et quand elle l'enlaça, elle pensa de nouveau : cet endroit est le plus beau de la Terre. Et maintenant, il est à nous.

Mise en pages par

PRESS·PROD

Imprimé au Canada

Dépôt légal : août 2021
ISBN : 978-2-7499-4643-6
LAF : 3073